GW01018940

UNIVERSALE
ECONOMICA
FELTRINELLI / SAGGI

UMBERTO
GALIMBERTI

I miti del nostro tempo

Opere XIX

Prima edizione in "Serie Bianca" novembre 2009
Prima edizione nell'"Universale Economica" – SAGGI gennaio 2012
Ottava edizione giugno 2019

Stampa Nuovo Istituto Italiano d'Arti Grafiche - BG

ISBN 978-88-07-88374-3

Alcuni brani di questo libro riproducono, opportunamente rielaborati, articoli apparsi su "Repubblica" dal 1995 al 2008. Ringrazio il direttore di "Repubblica" Ezio Mauro per avermi concesso di recuperare questi brani e integrarli nel libro.

Piano delle *Opere* di Umberto Galimberti:
volume I-III: *Il tramonto dell'Occidente nella lettura di Heidegger e Jaspers*
volume IV: *Psichiatria e fenomenologia*
volume V: *Il corpo*
volume VI: *La terra senza il male. Jung: dall'inconscio al simbolo*
volume VII: *Gli equivoci dell'anima*
volume VIII: *Il gioco delle opinioni*
volume IX: *Idee: il catalogo è questo*
volume X: *Parole nomadi*
volume XI: *Paesaggi dell'anima*
volume XII: *Psiche e techne. L'uomo nell'età della tecnica*
volume XIII: *Orme del sacro. Il cristianesimo e la desacralizzazione del sacro*
volume XIV: *I vizi capitali e i nuovi vizi*
volume XV: *Le cose dell'amore*
volume XVI: *La casa di psiche. Dalla psicoanalisi alla pratica filosofica*
volume XVII: *L'ospite inquietante. Il nichilismo e i giovani*
volume XVIII: *Il segreto della domanda. Intorno alle cose umane e divine*
volume XIX: *I miti del nostro tempo*
volume XX: *Cristianesimo. La religione dal cielo vuoto*
volume XXI: *La parola ai giovani*
volume XXII: *Nuovo dizionario di psicologia, psichiatria, psicoanalisi, neuroscienze*

Ancora a Tatjana,
per custodire il suo sorriso, la sua grazia, il suo silenzio

Il mito non è una fiaba, ma piuttosto un presentare certi fatti in un idioma non appropriato. Dunque far saltare un mito non è negare quei fatti, ma restituirli al loro idioma. Ed è proprio questo che noi tenteremo di fare.

G. RYLE, *Lo spirito come comportamento* (1949), p. 4.

Introduzione

> Vi prego, non siamo a scuola, e io non sono il vostro istruttore. Lasciate parlare le idee.
>
> J. HILLMAN, *Forme del potere* (1996), p. 23.

Conosciamo le malattie del corpo, con qualche difficoltà le malattie dell'anima, quasi per nulla le malattie della mente. Eppure, anche le idee della mente si ammalano, talvolta si irrigidiscono, talvolta si assopiscono, talvolta, come le stelle, si spengono. E siccome la nostra vita è regolata dalle nostre idee, di loro dobbiamo aver cura, non tanto per accrescere il nostro sapere, quanto piuttosto per metterlo in ordine.

La prima figura d'ordine è la problematizzazione di certe idee che, per ragioni biografiche, culturali, sentimentali o di propaganda, sono così radicate nella nostra mente da agire in noi come dettati ipnotici che non sopportano alcuna critica, alcuna obiezione. E non perché siamo rigidi o dogmatici, ma perché non le abbiamo mai messe in discussione, non le abbiamo mai guardate da vicino. Chiamiamo queste idee *miti*, mai attraversati dal vento della *de-mitizzazione*.

A differenza delle idee che *pensiamo*, i miti sono idee che *ci possiedono* e ci governano con mezzi che non sono logici, ma psicologici, e quindi radicati nel fondo della nostra anima, dove anche la luce della ragione fatica a far giungere il suo raggio. E questo perché i miti sono idee semplici che noi abbiamo mitizzato perché sono comode, non danno problemi, facilitano il giudizio, in una parola ci rassicurano, togliendo ogni dubbio alla nostra visione del mondo che, non più sollecitata dall'inquietudine delle domande, tranquillizza le nostre coscienze beate che, rinunciando al rischio dell'interrogazione, confondono la sincerità dell'adesione con la profondità del sonno.

Ma occorre risvegliarci dalla quiete che le nostre idee mitizzate ci assicurano, perché molte sofferenze, molti disturbi, molti malesseri nascono non dalle emozioni di cui si fa carico la psicoterapia, ma dalle idee che, comodamente accovacciate nella pigrizia del nostro pensiero, non ci consentono di comprendere il mondo in cui viviamo, e soprattutto i suoi rapidi cambiamenti, di cui i media quotidianamente ci informano senza darci un discernimento critico che ci consenta di intravedere quali idee nuove dobbiamo escogitare per capirlo. E tutti sappiamo che essere al mondo senza capire in che mondo siamo, perché disponiamo solo di idee elementari a cui restiamo arroccati per non smarrirci, è la via regia per estraniarci dal mondo, o per essere al mondo solo come spettatori straniti, quando non distratti, o disinteressati, o addirittura incupiti.

Per recuperare la nostra presenza al mondo, una presenza attiva e partecipe, dobbiamo rivisitare i nostri miti, sia quelli individuali sia quelli collettivi, dobbiamo sottoporli a critica, perché i nostri problemi sono dentro la nostra vita, e la nostra vita vuole che si curino le idee con cui la interpretiamo, e non solo le ferite infantili ereditate dal passato che ancora ci trasciniamo.

Critica è una parola che rimanda al greco *krínо*, che vuol dire "giudico", "valuto", "interpreto". Ogni giudizio, ogni valutazione comportano una *crisi* delle idee che finora hanno regolato la nostra vita, e che forse non sono più idonee ad accompagnarci nella comprensione di un mondo che si trasforma anche senza la nostra collaborazione. Chi non ha il coraggio di aprirsi alla crisi, rinunciando a quelle *idee-mito* che finora hanno diretto la sua vita, non guadagna in tranquillità, ma si espone a quell'inquietudine propria di chi più non capisce, più non si orienta.

Ma forse l'orientamento vuole proprio una de-mitizzazione dei miti un tempo funzionali e oggi dis-funzionali alla comprensione del mondo, vuole un radicale superamento dell'inerzia della mente, della sua passività, per un pensiero avventuroso che sappia liberarsi delle idee stantie, per incontrare le idee nuove, da non bruciare sul nascere, ma con le quali intrattenersi, perché le idee sono fragili come i cristalli, ma talvolta cariche di una forza capace di distruggere le nostre abitudini mentali.

Non sempre sono "idee chiare e distinte" come voleva Cartesio, spesso sono solo abbozzi di interpretazioni, che però consentono alla mente di allargare i suoi orizzonti, e a noi di diventare più tolleranti, perché più aperti e più capaci di comprendere, quindi di vivere.

Milano, 6 settembre 2009

MITI INDIVIDUALI

1.
Il mito dell'amore materno

> Tieni lontano il più possibile i figli, non lasciarli avvicinare alla madre. L'ho già vista mentre li guardava con occhio feroce, come se avesse in mente qualcosa.
>
> EURIPIDE, *Medea*, vv. 89-92.

Tutti sappiamo che l'amore materno non è mai solo amore. Ogni madre è attraversata dall'amore per il figlio, ma anche dal rifiuto del figlio. Talvolta il rifiuto ha il sopravvento sull'amore, e allora siamo a quei casi di infanticidio, il cui ritmo inquietante più non ci consente di relegare queste tragedie nella casistica psichiatrica e qui liquidarle nel perfetto stile della rimozione.

La ricorrenza di simili eventi, che la cronaca quasi quotidianamente ci riferisce, obbliga tutti noi a una riflessione più seria, che forse può prendere le mosse da questa semplice domanda: è cambiato qualcosa nel rapporto madri e figli, che la retorica dei buoni sentimenti custodisce e difende come la forma più sacra e indubitabile delle relazioni d'amore?

La risposta è: in parte no e in parte sì, ma entrambe le parti vanno esplorate per scoprire e per rendersi conto, là dove nulla è cambiato, se l'amore materno non sia sempre ambivalente, e là dove qualcosa è cambiato, se il modo odierno di fare famiglia non sia a volte responsabile di gesti che, per esorcizzarli, la pietà umana inscrive in quelle facili diagnosi che parlano di "raptus" o di "depressione".

Il *raptus* non esiste. È fanta-psicologia ipotizzare una vita che scorre normalmente e normalmente continua a trascorrere dopo l'eccesso. I raptus sono comode invenzioni per tranquillizzare ciascuno di noi e tacitare il timore di essere anche noi dei potenziali omicidi. La *depressione* invece esiste, ma di solito non porta all'omicidio, porta se mai al suicidio. E non quando si è depressi, ma quando si è in procinto di uscire dalla depressione, perché quando si è depressi non si ha neanche la forza di alzarsi dal letto o dalla sedia. Sgombriamo allora il campo da queste facili diagnosi e portiamoci ai nostri due scenari.

1. *L'ambivalenza dell'amore materno come effetto della doppia soggettività*

Caratteristica del sentimento materno è la sua ambivalenza, che solo il nostro terrore di sfiorare qualcosa che appartiene alla sfera del sacro non ci fa riconoscere. E così finiamo con il sapere troppo poco di noi e della potenza dei nostri moti inconsci. La retorica dei buoni sentimenti è una spessa coltre che stendiamo sull'ambivalenza della nostra anima, dove l'amore si incatena con l'odio, il piacere con il dolore, la benedizione con la maledizione, la luce del giorno con il buio della notte, perché nel profondo tutte le cose sono intrecciate in un'invisibile disarmonia. E scrutare l'abisso che queste cose sottende è compito ormai trascurato della nostra cultura che con troppa semplicità distingue il bene dal male, come se i due non si fossero mai incontrati e affratellati.

Condannare queste madri per i loro gesti è già nelle cose stesse, nel parere di tutti, e rasenta i limiti dell'ovvio. Ma in ogni condanna che rivolgiamo agli altri c'è un volgare rigurgito di innocenza per noi stessi guadagnato a poco prezzo. Con la condanna, infatti, vogliamo soprattutto evitare di vedere in noi stessi – a livelli più sfumati senz'altro, non così tragici – la stessa ambivalenza che da sempre accompagna i nostri sentimenti per i figli, figli d'amore certo, ma anche di fastidio e in alcuni casi di odio. Non ci sarebbero tanti disperati nella vita se tutti, da bambini, fossero stati davvero amati e solo amati.

E invece così non è, e non lo è soprattutto per la donna che, con la possibilità di generare e di abortire, sente dentro di sé, nel sottosuolo mai esplorato della sua coscienza, di essere depositaria di quello che l'umanità ha sempre identificato come "potere assoluto": *il potere di vita e di morte* che il re ha sempre invidiato alla donna che genera, e in mille modi ha cercato di far suo. Non sigilliamo l'evento nella sindrome depressiva, non releghiamolo subito nella psicopatologia. Non ci serve porlo ai limiti dell'umano, per procedere nella nostra rassicurante persuasione che per natura le madri amano i figli. L'amore, che come ci ricorda Norman Brown è "toglimento di morte (*a-mors*)",[1]

[1] N. Brown, *Life against Death* (1959); tr. it. *La vita contro la morte*, il Saggiatore, Milano 1973, p. 161.

confina con la morte, e sottilissimo è il margine che vieta di oltrepassare il limite che fa di uno sguardo sereno uno sguardo tragico.

Nella donna, infatti, molto più marcatamente che nel maschio, si dibattono due soggettività antitetiche perché una vive a spese dell'altra: una soggettività che dice "io" e una soggettività che fa sentire la donna "depositaria della specie".

Il conflitto tra queste due soggettività è alla base dell'amore materno, ma anche dell'odio materno, perché il figlio, ogni figlio, vive e si nutre del sacrificio della madre: sacrificio del suo tempo, del suo corpo, del suo spazio, del suo sonno, delle sue relazioni, del suo lavoro, della sua carriera, dei suoi affetti e anche amori, altri dall'amore per il figlio. Se poi il figlio è figlio dell'illegalità, del tradimento, della povertà, della paura, della sprovvedutezza, allora non solo il conflitto tra le due soggettività, ma anche l'impossibilità di prefigurare un futuro per il figlio scavano nell'inconscio della madre quel che non vuol vedere e constatare ogni giorno: che il proprio figlio è troppo distante, troppo dissimile dal proprio sogno o dal proprio desiderio. È a questo punto che l'ambivalenza amore-odio, comune a tutte le madri, si potenzia e chiede una soluzione.

Accettare la realtà quando questa è troppo distante dal proprio desiderio è per chiunque di noi il lavoro che ci affatica ogni giorno. Quando questa fatica supera oggettivamente o soggettivamente i nostri limiti, si affaccia come via di uscita il più terribile degli eventi: l'evento della morte. La morte propria o quella dell'altro, o entrambe, in quella tragicità spaesante quando l'altro è carne della nostra carne, e quindi non propriamente e per davvero un altro, ma io stesso nel corpo dell'altro.

Questa ambivalenza del sentimento materno generato dalla doppia soggettività che è in ciascuno di noi, e che il mondo delle madri conosce meglio del mondo dei padri, va riconosciuta e accettata come cosa naturale e non con il senso di colpa che può nascere dall'interpretarla come incompiutezza o inautenticità del sentimento. Da Medea, che come vuole la tragedia di Euripide uccide i figli che ha generato esercitando il potere di vita e di morte che ogni madre sente dentro di sé, alle madri di oggi che uccidono i figli da loro stesse nati, nulla è cambiato. Perché questa è la natura del sentimento materno e, piaccia o non piaccia, come tale va riconosciuto e accettato.

2. *La solitudine della condizione materna nell'isolamento del nucleo familiare*

Rispetto alle generazioni che ci hanno preceduto, la condizione della madre è mutata in corrispondenza alle trasformazioni subite dalla famiglia, che oggi si presenta in una forma troppo nucleare, troppo isolata, troppo racchiusa nelle pareti di casa che, divenute più spesse, la recingono e la secretano, creando l'ambiente adatto alla *disperazione*, che non è la depressione. Nel chiuso di quelle pareti ogni problema si ingigantisce perché non c'è un altro punto di vista, un termine di confronto che possa relativizzare il problema, o che consenta di diluirlo nella comunicazione, quando non di attutirlo nell'aiuto e nel confronto che dagli altri può venire.

Il nucleo familiare è diventato oggi un nucleo *asociale*. Quel che succede in casa resta spesso compresso e incomunicato. Quando si esce di casa, ciascuno indossa una maschera, quella convenuta, il cui compito è di non lasciar trasparire proprio nulla dei drammi, delle gioie o dei dolori che si vivono dentro quelle mura ben protette.

La tutela della privacy ha proprio nella famiglia il suo cono d'ombra. La non ingerenza nel privato, se da un lato è il fondamento della nostra libertà personale, è anche un fattore di disinteressamento reciproco, e quindi una macchina formidabile che crea solitudine e, nella solitudine, quell'ingigantimento dei problemi che la comunicazione sa ricondurre nella loro giusta dimensione, mentre l'isolamento rende di proporzioni tali da farli apparire ingestibili. Fino a quel limite raggiunto il quale l'unica via d'uscita sembra la soppressione violenta del problema, non importa in quale modo.

L'incapacità di gestire un regime familiare, in cui le difficoltà oggettive possono mescolarsi con i fantasmi della mente e con le speranze deluse, produce una tragedia che forse potrebbe essere evitata se quel nucleo familiare si aprisse e si rendesse permeabile allo scambio sociale. Così come accadeva presso i primitivi, dove i figli erano figli di tutte le donne del villaggio, come accadeva fino a un paio di generazioni fa anche da noi, in quanto la povertà facilitava la socializzazione e l'aiuto reciproco, in quell'incessante andare e venire tra vicini di casa che rendeva impossibile, quando non addirittura innaturale, l'isolamento della famiglia.

Privatizziamo tutto, liberiamoci il più possibile dal sociale che sa di stantio, e per molti puzza persino di comunismo, assaporiamo fino in fondo quella distorsione del concetto di libertà, per cui "in casa mia faccio quello che voglio", e poi ci accorgiamo che quello che "voglio" finisce con l'essere quello che "posso", anzi quello che da solo "non posso fare", perché senza sociale non si può gestire l'handicap, non si può accudire la vecchiaia, e neppure l'infanzia, se non con il sacrificio totale di un componente della famiglia, che a questo punto può veder chiusi i suoi orizzonti di vita e, in un momento di disperazione, fare il gesto che uccide.

L'isolamento riduce i contatti sociali e, per via di tale riduzione, potenzia gli oggetti d'amore che per la donna, relegata nella clausura della famiglia, sono i figli e il marito. Qui le dinamiche, oggi, si sono complicate terribilmente, perché l'uomo ha perso il potere che una volta aveva come autorità riconosciuta in famiglia. Bene o male che fosse, forse più male che bene, ma così era, oggi l'uomo, dimessa l'autorità, stenta a trovare un ruolo in famiglia che non sia quello un po' estrinseco di chi porta i soldi a casa. Per il resto lavora fuori casa e, stante la liceità dell'odierno costume, tende a erotizzare anche fuori casa. All'interno della casa resta solo l'amore incondizionato per i figli, più come idea, più come sentimento che come pratica quotidiana, di solito relegata alla moglie o all'esercito delle baby-sitter. La moglie è lì, spesso solo come anello che chiude il nucleo isolato del sistema famiglia.

È a questo punto che i figli diventano armi di ricatto. Dai ricatti che ogni giudice preposto alle separazioni conosce nei minimi e orrendi particolari, al ricatto estremo che solo il potere di vita e di morte, che è alla base del sentimento materno, conosce nell'atroce radicalità così descritta da Euripide: "Uccidere le tue creature: ne avrai il coraggio?" chiede il Coro a Medea. E Medea risponde: "È il modo più sicuro per spezzare il cuore di mio marito".[2]

Scenari paurosi dell'animo umano che vanno riconosciuti e accettati perché, se non sono portati alla coscienza, si traducono facilmente in gesto, talvolta infanticida. Non perché improvvisamente si è impazziti, ma perché da sempre si è vissuto con dei sentimenti che erano ignoti a noi stessi e, nell'isolamento impenetrabile in cui oggi vivono le famiglie, non si è avuto modo di comunicarli e, nella comunicazione, portarli alla coscienza e così diluirli, come sempre è avvenuto da che mondo è mondo e come oggi non avviene più.

E non avviene più anche perché è nel trend della nostra cul-

[2] EURIPIDE, *Medea*, vv. 260-263.

tura separare sempre di più i nostri atti dalle nostre emozioni, che li accompagnerebbero se ci fosse consentito esprimere i nostri sentimenti e non solo, alla perfezione, le nostre asettiche prestazioni. Questa separazione tra *azione* ed *emozione*, questa repressione delle emozioni, perché le nostre azioni e prestazioni non ne risentano, è il miglior terreno di cultura perché simili gesti si abbiano a ripetere. Non sappiamo più cosa accade dentro di noi, e le nostre azioni si compiono senza di noi.

Poi ci saranno le perizie psichiatriche che parleranno di depressione, di raptus improvviso, e accrediteranno questa tesi con tutte quelle parole vane che stanno al posto di due sole parole: *isolamento della famiglia* e assoluta *latitanza del sociale*. E, in effetti, se i valori che oggi circolano non sono più solidarietà, relazione, comunicazione, aiuto reciproco, ma business, immagine, tranquillità, tutela della privacy, c'è da chiedersi perché questi terribili fatti non devono accadere.

A ciò si aggiunga che i membri della famiglia e i vicini di casa hanno una capacità sorprendente di ignorare o fingere di ignorare che cosa accade davanti ai loro occhi, come spesso succede con gli abusi sessuali, la violenza, l'alcolismo, la follia o la semplice infelicità. Esiste un livello sotterraneo dove tutti sanno quello che sta succedendo, ma in superficie si mantiene un atteggiamento di assoluta normalità, quasi una regola di gruppo che impegna tutti a negare ciò che esiste e si percepisce.

Siamo al *diniego*,[3] che è il primo adattamento della famiglia alla devastazione causata da un membro, sia esso alcolista, o drogato, o pedofilo, o violento, o folle, o infanticida. La sua presenza deve essere negata, ignorata, sfuggita o spiegata con inverosimili giustificazioni, altrimenti si rischia di tradire la famiglia. Qui scatta quella che potremmo definire la "morale della vicinanza", che è quanto di più pernicioso ci sia per la coscienza privata, e a maggior ragione per quella pubblica.

Infatti, la morale della vicinanza tende a difendere il gruppo (familiare, comunitario) e a ignorare tutto il resto. E così finisce con il sostituire alla responsabilità, alla sensibilità morale, alla compassione, al senso civico, al coraggio, all'altruismo, al sentimento della comunità, l'indifferenza, l'ottundimento emotivo, la desensibilizzazione, la freddezza, l'alienazione, l'apatia, l'anomia e, alla fine, la solitudine di tutti nella vita della città.

[3] Sul diniego si veda l'ottimo studio di S. Cohen, *States of Denial. Knowing about Atrocities and Suffering* (2001); tr. it. *Stati di negazione. La rimozione del dolore nella società contemporanea*, Carocci, Roma 2002.

Non nascondiamoci l'ambivalenza dell'amore e dell'odio che sempre accompagna la condizione della maternità, ma non nascondiamoci neppure dietro il diniego di fronte a ciò che accade. A colpi di negazione non c'è evoluzione e neppure speranza per chi ha drammaticamente deragliato dal più comune dei sentimenti umani.

Allora, invece di concentrarci morbosamente sulla dinamica dei fatti, come la cultura dei polizieschi ci ha da tempo abituato, chiediamoci se, con la nostra strenua difesa del privato, non stiamo alle volte costruendo noi quell'isolamento del nucleo familiare che, senza sociale, non ce la fa a gestire problemi che non possono essere caricati solo sulle spalle di un padre o di una madre.

Con questo non intendo giustificare il gesto infanticida, ma denunciare la *cultura dell'isolamento* in cui la sacralizzazione del privato ha ridotto di fatto la famiglia, che troppo spesso registra in sé l'effetto del collasso sociale. Se infatti la società è solo la sommatoria delle solitudini delle famiglie, perché una famiglia inavvertita e inascoltata, e che a sua volta non ha voglia di farsi notare né di parlare, perché questa famiglia non può impazzire?

Qui non occorrono pareri di esperti. È sufficiente considerare che, se l'uomo è un animale sociale, quando gli si toglie la società, quella vera, sostituita con quella televisiva e poi con quella virtuale, perché un animale del genere non può impazzire? Non è invece la cosa più probabile? In queste condizioni, è molto facile "passare all'atto", come dicono gli psicoanalisti, cioè "sopprimere" il problema.

Un male comune, dunque, che talvolta può arrivare all'eccesso. Ma proprio perché è comune, proprio perché coinvolge tutti noi, non evitiamo di guardarlo e di rifugiarci nella comoda diagnosi di "raptus" o "depressione", da cui naturalmente ci sentiamo immuni. Piuttosto attiviamoci ad accudire le madri perché, per talune di loro, forse troppo gravosa è la metamorfosi del loro corpo, la rapina del loro tempo, l'occupazione del loro spazio fisico ed esteriore, interiore e profondo. E quando l'anima è vuota e nessuna carezza rassicura il sentimento, lo consolida e lo fortifica, il terribile è alle porte, non come atto inconsulto, ma come svuotamento di quelle risorse che fanno da argine all'amore separandolo dall'odio, allo sguardo sereno che tiene lontano il gesto truce.

Non basta che i padri assistano al parto, come è costume dei tempi, è molto più utile assistere madre e figlio nel logorio della quotidianità, accarezzare l'una e l'altro per creare quell'atmosfera di protezione che scalda il cuore e tiene separato l'amore dall'odio. Lavoro arduo, che tutti coloro che amano conoscono, in quella sottile esperienza dove incerto è il confine tra un abbraccio che accoglie e un abbraccio che avvinghia e strozza.

La natura contamina questi estremi. E la madre, che genera e cresce nell'isolamento e nella solitudine, conosce quanto è labile il limite. Non sa più cosa accade dentro di lei, e le sue azioni si compiono senza di lei. Per questo, natura vuole che a generare si sia in due, non solo al momento del concepimento e del parto, ma soprattutto nel momento dell'accudimento e della cura. Dove a essere accudita – prima del figlio che segue la sua cadenza biologica – è la madre, che ha messo a disposizione prima il suo corpo, poi il suo tempo, poi il suo spazio esteriore e interiore, infine l'ambivalenza delle sue emozioni che camminano sempre sfiorando quel confine sottile che separa e a un tempo congiunge la vita e la morte, perché così vuole la natura nel suo aspetto materno e crudele.

Un invito ai padri: tutelate la maternità nella sua inconscia e sempre rimossa e misconosciuta crudeltà. Questa tutela ha un solo nome: "accudimento", per sottrarre le madri a quella luce nera e così poco rassicurante che fa la sua comparsa nell'abisso della solitudine.

2.
Il mito dell'identità sessuale

> Di un essere che definiamo *un* uomo, *una* donna, dovremo poi dire il *come*: come è donna quella donna? E uomo quell'uomo? E troveremo che siamo tutti presi in un gioco di anamorfosi, sempre spostati, sempre obliqui, sempre almeno in parte eccentrici rispetto a quel significante, alla sua legge. Questa è la condizione della donna e dell'uomo moderni.
>
> N. FUSINI, *Uomini e donne. Una fratellanza inquieta* (1995), p. 8.

1. *L'identità sessuale tra natura e cultura*

La richiesta del sacerdozio per le donne, il lavoro della casalinga, la presenza di personale femminile nell'esercito, la scomparsa di professioni solo maschili, l'accettazione di nuove identità (travestiti e transessuali), la costituzione di famiglie omosessuali sono solo alcuni esempi in cui la differenza sessuale rifiuta di essere utilizzata per una ripartizione di ruoli nell'ordine sociale, come nella storia è sempre avvenuto ogniqualvolta l'*ideologia* ha cercato nella *fisiologia* la prova della propria verità.

Oggi, più o meno tutti sanno che nessun essere *per natura* è regolato in un sesso. L'ambivalenza sessuale, l'attività e la passività, per non dire la bisessualità e la transessualità, sono inscritte come differenze nel corpo di ogni soggetto, e non come termine assoluto legato a un determinato organo sessuale. Ma questa ambivalenza sessuale profonda, oggi accertata non solo dalla psicologia ma anche dalla biologia, è culturalmente rimossa, perché altrimenti sfuggirebbe all'organizzazione genitale e all'ordine sociale. Tutto il lavoro ideologico consiste allora nel disperdere questa realtà irriducibile per risolverla nella grande distinzione del *maschile* e del *femminile*, intesi come due sessi pieni, assolutamente distinti e opposti l'uno all'altro.

Ridotta la differenza dei *generi* alla differenza degli *organi sessuali*, il corpo, consegnato alla sua anatomia, rimuove la sua originaria ambivalenza per inscriversi in quello statuto sessuale che, se da un lato gli consente di entrare senza fraintendimenti nell'ordine sociale, è pur sempre una forma di segregazione, una definizione.

E in effetti la distinzione maschile/femminile fu il primo principio d'ordine intorno a cui si organizzarono le culture primitive, che non conoscevano alcuna forma di lavoro a cui partecipassero insieme uomini e donne. Se ad esempio, come ci riferisce Pierre Clastres a proposito delle tribù ameroinde,[1] gli uomini cacciavano, alle donne era lasciata la cura di raccogliere, se la foresta era lo spazio del maschile, l'accampamento lo era del femminile. Spazio del rischio, del pericolo, dell'avventura per l'uomo, la foresta era per la donna una pura estensione neutra tra due tappe. Al polo opposto, l'accampamento era lo spazio in cui la donna si realizzava e l'uomo si riposava. L'opposizione sessuale diventa così opposizione dello *spazio* e del *tempo* vissuti rispettivamente dall'uomo e dalla donna, diventa opposizione *socio-economica* tra un gruppo di produttori e un gruppo di raccoglitori-consumatori.

Gli Ameroindi, ci riferisce sempre Clastres, apprendono questa prima grande distinzione secondo cui funziona la loro società attraverso un sistema di proibizioni reciproche, per cui, ad esempio, è vietato alle donne toccare l'arco dei cacciatori e agli uomini maneggiare il canestro. In questo modo la sessualità si diffonde sugli oggetti che, perdendo la loro neutralità (*nec uter*), diventano segni che richiamano la necessità di non trasgredire l'ordine sociale che regola la vita del gruppo, per cui il cacciatore che per disavventura tocca il canestro perde la sua virilità, non può più andare nella foresta e deve rassegnarsi, caricandosi a sua volta di un canestro, a diventare metaforicamente una donna. Rinuncerà al canto solitario del cacciatore che di notte loda le sue imprese e magnifica il suo coraggio, per accompagnarsi al canto comunitario delle donne che di giorno, tutte insieme e mai sole, intonano i temi tristi della morte, della malattia, della violenza dei bianchi.

La *realtà sociale*, già nelle società arcaiche, è quindi il prodotto dell'*opposizione dei segni sessuali*, ma allora è l'opposizione che genera l'effetto di realtà. Giocata non sull'*essere*, ma sull'*avere* (il fallo), la differenza sessuale è la maschera eretta sull'elusione del corpo per dissolverne la profonda ambivalenza, che,

[1] P. Clastres, *La Société contre l'État. Recherches d'anthropologie politique* (1974); tr. it. *La società contro lo Stato. Ricerche d'antropologia politica*, Feltrinelli, Milano 1977, capitolo 5: "L'arco e il canestro", pp. 79-99.

mantenuta, non consentirebbe la divisione sociale dei sessi, dei ruoli e quindi del lavoro.

Il mito dell'identità sessuale non nasce allora da una fenomenologia del corpo vissuto,[2] né tantomeno da un'analisi del profondo, ma da quell'operazione logica che, risolvendo la *sessualità* nella *genitalità*, fa di quest'ultima il principio universale che la cultura ha sempre mantenuto intorno al sesso e al corpo, quasi l'*equivalente generale* dei valori sociali, il caposaldo e il richiamo ultimo delle istituzioni.

Ma allora la differenza sessuale, se da un lato è *la causa della riproduzione della specie*, dall'altro è *l'effetto della produzione sociale*, e questo non nel senso ovvio e scontato secondo il quale ogni riproduzione sessuale è sottoposta all'ordine di una cultura, ma in quello più profondo secondo il quale la differenza sessuale è giocata a livelli che oltrepassano a tal punto le modalità biologiche della riproduzione da far ritenere che quella differenza sia più "sessuata" che "sessuale".

Sembra, infatti, che fin dal tempo delle società arcaiche i rapporti sessuali abbiano dovuto incessantemente testimoniare, nella loro espressione, *altro* da ciò che sono. Testimoni *di*, ma al solo scopo di essere testimonianze *per*. Ma perché la sessualità non è mai stata al suo posto? Chi l'ha chiamata a testimoniare per *altro*, quindi a significare, a moltiplicarsi, ad apparire in tutti i luoghi, a dominare? E qui non si parla del dominio dell'uomo sulla donna, ma del dominio di un rapporto sociale su altri nella logica del funzionamento della società.

È a questo punto che la sessualità comincia ad allucinare: quando funge da segno e da ragion d'essere di ciò che essa non è, di ciò che non ha realmente rapporto con essa. Forse essa produce più fantasmi non quando ha a che fare con l'altro in persona, ma quando diviene altro da ciò che è, quando è costretta a ricevere da "altrove" un senso che essa propriamente non ha. Questo "altrove" è la società che, assumendo la sessualità come dispositivo significante, la rimuove come vicenda erogena, per diffonderla come significato universale.

[2] Si tenga presente in proposito la differenza tra il "corpo vissuto (*Leib*)" e il "corpo organico (*Körper*)" segnalata da E. Husserl in *Cartesianische Meditationen und Pariser Vorträge* (1931); tr. it. *Meditazioni cartesiane*, Bompiani, Milano 1960, dove a p. 107 leggiamo: "Tra i corpi di questa natura io trovo il mio corpo nella sua peculiarità unica, cioè come l'unico a non essere mero corpo fisico (*Körper*), ma proprio corpo vivente (*Leib*)". Su questa distinzione husserliana si veda anche U. Galimberti, *Il corpo* (1983), Feltrinelli, Milano 2002, capitolo 22: "Il corpo e l'organismo".

Se quanto abbiamo detto ha una sua plausibilità, la psicoanalisi dovrebbe leggere nei messaggi della sessualità tutto ciò che viene da *altrove*, e smetterla di trovare nella sessualità l'origine ultima delle significazioni sociali. Se percorresse questa strada, la psicoanalisi perderebbe un po' della mitologia che la circonda, ma in compenso, liberando la sessualità dalla sua significazione ulteriore, libererebbe l'uomo da quei fantasmi che proprio quell'ulteriorità e quella sua onnipresenza allucinatoria inducono.

Quando, come ci riferisce Bronislaw Malinowski,[3] nelle isole di Trobriand, tutti i figli assomigliano al padre, senza che a questi si riconosca il minimo contributo fisico nella procreazione, mentre la madre, genitrice riconosciuta dai suoi figli, non ha con essi alcuna somiglianza; quando i Bambara del Mali, come ci ricorda Germaine Dieterlen,[4] vedono nella coppia mitica iniziale la figura maschile "portatrice" dei semi e delle conoscenze, e la figura femminile "depositaria" dei semi e delle conoscenze; quando i Dogon, di cui ci dà conto Geneviève Calame-Griaule,[5] ritengono che nel corpo del maschio si trovi il "disegno" del figlio, i cui elementi si raccolgono nel "buon sangue bianco" che nella femmina fa "coagulare" la materia informe; quando la metafora compare anche in Aristotele che parla del maschio che, come principio attivo, "coaugula la materia femminile",[6] la distinzione che s'inaugura in queste diverse culture tra loro irrelate non è la differenza *biologica* tra il maschio e la femmina, ma quella *ideologica* tra il materiale e il modello, o, come direbbe il teologo Christoph Türcke,[7] che include tra queste analogie anche il mito cristiano della Vergine, tra la materia informe e lo spirito informatore.

A far apparire questa differenza gerarchica come perfettamente legittima, o addirittura conforme alle leggi di natura, provvede l'ideologia, che inventa ragioni per costruire una pratica che,

[3] B. MALINOWSKI, *Sex and Repression in Sauvage Society* (1927); tr. it. *Sesso e repressione sessuale tra i selvaggi*, Bollati Boringhieri, Torino 1974.

[4] G. DIETERLEN, *Essai sur la religion Bambara*, Ed. de l'Université de Bruxelles, Bruxelles 1951.

[5] G. CALAME-GRIAULE, *Ethnologie et language. La parole chez les Dogons* (1965); tr. it. *Il mondo della parola. Etnologia e linguaggio dei Dogon*, Bollati Boringhieri, Torino 2004.

[6] ARISTOTELE, *Riproduzione degli animali*, Libro II, § 4, 738 b, 11-15: "Alcuni maschi in effetti non emettono seme, ma quelli che lo emettono con l'impulso contenuto nello sperma operano il coagulo della materia femminile, così essi, con l'impulso che è contenuto in loro stessi nella parte donde viene secreto lo sperma, compiono lo stesso processo di coagulazione".

[7] CH. TÜRCKE, *Sexus und Geist: Philosophie im Geschlechterkampf* (1991); tr. it. *Sesso e spirito*, il Saggiatore, Milano 1995.

pur provenendo interamente dalla cultura, possa essere letta come espressione della natura. Ma perché la prova sia inconfutabile, deve apparire come un fatto "naturale", deve provenire, cioè, dalla "natura" stessa della donna. E che cosa c'è di più naturale e di più evidente del suo corpo?

Sottratte alla fisiologia, le differenze corporee diventano a questo punto il linguaggio con cui l'ideologia subordina la sessualità alle condizioni di produzione dei rapporti sociali, costringendola a tenere un discorso che non proviene da essa, e va più lontano, perché legittima, al di là di essa, l'ordine sociale a cui deve sottomettersi. In questo senso diciamo che non è la sessualità a produrre i suoi fantasmi nella società, ma è la società a produrre fantasmi nella sessualità, a marchiare il corpo e a costringerlo a recitare le iscrizioni del codice oggi incrinato dalla richiesta del sacerdozio da parte delle donne, dalla loro presenza nei ruoli tradizionalmente maschili dell'esercito e delle professioni, dalla costituzione di famiglie omosessuali, dal venire allo scoperto di identità che sfuggono all'univocità di una definizione sessuale. Certo si tratta di scenari tra loro molto diversi e apparentemente irrelati. Ma sottesa a tutti c'è l'esigenza di reperire, per la lettura della nostra società che si ritiene complessa ed evoluta, qualcosa di meno elementare e primitivo della differenza sessuale.

2. *L'identità sessuale tra natura e tecnica*

Come influiscono sull'identità sessuale le tecniche sempre più sofisticate che la scienza medica mette a disposizione della pratica sessuale? Penso ad esempio all'introduzione e all'uso degli anticoncezionali che, sciogliendo l'atavico nesso che legava il piacere sessuale alla riproduzione, sono stati l'unico vero fondamento della liberazione della donna. Solo dopo è giunto il femminismo come istanza ideologica a promuovere l'emancipazione della coscienza femminile che la biochimica aveva già emancipato nel solido e irreversibile registro della materia. Le donne sono uscite dalle mura di casa, dove erano corpi di servizio e corpi di riproduzione, per camminare lungo le vie della città di giorno e di notte come corpi di seduzione e corpi di bellezza.

Lo schema della relazione maschio-femmina si è così trasformato radicalmente. Il maschio, che conosceva solo il proprio corpo come corpo libero dalla catena della riproduzione, si è trovato di fronte un altro corpo liberato (biochimicamente liberato), e il suo schema di vita ha subìto un contraccolpo che lo ha obbligato a una trasformazione e a una rivisualizzazione di sé a cui nessuna idea, nessuna guerra, nessuna rivoluzione, nessun cambiamento culturale o epocale l'aveva costretto in termini così netti e perentori.

Liberata dal ritmo della natura a cui era inchiodata dall'origine del mondo, la donna, con il suo ingresso nella storia, che finora era stata esclusivo appannaggio del maschio, almeno in Occidente occupa sempre più posti di lavoro, e spesso di responsabilità, facendosi sostituire in casa dalle baby-sitter e dalle domestiche extracomunitarie, procrastina il desiderio di un figlio fino ai limiti dell'età fisiologica, costringendosi a scelte ansiogene, drammatiche e precipitate, libera sempre di più la sessualità rendendola spesso meno poetica e più pratica, sposta i limiti del comune senso del pudore costringendo le morali a fare delle contorsioni su se stesse per rendere tollerabile quel che un tempo era deprecabile, obbliga le terapie psicologiche a riconfigurare se stesse, perché la metafora sessuale, su cui queste avevano eretto i loro edifici, non tiene più né come tabù né, al limite, come desiderio.

Ma le conseguenze non finiscono qui. Quando la donna era inchiodata alla natura e l'uomo libero di mettersi in scena nella storia, la differenza sessuale era marcata dall'appartenenza ai due diversi scenari. Oggi che l'emancipazione femminile ha confuso gli scenari viene a galla un'altra verità: che i sessi sono meno diversi di quanto si pensi, anzi tendono a confondersi se non addirittura a scambiarsi.

Venuta meno la natura (anatomica) come referente, la tecnica, che ha liberato il corpo della donna, tende a confondere la natura con l'artificio, moltiplicando i giochi, smantellando il sesso come primo segno di identità, per offrirlo come eccedenza di possibilità. Scopriamo allora che nessuno è mai là dove si crede, ma ciascuno è sempre là dove il desiderio lo spinge. E siccome il desiderio non conosce limite, il sesso virtuale finisce con l'affiancare e sempre più sostituire il sesso reale che, costretto com'è negli angusti confini dell'opacità della carne, non trova altro da esprimere che una volgare meccanica e fisica carnale. Dal punto di vista del desiderio nulla di interessante.

A ciò irrimediabilmente conduce la perduta fede nella natura che le tecniche di concepimento e le tecniche di fecondazione hanno reso remoto e smarrito referente. Ma là dove non c'è referente non c'è limite, quindi non c'è norma, orizzonte, misura, identità da salvaguardare, differenze da mantenere per orientarsi in quell'universo di segni che la fissità della natura rendeva possibili, e che l'avvento della tecnica via via cancella restituendo al desiderio dell'uomo e della donna la loro erranza.

La dualità agonistica dei sessi cede il passo alla loro *indifferenziazione*, e una volta finita l'orgia, che è poi l'estasi del desiderio, uomo e donna vengono riconsegnati alla loro indifferenza affettiva, mentre, come scrive Baudrillard, amore assiste "al suo rapido declino nel firmamento dei concetti, quasi il tema astrale di un linguaggio stereotipato"[8] o, se si preferisce, qualcosa di così effimero da sopravvivere solo in ciò che resta della psicoanalisi o in quei cascami della religiosità che oggi trovano espressione in qualche siparietto della new age.

Fine della sessualità come destino inscritto nel rigido codice della natura, e liberazione di tutte le controparti sessuali inscritte in ciascuno di noi. In questa obliterazione della differenza sessuale, che fin qui aveva fatto da sostegno alla nostra cultura, ciò che si apre sono tutti i possibili percorsi, in quell'andare e riandare ormai erratico dove il desiderio, come scrive Jean Baudrillard, "sembra essere provocato e fatto brillare solo per essere deluso".[9]

Ma non è così. Da questo apparente dissesto, da questa confusione dei codici emerge forse una verità che la nostra cultura ha finora tenuto gelosamente nascosta, per evitare il crollo del proprio edificio costruito su basi ritenute solide, solo perché spacciate per "naturali". Ora che la tecnica ha sottratto alla natura la sua ineluttabilità, scopriamo che il corpo consegnato alla sua semplice natura non erotizza, perché non lascia spazio alla creazione dell'altro, mentre eros si dà solo là dove c'è costruzione, proiezione, invenzione.

Nessuno ama l'altro, ma, come ci ricorda Giovanni Gentile,[10] ognuno ama ciò che ha *creato* con la materia dell'altro. Qui cade la distinzione tra l'animale e l'uomo, il quale, a differenza dell'animale, non può fare a meno di percorrere lo spazio tra la natura e la sua trasfigurazione. Il futuro dirà con sempre maggior chiarezza queste cose che la nostra storia ha sempre saputo e taciuto, e cioè che anche nelle cose d'amore l'uomo ama solo la sua creazione, quindi, come ci ricorda Baudrillard, "non la natura, ma l'artificio".[11]

[8] J. Baudrillard, *Il destino dei sessi e il declino dell'illusione sessuale*, in Aa. Vv., *L'amore*, Mazzotta, Milano 1992, p. 86.

[9] Ivi, p. 87.

[10] G. Gentile, *Frammento di una gnoseologia dell'amore* (1918), in *Teoria generale dello spirito come atto puro*, in *Opere*, Sansoni, Firenze 1959, vol. III, pp. 11-13.

[11] J. Baudrillard, *Il destino dei sessi e il declino dell'illusione sessuale*, cit., pp. 83-91.

Ma l'artificio è evento tecnico. E allora, se vogliamo capire qualcosa delle trasformazioni antropologiche, cioè del diverso modo di essere uomini di epoca in epoca, non dobbiamo rivolgerci esclusivamente alle scienze umane, come sempre abbiamo pensato si dovesse fare, e neppure al mondo delle idee che sempre meno coinvolge gli uomini, il loro modo di pensare e fare società.

Non ci è di grande aiuto neppure la morale: né quella fondata sulla ricerca della felicità coniugata con la virtù come pensava Aristotele, né quella del dovere per il dovere come pensava Kant. Passioni per la giustizia sociale non aggregano più gli uomini, così come gli ideali religiosi che si contaminano e si diluiscono in quelle religiosità private e solipsistiche, nelle quali un dio minore cattura le solitudini di massa per comporle in quelle piccole comunità da new age, dove si cerca quell'armonia tra uomo e natura, tra anima e corpo, tra io e tu, che una sana alimentazione e qualche attimo di meditazione, a cui partecipa anche il corpo con i suoi gesti lenti e ritmati, lasciano intravedere come rimedio alla perdita di ogni orizzonte di riferimento.

Se vogliamo capire qualcosa delle trasformazioni antropologiche oggi dobbiamo rivolgerci alla *biochimica*. E precisamente a quei laboratori di ricerca scientifica dove si pongono le premesse per un cambiamento, nel modo di essere uomini, così profondo, che nessuna religione, nessuna filosofia, nessuna guerra, nessuna pace, nessun afflusso o deflusso di ricchezza, lento o repentino, avevano mai così radicalmente determinato.

Ma siccome siamo affezionati alle idee, che gli uomini hanno sempre ritenuto di produrre con la loro testa, ravvisando in questa produzione la loro differenza rispetto al mondo animale, rischiamo di non accorgerci che le nostre idee sono giustificazioni postume, qualcosa che viene dopo la scoperta biochimica, che ha sciolto in un giorno solidi nessi e stabili strutture su cui la storia dell'uomo aveva organizzato e interpretato se stessa.

Con la pillola anticoncezionale, un evento biochimico ha modificato il modo di essere uomini e donne e ha dato un volto nuovo alla società. L'apparire del corpo femminile, liberato dalla catena della riproduzione, ha esasperato la bellezza nelle forme del narcisismo più sfrenato, su cui il sistema della moda si è gettato come un avvoltoio sulla sua preda. E al seguito del sistema della moda, quello dell'alimentazione, dal supermercato di città all'ultimo ortolano di paese, per non parlare delle farmacie, vere e proprie drogherie dove si smerciano illusioni di bellezza e di psichico benessere.

Questi nuovi valori da vendere hanno contaminato anche la tribù maschile che ha iniziato a imitare il narcisismo femminile, ingentilendosi fino al limite dell'imprecisione sessuale. Scopo unico dell'esistenza sono diventati la bellezza e il protrarsi della giovinezza, in quella messa in scena dell'apparire che ogni giorno di più erode il terreno alla scena dell'essere.

Dopo la pillola anticoncezionale, un altro evento biochimico, il Viagra, la pillola che aumenta la potenza sessuale maschile e la protrae nel tempo, ha trasformato il modo di essere uomini e di fare società. In questa occasione anche la Chiesa cattolica non ha opposto una grande resistenza, ritenendo forse che, non essendo il corpo maschile corpo di riproduzione, non si sarebbe sconvolto l'*ordine naturale*, da sempre per la Chiesa il punto di riferimento di tutta la sua normativa etica.

A questo proposito notiamo per inciso che oggi la *natura* non è più norma, perché il mondo è per intero regolato dalla tecnica. Anzi la stessa natura può mantenere il suo ritmo solo se è tecnicamente assistita, perché troppa è la folla umana da nutrire e troppo alto è il livello di vita a cui gli abitanti del Primo mondo, senza limite, tendono. E qui il ritardo culturale del mondo religioso è enorme. Ma non è la religione il solo mondo che ancora crede che la storia sia tuttora regolata dalla *lentezza dello spirito* il quale, per effetto della sua venerabile tradizione, ancora recalcitra ad ammettere che a promuovere il tempo è ormai la *velocità della materia*, la quale imprime trasformazioni di tale portata da costringere lo spirito a inseguirle per prendere posizione a trasformazione avvenuta.

Potenza sessuale maschile incrementata e protratta nel tempo non significa, come potrebbe sembrare, un ulteriore incremento della cultura del piacere che dalla cucina, come abbiamo assistito in questi anni che hanno registrato un progressivo raffinarsi dei gusti alimentari, si sposta in camera da letto. Potenza sessuale maschile incrementata e protratta nel tempo significa innanzitutto una rivalutazione della vecchiaia, che vive la malinconia del desiderio senza oggetto e la frustrazione dell'impotenza che emargina dal mondo delle relazioni, per confinare il vecchio nel recinto nostalgico del ricordo senza speranza. Significa ritorno del piacere sessuale dal mondo visivo o acustico, in ogni caso virtuale, in cui l'impotenza maschile diffusa e il non meno diffuso timore dell'Aids in questi anni l'avevano confinato, alla pratica effettiva, dove forse più non servono le calde voci telefoniche o le immagini impossibili di una pornografia al di là dell'umano, che affondano nella solitudine di un piacere che altro non incontra se non i residui di una fisiologia in estinzione.

Rivalutazione della vecchiaia, ritorno alla pratica sessuale effettiva, forse diminuzione dei delitti sessuali, dove molto spesso la violenza è proporzionale alla rabbia dell'impotenza, e nuova riconfigurazione del regime della famiglia, nucleo originario dell'organizzazione sociale, che nell'ultimo secolo ha subìto, prima per effetto del benessere economico e poi per effetto dell'emancipazione femminile, le scosse più violente.

Espressione di un punto di equilibrio tra le ridotte possibilità economiche e le possibili soddisfazioni sessuali, in base a quel principio enunciato da Freud secondo il quale "gli uomini hanno sempre rinunciato a un po' di felicità per un po' di sicurezza",[12] la famiglia ha conosciuto nel secolo scorso un primo sfaldamento per le accresciute possibilità economiche, che hanno consentito a molti di essere economicamente sicuri senza essere familiarmente solidali.

Al benessere economico è seguita l'emancipazione femminile grazie alla pillola anticoncezionale, che ha permesso alla donna di mettere la testa fuori casa senza incresciose conseguenze. Priva dell'"angelo del focolare" fissato nel suo ruolo, la pigrizia maschile ha perso il suo orientamento e, con l'orientamento, la sua sicurezza. La debolezza di molti individui nella società, unita alla loro frustrazione, non poteva più compensarsi con l'arroganza in famiglia, e la potenza maschile, tradizionalmente riconosciuta dalla nostra cultura, si è tradotta in impotenza, in patetica rassegnazione, e in un'immagine di sé più consona a intraprendere itinerari depressivi piuttosto che performance di vitalità.

Oggi con la pillola della potenza lo scenario muta, e ancora non sappiamo in che senso e in che direzione. Che la gioia torni in casa è molto improbabile, perché i corpi vecchi non ringiovaniscono per un po' di vasodilatazione in più, mentre il fatto che amanti, fino a oggi impossibili, con la pillola della potenza diventano possibili, certo non contribuisce alla serenità familiare.

E allora perché la Chiesa, dopo tanti e decisi no a tutte le scoperte scientifiche che modificano i comportamenti sessuali naturali non ha fatto obiezioni alla pillola della potenza? Perché spera in un boom demografico in grado di abbassare il benesse-

[12] S. FREUD, *Das Unbehagen in der Kultur* (1929); tr. it. *Il disagio della civiltà*, in *Opere*, Bollati Boringhieri, Torino 1967-1993, vol. X, p. 602.

re economico, di riportare la donna in casa, e così ripristinare le condizioni che sono alla base della sua autoaffermazione, sconfiggendo quel nemico che è l'edonismo di chi ha molti mezzi e pochi figli da mantenere? Non lo sappiamo, e al limite neppure ci interessa, perché non abbiamo mai considerato "virtù" quel che è frutto di indigenza, impotenza e povertà, così come non abbiamo mai considerato "morale" quella precettistica ossessiva e ovunque disattesa che giudica l'onestà di un uomo o di una donna dal loro comportamento in camera da letto.

Quel che invece ci interessa è constatare che con la pillola della potenza, per la seconda volta in pochi anni, dopo la pillola anticoncezionale, la società muta la sua fisionomia, il suo assetto e la sua forma, non per effetto di idee, di convinzioni che guadagnano terreno, di rivendicazioni sociali o di rivoluzioni culturali, ma per eventi biochimici che nascono nel chiuso dei laboratori, dove il tempo scandito dalla ricerca tecnico-scientifica dimette ogni tratto qualitativo legato a un presunto soggetto storico, sia esso l'individuo, la classe, il popolo, la nazione, l'umanità, per diventare tempo scandito dal *lavoro della materia* rincorso dall'*impotenza dello spirito*.

E questo cosa significa? Significa, come scriveva Günther Anders, che "cambiare il mondo non basta. Lo facciamo comunque. E in larga misura questo cambiamento avviene perfino senza la nostra collaborazione". Il problema allora è quello di capire con categorie adeguate, che sono poi quelle tecnico-scientifiche, il senso del cambiamento che sfugge alle categorie umanistiche. E questo "affinché il mondo non continui a cambiare senza di noi. E alla fine non si cambi in un mondo senza di noi".[13]

3. *Eterosessualità e omosessualità: gli incerti confini tra norma e devianza*

Il legame affettivo tra persone dello stesso sesso è sempre esistito in tutte le culture e interpretato in alcune come evento naturale, in altre come evento contro natura. Siccome la natura, co-

[13] G. ANDERS, *Die Antiquiertheit des Menschen*, Band II: *Über die Zerstörung des Lebens im Zeitalter der dritten industriellen Revolution* (1980); tr. it. *L'uomo è antiquato*, Libro II: *Sulla distruzione della vita nell'epoca della terza rivoluzione industriale*, Bollati Boringhieri, Torino 2003, p. 1.

me ci ricorda Eraclito, "ama nascondersi",[14] l'accettazione o la condanna dell'omosessualità sono fenomeni culturali. E dal momento che la cultura, come abbiamo visto, è più abile della natura a imbrogliare le carte, seguiamone i trucchi, le sofisticate giustificazioni, i nobili intenti.

Platone è il primo ad avanzare l'ipotesi che a discriminare l'omosessualità non sia la natura ma la *legge*, e perciò scrive che:

> Ovunque è stabilito che è riprovevole essere coinvolti in una relazione omosessuale [letteralmente: "soddisfare gli amanti, *charízesthai erastaîs*"]. E ciò è dovuto a difetto dei legislatori, al dispotismo da parte dei governanti, a viltà da parte dei governati.[15]

A partire da queste considerazioni Platone lega l'accettazione dell'omosessualità alla democrazia. Ho citato l'espressione greca perché il termine "omosessualità" non esisteva nella Grecia antica e neppure nell'antica Roma, nonostante altri termini per atti e preferenze sessuali molto meno marcati e distintivi della dicotomia, così ovvia per l'età moderna, tra omosessuale ed eterosessuale abbiano origini greco-latine, come: pedofilia, incesto, feticismo, fellatio, cunnilinguus e via dicendo.

Nell'antichità l'omosessualità non era un problema, perché l'attenzione non era rivolta all'atto sessuale, ma all'amore tra persone (*charízesthai erastaîs*) che poteva trascendere il sesso, perché capace di includere dimensioni culturali, spirituali ed estetiche. Questa era la ragione per cui il legislatore attico Solone considerava l'erotismo omosessuale troppo elevato per gli schiavi, ai quali, per questo, andava proibito.

Lo stesso motivo ritorna nella letteratura islamica sufi dove la relazione omosessuale è assunta come metafora della relazione spirituale tra uomo e Dio. Di estetica, cultura, spiritualità, coraggio e forza gronda l'erotismo di Achille con Patroclo, di Socrate con Alcibiade, e a Roma di Adriano con Antinoo, a cui, dopo la morte dell'amato, l'imperatore dedica un oracolo a Mantinea, decreta giochi ad Atene, Eleusi e Argo che continuarono a essere celebrati per più di duecento anni dopo la sua morte.

Tutto ciò era possibile nel mondo antico perché ciò che si celebrava nell'erotismo omosessuale era l'amore che non esclude-

[14] Eraclito, *fr.* B 123, in Diels-Kranz, *Die Fragmente der Vorsokratiker* (1966); tr. it. *I presocratici. Testimonianze e frammenti*, Laterza, Bari 1983.
[15] Platone, *Simposio*, 182 d.

va il sesso, ma non si concentrava sul sesso e non elevava il sesso a sintomo. Come ci informa John Boswell,[16] questa tendenza non fu interrotta nell'alto Medioevo, per cui imputare al cristianesimo la condanna dell'omosessualità non è del tutto corretto. Un manuale per i confessori del VII secolo assegnava un anno di penitenza ad atti impuri tra maschi, centosessanta giorni tra donne, e ben tre anni a un prete che fosse andato a caccia.

Le gerarchie ecclesiastiche fino al Concilio del 1179 non consideravano l'omosessualità un problema che meritasse una discussione. Anselmo d'Aosta, poi elevato agli onori degli altari, poteva avere relazioni amorose prima con Lanfranco, poi con una serie di suoi allievi, a uno dei quali, Gilberto, dedica un intero epistolario dove fra l'altro leggiamo:

> Amato amante, dovunque tu vada il mio amore ti segue, dovunque io resti il mio desiderio ti abbraccia. Come dunque potrei dimenticarti? Chi è impresso nel mio cuore come un sigillo sulla cera, come potrà essere rimosso dalla mia memoria? Senza che tu dica una parola, sai che io ti amo. E nulla potrebbe placare la mia anima finché tu non torni, mia altra metà separata.[17]

Fino al XII secolo la teologia morale trattò l'omosessualità, nel caso peggiore, alla stregua della fornicazione eterosessuale senza pronunciarsi con un'esplicita condanna. Fu con le Crociate del XIII e XIV secolo contro i non cristiani che prese avvio, come sempre capita in ogni "scontro di civiltà", un clima di intolleranza, non solo contro i musulmani, ma anche contro gli eretici e gli ebrei espulsi da molte aree d'Europa.

Alle Crociate seguì l'Inquisizione per stroncare magia e stregoneria, quando non anche scienza e filosofia. E in questo clima d'intolleranza verso le deviazioni dalla norma della maggioranza cristiana, che si faceva sempre più rigida, furono coinvolti anche gli omosessuali e perseguitati come gli eretici e gli ebrei.

Ma il colpo di grazia, nella forma della condanna definitiva dell'omosessualità, giunse nell'Ottocento con il nascere della medicina scientifica che, con il suo sguardo puntato esclusivamente sull'anatomia, la fisiologia e la patologia dei corpi, ha stabilito che, siccome gli organi sessuali sono deputati alla riproduzio-

[16] J. Boswell, *Christianity, Social Tolerance and Homosexuality* (1980); tr. it. *Cristianesimo, tolleranza, omosessualità. La Chiesa e gli omosessuali dalle origini al XIV secolo*, Leonardo editore, Milano 1989.

[17] Anselmo d'Aosta, *Epistulæ*, 1, 75, in J.-P. Migne, *Patrologia latina*, in *Patrologiæ cursus completus*, Paris 1845-1855, tomo 158, pp. 1144-1145.

ne che è possibile solo tra maschio e femmina, ogni espressione sessuale al di fuori di questo registro è patologica.

Fu così che l'omosessualità da "peccato" divenne "malattia", e alla psicoanalisi nata dalla cultura medica, dopo aver indicato nell'Edipo il giusto "verso" dello sviluppo psichico, non rimase che rubricare l'omosessualità tra le "per-versioni". Riconobbe che l'ambivalenza sessuale, l'attività e la passività sono prerogative di ogni soggetto, ma dopo il riconoscimento non esitò, dopo aver coniato il nome, a collocare l'omosessualità nel mancato sviluppo psichico. Non più un "vizio" come per la religione, ma una "devianza".

Quando poi la storia prese a trescare con i deliri della razza pura, con questo supporto scientifico gli omosessuali fecero la fine degli ebrei, degli zingari, degli handicappati e dei menomati psichici. Adesso siamo in attesa del verdetto della genetica che, quando l'avrà individuata, non mancherà di dir la sua parola che verrà fatta propria da chiese e legislazioni omofobe, a conferma delle proprie posizioni ideologiche o di fede.

Che dire a questo punto? Che la storia è piena di giudizi e pregiudizi e che a governarla non è tanto la natura dell'uomo, quanto la sua cultura, che non rifiuta il riferimento alla natura quando questo dovesse servire a fondare le sue norme etiche e giuridiche. Ne consegue che allora ha ragione Platone là dove dice, a proposito dell'omosessualità, che il vero problema non è il sesso, ma piuttosto la *democrazia*.

Non è infatti dal sesso che bisogna partire per capire qualcosa della condizione omosessuale e quindi anche di quella eterosessuale. Perché delle due l'una: o si è convinti che la dimensione sessuale sia la dimensione fondante l'intero essere umano, e quindi in grado di esaurire ogni espressione e ogni legame affettivo, oppure si ritiene che ciò che lega due persone è un'attrazione che è sempre e prima di tutto intellettuale ed emotiva, cognitiva e comportamentale, e dunque solo *dopo* anche sessuale.

Nel primo caso l'omosessuale è un "diverso per natura", nel secondo caso è un'espressione tra le molte in cui l'affettività umana può esprimersi. La differenza, come si vede, è radicale, perché nella prima ipotesi si accreditano tutti i pregiudizi che incidono dannosamente sulla formazione dell'identità dell'omosessuale, costretta a oscillare tra la provocazione e la reattività. Nella seconda ipotesi si riconoscono le differenze che caratterizzano le maturazioni affettive, le quali consentono all'omosessuale la serena accettazione della propria identità e vietano all'eterosessuale l'omologazione a un'identità preformata, uguale per tutti, e quindi "naturale e sacra".

Uso appositamente questi due aggettivi in riferimento alla *scienza*, che si ritiene l'unica competente sulla "natura" umana, e alla *religione* che di riverbero la "sacralizza" come principio immutabile dell'ordine. E non è un caso che proprio la scienza e la religione, così divise su tanti argomenti, sulla condanna dell'omosessualità abbiano stipulato una santa alleanza.

Ora tutti sappiamo che la scienza non conosce l'*anima* perché è una dimensione che sfugge ai suoi metodi che sono di ordine quantitativo, ma non conosce neanche il *corpo* perché, per le esigenze del suo metodo, è costretta a ridurlo a *organismo*, per cui ad esempio saprà dell'occhio tutto quello che un oculista sa, senza però riuscire mai a spiegare che cosa è l'intensità di uno sguardo, o la differenza tra il riso e il pianto, dal momento che le due manifestazioni impegnano comunque la stessa muscolatura facciale.

Bene fa la scienza a seguire il suo metodo, perché altrimenti ne andrebbe della sua scientificità e quindi della sua efficacia, ma ciò non toglie che questo metodo, che anche gli scienziati più accorti considerano "riduttivo", possa spiegare la complessità dell'esistenza umana, e soprattutto l'immensa gamma delle sue manifestazioni affettive. Però la scienza ci prova, e allora l'affettività diventa una pulsione, la pulsione un prodotto ormonale, e ora che la genetica fa la sua prepotente comparsa nel sapere medico, perché non trovare il gene dell'amore, così come si cerca di trovare quello della tristezza e quello della felicità?

Attraverso queste operazioni *riduttive* il legame affettivo tra persone dello stesso sesso diventa pura e semplice "sessualità" che, non essendo destinata alla riproduzione, non può che essere sessualità deviata, disordine biologico di cui prima o poi si scoprirà la natura. Questa logica aberrante della scienza viene accolta dagli eterosessuali che così si sentono "normali", dagli omosessuali che (se l'omosessualità è biologica) si sentono innocenti, e dagli uomini di religione ai quali non par vero di poter ripiantare l'albero della conoscenza del Bene e del Male sul solido terreno della scienza.

E che fine fa la differenza nella manifestazione dei legami affettivi che la storia dell'umanità, dall'alba dei suoi giorni, ha sempre contemplato? E la costruzione dell'identità in contesti che non siano carichi di condanne e pregiudizi? E le regole della democrazia per cui ciascuno ha il diritto di esprimere la propria identità sessuale nelle relazioni del contesto sociale e non solo nel chiuso di una camera da letto, ma su tutti i piani dell'esistenza? Ma, obietta la scienza: questi non sono problemi scientifici, quindi sono problemi di nessuna rilevanza.

Così ragiona la scienza, e al suo seguito la religione, e ambiguamente la pubblica opinione, che tiene in gran conto le parole della scienza e non disdegna quelle della religione. Il risultato è di rendere oltremodo difficile la formazione dell'identità di un omosessuale, perché se la formazione dell'identità è ardua per tutti, si pensi quanto difficoltosa deve essere per chi vive in un'atmosfera di pesanti pregiudizi e di rappresentazioni sociali che, introiettate, fanno sentire l'omosessuale, soprattutto in età adolescenziale, colpevole, disadattato, diverso, sbagliato, e quindi inevitabilmente provocatorio e reattivo.

E tutto questo perché i *legami affettivi*, che naturalmente si dirigono su un oggetto o su un altro, sono stati ridotti dalla scienza a *eventi sessuali*, quindi a errori genetici, senza uno straccio di prova, che, se anche ci fosse, non giustificherebbe questo riduzionismo a sfondo materialistico, che risolve la ricchezza dei moti dell'anima nella "semplicità" delle macchine genetiche, abolendo d'un colpo la specificità dell'uomo.

Su questa specificità insiste lo psichiatra Paolo Rigliano,[18] per il quale il problema dell'omosessualità va portato a quel livello in cui la tematica non è la *sessualità*, ma finalmente l'*affettività*, in tutte le forme in cui la specie umana sa esprimerla. E con l'affettività la democrazia, non come semplice accoglienza e rispetto del "diverso", ma come consapevolezza che la *diversità* è il tratto costitutivo di ciascuno di noi, perché, a differenza degli animali, gli uomini non sono "genere", ma "individui".

Questo concetto, che il filosofo cristiano Søren Kierkegaard[19] non cessava di ribadire, appartiene ancora alla cultura cristiana, che nelle dichiarazioni dei suoi esponenti religiosi e politici guarda l'omosessualità ancora come un "genere" (il genere del disordine morale, quando non naturale), e non alla storia dei

[18] P. RIGLIANO, *Amori senza scandalo. Cosa vuol dire essere lesbica o gay*, Feltrinelli, Milano 2001.

[19] S. KIERKEGAARD, *Papirer* (1834-1855); tr. it. *Diario*, Morcelliana, Brescia 1963, X^2, A, 426, vol. II, p. 33: "Quante volte ho scritto che Hegel fa in fondo degli uomini, come il paganesimo, un genere animale dotato di ragione. Ora, nel genere animale vale sempre il principio per cui il singolo è inferiore al genere, mentre nel genere umano, siccome il singolo è creato a immagine di Dio, il singolo è più alto del genere. Concedo che di tutto questo si possa abusare in modo orrendo, ma il cristianesimo consiste in questo, ed è in fondo qui che si deve dare battaglia".

singoli individui, alla qualità delle loro singole e irripetibili relazioni affettive, al diritto che essi hanno di poterle esprimere nel contesto sociale, dove al pari di tutti hanno il diritto di vivere e di esprimersi.

Ho detto "diritto", ma potrei dire anche "dovere", perché in fondo che cosa chiedono gli omosessuali se non doveri di convivenza, di responsabilità familiare, di accettazione dell'altro, e anche di quell'altro che ciascuno di noi è per se stesso? Sulla loro pelle ne hanno conoscenza, e forse possono insegnarci qualcosa, non tanto con una ricerca spasmodica di visibilità, quanto, come scrivono Paolo Rigliano e Margherita Graglia,[20] creando un linguaggio autonomo, autenticamente proprio, che porti gli omosessuali fuori da quegli scampoli terminologici, da quei luoghi comuni mediatici, da quelle rappresentazioni stereotipate che li confinano nei recinti delimitati da quelle espressioni, da tutti condivise e utilizzate, che suonano: *gay pride*, *coming out*, *outing*.

Espressioni simili servono solo a offrire omosessuali e lesbiche alla curiosità morbosa e a costringerli a scambiare una pubblica manifestazione o una pubblica confessione come atto di sincerità, mentre di fatto si tratta solo di una sottrazione di quanto in ciascuno di noi c'è di più intimo, di più segreto, di più nostro: l'*intimità*. Cedere la propria intimità è spudoratezza che, offerta sul piatto nobile della sincerità, è il prezzo che gli omosessuali devono pagare per una semi-accettazione sociale, che poi serve solo a inchiodarli al loro ruolo sessuale.

La libertà che gli omosessuali rivendicano non è quella dell'accettazione delle loro pratiche sessuali, bensì quella di non essere oggetto di quella violenza, a mio parere la più micidiale, fatta all'intimità della loro persona, che rende difficile il percorso che porta al riconoscimento di ciò che si è, e del senso esistenziale che, a partire da ciò che si è, si può liberamente costruire, senza essere obbligati a fare sogni non propri o adeguarsi a forme di vita che si sentono estranee.

E dico questo soprattutto oggi che si va inaugurando, in ambito cattolico, una tendenza che promuove una psicoterapia per omosessuali, a partire da un presunto sapere psicoanalitico e psichiatrico di fine Ottocento, che rispondeva non tanto al rispetto della persona, quanto al compito di estirpare tendenze ritenute "morbose", semplicemente perché diverse dall'ordine costituito.

[20] P. Rigliano, M. Graglia, *Gay e lesbiche in psicoterapia*, Raffaello Cortina, Milano 2006.

Alla base della ripresa di simili pratiche terapeutiche io vedo solo una grande difficoltà ad accettare l'altro nella sua alterità, che pertanto viene confinato, se non proprio nell'ambito della riprovazione morale, senz'altro in quello della "malattia", da cui secondo questi terapeuti, ma senza alcun fondamento scientifico, si può anche "guarire".

4. *Il primato della persona sul genere*

Sapevamo da tempo che la storia dell'umanità è storia maschile. Con il corpo libero dal lavoro della generazione, il maschio ha cominciato a giocare prima con gli animali da caccia, poi con gli dèi, quindi con le idee, infine con le istituzioni. Perciò la donna nel segno della *natura* scandita dal ritmo della ripetizione, l'uomo nello scenario della *storia* a inseguire percorsi di ideazione e produzione di epocalità.

Qui l'anatomia, con l'ostentazione della differenza, e la fisiologia, con il lavoro nascosto dalla generazione concessa a uno solo dei due corpi, sollecitano costantemente la sessualità a tenere un discorso che faccia apparire il dominio dell'uomo sulla donna come perfettamente "naturale" agli occhi degli uomini che lo esercitano e delle donne che lo subiscono, perché, come è noto, il potere non sta tanto nell'esercizio della sua forza, ma nel consenso dei dominati alla propria subordinazione.

Ora il potere dell'uomo è pienamente fondato solo nel momento in cui è la donna ad apparire come responsabile della sorte di cui è vittima. Ma perché questa prova sia incontestabile, quale altro riferimento è più sicuro della natura del suo corpo? Ebbene, proprio nella differenza tra il corpo dell'uomo e quello della donna si deve trovare la "prova" inconfutabile della legittimità del dominio del primo sulla seconda.

Standо così le cose non c'era altro modo di ribaltare la situazione se non intervenendo sul corpo della donna per spezzare il vincolo che ineluttabilmente legava sesso a generazione. Ciò non è avvenuto per effetto dei movimenti delle donne impegnate a rivendicare i loro diritti nella storia. Movimenti, rivendicazioni e diritti, questa insurrezione dello "spirituale" femminile, sono avvenuti dopo che in qualche laboratorio farmaceutico si è trovato, con la pillola anticoncezionale, il modo di spezzare le leggi fisiologiche che concatenano nel corpo femminile la *sessualità* alla *generazione*. In questo modo l'emancipazione femminile è stata raggiunta lavorando ancora una volta sulla materia, non sull'anima femminile, sui suoi aneliti, ma sul suo corpo, perché se non si spezza la dura legge della materia non c'è spirito che si possa liberare.

Sciolta dal vincolo animale, anche l'anima della donna ha cominciato a parlare e a chiedere non solo "natura", ma anche "storia". Essendo però la storia una faccenda maschile non c'era modo di parteciparvi se non imitando il maschio, prendendo gradatamente il suo posto, impedendogli di occupare per intero la scena. È iniziata così quell'emancipazione femminile che, scandita sul modello del maschile, ha finito per riconoscerne la supremazia, e se la donna non si è tagliata un seno per appoggiarvi un arco, è stato solo perché il seno stesso poteva fungerle da arco.

È stato allora che la sessualità ha cominciato a parlare un'altra lingua, la lingua del successo e del potere. E chi non aveva sesso da vendere, ha iniziato a proclamare la parità di genere e la negazione della differenza. Il discorso è stato udito, ma non creduto. Sulla strada ha lasciato, quali suoi cascami, uno stupefacente esibizionismo femminile e una paurosa impotenza maschile. Le posizioni non sono state davvero ribaltate. Gli uomini hanno continuato a giocare con la storia a fianco di donne imitative, mentre le donne, abbandonata la natura e quel vincolo che legava sesso e generazione, hanno cominciato a celebrare la solitudine del loro corpo.

Oggi la guerra dei generi è finita e, almeno in Occidente, c'è da sperare che non abbia più futuro. Le carte sono state scompaginate e anche il sesso, che un tempo parlava la lingua del godimento e la lingua del potere, oggi parla la lingua della *libertà*, intesa da entrambe le parti come semplice disponibilità dei propri corpi a piaceri fugaci da mettere in agenda tra mille occupazioni.

Ma proprio qui, quando a fronteggiarsi non sono più due sessi, ma due solitudini, proprio qui, e opportunamente, si inserisce il discorso di Nadia Fusini che fornisce a quei travestiti (da uomini e donne) che tutti noi siamo una chiave di lettura nuova:

> Di ogni esistenza, della sua singolarità, nessun nome ci svela il mistero. Perché di volta in volta di un essere che definiamo *un* uomo, *una* donna, dovremo poi dire il *come*: come è donna quella donna? E uomo quell'uomo? E troveremo che siamo tutti presi in un gioco di anamorfosi, sempre spostati, sempre obliqui, sempre almeno in parte eccentrici rispetto a quel significante, alla sua legge. Questa è la condizione della donna e dell'uomo moderni.[21]

[21] N. Fusini, *Uomini e donne. Una fratellanza inquieta*, Donzelli, Roma 1995, p. 8.

Dunque non è più la *contrapposizione di genere* maschile e femminile, su cui è cresciuta la storia e contro cui le donne hanno combattuto le loro ultime lotte, ma la *composizione dei generi*, perché la fisionomia di ogni individuo non è nella sua appartenenza a un genere, ma è nel modo in cui i due generi, il maschio e la femmina, si combinano in lui. C'è infatti uomo e uomo, così come c'è donna e donna e, per quanti sforzi si facciano, è impossibile nascondere i lineamenti del nostro volto sotto la maschera dell'identità di genere.

Ho sempre pensato che il successo dei travestiti sulle nostre strade notturne dipendesse dal fatto che, sia pure in modo scenografico e chiassoso, essi denunciano la falsità dell'identità di genere e, tolta la maschera, essi finiscono con il rimandare a ciascuno di noi quel tratto di ambivalenza che ognuno segretamente avverte nel gioco intricato fra conscio e inconscio e che solo a colpi di rimozione possiamo negare.

Ma il rimosso ritorna. E dopo aver tolto la maschera del predominio maschile sul femminile, Nadia Fusini ha il coraggio di non arrestarsi alla seconda maschera, che è poi quella mimetica dell'emancipazione femminile, perché la contrapposizione dei generi è finita, e il gioco torna nelle mani dell'individuo, maschile o femminile che sia, là dove sempre è stato, seppure da sempre rimosso. Ciò è dovuto al fatto, precisa la Fusini, che:

> Non siamo animali, e a differenza di loro che hanno la propria immagine dentro, a noi l'immagine viene da fuori, è un riflesso. È specchiandoci l'uno nell'altra che ci riconosciamo. Se siamo maschi o femmine, lo sapremo dall'altro. E ciò che potremo fare ed essere a partire da questo si inscrive oggi nell'orizzonte della nostra libertà.[22]

Certo, una "fratellanza inquieta" e, per chi si accosta a questa visione solo oggi, anche "inquietante". Ma non diceva Nietzsche che "l'uomo è un animale non ancora stabilizzato"[23] e in questa mancata stabilizzazione è custodito il segreto della sua libertà?

Non è allora sufficiente che le donne entrino nella storia spinte solo dall'ostinata rivendicazione di ciò di cui finora la storia le ha private. È necessario un passo in più. E a compierlo devono essere insieme uomini e donne. Il loro cammino deve prender le

[22] Ivi, p. 10.

[23] F. Nietzsche, *Jenseits von Gut und Böse. Vorspiel einer Philosophie der Zukunft* (1886); tr. it. *Al di là del bene e del male. Preludio di una filosofia dell'avvenire*, in *Opere*, Adelphi, Milano 1972, vol. VI, 2, § 62, p. 68.

mosse da una rinuncia, la rinuncia ad assumere l'identità virile come specchio e modello di ogni altra identità. Si tratta infatti di un'identità che gli uomini devono smettere di rivendicare e le donne di imitare. Nel gioco dell'"impotenza", soprattutto se la "potenza" è più storico-ideologica che reale, c'è maggior possibilità di dialogo, più traccia di verità.

Cadranno allora quelle maschere che fanno di un uomo un asceta o un vizioso, e di una donna una madre o una prostituta. Il gioco si farà più sottile, e all'uno e all'altra sarà concesso di scoprire, nella profondità della carne, le figure dello spirito non sempre ben definite, perché non c'è identità sessuale che, nella sua povertà, possa riprodurre la sinuosità del loro andamento, la sfumatura che le differenzia, la loro *nuance* che, se confonde le linee della demarcazione sessuale, certo disorienta, ma solo per avvicinare all'orientamento.

Che poi sia giorno o sia notte non si può dire. All'anima, che cerca se stessa nelle cose d'amore, dove la carne e lo spirito intrecciano i loro complicati dialoghi, è familiare l'aurora e il crepuscolo, quando il giorno non è solo giorno e la notte non è solo notte.

3.
Il mito della giovinezza

Onora la faccia del vecchio.

Levitico 19, 32

1. *I fattori culturali alla base del mito della giovinezza*

Siamo soliti curare i nostri disagi psichici e non invece, come ci suggerisce Hillman, le "idee malate"[1] con cui visualizziamo noi stessi e gli aspetti della nostra vita. Queste idee generano falsi miti, neppure avvertiti come tali, e quindi in grado di diffondere i loro effetti nefasti senza trovare la minima resistenza.

Uno di questi è il *mito della giovinezza*, un'idea malsana che contrae la nostra vita in quel breve arco in cui siamo biologicamente forti, economicamente produttivi ed esteticamente belli, gettando nell'insignificanza e nella tristezza tutti quegli anni, e sono i più, che seguono questa età felice, la quale, una volta assunta come paradigma della vita, declina nella forma della mesta sopravvivenza tutto il tempo che ancora ci resta da vivere.

A sostegno del mito della giovinezza ci sono quelle idee malate che regolano la cultura occidentale, rendendo l'età avanzata più spaventosa di quello che è. Tra queste ricordiamo il fattore *biologico*, quello *economico* e quello *estetico* che, divenuti egemoni nella nostra cultura, gettano sullo sfondo tutti gli altri valori, per cui la vecchiaia appare in tutta la sua inutilità, e l'inutilità facilmente connessa all'attesa della morte.

Nasce da qui la tendenza, sempre più diffusa tra le persone anziane, a non esporre la propria faccia o a nasconderla come oggi consentono gli interventi chirurgici o gli artifici della cosmesi. Eppure non è da poco il danno che si produce quando le

[1] J. HILLMAN, *The Force of Character and the Lasting Life* (1999); tr. it. *La forza del carattere*, Adelphi, Milano 2000, p. 19.

facce che invecchiano hanno scarsa visibilità, quando esposte alla pubblica vista sono soltanto facce levigate, truccate e rese telegeniche per garantire un prodotto, sia esso mercantile o politico, perché anche la politica oggi vuole la sua telegenia. "La faccia del vecchio è un bene per il gruppo," ci ricorda Hillman,[2] mentre la maschera dietro cui si nasconde un volto, trattato con la chirurgia o con la cosmesi, è una falsificazione che lascia trasparire l'insicurezza di chi non ha il coraggio di esporsi alla vista con la propria faccia.

Nel disperato tentativo di opporsi all'intelligenza della natura, che, per la sopravvivenza della specie, vuole l'inesorabile declino degli individui, chi non accetta la vecchiaia è costretto a stare continuamente all'erta per cogliere di giorno in giorno il minimo segno di declino. Ansia, ipocondria e depressione diventano le malefiche compagne di viaggio dei suoi giorni, mentre sue ossessioni sono lo specchio, la bilancia, la dieta, la palestra, la profumeria, e quanto può dare l'illusione di ridurre la distanza dalla giovinezza.

Ma che cosa si nasconde dietro il culto del corpo e dell'eterna giovinezza che interpreta ogni segno di declino, se non come l'anticamera dell'esclusione sociale, certo come l'avvisaglia di un possibile e progressivo disinteresse da parte degli altri nei nostri confronti?

Quel che si nasconde è l'idea malata che la nostra cultura si è fatta della vecchiaia, come di un tempo inutile che ha nella morte il suo fine, in attesa del quale, grazie alla chirurgia e alla cosmesi, sopravvive tutta quella schiera di "mummie animate", come le chiama Hillman, di "paradossi sospesi" in quella zona crepuscolare in cui non si riesce a reperire altro senso se non l'attesa della morte.

A dar corda e sostegno a questa idea malata sono le categorie della biologia, dell'economia e dell'estetica che regolano la cultura occidentale e rendono la vecchiaia più spaventosa di quello che è. A queste si aggiunge la potenza invasiva della pubblicità, che ci ha insegnato a visualizzare il nostro corpo come semplice interprete del desiderio dell'altro, allucinandolo con quei bisogni da soddisfare quali la bellezza, la giovinezza, la salute, la sessualità che sono poi i nuovi valori da vendere.

Basta guardare la televisione per accorgerci che tutta la religione della spontaneità, della libertà, della creatività, della gio-

[2] Ivi, p. 214.

vinezza, della bellezza, della sessualità gronda del peso del produttivismo, anche le funzioni vitali si presentano immediatamente come funzioni del sistema. La stessa nudità del corpo, che pretende di essere progressista ed emancipativa, lungi dal ritrovarne la naturalità, al di là degli abiti, dei tabù, della moda, passa accanto al corpo, ormai reso inespressivo perché utilizzato come equivalente universale dello spettacolo delle merci. E così, anche nello splendore della sua bellezza e della sua giovinezza, il nostro corpo non riesce più a nascondere i segni univoci che lo marchiano, che non sono le rughe o l'incresparsi della pelle da cui ci può difendere il lifting, ma i bisogni indotti dalla nostra cultura e i desideri da essa manipolati, a cui il nostro corpo è stato piegato, e ridotto a puro e semplice supporto.

Non voglio con questo negare che i vecchi vadano incontro a processi degenerativi che ne compromettono, oltre alla funzionalità, anche l'estetica, né che la loro vita appaia inutile se misurata sul criterio dell'efficientismo che regola la cultura dell'Occidente. Semplicemente sarebbe opportuno, come suggerisce Hillman,[3] spostare questi tratti dal primo piano sullo sfondo e riordinare la scala delle priorità, perché, se è vero che la vecchiaia è un'afflizione, ci piacerebbe sapere se questa afflizione non è generata, o almeno incrementata, dall'idea che ci siamo fatti della vecchiaia.

2. *Le considerazioni di Freud e Jung sulla vecchiaia*

A ottantatré anni, in chiusura di una breve lettera indirizzata a un amico, Jung scrive: "Della salute non mi posso lamentare, e divento sempre più vecchio, con i miei migliori saluti". Dunque la vecchiaia come destino biologico, ma anche storico-culturale, nonché differente da individuo a individuo. Quando il tempo era *ciclico* e ogni anno, il ritmo della stagione, "le opere e i giorni", come ci ricorda Esiodo,[4] ripetevano se stessi, chi aveva vissuto di più sapeva di più. Per questo "conoscere è ricordare", come annota Platone,[5] e il vecchio, nell'accumulo del suo ricordo, è ricco di conoscenza. Nel mondo antico la saggezza della vecchiaia era quindi il risultato della concezione ciclica del tempo, che faceva del vecchio, che molto aveva visto, il depositario del sapere.

[3] Ivi, p. 16.
[4] Esiodo, *Le opere e i giorni*, in *Opere*, Utet, Torino 1977.
[5] Platone, *Menone*, 80 d-81 a.

Oggi con la concezione *progressiva* del tempo, non più come quello ciclico che ripete se stesso, ma freccia scagliata in un infinito senza meta, la vecchiaia non è più deposito di sapere, ma ritardo, inadeguatezza, ansia per le novità che non si riescono più a controllare nella loro successione rapida e assillante. Max Weber già nel 1919 annotava:

> In quanto la vita del singolo individuo civilizzato è inserita nel progresso all'infinito, per il suo stesso significato immanente non può avere alcun termine. C'è, infatti, sempre un ulteriore progresso da compiere per chi c'è dentro, per cui nessuno muore dopo essere giunto al culmine, che è situato all'infinito. Abramo, o un qualsiasi contadino dei tempi antichi, moriva "vecchio e sazio di vita" perché si trovava nell'ambito della vita organica, perché la sua vita, anche per il suo significato, alla sera della sua giornata, gli aveva portato ciò che poteva offrirgli, perché non rimanevano per lui enigmi da risolvere ed egli poteva perciò averne "abbastanza". Ma un uomo incivilito, il quale partecipa all'arricchimento della civiltà in idee, conoscenze, problemi, può divenire "stanco della vita" ma non sazio. Di ciò che la vita dello spirito sempre nuovamente produce egli coglie soltanto la minima parte, e sempre qualcosa di transeunte e mai definitivo: quindi la morte è per lui un accadimento assurdo. Ed essendo la morte priva di senso, lo è anche la vita civile come tale, in quanto, appunto con la sua assurda "progressività", fa della morte un assurdo.[6]

Per questo la vecchiaia è dura da vivere, non solo per il decadimento biologico, ma per una serie di destrutturazioni che in età giovanile sarebbero devastanti e al limite della psicosi, mentre nell'età senile non assumono necessariamente questo aspetto perché arginate dall'irrigidimento delle abitudini.

La prima destrutturazione è tra l'*Io e il suo corpo*: non più veicolo per essere al mondo, ma ostacolo da superare per continuare a essere al mondo. Un mondo che, per il vecchio, perde la sua fisionomia, perché diminuisce, se addirittura non si interrompe, quel dialogo tra corpo e mondo grazie al quale le cose si caricano delle intenzioni del corpo e il corpo raccoglie quei sensi che sono genericamente diffusi tra le cose. Ora a far senso non è più il mondo, ma il corpo che la vecchiaia trasforma da soggetto di intenzioni a oggetto d'attenzione; lo spazio che interessa si ridu-

[6] M. Weber, *Wissenschaft als Beruf* (1919); tr. it. *La scienza come professione*, in *Il lavoro intellettuale come professione*, Einaudi, Torino 1971, pp. 20-21.

ce alle dimensioni dell'organismo e il tempo al decorso monotono dei giorni a cui il vecchio non riesce a dar senso.

Il problema è che alla vecchiaia non riescono a dar senso neanche coloro che ci vivono accanto perché, come osserva Stefano Mistura,[7] nessuno riesce a identificarsi con un vecchio, anzi tutti si difendono spasmodicamente da questa identificazione, e perciò si crea quella seconda destrutturazione tra l'*Io e il mondo circostante* che impoverisce la relazione e rende convenzionale e perciò falsa l'affettività. Senza identificazione un bambino cade nell'abisso dell'autismo, e molti silenzi dei vecchi sono abissi autistici in cui noi li abbiamo fatti precipitare con il nostro silenzio emotivo.

Nel vecchio l'amore, che Freud ha indicato come antitesi alla morte, non si estingue. E con "amore" qui intendiamo eros e sessualità di cui c'è memoria, ricordo e rimpianto. I vecchi cessano di essere riconosciuti come soggetti erotici, e questo misconoscimento è la terza destrutturazione che separa il loro *Io dalla pulsione d'amore*. Quale amore potrebbe resistere a un continuo misconoscimento, al rifiuto non solo di essere ricambiati ma addirittura riconosciuti come possibili soggetti d'amore?

La psicologia scientifica, così ricca di consigli per i bambini, gli adolescenti, i giovani, gli emarginati non ha speso una parola per i vecchi, limitandosi a fornire gli strumenti di gestione della vecchiaia e non gli strumenti di comunicazione. In questo contesto fa eccezione il libro di Alberto Spagnoli[8] che nella psicologia del profondo va a cercare le emozioni e le parole adatte per comunicare con la vecchiaia. E vi riesce sulle tracce di Jung, per il quale la vecchiaia è un orizzonte positivo dove si compie quel "processo di individuazione" che consente a ciascuno di noi di diventare ciò che "in fondo" siamo, mentre per Freud questa possibilità è preclusa perché, in base alla sua interpretazione della vita, la vecchiaia segna il puro e semplice ritorno all'inorganico. In una lettera a Thomas Mann del 1935, pochi anni prima di morire, Freud scrive:

> Accetti da me un affettuoso saluto per il suo sessantesimo compleanno! Potrei anche augurarle una vita molto lunga e felice, co-

[7] S. MISTURA, *Invecchiamento e vecchiaia*, Introduzione ad A. SPAGNOLI, *E divento sempre più vecchio, Jung, Freud, la psicologia del profondo e l'invecchiamento*, Bollati Boringhieri, Torino 1995, p. 23.

[8] A. SPAGNOLI, *E divento sempre più vecchio*, cit. Da questo libro ho tratto tutte le citazioni che riguardano le considerazioni di Freud e di Jung sulla vecchiaia comunicate nei loro epistolari ai loro corrispondenti.

me si è soliti fare in simili occasioni. Ma me ne astengo. La mia personalissima esperienza mi fa pensare che sia bene che un destino compassionevole ponga un giusto limite alla durata della nostra vita!

A Lou Salomé, che elogiava la vecchiaia come il tempo necessario "perché un avvenimento si tramuti in un'esperienza interiore", Freud risponde:

> Mia cara Lou, non mi trovo d'accordo con l'elogio della vecchiaia in cui lei si profonde nella sua cara lettera. Certamente per motivi personali. Sono lieto che vi si adatti più agevolmente di me, solo che lei non è altrettanto avanti con gli anni e ha molte meno noie di me. La rabbia trattenuta consuma una persona, o quel che rimane del suo Io precedente. E un Io nuovo non è più possibile crearlo a 78 anni!

Freud avverte che negli anni della vecchiaia la pulsione di morte prevale su quella della vita, e ritornando su questo tema in un'altra lettera indirizzata a Lou Salomé, scrive:

> Io non ci provo tanto più gusto alla vita. A poco a poco mi sento ricoprire da una corteccia di insensibilità; lo constato senza rammaricarmene. In fondo si tratta di un processo naturale, quasi un cominciare a diventare inorganico. Credo che si chiami "serenità della vecchiaia". Dipenderà senz'altro da una svolta decisiva delle due pulsioni che ho ipotizzato (pulsioni di vita e di morte). Può darsi che il mutamento non sia tanto appariscente; tutto è rimasto interessante com'era in passato, anche le qualità non sono molto diverse, eppure mi manca come una sorta di risonanza. Pur non intendendomene affatto di musica, mi immagino si tratti della stessa differenza che si ha quando si preme o non si preme il pedale.

Di diverso parere è Carl Gustav Jung, che in una lettera a Hermann Hesse del 1950 scrive:

> Alla mia età ormai si va "adagino, pianino"; e anche la capacità produttiva non vale un granché, soprattutto quando ci sono ancora tante cose che si vorrebbe chiarire.

Tre anni dopo, in un'altra lettera indirizzata ad Aniela Jaffé:

> Come ho sognato una volta, la mia voglia di vivere è un *daímon* ardente che talvolta mi rende maledettamente difficile mantenere la coscienza di essere mortale.

A ottantacinque anni, negli ultimi mesi di vita, Jung scrive:

> Raggiungere un'età avanzata non è così piacevole come si sarebbe portati a pensare. In ogni caso comporta un crollo graduale del corpo, di quella macchina con cui la nostra follia ci fa identificare. In effetti è una grande fatica – l'*opus magnum* – sottrarsi in tempo alla stretta del suo (del corpo) abbraccio e liberare l'anima nella visione dell'incommensurabile grandezza del nostro mondo, di un mondo di cui noi costituiamo soltanto una parte infinitesimale. [...] Quanto più invecchio, tanto più mi colpiscono la caducità e le incertezze del nostro sapere e tanto più cerco rifugio nella semplicità dell'esperienza immediata per non perdere il contatto con le cose essenziali, cioè con le dominanti che improntano l'esistenza umana attraverso i millenni.

Dunque ci sono diversi modi di invecchiare. Freud e Jung ne sono esempi, ma almeno chi ha contatto con le persone anziane non le privi delle possibilità ancora contenute nel loro corpo già in decadenza, del loro ambiente già abituale, dei loro affetti non ancora stereotipati prima del tempo. Ma per questo occorre prestare più attenzione alla vecchiaia, perché se è vero che conosciamo tutti i riti di passaggio che caratterizzano l'adolescenza che dall'infanzia porta alla giovinezza, è altrettanto vero che non prestiamo alcuna attenzione a quei riti che dovrebbero accompagnare il passaggio dall'età adulta alla vecchiaia, quando comincia l'autunno della vita.

A caratterizzare quest'età non è la tristezza, ma una noia sottile perché, per quante novità succedano, scopri che ognuna di esse altro non è che una nuova formulazione di qualcosa di già visto. E questa noia disaffeziona dal tempo a venire e ti rende più familiare e quasi amica la fine.

Hai imparato che la saggezza, che di solito si attribuisce a chi ha una certa età, altro non è che la somma delle esperienze che hai fatto e che non puoi trasmettere, perché l'esperienza degli altri non serve a nessuno, tanto meno ai giovani che devono fare la propria. A questa età allora capisci che chi ti sta intorno non è lì per chiederti consigli o insegnamenti, ma ascolto. Un ascolto curioso e attento, soprattutto verso quel mondo tumultuoso e spesso incomprensibile che sprigiona la giovinezza.

Dal mondo esterno ti ritiri in quello interiore. Meno vacanze, meno viaggi, meno spettacoli del mondo, che ti offre sempre meno novità, perché sta diventando in ogni dove sempre più uniforme. E allora prendi a percorrere tutti i sentieri mai frequentati della tua anima, e scopri che il mondo altro non è mai stato che la tua visione, la tua interpretazione del mondo. In fondo dal tuo Io non sei mai uscito. E la vecchiaia è un'ottima occasione per uscire da sé e, attraverso l'ascolto, scoprire i mondi degli altri di cui mai ti eri davvero incuriosito.

Le tue abitudini ti rassicurano e insieme ti incatenano. I tuoi gesti creativi ti appaiono per quel che sono: riprese di antiche e trascorse suggestioni. Solo l'amore ti rianima, non perché scopri una "giovinezza interiore", che esiste solo nei complimenti di chi ti vuol comunicare che ormai sei vecchio, ma perché lo vedi scaturire proprio dalla tua età che, come ci ricorda Manlio Sgalambro, "non avendo più scopi, può capire finalmente cos'è l'amore fine a se stesso".[9]

3. *Fenomenologia della vecchiaia*

Ma come deve essere un vecchio? Naturalmente mite, dolce, sensibile, perché se si commuove troppo "ha l'arteriosclerosi", se è gioviale "non accetta la vecchiaia". Deve prender parte alla conversazione, ma guai se ripete un aneddoto. Deve avere interessi, ma guai se progetta qualcosa come se fosse un ventenne.

La vecchiaia quindi, prima che un decadimento, è uno stile di vita imposto dagli altri, che ai vecchi concedono uno spazio espressivo molto ridotto, oltrepassato il quale il vecchio o è giudicato trascurato, disordinato, sciatto, o ambizioso, vanitoso, ridicolo. E tra l'essere considerato scialacquatore o avaro, impotente o maniaco sessuale, senza personalità o testardo, imprudente o vigliacco, non si dà via di mezzo.

Per i vecchi vale la legge del tutto o nulla. Forse perché la prossimità alla morte, che ogni vecchio segnala, attiva in ciascuno di noi quell'angoscia originaria, inscritta nel nostro destino di mortali, che non trova forma migliore d'esorcismo se non quella di scaricarsi sui vecchi che impudicamente la rappresentano. Che ne è a questo punto della depressione senile? La conseguenza del decadimento biologico o una condizione spesso indotta dall'ambiente circostante quando non addirittura autoimposta?

A porsi questo problema è il neuropsichiatra Mario Barucci,[10] che avanza l'ipotesi secondo cui le condizioni affettivo-emo-

[9] M. Sgalambro, *Trattato dell'età*, Adelphi, Milano 1999, p. 63.
[10] M. Barucci, *Umore e invecchiamento*, Idelson, Napoli 1995.

tive incidano più di quanto non si creda sull'inizio dell'invecchiamento e sulla sua qualità. Già la saggezza popolare sa che "il cuore non invecchia mai", ma quante domande del cuore a una certa età ricevono risposta, consentendo quel ricambio emotivo con il mondo, che è poi la prima condizione perché una qualsiasi esistenza si senta giustificata?

Di giustificazioni per l'esistenza già ne disponiamo poche, e non c'era certo bisogno dell'annuncio di Heidegger per venire a sapere che l'uomo è un essere-per-la-morte.[11] Già Pascal considerava che "l'ultimo atto è sanguinoso, per quanto bella sia la commedia in tutto il resto: all'ultimo si getta qualche palata di terra sulla testa, ed è finita per sempre".[12]

Per salvarsi da questo ineluttabile destino, Pascal ritiene che i più ricorrano a quel *divertissement* che non è tanto il divertimento, quanto il "di-vergere" l'attenzione, il "dis-trarsi", il "dis-togliere" lo sguardo: o con il cinismo della fredda razionalità, o con la fede in una vita oltre la morte, o con la creazione di un mondo nostro, un mondo folle senza regole o con regole diverse da quelle della ragione che ci farebbero soffrire, o con l'abbandono alle passioni nella speranza che ci travolgano, o con la dedizione a idee forti quali l'amore, la solidarietà, l'arte, la scienza, nella speranza che ci assorbano, o con un assetto ipertimico del tono dell'umore che ci permette di agire, di gioire, di creare, di progettare, di sognare, di sperare.

Signori miei, direbbe Pascal, tutto ciò è *divertissement*, è distrazione dalla condizione umana che, a differenza di quella animale, non è ignara dell'ultimo giorno. Eppure, già Nietzsche lo ricordava, l'umanità ha potuto sopravvivere *grazie* a queste illusioni e, con un pizzico di materialismo in più – come si conviene alle neuroscienze avide di sopprimere ogni traccia "culturale" che non abbia fondamento "materiale" –, *grazie* a quell'assetto ipertimico che, come una droga endogena, agisce quale difesa nei confronti della morte perché opera come negazione, oblio, spensieratezza, e crea quel paradiso artificiale che, sostenuto da numerosi neurotrasmettitori, diventa la condizione per cui la grande maggioranza degli uomini riesce a sopravvivere.

Ma quando con la vecchiaia, come opportunamente ci ricor-

[11] M. HEIDEGGER, *Sein und Zeit* (1927); tr. it. *Essere e tempo*, Utet, Torino 1978, §§ 46-53.

[12] B. PASCAL, *Pensées* (1657-1662; prima edizione 1670); tr. it. *Pensieri*, Rusconi, Milano 1993, *pensiero* 227 (edizione Chevalier), 210 (edizione Brunschvicg).

da Barucci,[13] si ha una riduzione dei neurotrasmettitori quali l'acetilcolina, la dopamina, la noradrenalina, e un aumento delle monoaminossidasi, quando quella droga endogena che assicura il *divertissement* pascaliano viene meno, insieme al fegato, che si riduce in media del 37 per cento, al cervello che perde il 15 per cento del suo peso, alla forza muscolare, alla gettata cardiaca, alla capacità respiratoria, alla velocità della conduzione nervosa, che si fa in questi casi? E soprattutto che ne è di quell'assetto ipertimico che allucinandoci sobriamente ci aveva consentito di vivere "distraendoci" dall'atto finale?

Le culture primitive compensavano gli inconvenienti biologici della vecchiaia con quei vantaggi culturali concessi dalla selezione della razza umana che, nel corso della sua evoluzione, ha privilegiato i fenomeni di encefalizzazione. In linea con questo processo della specie, il vecchio era il depositario del sapere e dell'esperienza e, quando moriva, come dice Max Weber, moriva *sazio* e non *stanco* della vita.

Oggi scienza e tecnologia possono vicariare con maggiore efficacia il ruolo del vecchio come depositario di informazioni. Dalla fotografia ai media, dai computer a internet, oggi disponiamo di archivi di informazioni che spiazzano la saggezza senile che perciò diventa superflua, e i vecchi, che non ne sono più i depositari, diventano inutili come gli organismi invecchiati nelle prime tappe evolutive, al punto che la loro sopravvivenza viene affidata alla misericordia sociale o a quegli impeti di benevolenza non dissimili da quelli che, scrive Barucci, "si riservano alle foche monache o ai rospi smeraldini".[14]

Eppure, se nell'età della tecnica il vecchio è inutile per il suo patrimonio cognitivo, continua a essere significativo per il suo patrimonio etico-affettivo, che si traduce in equilibrio, ponderazione, prudenza, carità, dolcezza, pratiche che difficilmente potrebbero uscire dai terminali di una macchina.

E così, per essere accettati, i vecchi devono esprimere tutte queste virtù da cui sono dispensati i giovani: devono far tacere il desiderio sessuale che non si estingue con l'età, devono rinunciare ai contatti corporei che si addicono ai giovani, devono essere allegri ma con misura, devono partecipare alla vita familiare e sociale senza pretendere di essere ascoltati, devono essere autonomi e indipendenti, due modi per dire "soli".

[13] M. Barucci, *Umore e invecchiamento*, cit., pp. 54-55.
[14] Ivi, p. 47.

In fondo, nell'età della tecnica i vecchi sono avvantaggiati da quei compensi protesici che vanno da quelli generali (termosifone, ascensore, telefono) a quelli individuali (dentiera, occhiali, insulina), fino ai più sofisticati (pace-maker, apparecchio acustico, teledrin). Che cosa vogliono di più?

Vorrebbero semplicemente non essere costretti a "giocare in difesa", rifugiandosi nelle loro abitudini che diventano gli argini della loro sicurezza. Vorrebbero non morire anticipatamente di noia, di indifferenza, di tristezza perché è a loro impedito di esprimere quel potenziale ipertimico, quella droga endogena, come opportunamente la chiama Mario Barucci, che li rende ancora in grado di progettare. E soprattutto vorrebbero che la progettazione di cui ancora sono capaci non cadesse nell'indifferenza, nella compassione, o nell'accoglienza patetica.

Come gli insegnanti sanno, o dovrebbero sapere, lo sviluppo cognitivo è condizionato dall'accettazione emotivo-affettiva.[15] Questo, che vale per i ragazzi che con i loro non rari suicidi a fine d'anno scolastico non mancano di ricordarcelo, vale anche per i vecchi, il cui potenziale cerebrale spesso si deteriora non per decadimento biologico, ma per mancanza di correnti d'amore.

Abbiamo allora quello che Mario Barucci chiama "invecchiamento psicologico" dove l'efficienza cognitiva diminuisce e si estingue per mancanza di risposte affettivo-emotive.[16] E qui non bastano gli antidepressivi così frequentemente somministrati alle persone anziane, perché va bene la biologia, ma non dimentichiamo mai che l'uomo è un animale culturale e per giunta l'unico animale che sa di dover morire, per cui la depressione, prima che una malattia, può essere considerata la condotta "più razionale" che può essere adottata da chi anticipatamente conosce quale sarà l'atto finale in cui si raccoglie tutto il senso della sua vita.

E non è certo colpa dei vecchi se spetta a loro il compito di smascherare quello che in fondo è la condizione dell'esistenza umana da cui tutti fuggiamo "di-vertendoci", volgendo il nostro sguardo in un illusorio e improbabile altrove.

Eppure negli ultimi tempi la vecchiaia è uscita dal segreto intimo, quasi indicibile, delle persone che invecchiano, per diventare materia di pubblica discussione e riflessione. Non perché

[15] Si veda a questo proposito U. GALIMBERTI, *L'ospite inquietante. Il nichilismo e i giovani*, Feltrinelli, Milano 2007, e in particolare il capitolo 3: "Il disinteresse della scuola".

[16] M. BARUCCI, *Umore e invecchiamento*, cit., pp. 59-69.

siamo diventati più teneri con i vecchi, e neppure perché la nostra cultura ha fatto cadere tutti i tabù, ma perché l'aumento della speranza di vita, che tutti augurano e si augurano pur di esorcizzare la morte, minaccia una catastrofe sociale dai devastanti effetti previdenziali, sanitari e assistenziali.

Ma questo interessamento ai problemi della vecchiaia da parte di psicologi, sociologi, medici, e oggi, ultimi benarrivati, gli studiosi di genetica, non deve trarre in inganno. I loro consigli, le loro pianificazioni, le loro ricette, i loro farmaci non hanno come scopo quello di riportare il vecchio, se non al centro, almeno all'interno della dinamica sociale da cui, nelle società avanzate (che sono poi quelle in cui davvero si invecchia), è stato escluso, ma semplicemente quello di neutralizzarlo con una serie di comfort che lo fanno sentire solo e inutile come prima, ma accudito.

Solo e inutile non per il destino biologico, ma per le condizioni storico-culturali che caratterizzano il nostro tempo, che proprio nella vecchiaia incontra il suo paradosso. Da un lato infatti i progressi della medicina e delle condizioni sociali di vita hanno allungato la vecchiaia e accresciuto il numero dei vecchi, dall'altro il progresso tecnico che caratterizza la nostra cultura ha fatto del vecchio un incompetente, non più all'altezza dei tempi e quindi inutile.

Eppure, oltre al mancato controllo del tempo che, scandito dai ritmi veloci della tecnica, incalza in modo assillante, la nostra cultura efficientista e utilitarista regala al vecchio quella dimensione che gli ha sottratto per tutta la vita, la dimensione della *libertà*. "Sono condannato a essere libero,"[17] ripeteva Jean-Paul Sartre nei giorni della sua vecchiaia, e non alludeva a quella libertà che molti considerano la prerogativa essenziale dell'uomo, ma a quella disponibilità infinita di tempo che la nostra società regala ai vecchi, al solo scopo di far loro assaporare quanto questo tempo sia inutilizzabile, quanto nessuno ne abbia davvero bisogno.

E allora occorre inventare la vecchiaia, come recita il titolo del libro del pedagogista Sergio Tramma[18] dove, opportunamente e anche in modo persuasivo, si ipotizza la vecchiaia come il tempo della "cura di sé".

[17] Questa frase già era presente in J.-P. Sartre, *L'existentialisme est un humanisme* (1946); tr. it. *L'esistenzialismo è un umanismo*, Mursia, Milano 1971, p. 47.

[18] S. Tramma, *Inventare la vecchiaia*, Meltemi, Roma 2000.

Ma che significa per davvero "cura di sé"? Se pensiamo alla cura *esteriore*, già sui vecchi si sono buttati le industrie della cosmesi, la chirurgia estetica, i proprietari delle palestre, le agenzie di viaggio, le trasmissioni televisive nelle ore mattutine e pomeridiane. Se invece pensiamo alla cura *interiore* di sé, qui sgombriamo subito il campo da due equivoci: il piacere del ricordo e l'acquisizione della saggezza, due luoghi comuni inventati dalle cattive coscienze per persuadere i vecchi ad accontentarsi del loro passato, su cui sarebbe cresciuta la loro ipotetica saggezza.

In realtà a una certa età il ricordo è il più disumano degli atti, perché se è vero che tutte le vite invecchiano e si consumano, nel ricordo viviamo nella consumazione e per la consumazione. Non ci limitiamo a subirla, ma addirittura affondiamo nel tempo così rovinosamente e talora con tale velocità che non riusciamo neppure ad assaporare il tempo che ci resta. Che cosa potremmo assaporare, se viviamo solo il tempo che irrevocabilmente è stato, se disponiamo solo del passato che è poi la vita trascorsa, consumata, divenuta non-vita?

Ma se per il vecchio il passato è una tortura, il presente non è la saggezza, come si è soliti dire quando si è in cerca di vane consolazioni. Gli anni, infatti, non insegnano nulla, semmai rendono ancora più indifesi, perché inducono a pensare che la vita sia contro di noi, sia per così dire la nostra naturale nemica. E cercare una qualsiasi arma per difendersi da essa è la peggiore delle stoltezze.

La saggezza, infatti, non dipende dagli anni, né dalla nostra fedeltà ai princìpi guida della nostra vita, ma da quella visione del mondo che nasce dalla consapevolezza che noi siamo irrimediabilmente mortali, per cui cinicamente potremmo dire che è opportuno, se si è giovani, dimenticare di esserlo (cosa che di solito riesce naturale), se si è vecchi dimenticare tutto, anche il fatto di essere stati giovani (cosa più difficile, ma anche di grande sollievo).

4. *La vecchiaia e la forza del carattere*

A meno che il senso ultimo della vecchiaia non si esaurisca nella pura e semplice attesa della morte. Se così fosse, come non concordare con Indro Montanelli quando auspicava per sé una bella eutanasia al momento giusto, come gesto di restituzione della dignità dell'individuo nei confronti delle indifferenti leggi di natura?

A questo proposito James Hillman ne *La forza del carattere* prefigura un'altra prospettiva, là dove sostiene che il fine di invecchiare non è quello di morire, ma di *svelare il nostro carattere* che ha bisogno di una lunga gestazione per apparire, a noi stessi prima che agli altri, in tutta la sua peculiarità.

È chiaro che se per tutta la vita siamo fuggiti da noi stessi, quasi fossimo il nostro peggior nemico, non c'è nessuna consolazione a conoscerci nella vecchiaia, dove il rapporto che ciascuno ha con se stesso, per chi non è abituato o lo ha sempre evitato, diventa un rapporto spaventoso. Ma in questo caso tanto valeva farla finita prima, perché già da prima non aveva alcun senso una vita vissuta a propria insaputa, come capita ai più, soprattutto in Occidente, dove le categorie egemoni, che sono poi quelle della funzionalità e dell'utilità, fanno invecchiare davvero male.

Non si invecchia infatti solo per degenerazione biologica ma anche e soprattutto per ragioni culturali, e precisamente per l'idea che la nostra cultura si è fatta della vecchiaia, come di un *tempo inutile* che ha nella morte il suo fine, in attesa del quale, grazie alla medicina e ai servizi sociali, sopravvivono tutte quelle persone anziane che in altre epoche sarebbero già scomparse. A che servono? Che scopo hanno?

È questa mentalità che, connettendo la vecchiaia all'improduttività, all'emarginazione sociale e all'insignificanza, rende in Occidente la vecchiaia terribile, non solo per il singolo individuo, ma anche per la società che, non meno del singolo individuo, si dà da fare per ridurre le cause dell'invecchiamento o ritardarne perlomeno l'arrivo. I costi sociali, dalle pensioni all'assistenza, sovvertono il ritmo produttivo delle società avanzate che, impreparate, si trovano di fronte a una lotta di classe imprevista. Non più tra poveri e ricchi, ma tra vecchi che non vogliono lasciare e giovani che non sanno come cominciare.

Qui la biologia inizia a raccontare un tipo di storia molto allarmante, ma, dice Hillman, la psicologia potrebbe raccontarne un'altra se solo allargasse il suo campo e, invece di curare solo individui, si mettesse a curare le "idee malate" con cui gli individui visualizzano se stessi e le fasi della loro vita. Un lavoro che forse i filosofi potrebbero fare meglio degli psicologi, se è vero che la filosofia è un continuo correttivo di idee stantie, divenute egemoni per forza d'abitudine, per eccesso di pratica e condivisione, in fondo per la pigrizia del pensiero.

E allora proviamo a fare come Socrate che, rivolgendosi al vecchio Cefalo, chiede: "Da te ascolterei volentieri un giudizio sulla vecchiaia: se davvero essa è un periodo triste della vita, o se qualche altra cosa tu abbia da dirci". Cefalo inizia a far le lagnanze della vecchiaia, quelle lagnanze che nascono dal ricordo della giovinezza. Pessima prospettiva perché, così visualizzata, la vecchiaia non può apparire che come causa di tutti i mali. Cefalo ne fa l'elenco che però non convince Socrate: "Mio caro Cefalo, di tutti questi mali c'è sì un'unica causa, ma essa non è la vecchiaia, bensì il carattere dell'individuo".[19]

Cosa ci insegna questa storia? Nel commentarla Hillman[20] ritiene che si può benissimo scomporre la connessione vecchiaia-morte per ricostruire l'antica connessione *vecchiaia* e *svelamento del carattere* che nella vecchiaia appare nella sua unicità, facendoci finalmente conoscere quel che davvero in fondo siamo nella nostra specifica tipicità. In questa prospettiva "vecchio" non vuol più dire "rudere in attesa della morte", ma può assumere quel carattere unico e tipico delle cose che ammiriamo, come le vecchie navi, le vecchie case, le vecchie fotografie nella loro unicità e non riproducibilità. Questo è il nesso vero da cogliere nella vecchiaia, non quello deprimente vecchiaia-morte.

La morte infatti non è un oggetto a cui la nostra psiche possa applicarsi, perché la morte non ha una psicologia. Che si muore lo può dire la logica, la metafisica, la teologia, ma non lo può dire mai la nostra psiche, perché, ce lo ricorda Freud,[21] la morte è inattingibile al nostro vissuto psichico, e prendere a prestito dalle metafisiche e dalle teologie della morte una nozione che la nostra psiche non riesce a sperimentare significa contorcere la nostra psiche e costringerla a pensare e a vivere il nulla di cui è assolutamente incapace.

"Invecchiando," scrive Hillman, "io rivelo il mio carattere, non la mia morte",[22] dove per carattere devo pensare ciò che ha plasmato la mia faccia, che si chiama "faccia" perché la "faccio"

[19] PLATONE, *Repubblica*, Libro I, 329 d.

[20] J. HILLMAN, *La forza del carattere*, cit., p. 19.

[21] S. FREUD, *Wir und der Tod* (1915); tr. it. *Noi e la morte*, in *Opere*, cit., vol. XIII, *Complementi 1885-1938*, pp. 127-141. A dimostrazione che la nostra psiche è incapace di pensare la propria morte, Freud cita "la storia di quel marito che, riferendosi alla propria moglie, afferma: 'Se uno di noi due muore, io mi trasferisco a Parigi'. Questa storiella cinica non avrebbe ragion d'essere se non portasse con sé una verità nascosta". Si tratta di quella verità che Freud enuncia in questi termini: "Il nostro inconscio non riesce a rappresentarsi la propria morte, esattamente come l'uomo primitivo. Esso, al pari dell'uomo primitivo, prova piacere per la morte dell'estraneo e sentimenti contrastanti (ambivalenza) nei confronti della persona amata" (pp. 140-141).

[22] J. HILLMAN, *La forza del carattere*, cit., p. 27.

proprio io, con le abitudini contratte nella vita, le amicizie che ho frequentato, la peculiarità che mi sono dato, le ambizioni che ho inseguito, gli amori che ho incontrato e che ho sognato, i figli che ho generato.

"Onora la faccia del vecchio," è scritto nel *Levitico* (19, 32), perché la faccia è il primo segnale da cui prende le mosse l'etica di una società. E a quale etica si ispira l'Occidente se la faccia che invecchia è modificata chirurgicamente, nascosta dalla cosmesi e il carattere è sepolto sotto una falsificazione? Se la vecchiaia non mostra più la sua vulnerabilità, si chiede Hillman, "dove reperire le ragioni della *pietas*, l'esigenza di sincerità, la richiesta di risposte sulle quali poggia la coesione sociale"? "La faccia del vecchio è un bene per il gruppo" e soltanto a Dio, ma giusto perché è solo, è concesso di nascondere il suo volto. Per il bene della società, conclude Hillman: "Bisognerebbe, forse, proibire la chirurgia cosmetica e considerare il lifting un crimine contro l'umanità"[23] perché, oltre a privare il gruppo della faccia del vecchio, finisce per dar corda e sostegno a quel mito della giovinezza che visualizza la vecchiaia come anticamera della morte. Del resto, scrive Hillman:

> Finché consideriamo ogni tremito, ogni macchiolina epatica sulla pelle, ogni nome dimenticato esclusivamente come indizio di declino, affliggiamo la nostra mente tanto quanto la sta affliggendo la vecchiaia. Il ripetersi spesso, ogni volta che vediamo la nostra faccia allo specchio, di questa diagnosi negativa su ciò che ci sta accadendo dimostra la potenza dell'idea alla quale abbiamo imbrigliato l'ultima parte della vita.[24]

E allora il lifting facciamolo non alla nostra faccia, ma alle nostre idee e scopriremo che tante idee convenzionali, che in noi sono maturate guardando ogni giorno in televisione lo spettacolo della bellezza, della giovinezza, della sessualità e della perfezione corporea, in realtà servono per nascondere a noi stessi e agli altri la qualità della nostra personalità, a cui magari per tutta la vita non abbiamo prestato la minima attenzione, perché sin da quando siamo nati ci hanno insegnato che apparire è più importante che essere, con il risultato di rischiare di morire sconosciuti a noi stessi e agli altri.

[23] Ivi, pp. 213-215.
[24] Ivi, p. 18.

La *terapia delle idee* è la ricetta che ci consiglia Hillman, a partire dalla considerazione che "alla mente le idee piacciono",[25] e nella vecchiaia bisogna coltivare idee, ma non per ritardare il declino delle funzioni cerebrali come si è soliti dire, perché

> Le idee non sono semplici vitamine che servono a mantenere desta la mente; anche la mente serve alle idee. Rigirandole e smontandole la mente mantiene vive le idee e impedisce che rimbambiscano.[26]

Nella vecchiaia c'è tutto il tempo per sostituire e cambiare le idee, invece di lasciarle logorare e irrigidire nei luoghi comuni e nelle convenzioni, ma per questo lavoro ci vuole grinta e capacità di resistenza, in una parola: la forza del carattere. Del resto, produrre idee non è né più né meno che la giustificazione del vivere. E questa è la ragione per cui, in fondo, la morte non ci riguarda.

5. *La vecchiaia e la verità dell'amore*

Si dirà, va bene il carattere e la personalità, ma l'amore, che sempre Freud indica come antitesi alla morte? Che ne è dell'amore per il vecchio che, misconosciuto come soggetto erotico, può affidarsi malinconicamente solo alla memoria, al ricordo e al rimpianto? A correggere questa idea è Manlio Sgalambro che, nel *Trattato dell'età*, non cerca ripari, non si rifugia nella "giovinezza interiore" che a suo parere è un "luogo notoriamente malfamato", ma si rivolge alla "sacra carne del vecchio" che contrappone a quella del giovane, "mera *res extensa* buona per la riproduzione".[27]

Il discorso non è consolatorio, ma, per essere compreso bisogna sollevare lo sguardo dalla descrizione che la *psicologia* fa della vecchiaia a una descrizione *metafisica*,[28] l'unica a saper cogliere il vero senso della vecchiaia dove "il tempo sembra dissolversi, e al suo posto compare l'età come una dimensione senza più legami con esso".[29]

Ma qui non ci confondiamo: "Non ci sono due, tre, sette o die-

[25] Ivi, p. 19.
[26] *Ibidem*.
[27] M. Sgalambro, *Trattato dell'età*, cit., pp. 56-57.
[28] Ivi, pp. 21-27.
[29] Ivi, p. 23.

ci età, dall'infanzia al rimbambimento"[30] se non per quella "scienza inferiore che è la psicologia – nella quale il destino deteriore dell'uomo odierno ha trovato la sua degna scienza – mentre dovrebbe darle dure lezioni",[31] soprattutto là dove, nel tentativo disperato e impossibile di raggiungere la scientificità degli altri saperi, non trova mossa migliore che *quantificare* in età la vita dell'uomo. E allora solo adottando il punto di vista della psicologia, si può desiderare di morire, perché, scrive Sgalambro:

> Dopo che le età si spartiscono la vita come un bottino, solo all'ultima non resta in mano niente. Questo almeno è il punto di vista della psicologia, il punto di vista più basso che si possa avere sull'uomo e il suo fato.[32]

Ma se abbandoniamo il punto di vista della psicologia e seguiamo il percorso metafisico indicato da Sgalambro, scopriamo che né il fanciullo, né il giovane, né l'adulto hanno età perché "in essi la vita scorre come il corso di un fiume", solo il vecchio ha età, perché nel vecchio finisce il tempo intimo, il tempo vissuto, il tempo che scorre, e al suo posto entra potente il tempo esterno, il tempo del mondo, il tempo della materia, il tempo che non passa, "il tempo che si scontra con l'individuo come tempo non suo",[33] che scolpisce sulla faccia del vecchio il suo tratto *metafisico*, non *psicologico*.

Solo il vecchio ha età, perché in lui l'età non si evolve. Fin quando ha "età", come la intende la psicologia, "l'uomo è un fanciullo, un bisogno dell'adulto". Con la vecchiaia "l'età non ha età" (in senso psicologico) perché non si evolve. E quindi la vecchiaia non è l'ultima tappa della vita, ma la prima e l'unica in cui si esce dal tempo proprio, dal tempo vissuto, per essere abbracciati dal tempo esterno, quello dell'orologio, l'unico serio, quello del mondo che procede con regole sue e non più nostre, quello del corpo cadenzato sui ritmi della materia.[34] Questo è il momento culminante della vita che non è più "slancio", ma "apice" o, come dice Sgalambro, "climax":

> Il climax, il momento culminante prima della precipitosa discesa, non è un etereo momento dell'anima, ma germoglia nel corpo sgon-

[30] Ivi, p. 24.
[31] Ivi, p. 34.
[32] Ivi, p. 71.
[33] Ivi, pp. 24-27.
[34] Ivi, pp. 37-39.

fiato e sfatto di chi ha percorso il cammino dell'età o lo sta percorrendo. Il climax si fa pagare. Non è cosa da uccellini implumi. Lo paghi con la vecchiezza. Sarebbe altrimenti un *élan*, un sospiro, e invece è nientemeno che il momento del compimento.[35]

Riguardo al tempo, il climax, è quel momento in cui il tempo si innalza talmente al di sopra che, pur non essendo eternità, è come se lo fosse. O in altri termini, esso è eternità, ma solo per un momento.[36]

È questa la figura del vecchio che Sgalambro ritrae. Non il vecchio che aspetta la morte o decide la sua morte e neppure il vecchio "sciapo, inoffensivo e babbeo", ma il vecchio "come essere terribile e noumenico", portavoce del "tempo del mondo", non del "tempo proprio", del "tempo perduto", del tempo che non è più. Come stato supremo della conoscenza, non più inquinata dal desiderio, la vecchiaia, scrive Sgalambro, "è l'epoca della Grande Valutazione. Non porta né le rondini né la fioritura degli anemoni. Ma grandi Sì e grandi No".[37]

A differenza infatti della fanciullezza, dell'adolescenza e della maturità che sono in balia della vita, la vecchiaia è in sé come ciò che è compiuto e perciò perfetto. In essa ci si congeda dal proprio tempo che è il tempo dell'io, il tempo del desiderio, per incontrare il tempo esterno, quello del mondo. In un certo senso la vecchiaia viene dal di fuori, e sopraggiungendo opera quella scissione profonda tra *tempo* e *individuo*, per cui non si può più dire che l'esistenza *è* tempo, ma piuttosto che l'esistenza, nella vecchiaia, *subisce* il tempo. Un tempo fermo, un tempo solido e opaco, un tempo che non passa mai, in cui si riflette il momento statico del mondo. Finché non passa da quelle parti Amore.

"L'eros scaturisce da ciò che sei, amico, non dalle fattezze del tuo sedere o dalle superbe spalle",[38] scaturisce dalla tua età che, non avendo più scopi, può capire finalmente cos'è l'amore fine a se stesso. "Una sessualità totale succede alla sessualità genitale." Non più la "*rebellio membri genitalis*, il vile amore notturno, il fugace abbraccio", ma il trasalimento che, come un'onda inesorabile che ritorna instancabile sulla stessa riva, è un tributo all'incarnazione senza riproduzione, perché, scrive Sgalambro, "la specie non è niente, alcuni uomini sono tutto".[39]

[35] Ivi, p. 15.
[36] Ivi, p. 51.
[37] Ivi, p. 23.
[38] Ivi, p. 57.
[39] Ivi, pp. 62-64.

Questi favori, che anche a parere di Ovidio “la natura negò ai giovani”,[40] consentono all’amore di raggiungere a sua volta il proprio apice che non è nella riproduzione a cui è legato l’animale di ogni specie, e neppure nel piacere troppo omogeneo e compatto nella giovinezza della carne. L’apice dell’amore è nella conoscenza del tempo, non del tempo passato che si avvinghia a quello futuro, ma di quel tempo dei tempi dove l’amore e la morte, che in ogni orgasmo tutti sentono in qualche modo imparentati, trovano il loro modo ineffabile di abbracciarsi finalmente senza maschere e fraintendimenti.

Qui, per Sgalambro, “si annida il segreto dell’età, dove lo spirito della vita guizza dentro come una folgore, lasciando muta la giovinezza, incapace di capire”.[41] Forse il carattere e l’amore hanno bisogno di quegli anni in più che la lunga durata della vita oggi ci concede per vedere quello che le generazioni che ci hanno preceduti, fatte alcune eccezioni, non hanno potuto vedere, e precisamente quello che uno è al di là di quello che fa, al di là di quello che tenta di apparire, al di là di quei contatti d’amore che la giovinezza brucia, senza capire.

[40] Ovidio, *Ars amatoria*, Libro II, vv. 1039-1040.
[41] M. Sgalambro, *Trattato dell’età*, cit., p. 65.

4.
Il mito della felicità

"Noi abbiamo inventato la felicità," dicono gli ultimi uomini, e strizzano l'occhio.

F. NIETZSCHE, *Così parlò Zarathustra* (1883-1885), p. 12.

1. *L'utopia della felicità*

Prima di compiere l'ultimo gesto, il suicida discute con la propria anima l'opportunità di rimanere in questo mondo:

> A chi parlerò oggi? I fratelli sono malvagi. Gli amici di oggi non sanno amare. I cuori sono avidi. A chi parlerò oggi? A chi ha il volto sereno? No, di solito è malvagio. Di solito è soddisfatto dal male. Io sono carico di dolore perché mi manca un confidente. A chi parlerò oggi?

Non conosciamo la risposta dell'anima perché il papiro egizio, denominato "Berlino 7024", dove leggiamo queste parole che risalgono a duemila anni avanti Cristo, si interrompe e non ci concede la risposta dell'anima a chi la interroga sulla felicità che non compensa la virtù e sull'infelicità che non consegue alla colpa. Questa mancanza di correlazione fa apparire felicità e infelicità insensati giochi del destino a cui non ci si può sottrarre se non sottraendosi alla vita. Ma un altro papiro egizio della stessa epoca, conservato al British Museum di Londra e titolato *Canto dell'arpista*, sembra riferire le parole dell'anima all'infelice che coltiva i suoi pensieri di morte:

> Non c'è chi venga di là. E che dica il loro modo. E che dica le loro cose. E che calmi il nostro cuore. Segui il tuo cuore finché esisti. Infatti non c'è uomo che abbia portato le sue cose con sé, così come non esiste chi sia venuto indietro.

I testi di questi papiri sono riportati da Armando Torno nel suo libro su *L'infelicità*[1] che fa piazza pulita di quelle insulsaggini che, in forma di libro, sempre più invadono i banchi delle nostre librerie per agganciare, con il motivo accattivante della felicità e dell'infelicità, quelle anime flebili le cui espressioni trovano frequenti ospitalità nelle rubriche del cuore. Pensate che successo avrebbe avuto la *Lettera sulla felicità* di Epicuro se l'editore l'avesse pubblicata con il suo titolo originale: *Lettera a Meneceo*.[2]

Dunque la felicità attrae, ma non perché si conosce la sua forma o la determinatezza del suo contenuto, ma perché lo stato abituale di infelicità in cui gli uomini ritengono di trascorrere la loro vita è in grado di definirsi solo in relazione a quel balenare della felicità che talvolta lambisce la vita come illusione di un giorno. Ultimo dei pitagorici, che ancora non ha tolto ai numeri la loro magia riducendoli a pura quantità, Armando Torno scrive che:

> L'infelicità assomiglia allo zero della matematica: annulla tutto ciò che si accoppia con lei, non accetta di essere divisa, non sa nemmeno con precisione quando sia nata. Forse è addirittura meglio ignorarla, così come gli antichi costruivano templi e ponti, palazzi e acquedotti senza operare con lo zero. Tuttavia, da quando un cultore di aritmetica si è accorto di questa entità, i numeri non hanno avuto più pace. Lo zero è paragonato al nulla, ma a seconda del posto che occupa fa esplodere le cifre, o le umilia. Difficile da spiegare, ma sempre presente: come l'infelicità, appunto.[3]

Due sono gli itinerari percorsi da Torno alla ricerca delle matrici dell'infelicità: l'itinerario della conoscenza e l'itinerario del desiderio. Il primo percorso prende le mosse dall'*Ecclesiaste* (1,18) dove si legge: "Molta sapienza, molto affanno; chi accresce il sapere aumenta il dolore". È questo il motivo che percorre la tradizione giudaico-cristiana dal giorno in cui Dio proibisce ad Adamo l'accesso all'albero della conoscenza del bene e del male e che torna nel perdono del Golgota a "coloro che non sanno quello che fanno" (*Luca*, 23, 34), per irradiarsi nella cultura medievale con Dante che invita l'"umana gente" a contenersi nei limiti del "quia",[4] del "come sono le cose" senza inoltrarsi nell'insondabilità del "perché".

[1] A. Torno, *L'infelicità. Storia di una passione*, Mondadori, Milano 1996, pp. 17-19.

[2] Epicuro, *Lettera a Meneceo*, in *Opere*, Utet, Torino 1983, pp. 196-204.

[3] A. Torno, *L'infelicità*, cit., p. 7.

[4] Dante Alighieri, *La divina commedia*, Purgatorio, canto III, v. 37.

Il motivo è ripreso dalla cultura umanistica che istituisce, anche in termini di felicità, la differenza tra il bruto e l'uomo sospeso in quella condizione intermedia tra l'animale e l'angelo, dove la condizione animale diventa simbolo di una presunta eppur non convincente felicità. In Leopardi, Schopenhauer e Nietzsche ritroviamo questo tema che Armando Torno rivisita alla luce delle parole dell'*Ecclesiaste*, dove l'accento batte sulla vanità del tutto e l'insignificanza delle cose del mondo tra cui ci è capitato di nascere.

La persuasione biblica secondo cui la *conoscenza è dolore* contrasta con la convinzione greca secondo cui il dolore, come vogliono le parole di Eschilo, è "errore della mente"[5] perché, nel fissare le mete di felicità, l'uomo guarda a se stesso come a un tutto e non come parte del tutto. Anteponendo la sua prospettiva e la particolarità del suo sguardo allo sguardo del tutto, l'uomo scambia il senso della terra con la miopia del suo desiderio, e in questo errore di prospettiva crea le condizioni della sua infelicità.

Ma l'Occidente non ha ascoltato il messaggio della tragedia greca e perciò ha inaugurato un tipo d'uomo che, promosso dalle esigenze del suo Io, ha innescato quel desiderio infinito, quell'eccesso di desiderio che, come ci insegna Freud, è macchina di dolore. L'Io infatti, ci ricorda Freud, vuole la sua identità che nasce al costo di una separazione da quella "comunione con il tutto" che Freud chiama "sentimento oceanico",[6] che ciascuno di noi ha sperimentato nella condizione prenatale e in quel breve periodo della prima infanzia che, traslata dalla storia personale a quella di un popolo, ha fatto sì che ogni cultura fissasse la propria condizione felice nel tempo remoto della mitica età dell'oro da cui un giorno, infelici, fuoriuscimmo. Questa primitiva felicità può essere recuperata per brevi istanti, come, ad esempio, ci dice Freud:

> Al culmine dell'innamoramento dove il confine tra Io e oggetto minaccia di dissolversi. Contro ogni attestato dei sensi, l'innamorato afferma che Io e Tu sono una cosa sola ed è pronto a comportarsi come se fosse davvero così.[7]

[5] ESCHILO, *Agamennone*, in *Tragedie e frammenti*, Utet, Torino, 1987, v. 165. Su questo tema si veda il saggio fondamentale di E. SEVERINO, *Il giogo. Alle origini della ragione: Eschilo*, Adelphi, Milano 1989.

[6] S. FREUD, *Das Unbehagen in der Kultur* (1929); tr. it. *Il disagio della civiltà*, in *Opere*, Bollati Boringhieri, Torino 1967-1993, vol. X, § 1, p. 561. Sul "sentimento oceanico" si veda U. GALIMBERTI, *Psiche e techne. L'uomo nell'età della tecnica*, Feltrinelli, Milano 1999, pp. 595-596.

[7] S. FREUD, *Il disagio della civiltà*, cit., p. 559.

Ma, prosegue Freud, questa fusione, in cui la felicità consiste, "non è patologica solo perché è eccezionale".[8] Donde la conclusione: "Le nostre possibilità di essere felici sono dunque già limitate dalla nostra costituzione. Provare infelicità è assai meno difficile".[9]

Se ai limiti posti dalla nostra costituzione (l'esigenza dell'Io di distinguersi dall'altro) aggiungiamo le esigenze imposte dalla realtà che non si piega ai nostri desideri e dalla società in cui le esigenze di felicità degli altri confliggono con le nostre, comprendiamo perché, come dice Freud, per ridurre il tasso di conflittualità, "l'uomo civile ha barattato una parte della sua possibilità di felicità per un po' di sicurezza".[10]

E così la nozione di felicità va smorzandosi nella nozione più tranquilla di "serenità", che tende all'azzeramento della conflittualità e al rispetto della soggettività. Alla serenità si ribellano la sessualità e la mistica. Entrambe rifiutano la distinzione e tendono alla fusione. Vanno custodite, perché forniscono il modello sempre riattivabile di quel che andiamo cercando quando inseguiamo la felicità, anche se, è Schopenhauer a ricordarcelo, la loro promessa è spesso una promessa vuota.

Che dire allora di quelle ipotesi che spostano la felicità dall'individuo al sociale, dal chiuso dell'anima all'aperto della città, o nella forma rivoluzionaria indicata da Marx o in quella utopica che il sogno rinascimentale di Campanella, Tommaso Moro e Bacone indicavano rispettivamente nella *Città del sole*, in *Utopia*, e nella *Nuova Atlantide*?

Giocando con la "u" di "u-topia" Armando Torno dà credito sia alla tradizione che legge la "u" come contrazione di "ou", per cui "utopia indica il luogo che non c'è", sia alla tradizione che legge la "u" come contrazione di "eu", il prefisso che in greco indica tutto ciò che ha attinenza con la felicità, per concludere che:

> "Utopia" è un luogo che non esiste e per questo è felice; oppure: i luoghi felici sono soltanto quelli che non esistono. In tal modo dovrebbe essere soddisfatta anche l'ironia di Tommaso Moro, l'autore di *Utopia*, il quale, a dire il vero, ha concluso i suoi giorni sul patibolo, in un luogo che non esisteva nei suoi programmi.[11]

[8] *Ibidem*.
[9] Ivi, p. 568.
[10] Ivi, p. 602.
[11] A. Torno, *L'infelicità*, cit., p. 114.

Le pagine di Armando Torno, che si distanziano da quella letteratura sui sentimenti che male irriga, soprattutto se di provenienza psicologica, i deserti delle nostre anime, sono percorse dal motivo secondo il quale la felicità dipende dall'idea che uno se ne fa, e siccome le idee sono storiche e stratificate nel tempo, quando si parla di felicità o di infelicità si parla della cultura del tempo e, all'interno di questa cultura, dei modi personali di sentirsi felici o infelici. Basta allora percorrere gli scenari dischiusi dalla rapida successione delle culture nel tempo per modificare lo stato della nostra anima e smobilitare la tirannia del nostro desiderio cieco e ostinato, che ha proprio nella sua cecità e ostinazione il germe nascosto della nostra infelicità.

Percorrendo i diversi scenari culturali si impara che il mondo è un po' più grande e aperto di quanto non lo siano le cantine buie della nostra anima, dove l'infelicità si alimenta della sua solitudine e si nutre del rifiuto della comunicazione. "A chi parlerò oggi?" domandava, nel dialogo con la sua anima, l'antico egizio in procinto di suicidarsi. Forse l'infelicità comincia proprio nei paraggi di quei deserti dove non si trova risposta a questa domanda.

2. *L'esperienza della felicità*

Eppure la felicità esiste, scrive Salvatore Natoli, "non perché gli uomini ne possiedono il concetto, ma perché talvolta ne sperimentano la condizione". Infatti:

> Una volta vissuta, la felicità non può essere dimenticata, poiché la nostra coscienza mantiene in sé quel che trapassa. Per l'uomo nulla perisce definitivamente, perché il tempo non è in grado di abolire l'esperienza. [...] La felicità può dunque essere perduta come condizione di vita, ma non può essere cancellata come esperienza, e a tale titolo può sempre essere ricreata. [...] Rispetto al dolore che inchioda, stringe e costringe, la felicità lambisce, balena e dispare. [...] Per questo la felicità appare come un bene transitorio, mentre il dolore si rivela condizione più abituale e consueta.[12]

Eppure la felicità, prosegue Natoli, è più originaria del dolore, se non altro perché è impossibile sperimentare una perdita là

[12] S. Natoli, *La felicità. Saggio di teoria degli affetti*, Feltrinelli, Milano 1996, pp. 11-12.

dove non c'è stato un possesso, così come non è possibile sperimentare la negatività là dove non c'è stata positività. Ma di che natura è quella positività in cui la felicità consiste? "È quella pienezza", scrive Natoli, "che nel momento in cui la si possiede, se ne è, in effetti, posseduti."[13]

In quanto evento che ci possiede, non possiamo *definire* la felicità, ma solo *viverla*. Se ci domandassimo: "Che cos'è?", oggettiveremmo quello stato di possessione e, così facendo, non coincideremmo più con esso, ma ci porremmo già fuori. Per questo, scrive Natoli, "la felicità non è attingibile per via di riflessione", e questo è il motivo per cui "l'uomo non *sa* di essere felice, ma *si sente* felice".[14] Scopriamo così la ragione per cui, nell'ordine degli affetti:

> La felicità differisce radicalmente dal dolore, pur essendo altrettanto radicalmente coinvolgente. Chi soffre, infatti, non solo si interroga sulle ragioni del proprio soffrire, ma tramite la sofferenza eleva se stesso a problema, e per tal via si interroga in generale sul senso dell'esistenza. Chi è felice ignora l'esistenza come problema, perché inerisce e aderisce per intero alla propria condizione e non ha motivo di rifiutarla.[15]

Questa è la ragione per cui il dolore introduce una *separazione* di sé da sé, una distanza, una scissione che la felicità ignora. Eppure, è sempre la felicità a essere sullo sfondo come prospettiva d'uscita dal dolore. È questa forma di felicità, la felicità come *sfondo possibile*, che manca al dolore del depresso, il quale non ha occhio per il futuro, ma solo per un passato dimentico di ogni sperimentazione di felicità come dimensione originaria dell'esistere.

La depressione, prima di essere una condizione clinica, è un *cedimento della memoria*, è l'incapacità di rilanciare nel futuro un'esperienza di felicità che la vita ha vissuto solo come evento momentaneo e non come esperienza originaria. La felicità non dimenticata, infatti, diventa un modello inconscio che ne motiva di nuovo la ricerca. Questo nesso tra memoria della soddisfazione e ricerca della soddisfazione è l'essenza del *desiderio*, ossia di quella macchina inconscia capace di trasformare un'esperienza in una prospettiva futura.

[13] Ivi, p. 14.
[14] *Ibidem*.
[15] Ivi, pp. 14-15.

La ricerca, che il desiderio attiva, produce quella felicità che, se non è pienezza, è almeno contenimento del dolore. Ma per questo occorre spesso nella vita abbassare le pretese. Chi non riesce innesca quel desiderio infinito che è macchina di dolore perché, in assenza di una felicità piena, c'è chi vive con sofferenza lo scarto, invece di accedere a quella felicità, frutto di moderazione, che prevede innanzitutto di evitare il dolore.

A ciò si aggiunge il fatto, come scrive Natoli, che "la felicità non premia la virtù, così come il dolore non punisce la colpa". Questa mancanza di consequenzialità fa apparire felicità e dolore spietati giochi della sorte: "La cecità con cui il dolore colpisce è pari alla gratuità con cui la felicità è assegnata".[16] Ma proprio questa aleatorietà dell'accadere può generare quella saggezza dell'esistenza consapevole che la felicità non è mai sicura, così come il dolore non è mai definitivo. Entrambi accadono quando accadono e sono sottoposti alla signoria del tempo che non consente di morire né di dolore né di felicità. Il tempo, infatti, ci fa sopravvivere al dolore così come inesorabilmente consuma la felicità.[17]

A partire da questo scenario è possibile, seguendo il percorso di Natoli, descrivere le figure della felicità, intesa "sia come esperienza sia come idea. Chi è felice, infatti, è felice sempre secondo un'idea".[18] E siccome le idee sono storiche e stratificate dallo spessore epocale, interessante diventa la lettura del libro di Flavia De Luise e Giuseppe Farinetti, *Storia della felicità. Gli antichi e i moderni*,[19] e del saggio di Antonio Trampus, *Il diritto alla felicità. Storia di un'idea*,[20] dove in primo piano vengono le figurazioni della felicità come in successione sono state pensate in Occidente.

Per i Greci antichi la felicità consisteva nella capacità di controllare il proprio destino. "*Eu-daimonía*", come i Greci chiamavano la felicità, vuol dire "buon demone", in parte dato dalla sorte in parte acquisibile, adottando uno stile di vita capace di meritarsi lo sguardo benevolo del destino. Per i cristiani, invece, la felicità è proiettata nell'altro mondo e promessa a chi, attraverso il dolore, la guadagna in questo mondo. In pratica:

[16] Ivi, p. 17.
[17] Ivi, p. 37.
[18] Ivi, pp. 250-151.
[19] F. De Luise, G. Farinetti, *Storia della felicità. Gli antichi e i moderni*, Einaudi, Torino 2001.
[20] A. Trampus, *Il diritto alla felicità. Storia di un'idea*, Laterza, Bari 2008.

accettazione incondizionata dell'esistente con speranza di felicità futura.[21]

Per noi, uomini d'oggi, la felicità sembra collocarsi nella rivendicazione individuale, nell'affermazione di sé anche a scapito degli altri, e nell'esercizio incondizionato della libertà intesa come revocabilità di tutte le scelte. Quindi una felicità del tutto individuale, dove il godimento privato del benessere e la concezione del tutto soggettiva di bene si affermano come misure non negoziabili di felicità.

Ma queste figurazioni della felicità elaborate dalla filosofia minacciano di essere oscurate dalla parola delle neuroscienze, per le quali la felicità risulta dalla buona armonia dei tre cervelli: quello *rettiliano*, collocato nell'area ipotalamica, che presiede le funzioni vitali del bere, del mangiare, del dormire e del fare l'amore; quello *limbico*, che presiede gli automatismi che regolano le azioni che compiamo senza pensare; e infine quello *corticale* con cui ragioniamo, calcoliamo, disegniamo, creiamo musica o poesia.

Attraverso il metodo riduttivo tipico delle scienze esatte, Christian Boiron, che all'armonia e alla disarmonia dei tre cervelli ha dedicato il saggio *Le ragioni della felicità*,[22] è in grado di giungere a quella definizione di felicità tanto cercata dai filosofi. Ma se è vero che a volare troppo alto, come fanno i filosofi, ci si può bruciare le ali, è altrettanto vero che, forse, volando troppo basso, si finisce per trovare solo quell'ideale di felicità che, nel racconto di Nietzsche, rivendicano gli ultimi uomini:

> Una vogliuzza per il giorno, una vogliuzza per la notte, fermo restando la salute. "Noi abbiamo inventato la felicità," dicono gli ultimi uomini, e strizzano l'occhio.[23]

3. *La misura della felicità*

Che sia utopia o se ne abbia esperienza, la felicità resta comunque una condizione esistenziale a cui tutti ambiscono e, in-

[21] Si veda in proposito U. GALIMBERTI, *La casa di psiche. Dalla psicoanalisi alla pratica filosofica*, Feltrinelli, Milano 2005, e in particolare "Introduzione. Le visioni del mondo sottese alla psicoanalisi e alla pratica filosofica", pp. 11-26.

[22] CH. BOIRON, *La source du bonheur est dans notre cerveau* (1998); tr. it. *Le ragioni della felicità. Contenuti e definizioni del piacere e della felicità: nuove ipotesi*, Franco Angeli, Milano 2001.

[23] F. NIETZSCHE, *Also sprach Zarathustra. Ein Buch für Alle und Keinen* (1883-1885); tr. it. *Così parlò Zarathustra. Un libro per tutti e per nessuno*, in *Opere*, Adelphi, Milano 1968, vol. VI, 1, p. 12.

capaci di raggiungerla, attribuiscono il fallimento agli altri o alle circostanze del mondo esterno, quali l'amore, la salute, il denaro, l'aspetto fisico, le condizioni di lavoro, l'età, e in generale a tutta una serie di fattori su cui non esercitiamo praticamente alcun potere di controllo. Ciò induce molti di noi a esonerarci dal compito di essere non dico felici, ma almeno propensi alla felicità, perché nulla possiamo fare di fronte alle circostanze che non dipendono da noi.

Eppure la *propensione alla felicità* è accessibile a qualsiasi essere umano, a prescindere dalla sua ricchezza, dalla sua condizione sociale, dalle sue capacità intellettuali, dalle sue condizioni di salute. Perché la felicità non dipende tanto dal piacere, dall'amore, dalla considerazione o dall'ammirazione altrui, quanto dalla piena accettazione di sé, che Nietzsche ha sintetizzato nell'aforisma: "Diventa ciò che sei".[24]

Sembra quasi un'ovvietà, ma non capita quasi mai, perché noi misuriamo la felicità non sulla realizzazione di noi stessi, che è fonte di energia positiva per quanti ci vivono intorno, siano essi familiari, colleghi, conoscenti, ma sulla realizzazione dei nostri desideri, che formuliamo senza la minima attenzione alle nostre capacità e possibilità di realizzazione. Non accettiamo il nostro corpo, il nostro stato di salute, la nostra età, la nostra occupazione, la qualità dei nostri amori, perché ci regoliamo sugli altri, quando non sugli stereotipi che la pubblicità ci offre ogni giorno.

Distratti da noi, fino a diventare perfetti sconosciuti a noi stessi, ci arrampichiamo ogni giorno su pareti lisce per raggiungere modelli di felicità che abbiamo assunto dall'esterno e, naufragando ogni giorno, perché quei modelli probabilmente sono quanto di più incompatibile possa esserci con la nostra personalità, ci incupiamo e distribuiamo malumore, che è una forza negativa che disgrega famiglia, associazione, impresa, in cui ciascuno di noi è inserito, perché spezza la coesione e l'armonia e costringe gli altri a spendere parole di comprensione e compassione per una sorte che noi e non altri hanno reso infelice.

Se l'infelicità è il risultato di un desiderio lanciato al di là delle nostre possibilità, non c'è alcuna difficoltà a dire che chi è infelice in qualche modo è colpevole, perché è lui stesso causa della sua infelicità, per aver improvvidamente coltivato un deside-

[24] F. Nietzsche, *Die fröhliche Wissenschaft* (1882); tr. it. *La gaia scienza*, in *Opere*, cit., 1965, vol. V, 2, Libro III, § 270, p. 158.

rio infinito e incompatibile con i tratti della sua personalità, che non si è mai dato la briga di conoscere.

Da questo punto di vista la propensione alla felicità, e quindi il buonumore, non è più una faccenda di "umori", ma oserei dire un vero e proprio *dovere etico*, non solo perché nutre il gruppo che ci circonda di positività, ma perché presuppone una buona conoscenza di sé, che automaticamente limita l'ampiezza smodata dei nostri desideri, accogliendo solo quelli compatibili con le proprie possibilità. Infatti, nello scarto tra il desiderio che abbiamo concepito e le possibilità che abbiamo di realizzarlo c'è lo spazio aperto, e talvolta incolmabile, della nostra infelicità, che ci rode l'anima e mal ci dispone di fronte a noi e agli altri.

Le conseguenze sono note: ansia e depressione che, opportunamente coltivate dal rilancio del desiderio, quasi una reiterazione della nostra prevedibile sconfitta, diventano condizioni permanenti della nostra personalità, che abbassano il tono vitale della nostra esistenza, quando non addirittura, a sentire i medici, il nostro sistema immunitario, disponendoci alla malattia, che non è mai solo un'insorgenza fisica, ma anche spesso, e forse soprattutto, una disposizione dell'anima che ha rinunciato a quel dovere etico che Aristotele segnala come scopo della vita umana: la felicità.

> Qual è il più alto di tutti i beni raggiungibili mediante l'azione? Orbene, quanto al nome, la maggioranza degli uomini è pressoché d'accordo: sia il volgo sia le persone distinte lo chiamano "felicità", e concepiscono il "vivere bene" e il "riuscire" come identici all'essere felici.[25]

Naturalmente Aristotele, da greco, non si lascia ingannare da cieche speranze o da promesse ultraterrene, e perciò pone, tra le condizioni della felicità, la "conoscenza di sé (*gnõthi seautón*)", da cui discende, nel nostro spasmodico desiderare, la "giusta misura (*katà métron*)". La felicità si guadagna attenendosi alla giusta misura, che i Greci conoscevano perché si sapevano mortali e i cristiani conoscono meno perché ospitati da una cultura che non si accontenta della felicità, perché vuole la felicità eterna, che è una condizione che non si addice a chi ha avuto in dote una sorte mortale. L'accettazione di questa sorte sdrammatizza il dolore e fa accettare quella *giusta misura* dove solamente può nascere, se non la felicità, certo la propensione verso la felicità.

[25] Aristotele, *Etica a Nicomaco*, Libro I, 1095 a, 16-19.

Nasce da qui la filosofia come *terapia della mente* per il miglioramento della condotta umana, dove l'accento non è posto sull'*imputabilità* della condotta, ma sulle *condizioni* che rendono una condotta saggia o insipiente, e quindi contenuta nella giusta misura o improvvida nella prevaricazione.

Si può allora insegnare la felicità? La domanda non è peregrina se, prima all'Università di Harvard e più di recente in quella di Wellington, sono stati introdotti degli insegnamenti che hanno per oggetto la felicità e le modalità per conseguirla. La domanda che sorge spontanea è quella che si chiede se l'università, nella produzione e nella trasmissione del sapere, non abbia oltrepassato il suo limite, invadendo fin nelle sue pieghe più intime anche il mondo della vita, oppure se il tasso di solitudine, non senso, depressione, disperazione è così diffuso tra i giovani da mobilitare un intero corpo docente per insegnare loro, se non proprio a essere felici, a creare le condizioni per l'accadimento della felicità.

Da parte nostra escludiamo che la felicità possa essere insegnata come si insegnano i saperi e le tecniche, per la semplice ragione che, come già abbiamo visto sottolineato da Natoli: "La felicità è quella pienezza che, nel momento in cui la si possiede, se ne è in effetti posseduti". In quanto evento che ci possiede, non possiamo "insegnare" la felicità, ma solo "viverla".

Se questa è la natura della felicità escludiamo che la si possa trasmettere per via di insegnamento, ma affermiamo anche che si possono insegnare le condizioni per il suo accadimento. Di questo si occupa la *pratica filosofica*, molto diffusa nei paesi anglosassoni, dove si sta recuperando il concetto originario di filosofia, nella modalità in cui i Greci l'hanno inaugurata innanzitutto come *cura dell'anima* e *governo di sé*.

4. *La felicità come realizzazione di sé*

Come abbiamo visto gli antichi Greci chiamavano la felicità *eu-daimonía*, con riferimento al *daímon* che ciascuno porta dentro di sé come sua qualità interiore, da cui discende la sua condotta, il suo *ẽthos*, per cui Eraclito può dire: "La propria qualità interiore, per l'uomo, è il suo demone (*ẽthos anthrópoi daímon*)".[26]

[26] ERACLITO, *fr*. B 119.

Se nel corso della vita il proprio demone ha una buona (*eû*) realizzazione si raggiunge la felicità (*eu-daimonía*), che dunque non risiede fuori di noi nel raggiungimento delle cose del mondo (piaceri, soddisfazioni, salute, prestigio, denaro), ma nella buona riuscita di sé, perché, come chiarisce Democrito: "Felicità e infelicità sono fenomeni dell'anima (*eudaimoníe psychẽs kaì kakodaimoníe*)",[27] la quale prova piacere o dispiacere a esistere a seconda che si senta o non si senta realizzata. La *realizzazione di sé* è dunque il fattore decisivo per la felicità.

Ma per l'autorealizzazione occorre esercitare quella virtù capace di fruire di ciò che è ottenibile e di non desiderare ciò che è irraggiungibile. Ancora una volta la "giusta misura" come contenimento del desiderio, della forza espansiva della vita che, senza misura, spinge gli uomini a volere ciò che non è in loro potere, declinando così il proprio demone non nella felicità (*eudaimonía*), ma nell'infelicità (*kakodaimonía*), che quindi è il frutto del mal governo di sé e della propria forza, obnubilata dalla voluttà del desiderio.

Per difendersi dall'infelicità causata dall'eccesso del desiderio sono nate due morali, quella stoica e quella cristiana. La *morale stoica* tende all'*ataraxía*, quell'impassibilità che si può raggiungere estinguendo il desiderio e instaurando la volontà come capacità di non desiderare. In quanto negazione delle cose desiderabili nel mondo, la morale stoica regge il dolore e si astiene dal desiderio (*substine et abstine*), ma così facendo contrae l'espansione della vita e chiama felicità il giocare in anticipo la delusione. L'ideale di un potere incondizionato su di sé, attraverso la categorica rinuncia a ogni cosa, non è che il rovescio del delirio di onnipotenza di chi pretende di raggiungere tutto ciò che desidera. In un caso e nell'altro non c'è "giusta misura".

Ma non c'è misura neppure nell'*ideale etico cristiano* che, non soddisfatto dei beni e dei piaceri transeunti del mondo dove nulla è durevole, aspira a un bene indefettibile ed eterno che, non essendo di questo mondo, è ipotizzato in un altro mondo, ed è raggiungibile solo con la pratica ascetica del sacrificio e della rinuncia. Qui Agostino è lapidario:

> Come potremo amare Dio, se amiamo il mondo? Due sono gli amori: quello del mondo e quello di Dio: se abita in noi l'amore del mon-

[27] Democrito, *fr.* B 170.

do, non è possibile che entri anche l'amore di Dio. Si allontani l'amore del mondo, e abiti in noi l'amore di Dio.[28]

Anche la rinuncia cristiana nasce dunque da un eccesso di desiderio che, insoddisfatto in questo mondo, crea quelli che Nietzsche chiama "i dispregiatori del mondo", quelli che "hanno inventato l'al di là per meglio calunniare l'al di qua", "uomini del risentimento" perché non hanno trovato in questo mondo la soddisfazione adeguata al loro eccesso di desiderio:

L'odio contro il "mondo", la maledizione delle passioni, la paura della bellezza e della sensualità, un al di là inventato per meglio calunniare l'al di qua, in fondo un'aspirazione al nulla, alla fine, al riposo, fino al "sabato dei sabati" – tutto ciò, come pure l'assoluta volontà del cristianesimo di far valere *soltanto* valori morali, mi parve sempre la forma più pericolosa e sinistra di tutte le forme possibili di una "volontà di morte", o almeno un segno di profondissima malattia, stanchezza, di malessere, esaurimento, impoverimento di vita; giacché di fronte alla morale (soprattutto cristiana, cioè alla morale assoluta) la vita *deve* avere costantemente e inevitabilmente torto, dato che la vita *è* qualcosa di essenzialmente immorale – e la vita *deve* infine, schiacciata sotto il peso del disprezzo e dell'eterno "no", essere sentita come indegna di essere desiderata, come priva di valore in sé. La morale stessa – ebbene, la morale non sarebbe una "volontà di negazione della vita", un segreto istinto di distruzione, un principio di decadenza, di discredito, di calunnia, un inizio della fine?[29]

Ancora una volta quel che manca, sia alla morale stoica sia alla morale cristiana, è "la giusta misura" che Aristotele indica come tratto tipico di ogni virtù, perché tiene lontano l'uomo da ogni eccesso e, nell'equidistanza, lo rende abile e capace di raggiungere i beni ottenibili e di rinunciare a quelli impossibili.

In questo modo la felicità si salda con la virtù, non nel senso che la felicità è il premio che attende chi ha condotto una vita virtuosa, ma nel senso che la felicità è nella conduzione di una

[28] AGOSTINO DI TAGASTE, *In epistolam Iohannis ad Parthos* (415), Discorso II, § 8; tr. it. *Commento alla prima lettera di Giovanni*, in *Amore assoluto e "Terza navigazione"*, Rusconi, Milano 1994, § 8, pp. 148-153: "Quomodo poterimus amare Deum, si amamus mundum? Duo sunt amores: mundi et Dei. Si mundi amor habitet, non est qua intret amor Dei. Recedat amor mundi, et habitet Dei".

[29] F. NIETZSCHE, *Versuch einer Selbstkritik* (1886) zu *Die Geburt der Tragödie aus dem Geist der Musik* (1972); tr. it. *Tentativo di un'autocritica* a *La nascita della tragedia dallo spirito della musica*, in *Opere*, cit., 1972, vol. III, 1, § 5, pp. 10-11.

vita virtuosa, nel significato greco di *areté*, che è la capacità di dar forma alla propria forza vitale, di espandere la vita fin dove è possibile, secondo misura (*katà métron*). In questo senso Aristotele può dire che la felicità (*eudaimonía*) è il "vivere bene (*eũ zẽn*)", e la *vita buona* (e non la *vita eterna*) è il fine della vita:

> Se conveniamo che è più perfetto ciò che si persegue per se stesso e non per altro, ebbene tale caratteristica sembra esser propria della *felicità*. Infatti noi desideriamo la felicità per se stessa e non per qualche altro fine, mentre invece l'onore, il piacere, la ragione e ogni altra virtù li perseguiamo sì per se stessi, ma soprattutto in vista della felicità, immaginando di poter essere felici attraverso questi mezzi. La felicità, invece, nessuno la sceglie in vista di questi altri beni, né in generale in vista di qualcos'altro.[30]

Questo significa che la felicità è di questa terra, perché l'eternità non è fatta per l'uomo e, solo rinunciando all'eternità (che è un'idea che scaturisce da un eccesso di desiderio e di disprezzo del mondo), l'uomo può riconoscere che è valsa la pena l'esser nato. Ma a condizione che sappia rapportarsi a quel fine della vita che è la felicità, intesa come sua realizzazione e suo fine, non condizionato dalle cose del mondo che possono essere raggiunte o mancate. Il desiderio delle cose del mondo, infatti, obnubila l'offerta del mondo, che è molto più ricca di quanto non si avveda la condotta offuscata dal desiderio, la cui brama impoverisce il mondo e non lascia scorgere le occasioni di felicità.

Quando la felicità non viene ancorata alla brama del desiderio, ma alla disposizione dell'anima, al "buon demone", allora diventa coestensiva alla propria realizzazione e, in quanto coestensiva, difficilmente può essere persa o separata da noi. Non dunque una felicità come soddisfazione del desiderio e neppure una felicità come premio alla virtù, ma *virtù essa stessa*, come capacità di governare se stessi per la propria buona riuscita, perché questa è la misura dell'uomo.

[30] Aristotele, *Etica a Nicomaco*, Libro I, 1097 a-b. Sul concetto aristotelico di vita buona e vita felice si veda S. Natoli, *Vita buona e vita felice. L'idea di politica nell'età classica* (1980), in *Vita buona, vita felice. Scritti di etica e politica*, Feltrinelli, Milano 1990, pp. 31-65.

5.
Il mito dell'intelligenza

> Per comprendere in modo adeguato l'ambito dell'intelligenza umana è necessario includere nel nostro esame un insieme di capacità e competenze molto più vasto e universale di quello che sono considerate solitamente. È necessario inoltre rimanere aperti alla possibilità che molte – se non la totalità – di queste capacità e competenze non si prestino a essere misurate con metodi standardizzati.
>
> H. GARDNER, *Formæ mentis* (1983), p. 10.

1. *La pluralità delle intelligenze*

Quando i genitori vanno a parlare con i professori dei loro figli si lasciano dire tutto il male possibile ("Suo figlio non studia, disturba, s'impegna poco, è sempre distratto, potrebbe fare di più") purché tutte queste negligenze e inadeguatezze non mettano in discussione l'intelligenza del figlio. E in un certo senso i genitori, a loro insaputa, hanno anche ragione, e i professori fanno bene a non contraddirli. Infatti, quando si parla di una persona non si dovrebbe mai usare l'aggettivo "intelligente" perché la qualità che l'aggettivo vorrebbe designare non ha un significato univoco, e perciò non è immediatamente determinabile o addirittura misurabile.

Per questo vorrei persuadere i professori, che alla fine di ogni anno scolastico giudicano le intelligenze degli studenti, a deporre questa cattiva abitudine, perché l'oggetto del loro giudizio è troppo indeterminato e, con i criteri scolastici, impossibile da identificare. Allo stesso modo vorrei persuadere gli psicologi, che con i loro test misurano il quoziente di intelligenza di quanti si apprestano a inoltrarsi in vite lavorative, a rinunciare alle loro pretese, perché l'oggetto che intendono misurare non è quantificabile. Vorrei infine persuadere la gente a impiegare con moderazione l'aggettivo "intelligente" perché il luogo comune a cui pensa non trova una precisa corrispondenza.

L'intelligenza non si dà in una forma unica, ma in una *moltitudine di forme*, la maggior parte delle quali trova nelle nostre scuole, nei centri di diagnosi psicologica e nel giudizio della gente la sua mortificazione. È noto, ad esempio, che i superdotati vanno male a scuola, perché il modello di intelligenza che i professori e i programmi ministeriali hanno in mente e con cui vengono misurati i rendimenti scolastici è costruito sulla categoria della *flessibilità*, che nel caso dell'intelligenza equivale a *mediocrità*. "Flessibile" è infatti quell'intelligenza che, versata in ogni direzione, non presenta una particolare inclinazione per nulla, e perciò è in grado di dispiegarsi a ventaglio su tutto perché nulla la inclina in modo decisivo.

L'*inclinazione* dell'intelligenza – che nessun professore verifica e nessuno psicologo misura perché, trattandosi di una *qualità*, sfugge agli strumenti di misurazione che possono operare solo con *quantità* – offre una modalità di comprensione del mondo a tal punto diversa da un'altra modalità di comprensione da far supporre che si tratti di due mondi completamente differenti.

I diversi – e tra i diversi ci sono anche i superdotati che vanno male a scuola, i cosiddetti non-intelligenti, quelli che a scuola "fanno fatica", quelli che non rispondono a un quoziente di intelligenza ai massimi valori – esprimono il più delle volte intelligenze poco *flessibili* perché molto *inclinate*, e quindi dotate di una *specificità* che non è apprezzata dalle pagelle scolastiche e dai test psicologici, per la semplice ragione che questi valutano dell'intelligenza solo quella flessibilità, e quindi quella genericità, con cui sono costruite le domande scolastiche che sostanziano le interrogazioni e le domande psicologiche che compongono i test. Così si stroncano inclinazioni sull'altare della *genericità*, che non è il nozionismo contro cui si sono fatte in anni passati stupide battaglie, ma la supposizione che l'intelligenza sia una dimensione *versatile* e *versata* per qualsiasi contenuto.

Non è così! Così come non è da privilegiare, come fa la nostra scuola, l'intelligenza *convergente*, che è quella forma di pensiero che non si lascia influenzare dagli spunti dell'immaginazione, ma tende all'univocità della risposta a cui tutte le problematiche vengono ricondotte. Più interessante, anche se meno apprezzata a scuola, è l'intelligenza *divergente* tipica dei creativi, capaci di soluzioni molteplici e originali, perché, invece di accontentarsi della soluzione dei problemi, tendono a riorganizzare gli elementi, fino a ribaltare i termini del problema per dar vita a nuove ideazioni.

Oggi rimane solo la scuola italiana a credere e a misurare, quindi a promuovere e a bocciare, in base al modello dell'intelligenza convergente. E con il sapere assoluto e chiuso a ogni informazione che non provenga dall'*idea* che l'intelligenza convergente del professore s'è fatta della flessibilità dell'intelligenza degli studenti, si scoraggiano spunti ideativi, si mortificano varianti creative che, opportunamente coltivate, sono le uniche ad assicurare il progresso del sapere.

Spesso i genitori e gli studenti tentano di spiegare queste cose alle orecchie chiuse dei professori sempre preoccupati di non far trasparire l'eccessiva genericità del loro sapere, ma il dialogo non funziona, come tutti i genitori italiani sperimentano in quelle patetiche ore di ricevimento dove il voto che misura l'intelligenza non è ricavato dall'esame della *forma mentis* dello studente, ma dalla sua capacità di adattarsi alla *forma mentis* del professore. Chi non riesce ripete l'anno.

Nei suoi molteplici studi sull'argomento, Howard Gardner[1] mostra che non c'è un'intelligenza generica, quella su cui di solito si applica la misurazione della scuola, ma forme così diverse fra loro che non è possibile unificarle e misurarle in modo uniforme. Ogni forma di intelligenza, infatti, è percorsa dal *genio*, che non è una prerogativa solo di Leonardo da Vinci, ma di tutte le menti che sempre sono inclinate in una certa direzione, a partire dalla quale scaturisce per ognuno la sua particolare ed esclusiva visione del mondo.

Già a livello biologico – quella biologia che nelle nostre scuole non si insegna se non in quella forma generica che offende la scienza e l'intelligenza dello studente – si constatano differenze abissali per cui, ad esempio, a due anni c'è chi recepisce una sequenza di musica classica come "armonia" e chi come "dissonanza". Chi valuta questa *intelligenza musicale*, che forse ha poco a che fare con l'intelligenza convergente richiesta dalla scuola? L'*intelligenza musicale*, infatti, materializza la geometria nel suono. Questa materializzazione instaura l'uomo come colui che ascolta il ritmo di una creazione che lo trascende. La musica, infatti, non si *dice*, si *ascolta*, e l'orecchio diventa quel padiglione aperto al mondo per cogliere quella "armonia invisibile" che, al dire di Eraclito, "val più della visibile".[2] Ascoltate da un'intelligenza musicale le parole cessano di avere un *senso* per guadagnare un *suono*. Dominante non è più il *significato*, ma la *voce*,

[1] H. Gardner, *Frames of Mind. The Theory of Multiple Intelligences* (1983); tr. it. *Formæ mentis. Saggio sulla pluralità dell'intelligenza*, Feltrinelli, Milano 1987, pp. 93-257.

[2] Eraclito, *fr.* B 54.

il suo *tono*, da cui si desume un senso nascosto del mondo che non si può *dire*, ma solo *u-dire*.

Allo stesso modo c'è un'*intelligenza linguistica* per la quale le parole non hanno profondità, ma superficialità. Questi non sono giudizi di valore, ma dimensioni geometriche, in base alle quali il profondo ha a che fare con la *verticalità* e il superficiale con l'*orizzontalità*. Un'intelligenza linguistica non scopre una parola nella sua radice e nel suo spessore di significato, ma è molto abile nel trasporre un termine o una costruzione da una lingua all'altra.

Ciò lascia supporre che chi è padrone di molte lingue ha un'intelligenza che non è minimamente turbata dalle differenze antropologiche e dalle differenze di mondo che in Italia hanno generato un linguaggio e in Germania un altro, per cui, senza questo carico antropologico e senza questa sensibilità per la differenza dei mondi, può trasporre con maggiore agilità un termine da una lingua all'altra. Per questo, paradossalmente, Nietzsche poteva dire: "Chi sa le lingue è un imbecille".[3] L'espressione è perentoria, per i professori di lingue può suonare persino offensiva, ma il senso non è recondito. Infatti si può trasporre un termine da una lingua all'altra in quanto non ci si è inabissati nel suo senso e la parola non ci ha fatto prigionieri della sua profondità.

C'è un'*intelligenza logico-matematica* che sulla terra non vede cose, ma analogie e rapporti. A questo proposito, scrive Whitehead:

> Il primo uomo che colse l'analogia esistente tra un gruppo di sette pesci e un gruppo di sette giorni compì un notevole passo avanti nella storia del pensiero. Fu il primo ad avere un concetto pertinente della matematica *pura*.[4]

Per questo tipo di intelligenza le cose perdono il loro spessore materiale, il pesce non rimanda al mare e ai naviganti, così come i giorni non rimandano alle opere quotidiane che Esiodo descrive.[5] Per l'intelligenza logico-matematica le *cose* diventano *rapporti* e i numeri che li esprimono diventano la "spiegazione" del mondo, nel senso in cui diciamo che qualcosa si "di-spiega", si apre alla leggibilità. Platone ne aveva ben coscienza, per questo

[3] F. Nietzsche, *Morgenröte. Gedanken über die moralischen Vorurteile* (1881); tr. it. *Aurora. Pensieri sui pregiudizi morali*, in *Opere*, Adelphi, Milano 1964, vol. V, 1, § 115.

[4] A.N. Whitehead, *Science and the Modern World* (1948); tr. it. *La scienza e il mondo moderno*, Bollati Boringhieri, Torino 1979, p. 38.

[5] Esiodo, *Le opere e i giorni*, in *Opere*, Utet, Torino 1977.

sul frontespizio dell'Accademia da lui fondata – dice la tradizione – aveva fatto scrivere: "Non si entra qui se non si è geometri".

C'è anche un'*intelligenza spaziale* che dispiega un mondo che sfugge alle coordinate geometriche, per offrirsi alle azioni che disegnano quella spazialità visiva, sonora, emotiva che è anteriore alla distinzione dei sensi, perché il valore sensoriale di ogni elemento è determinato dalla sua funzione nell'insieme e varia con questa funzione.

Per il navigante, ad esempio, il mare non è uno spazio oggettivo, ma un campo di forze percorso da linee di forza (le correnti) e articolato in settori (le rotte) che lo sollecitano a certi movimenti e lo sostengono quasi a sua insaputa. La terra che intravede, le correnti che avverte, le onde che solca non gli sono presenti come un dato oggettivo, ma come il termine delle sue intenzioni e delle sue azioni. Nella burrasca non percepisce cose, ma fisionomie: fisionomie familiari come la terra che in lontananza si profila, e fisionomie ostili come le onde nella cui altezza scorge non tanto una dimensione quanto una minaccia. Se nello sguardo il navigante è magicamente congiunto alla meta, è nella forza e nell'azione dei suoi gesti la possibilità di pervenirvi. Qui la sua intelligenza è tutta raccolta nella dialettica corporea tra l'ambiente e l'azione.

C'è poi un'*intelligenza corporea* che guarda il mondo non per scoprirlo, ma per abitarlo. Abitare non è conoscere, è sentirsi a casa, ospitati da uno spazio che non ci ignora, tra cose che dicono il nostro vissuto, tra volti che non c'è bisogno di riconoscere perché nel loro sguardo ci sono le tracce dell'ultimo congedo. Abitare è sapere dove deporre l'abito, dove sedere alla mensa, dove incontrare l'altro. Abitare è trasfigurare le cose, è caricarle di sensi che trascendono la loro pura oggettività, è sottrarle all'anonimato che le trattiene nella loro inseità, per restituirle ai nostri gesti abituali, che consentono al nostro corpo di sentirsi tra le "sue cose", presso di sé.

Proprio perché abita il mondo, l'intelligenza corporea cattura quella verità che non è mai al di là di ciò che percepisce. Il dubbio che attende dalla ragione il criterio di distinzione tra illusione e realtà è un dubbio da cui può essere percorsa solo un'intelligenza che non abita il mondo. Frequentando il mondo, l'intelligenza corporea non è mai percorsa dal sospetto che la sua percezione possa essere un'illusione rispetto a qualche presunta verità in sé, perché, proprio confrontandole con le percezioni, ha imparato a riconoscere le illusioni che sono sempre ospitate dal silenzio del mondo, da una risposta mancata.

C'è infine un'*intelligenza psicologica,* per la quale il mondo è uno specchio di sé. Proiettando i propri vissuti, gli uomini hanno cominciato a catalogare la natura secondo i miti dell'anima. Ne è nato un mondo immaginario di cui i poeti e i mistici sono i gelosi custodi. A loro si deve la nobiltà delle nostre passioni. In forma mitologica hanno saputo affidare al cielo quanto noi oggi in forma patologica affidiamo alla psichiatria.

Perché gli uomini non vivono più all'altezza delle loro passioni? Perché nei loro desideri non scorgono più un'intelligenza? Perché, dopo averle private della loro intrinseca intenzionalità, si è assegnato alle nostre passioni solo lo spazio opaco e buio dei nostri corpi? Che ha fatto la ragione di noi? Dove ci porta l'itinerario dell'intelligenza scientifico-tecnica divenuta egemone? Non perdiamo così e per sempre le tracce del cammino percorso?

Agli uomini della scuola l'invito a non demolire quelle diverse forme di intelligenza in cui è custodito un potenziale di umanità diversa da quella oggi compiutamente dispiegata sotto il segno della tecnica, che ci ha abituato a pensare in quel modo esclusivamente *calcolante* e *funzionale* a cui oggi, sembra, abbiamo ridotto l'uso dell'intelligenza. Contro la tecnica non abbiamo nulla da obiettare se non la sua funzione egemone e totalizzante, che lascia perire ai suoi margini tutto quel volume di senso che, non essendo tecnicamente fruibile, è lasciato essere come parola inincidente, puro rumore che non fa storia.[6]

Ma per questo è necessario che la scuola, se non vuole mortificare le diverse forme di intelligenza, si declini al plurale e insegua, attraverso un'articolazione molto più aperta, tutte le forme di intelligenza in cui sono custodite quelle possibilità che, in un mondo sempre più strutturato in modo funzionale, diventano gli unici ricettacoli del senso. Un senso trovato in sé, nella forma della *propria* intelligenza.

2. *La mimetizzazione dell'intelligenza*

Se siamo tutti intelligenti, ognuno a suo modo, sarà tendenza di ciascuno mostrare, ogni volta che se ne presenta l'occasione, la specificità della propria intelligenza. Il risultato di solito è: o

[6] Si veda a questo proposito U. Galimberti, *Psiche e techne. L'uomo nell'età della tecnica*, Feltrinelli, Milano 1999, capitolo 54: "Il totalitarismo della tecnica e l'implosione del senso".

la *mortificazione* di quanti sono costretti ad assistere all'esibizione dell'altrui abilità mentale, o l'*invidia* che, opportunamente mascherata, trova sfogo nella maldicenza intorno ad altri aspetti della personalità di chi fa sfoggio della propria intelligenza, o infine il *disinteresse* per ciò che la persona intelligente va dicendo, creando un vuoto intorno al suo discorso che ricade su se stesso senza i riscontri attesi.

A parità di capacità intellettuali è allora più intelligente non tanto chi eccelle in una determinata abilità mentale, ma chi è in grado di percepire in anticipo l'effetto che un'eventuale esibizione di intelligenza può produrre in chi ascolta. E siccome l'effetto è quasi sempre deprimente, più intelligente sarà chi è capace di *mimetizzare* la propria intelligenza.

"Mimetizzazione" è una parola solitamente impiegata a proposito di quegli animali che sanno confondersi con l'ambiente in modo da non essere individuati da possibili aggressori, così come "mimetico" si chiama l'abbigliamento che in battaglia indossano i militari, sempre allo scopo di non essere individuati e quindi di poter sorprendere il nemico a sua insaputa.

Mimetizzare la propria intelligenza significa allora saperne modulare l'espressione a seconda del contesto in cui ci si trova, percependo in anticipo il livello di comprensione di coloro che ci ascoltano e le possibili reazioni che l'intervento può produrre. Questa *capacità anticipatoria*, che evita le reazioni negative, è tipica di quelle intelligenze non narcisistiche, capaci di "mettersi nei panni degli altri" e calibrare perfettamente come un certo discorso, per intelligente che sia, può essere percepito dall'altro e davvero compreso.

Gli antichi filosofi, a differenza dei sapienti che ritenevano di possedere la verità, sapevano che un conto è la *verità*, un conto è la *comprensione della verità*. E alla comprensione della verità hanno dedicato la loro massima cura, istituendo, a partire da Socrate, le scuole, persuasi com'erano che una verità non compresa non serve a niente.

A condizionare la comprensione non sono solo fattori *culturali*, ma soprattutto ed eminentemente fattori *emotivi*, per cui, ad esempio, se una classe di studenti si sente amata dal suo professore l'apprendimento sarà facilitato, se un messaggio viene veicolato da un testimonial apprezzato dal pubblico, sarà più facilmente recepito.

Ciò significa che un'intelligenza che si accompagna a una competenza emotiva sa che cosa, di quanto esprime, può essere recepito o rifiutato. E, se le interessa che il messaggio passi, questa intelligenza sa anche rinunciare a dire tutto quello di cui è competente, per limitarsi a enunciare solo ciò che può essere compreso. Riduce quindi le sue possibilità enunciative a favore della trasmissibilità dei messaggi. In una parola, *mimetizza* la sua intelligenza a misura della recettività di chi ascolta, per favorire l'acquisizione delle informazioni.

La mimetizzazione dell'intelligenza è quindi una grande virtù: la virtù degli insegnanti che non sfoggiano tutto il loro sapere, ma solo quello che può essere recepito e nelle forme in cui può essere recepito; la virtù degli psicoanalisti che, pur individuando dopo due sedute di che cosa soffre il paziente, attendono molte sedute affinché il paziente pervenga da sé alla sua verità; la virtù dei genitori che, pur avendo presenti le capacità che i figli potrebbero tradurre in professioni, attendono che i figli le riconoscano da soli, sorreggendo i loro percorsi con piccoli accenni quando i figli sono nella condizione di recepirli; la virtù dei politici che hanno il polso del paese reale e non solo degli obiettivi che vogliono perseguire, indipendentemente dal consenso o dal dissenso opportunamente valutato; ma direi anche la virtù delle veline, alcune delle quali hanno senz'altro significative capacità intellettuali, che però, dato il contesto, non è il caso di esibire in un concorso di bellezza, dove l'attenzione è tutta concentrata sulle misure e le forme del corpo.

La mimetizzazione dell'intelligenza è la virtù delle persone veramente intelligenti, che sanno coniugare la *verità* con la *comprensione della verità*, per la quale sono disposti a rinunciare all'esibizione di sé per la cura dell'altro e la comprensione delle modalità con cui l'altro può capire quanto si va dicendo.

All'intelligenza che sa mimetizzarsi compete quella virtù che possiamo chiamare *altruismo*, qui inteso non come "buonismo", ma come percezione di ciò che è *altro* da me, perché consapevole che gli altri, con le loro obiezioni anche grossolane, possono costituire uno stimolo a un ulteriore ricercare e intendere e trovare.

Dimensioni, queste, tutte impedite alle intelligenze narcisistiche che, non percependo nulla dell'altro, del suo livello di comprensione e del valore delle sue obiezioni (che i narcisisti scambiano per attacchi), irrigidiscono la loro intelligenza, facendola diventare sempre più dogmatica, e alla fine arida e fossilizzata, perché non dialogica e non recettiva di quanto gli altri e il mondo hanno ancora da insegnare.

3. *L'intelligenza informatica*

La *mimetizzazione* dell'intelligenza non va confusa con quella *mimesi* o imitazione dell'intelligenza oggi rappresentata dall'*intelligenza informatica*, che i nonni invidiano ai loro nipotini, i quali, con la velocità della luce, aprono sul video mondi insospettati.

Diciamo subito che non è il caso che i nonni si deprimano. L'intelligenza informatica è, tra le forme di intelligenza, la più elementare, perché lavora con il più semplice dei codici: quello *binario*, capace di dire solo sì o no, uno o zero, e, nel caso si evolva, buono o cattivo, giusto o ingiusto, vero o falso, senza, per il momento, ulteriori capacità di problematizzazione.

Il guaio è che l'enorme influenza che la mentalità informatica esercita nei posti di lavoro e oggi disgraziatamente anche nelle scuole e, per chi non va a scuola, nelle trasmissioni di traino dei telegiornali in orari di massimo ascolto, nonché nelle prove degli esami di maturità e in quelle di ammissione all'università a numero chiuso, attiva quell'*intelligenza binaria* che rischia di diventare la più diffusa, quando non l'unica forma di intelligenza, abilissima nel *calcolo*, ma sempre più in difficoltà a formulare un *pensiero*.

E già se ne vedono gli effetti a dir poco disastrosi perché, in questa reazione abbreviata al massimo, il ciclo di senso non circola più nella problematicità del *mondo reale* che si fa sempre più complesso, ma in quell'*universo virtuale* dove, per effetto del codice binario che lo presiede, la domanda è indotta dall'offerta e la risposta dalla domanda. Come ci ricorda Jean Baudrillard,[7] test, campionature, statistiche, indagini di mercato, elezioni, referendum non sono interrogazioni che fanno circolare un discorso e tanto meno mettono in comunicazione, ma sono piuttosto un ultimatum, dove non si chiede nulla, ma si impone immediatamente un senso che non può essere se non nell'ordine binario del sì o del no.

La ricchezza delle informazioni, la varietà delle merci sul mercato via internet non sono un omaggio alla libertà, ma un luogo di scelta dove il codice informatico verifica se stesso nell'"indice di gradimento" per cui, lungi dall'essere utenti dell'informazione, o fruitori del mercato, siamo semplicemente ridotti a scher-

[7] J. Baudrillard, *L'échange symbolique et la mort* (1976); tr. it. *Lo scambio simbolico e la morte*, Feltrinelli, Milano 1979: "Il tattile e il digitale", pp. 73-84.

mi di lettura. Che cosa sia vero e che cosa sia falso è indecidibile, perché, quando la problematicità del reale è filtrata dal virtuale, le interrogazioni si dispongono come la domanda li prevede e li sollecita a essere. Torna qui opportuno il monito di Heidegger:

> Ciò che è veramente inquietante non è che il mondo si trasformi in un completo dominio della tecnica. Di gran lunga più inquietante è che l'uomo non è affatto preparato a questo radicale mutamento del mondo. Di gran lunga più inquietante è che non siamo ancora capaci di raggiungere, attraverso un pensiero meditante, un confronto adeguato con ciò che sta realmente emergendo nella nostra epoca.[8]

4. *La capacità di "intendere e volere"*

Che rapporto c'è tra intelligenza e follia? Come spiegare la lucidità mentale con cui si difendono i colpevoli e gli indiziati di orrendi delitti che così di frequente ricorrono nelle cronache quotidiane? Mi riferisco a quelle storie truci che raccontano, in forma drammatica e crudele, quel che può contorcere l'animo umano, fino a spingerlo a compiere azioni a tal punto aberranti da rasentare l'incredibile. Si tratta di padri o di madri che uccidono i figli, di figli che sterminano la loro famiglia. Che tipi umani sono i protagonisti di queste storie? E in che stato si trova la loro intelligenza?

I tribunali infliggono l'ergastolo a chi non è folle o, come dice la legge, a "chi è in grado di intendere e volere". Ma che significato hanno queste due categorie "intendere" e "volere" in uso nell'Ottocento quando si pensava che le sofferenze psichiche fossero degenerazioni cerebrali che portavano alla demenza, "senile" se si era vecchi, "precoce" se si era giovani? Cento anni di psichiatria hanno dimostrato che tutti i cosiddetti "malati di mente" – siano essi schizofrenici, paranoici, maniaci – sono in grado di "intendere" e "volere", salvo quando la loro mente è obnubilata da una crisi che può durare un attimo, alcuni giorni, alcuni mesi.

Se infliggono la pena, i giudici escludono senza ombra di dubbio che i responsabili di questi delitti o di queste stragi, quan-

[8] M. HEIDEGGER, *Gelassenheit* (1959); tr. it. *L'abbandono*, il Melangolo, Genova 1983, p. 36.

do compiono il loro gesto senza alcun movente o per futili motivi, al momento del delitto fossero in preda a una crisi di follia. Ma allora delle due l'una: o erano perfettamente "normali", cioè in possesso delle loro facoltà mentali, e allora abituiamoci a considerare nella "norma" qualsiasi persona che, senza movente, ne uccide un'altra. Oppure un comportamento del genere ha tutte le caratteristiche della follia, e allora chi compie questi delitti non deve essere rinchiuso in un carcere, ma affidato al servizio sanitario.

Questa alternativa, così evidente, non è più evidente in un'aula di tribunale, perché gli strumenti di cui la legge dispone per interpretare la "malattia mentale" sono così obsoleti da non cogliere nessuna delle sindromi che offuscano la mente. Che cosa vuol dire infatti "infermità mentale" o addirittura "seminfermità mentale", che si è soliti addurre per evitare l'ergastolo? Nulla, proprio nulla. Perché "infermo" o "seminfermo" sono categorie che non appartengono neppure al repertorio medico, ma al linguaggio popolare in riferimento a chi ha problemi motori.

L'ordine giudiziario si trova a formulare giudizi, utilizzando parole e concetti a cui non corrisponde nulla di scientifico che possa dare un minimo di competenza e plausibilità al giudizio che formula. E che dignità ha l'ordine psichiatrico, quando non reagisce a sentenze che esprimono giudizi di competenza psichiatrica, con un linguaggio che, se fosse usato da uno specializzando in psichiatria, costui si sentirebbe invitato a cambiare immediatamente ordine di studi?

Gli psichiatri hanno dimenticato che la loro scienza è nata quando nel 1793, in Francia, Philippe Pinel[9] liberò i folli dalle prigioni, dimostrando che i folli erano appunto "folli" e non "delinquenti", anche se poi li rinchiuse in un'altra prigione che si chiama manicomio? E oggi che abbiamo chiuso anche i manicomi cosa facciamo? Torniamo a rinchiudere i folli in prigione, per aver derubricato "l'agire senza movente" dai sintomi della follia, quando invece è il primo segno del deragliamento della ragione, la cui procedura è leggibile nella rigorosa consequenzialità del rapporto causa-effetto, azione-motivazione?

[9] PH. PINEL, *Traité médico-philosophique sur l'aliénation mentale ou la manie* (1800); tr. it. *La mania. Trattato medico-filosofico sull'alienazione mentale*, Marsilio, Venezia 1987.

Se concediamo, come ci insegna Eugenio Borgna,[10] che la "malattia mentale" non è una condizione stabile e definitiva che interdice perennemente la mente, impedendo alla persona di "intendere" e "volere", allora dobbiamo ammettere che persino gli esecutori dei più efferati delitti "senza movente" dispongono della loro mente e della loro volontà, anche se in occasione del delitto non ne dispongono liberamente per l'influsso di passioni che, come ci insegna Platone "ottundono la mente".[11] Le "passioni", infatti, come dice la parola, sono forze che si "patiscono" e che non sempre si riesce a dominare, come ognuno di noi sperimenta quando, in uno stato di crisi, compie atti inconsulti, pur essendo solitamente in grado di "intendere" e "volere".

Questo problema la psichiatria francese lo dibatte dal 1835, quando un giovane contadino normanno, Pierre Rivière, sgozza una sorella, un fratello e la madre per "liberare" il padre dalla persecuzione della moglie. Arrestato dopo un mese di latitanza, Rivière stende una "memoria" in cui racconta la storia della sua famiglia e i moventi del suo gesto.

Questo straordinario documento, di una lucidità sorprendente, pone i giudici, che si interrogano, davanti alla domanda: che cos'è veramente la follia? È possibile che un criminale perda la sua ragione per un istante e la recuperi in seguito? È possibile delirare anche per mesi, anche in due (*folie à deux*), su un solo oggetto o un solo tema (*idea fissa*) e conservare intatte tutte le proprie percezioni e ideazioni? Sì, è possibile.

Ben presto il caso Rivière supera i limiti del fatto di sangue per diventare un momento significativo di discussione tra il potere politico, quello giudiziario, quello medico e quello giornalistico. Michel Foucault e i suoi allievi del Collège de France hanno discusso e raccolto in un volume[12] tutta la documentazione apparsa sulla vicenda: le perizie medico-legali, le dichiarazioni dei testimoni, gli articoli dei giornali, la "memoria" di Rivière, e dopo centocinquant'anni da quell'episodio in Francia si tornò a discutere non più del fatto ovviamente, ma dei problemi che quel fatto aveva sollevato in ordine alla possibilità di una migliore ac-

[10] E. Borgna, *Malinconia*, Feltrinelli, Milano 1992, capitolo 1: "Senso e non senso dell'esperienza psicotica", pp. 19-36.

[11] Platone, *Leggi*, Libro V, 734 a.

[12] M. Foucault (a cura di), *Moi, Pierre Rivière, ayant égorgé ma mère, ma sœur et mon frère...* (1973); tr. it. *Io, Pierre Rivière, avendo sgozzato mia madre, mia sorella e mio fratello...*, Einaudi, Torino 1976.

quisizione, da parte del potere giudiziario, delle conoscenze guadagnate dal sapere psichiatrico.

Una giustizia, infatti, che non fa tesoro delle competenze scientifiche è una giustizia che finisce con l'essere "primitiva", perché si limita a soddisfare i sentimenti di vendetta o di risarcimento, prescindendo dalle competenze che una scienza, la psichiatria, ha faticosamente guadagnato in due secoli di storia, facendo fare alla nostra civiltà quel progresso che ha consentito di portare i folli prima fuori dalle prigioni, perché non sono accomunabili ai delinquenti, e poi fuori da quelle prigioni che sono i manicomi, perché la follia non è uno stato permanente che impedisce di "intendere" e "volere", ma, come scrive Franco Basaglia, "uno stato temporaneo di crisi".[13]

In gioco qui non è l'esser "giustificazionisti" o "giustizialisti", ma la disponibilità dell'ordine giudiziario ad aprirsi a competenze e quindi a disporre di strumenti adeguati e non arretrati per giudicare. Del resto le sentenze giudicano i *fatti*, ma ci sono alcuni fatti che aprono *problemi*, che non possono essere chiusi come si chiudono le tombe o le porte delle carceri, altrimenti la giustizia resta troppo elementare e finisce col non essere mai all'altezza del progresso scientifico e dell'evoluzione sociale. Un progresso e un'evoluzione che, come la storia ci insegna, hanno più familiarità con le stanze del "sapere" che con quelle del "potere". Ancora una volta è la cultura che fa la differenza e soprattutto la disponibilità dei poteri, delle istituzioni e dei mezzi di informazione ad aprirsi ai mondi del sapere.

Di fronte agli spettacoli truci che la cronaca ogni giorno ci riferisce, forse quel che più ci angoscia non è tanto la loro truculenza, quanto sapere se noi siamo del tutto immuni dai moti d'animo che provocano queste tragedie.

Del tutto immuni no. E il nostro linguaggio lo rivela quando si abbandona a espressioni che, senza freni, tradiscono i nostri vissuti carichi di odio. Ma dal linguaggio solitamente non passiamo all'azione. A fermarci non è tanto l'uso della ragione, già messa fuori gioco dall'odio, ma quella *dimensione sentimentale* che registra la differenza tra il bene e il male, tra la gravità di un'azione e la sua irrilevanza.

Questa dimensione antecede persino i sentimenti di amore e di odio con cui conduciamo la nostra vita emotiva. Ed è grazie alla dimensione sentimentale che impediamo al nostro amore di

[13] F. Basaglia, *Conferenze brasiliane* (1979), Raffaello Cortina, Milano 2000, p. 13.

soffocare e al nostro odio di uccidere. Ma quando questa dimensione non c'è? Quando nessuna risonanza emotiva avverte il nostro cuore della differenza tra un gesto innocuo e un gesto truce?

Allora siamo alla *psicopatia*. Un termine coniato dalla psichiatria dell'Ottocento per designare una psiche *apatica*, incapace di registrare, a livello emotivo, la differenza tra ciò che è consentito e ciò che è aberrante, tra un'azione senza conseguenze e un'azione irreparabile. Una psiche priva di quella *risonanza emotiva* che ciascuno di noi registra quando compie un'azione, dice o ascolta una parola.

Eh sì, perché la psiche non è una dote naturale che uno possiede per il solo fatto di esser nato e cresciuto. La psiche è qualcosa che si forma attraverso quel veicolo, così spesso trascurato, che è il sentimento. Ora capita spesso che ai bambini insegniamo a mangiare, a dormire, a parlare. Ammiriamo i loro sprazzi di intelligenza, le loro intuizioni, ma poco ci curiamo della qualità del sentimento che in loro si forma e talvolta, a nostra insaputa, non si forma.

Il sentimento è l'organo che ci consente di distinguere cos'è bene e cos'è male, per cui Kant arriva a dire che è inutile definire cos'è buono e cos'è cattivo, perché ognuno lo "sente" naturalmente da sé.[14] Questo criterio, che valeva al tempo di Kant, oggi vale molto meno. E la ragione va cercata nel fatto che i bambini di oggi sono sottoposti a troppi stimoli che la loro psiche infantile non è in grado di elaborare. Stimoli scolastici, stimoli televisivi, processi accelerati di adultismo, mille attività in cui sono impegnati, eserciti di baby-sitter a cui sono affidati, in un deserto di comunicazione dove passano solo ordini, insofferenza, poco ascolto, scarsissima attenzione a quel che nella loro interiorità vanno elaborando.

Quando gli stimoli sono eccessivi rispetto alla capacità di elaborarli, al bambino restano solo due possibilità: *andare in angoscia* o *appiattire la propria psiche* in modo che gli stimoli non abbiano più alcuna risonanza. In questo secondo caso siamo alla *psicopatia*, all'apatia della psiche che più non elabora e più non evolve, perché più non "sente".

L'appiattimento del sentimento solitamente non è avvertito, perché l'intelligenza non subisce per questo alcun ritardo. Anzi, si sviluppa con una lucidità impressionante, perché non è turbata da interferenze emotive, come tutti noi possiamo con-

[14] I. Kant, *Metaphysik der Sitten* (1797); tr. it. *Metafisica dei costumi*, Bompiani, Milano 2006, § 52, p. 583.

statare quando di fronte a una prova, quale può essere una prova d'esame, le nostre prestazioni sono sempre inferiori alla nostra preparazione, per via dell'interferenza dell'emozione.

Nessuna meraviglia, quindi, di fronte alla freddezza e alla lucidità con cui gli esecutori anche dei più efferati delitti conducono la loro vita normale come se nulla fosse accaduto, senza lasciar trapelare alcuna emozione. Nessuno stupore di fronte all'indifferenza al momento dell'arresto e di fronte all'ostinazione con cui sostengono il loro alibi, senza pentimenti né ripensamenti, e soprattutto senza manifestare il minimo senso di colpa, come se il loro cuore non fosse mai stato sfiorato da quel *sentimento di base* che sa distinguere immediatamente, e prima dell'intervento della ragione, cos'è bene e cos'è male.

Quando i giudici, appurate le prove, condannano imputati del genere, sono soliti appurare la loro facoltà di "intendere" e "volere" che ovviamente funziona benissimo. Bisognerebbe però anche valutare la loro capacità di "sentire". E qui si scoprirebbe la radice di certe condotte che risultano aberranti a noi tutti che viviamo sostenuti dal nostro sentimento, ma che non acquistano alcuna rilevanza per chi il sentimento non l'ha mai conosciuto, perché a suo tempo non è stato raccolto, ascoltato, coltivato.

Gli psicopatici sono un caso limite dell'umano, ma la psicopatia come tonalità dell'anima a bassa emotività e a scarso sentimento è qualcosa che si va diffondendo tra i giovani d'oggi che, nella loro crescita, acquisiscono valori di intelligenza, prestazione, efficienza, arrivismo, quando non addirittura cinismo, nel silenzio del cuore. E quando il cuore tace e più non registra le cadenze del sentimento, il terribile è già accaduto anche se non approda a una strage.

Illustrare questi casi è opportuno, non per sollecitare la nostra curiosità morbosa, ma per capire dove può arrivare la nostra condotta quando non è accompagnata dal sentimento, e quindi richiamare l'attenzione sui processi di crescita dei nostri figli, onde evitare che l'intelligenza si sviluppi disancorata dal sentimento e diventi intelligenza lucida, fredda, cinica, e potenzialmente distruttiva.

5. *L'intelligenza del futuro*

Quali forme di intelligenza sono necessarie per il futuro che, a differenza del passato, mette a disposizione un'infinità di informazioni, di culture, di modi di pensare e di valutare insospettati fino a trent'anni fa? È questa una domanda che si pone Howard Gardner,[15] persuaso che l'*intelligenza convergente*, tipica delle nostre scuole e a cui si uniformano gli insegnamenti previsti dai programmi ministeriali, non sia più sufficiente per affrontare le sfide del futuro.

A parere di Gardner il futuro richiederà la versatilità di cinque figure di intelligenza, a partire dall'*intelligenza disciplinare* che, con chiari messaggi che consentono di acquisire la differenza tra il vero e il falso, il reale e il fantastico, l'astratto e il concreto, si consegue nei primi dieci anni di vita, con una buona scuola elementare in grado di consegnare al bambino i codici di lettura del mondo in cui vive. Non quindi sollecitazioni alla spontaneità e alle libertà espressive, perché i bambini già vengono da quel mondo, e il loro bisogno è di disciplinare tutto quello che il loro emisfero cerebrale destro produce in termini immaginifici e fantastici, e di allenare l'emisfero sinistro che presiede la razionalità.

Su questa base deve impiantarsi l'*intelligenza sintetica*, capace di assemblare informazioni che provengono da più fonti in modo da pervenire a una sintesi unitaria. A questo scopo molto più utile dei "pensierini" alle elementari e dei "temi in classe" nelle superiori, dove i ragazzi mettono per iscritto tutto quello che viene loro in mente, è il "riassunto scritto" di una pagina in cinque righe o di dieci pagine in una pagina, da ripetere ad alta voce, in modo da verificare la coerenza dei collegamenti e l'enucleazione di un senso unitario. Senza sintesi, infatti, non si dà intelligenza.

Acquisita la disciplina e la capacità di sintesi, resta da addestrare l'*intelligenza creativa*, che può essere allenata non ripetendo quello che il professore ha spiegato come avviene nelle nostre interrogazioni, ma ponendo domande inusuali e non previste dal contesto culturale da cui si prendono le mosse, allo scopo di sollecitare risposte inesplorate, magari con il ribaltamento dei termini con cui il problema era stato originariamente formulato. L'intelligenza creativa non è in contrasto con l'intelligenza disciplinata, perché, senza disciplina, non si perviene alla creatività, ma si resta a quello stadio infantile che è la spontaneità.

Abituando alle soluzioni inaspettate, l'intelligenza creativa predispone all'*intelligenza rispettosa*, che è tale perché non teme

[15] H. Gardner, *Five Minds for the Future* (2006); tr. it. *Cinque chiavi per il futuro*, Feltrinelli, Milano 2007.

e non si arrocca di fronte alla differenza e all'alterità. In un mondo globalizzato questa disposizione mentale, di matrice illuminista, è essenziale, e il suo terreno di cultura e di acquisizione è proprio il "relativismo" tanto osteggiato dagli atteggiamenti religiosi e fideistici. Senza una mentalità relativista non c'è "tolleranza", la quale non consiste tanto nel lasciar vivere e non osteggiare chi è diverso da noi, quanto nell'ipotizzare che chi è portatore di un'altra cultura e persino di un'altra religione possa avere un gradiente di verità superiore al nostro. Senza questa disposizione mentale nessun dialogo è possibile, per quanti incontri si facciano e per quanta buona volontà ci si metta.

Infine occorre promuovere l'*intelligenza etica*, che non fa riferimento esclusivamente ai "princìpi" della propria coscienza, o, peggio ancora, all'ambito limitato dei propri interessi, ma si fa carico delle esigenze della società, rinunciando, ad esempio, all'"obiezione di coscienza", perché non è una "buona coscienza" quella che, per l'osservanza delle proprie convinzioni, non assume alcuna responsabilità collettiva. Una simile coscienza, che si esonera dal farsi carico della sorte di tutti, è troppo angusta per essere eretta a principio della decisione.

Attivando tutte queste forme di intelligenza, forse i nostri ragazzi potranno andare a scuola con più interesse. Ma prima bisogna verificare se queste forme di intelligenza sono presenti e attive nei professori. E qui il problema si complica, ma forse, con una migliore selezione del corpo insegnante, si può anche risolvere. Del resto a questo ci chiama la configurazione che va assumendo il futuro del mondo, e non essere preparati decide, se non la nostra esclusione, certo il declino del nostro modo di starci e di prendervi parte.

6.
Il mito della moda

> Se produttori e consumatori dell'indumento avessero una coscienza identica, l'indumento non si comprerebbe (e non si produrrebbe) che secondo i tempi lentissimi della sua usura. La moda, come tutte le mode, poggia su una disparità delle due coscienze: l'una deve essere estranea all'altra. Per obnubilare la coscienza contabile del compratore è necessario stendere davanti all'oggetto un velo di immagini, di ragioni, di senso, insomma creare un simulacro dell'oggetto reale, sostituendo al tempo greve dell'usura un tempo sovrano, libero di distruggersi da solo in un atto di *potlach* annuale.
>
> R. BARTHES, *Sistema della moda* (1967), p. XVI.

1. *Il simbolismo dell'abbigliamento*

In una pagina dell'*Estetica* dedicata all'abbigliamento Hegel scrive che "vestire non è altro che un ricoprire", ricoprire la materialità del corpo, che "in quanto semplicemente sensibile, è senza significato", perché ogni significato è raccolto nella libertà dello spirito, tanto più espressivo quanto più dimentico della "vergogna del corpo".[1]

In realtà il corpo rappresenta il mondo non *nascondendosi* nelle vesti, ma *esponendosi* con una varietà di vesti che riproducono la varietà degli aspetti del mondo, per cui più congruo diventa l'abbigliamento, più chiara la corrispondenza corpo-mondo. Da questo punto di vista, il sistema delle vesti assicura certamente "il passaggio dal sensibile al senso" come vuole Hegel, ma non nascondendo il sensibile per liberare sensi spirituali, bensì esponendo il sensibile per sprigionare le sue possibilità simbolicamente diffuse dalle vesti, le quali, adeguando l'identità corporea alla varietà degli aspetti mondani, sono uno dei più interes-

[1] G.W.F. HEGEL, *Vorlesungen über die Aesthetik* (1836-1838); tr. it. *Estetica*, Feltrinelli, Milano 1963, pp. 982-983.

santi veicoli in cui il corpo manifesta la sua *intenzionalità* nel mondo e per il mondo.

In origine l'abbigliamento era uniforme perché il mondo non era differenziato: una pelle d'animale serviva per tutte le situazioni e tutte le circostanze. La metamorfosi comincia quando il valore protettivo delle vesti cede il posto a quello simbolico, per cui ogni variazione delle vesti del corpo rinvia a una variazione del mondo. Si assiste così alla trasformazione dell'ordine vestimentario in un sistema rigoroso di segni, che di volta in volta descrivono l'ordine culturale e sociale di appartenenza che il corpo nudo non potrebbe esprimere.

Roland Barthes, ne *Il sistema della moda,*[2] ne dà un'ampia descrizione là dove osserva che il dominio dell'identificazione sociale sta nel rifiuto dei segni di riconoscimento personale e sessuale, per cui l'autorità veste *pesante* per valorizzare, nel suo indumento che "cade" senza varianti in tutte le direzioni, l'imparzialità del suo operare; il militare veste *rigido*, per significare – nell'inamidatura e nella perfetta simmetria che non concede spazio all'inserimento di varianti – l'ordine rigoroso della sua disciplina. Per quanto riguarda il costume religioso, la tradizione è onnipotente, perché la religione corrisponde al dominio del tempo, e perciò le vesti del sacerdote devono essere *invariate,* per segnalare l'eternità delle forme e la continuità dei contenuti. Il giovane veste *tutto* in una sola volta, per esprimere la sua libertà da ogni ordine istituzionalizzato.

"Facendo variare l'indumento," scrive Barthes, "si fa variare il mondo e viceversa"[3] per cui, quando "l'accessorio fa primavera" o "un mantello è indicato per la mezza stagione", quando "di sera ci vuole l'abito scuro" o "di pomeriggio può andare quello sportivo", quando "certe scarpe sono ideali per camminare" mentre altre si impongono "se la situazione esige eleganza", quando "il collo aperto è giovanile" mentre "la gonna pieghettata" entra in un rapporto di equivalenza con "l'età delle signore mature", noi assistiamo, prima che a un gioco della moda, a un costante rapporto tra il segno vestimentario e il mondo significato da quel segno per cui, facendo variare l'indumento, il corpo che lo indossa fa variare il mondo.

[2] R. Barthes, *Système de la mode* (1967); tr. it. *Sistema della moda*, Einaudi, Torino 1970, e in particolare il capitolo 18: "Retorica del significato: il mondo della moda", pp. 248-264.

[3] Ivi, p. 24. Gli esempi successivi sono tratti dal capitolo 2: "Le relazioni di senso", pp. 22-29.

La moda si inserisce nel *fissare* e nel *variare*, dopo un certo periodo, quelle equivalenze per cui: l'accessorio *sta per* primavera, il mantello *sta per* mezza stagione, il collo aperto *sta per* giovanile; ma le equivalenze preesistono alla fissazione o alla variazione del potere della moda, perché sono l'espressione di quell'originario rapporto del corpo con il mondo che ha nel segno vestimentario qualcosa di analogo a una cosmogonia. Le vesti, infatti, significano il mondo, la sua storia, la sua geografia, la sua natura, la sua arte.

2. *La valenza biologica ed etnica dell'abbigliamento*

Per quanto arbitrari e artificiali possano sembrare i segni vestimentari, sono uno dei tratti *biologici* della specie umana con profondi legami con il mondo zoologico. Tutto ciò che riguarda l'aggressività e la riproduzione, nonostante l'apparato delle morali, resta con molta naturalezza vicino alle origini; e se si vuole cercare una discontinuità, la si trova solo nella capacità che ha l'uomo di accumulare simboli di terrore e di seduzione, di introdurre nell'arte di uccidere e di amare, che costituiscono i cardini della storia, una raffinatezza simbolica che è propria della nostra specie.

La guerra, la conquista di una posizione gerarchica e l'amore condizionano l'abbigliamento di tutti i popoli. A questo proposito già Herbert Spencer[4] aveva riconosciuto il ruolo importante rappresentato dal trofeo, per cui chi uccideva il proprio nemico appendeva al collo parti del suo corpo per ostentare la vittoria. In questo modo prolungava nel tempo l'impresa di un giorno, e così otteneva i primi gradi di distinzione e di riconoscimento sociale.

Alla valenza biologica del segno vestimentario si deve aggiungere il valore *etnico* che, nella foggia del vestito, sancisce l'appartenenza a un gruppo. Scegliere di vestirsi all'europea, ad esempio, è da almeno un secolo il segno di volere appartenere alla civiltà considerata egemone, se non addirittura alla personalità sociale idealmente umana.

L'evoluzione tecnico-economica della civiltà industriale e post-industriale ha notevolmente modificato il sistema tradizio-

[4] H. SPENCER, *The Study of Sociology* (1874); tr. it. *Introduzione alla scienza sociale*, Bocca, Milano 1946, p. 305.

nale dei simboli per cui, con l'aumento della permeabilità sociale e l'influsso dei mezzi di comunicazione di massa, sono diminuiti i modelli etnici. La simbologia europea, infatti, ha sostituito un po' ovunque il tipo di abbigliamento regionale, provocando una sorta di disintegrazione etnica, che ha portato con sé la perdita di quei legami con la struttura di un gruppo all'interno del quale l'individuo era integrato.

Il vivere nell'uniforme umana standardizzata fa pensare a una larga intercambiabilità degli individui, sempre meno legati alla loro tradizione, all'acquisizione di una coscienza planetaria con la conseguente perdita dei tratti tipici della propria etnia, alla riduzione dell'umanità a un solo tipo d'uomo sempre più identificato dalla sua funzione all'interno di apparati produttivi. Questo progressivo uniformarsi dell'abbigliamento conferma quel processo ben descritto da André Leroi-Gourhan secondo il quale:

> L'uomo non interpreta più attivamente la parte di protagonista della propria avventura etnica, ma guarda recitare alcuni rappresentanti convenzionali per soddisfare il suo bisogno naturale d'appartenenza.[5]

3. *La valenza sociale dell'abbigliamento*

Alla riduzione della valenza biologica ed etnica del segno vestimentario fa riscontro un incremento della sua valenza *sociale*, che fa dell'indumento l'espressione di una funzione o l'asserzione di un valore che rinviano al mondo istituzionalizzato in cui l'individuo è inserito. Tutto questo, scrive Barthes, "è l'omaggio che un sistema dell'*essere*, sempre più in estinzione, porge a un sistema del *fare*",[6] che si espande man mano che si passa da uno stadio di natura a uno di cultura, e che il corpo interpreta affidando il suo significato alle vesti che lo ricoprono e lo espongono.

Come osserva René König,[7] l'uniforme, ad esempio, manifesta il senso del comportamento "uniforme" di coloro che si ri-

[5] A. Leroi-Gourhan, *Le geste et la parole* (1964); tr. it. *Il gesto e la parola*, Einaudi, Torino 1977, vol. II, p. 410.

[6] R. Barthes, *Sistema della moda*, cit., p. 269.

[7] R. König, *Macht und Reiz der Mode* (1971); tr. it. *Il potere della moda*, Liguori, Napoli 1976, capitolo 10: "I segni di riconoscimento", pp. 117-123.

conoscono, e dall'esterno si fanno riconoscere come appartenenti a un gruppo che svolge una determinata funzione sociale. Il ritmo di evoluzione di questi abiti è lentissimo. La divisa del guerriero, invece, si evolve al ritmo delle guerre, e dall'una all'altra ostenta un conservatorismo che l'arricchisce di una tradizione di prestigio. Questo conservatorismo, osserva Barthes,[8] è ancora più evidente nella divisa delle istituzioni, dove un buon secolo di scarto è il minimo per l'abbigliamento dei rappresentanti dell'autorità politica, diplomatica, giuridica o delle autorità accademiche.

L'unità del significante "un vestito per tutte le occasioni" rimanda a una universalità di significati che al giovane si offrono come ancora possibili. L'adozione dell'*unico indumento*, che ordinariamente si conosce solo nelle società più diseredate in cui, per la grande povertà, non si dispone che di un unico vestito, quando è indossato dal giovane passa da indizio della miseria assoluta a segno dell'assoluto dominio di tutti gli usi. Raccogliendo in un solo indumento tutte le funzioni possibili, il giovane non cancella le differenze, ma, rispetto alla generazione che l'ha preceduto, afferma il campo della sua infinita libertà, e con un sistema vestimentario semplice rappresenta un mondo ricco di tempi, di luoghi, di circostanze e di caratteri che gli si offrono come ancora possibili.

Fra le barriere infrante dall'indumento giovanile la più significativa è senz'altro quella che divide il maschile dal femminile. "L'abbigliamento femminile," osserva Roland Barthes, "può assorbire quasi tutto quello maschile, mentre quello maschile respinge certi tratti di quello femminile, perché sulla femminilizzazione dell'uomo c'è ancora un divieto sociale."[9] Il tabù dell'altro sesso non ha invece la stessa forza sul giovane che, a livello di abbigliamento, tende all'androgino. Questo perché "il giovane può cancellare il sesso a vantaggio dell'età, offrendo così alla retorica della moda quelle espressioni: 'ancora giovane', 'sempre giovane' che servono a conferire all'età, più che al sesso, i valori di prestigio e seduzione".[10]

[8] R. Barthes, *Sistema della moda*, cit., capitolo 9: "Varianti di essenza", pp. 112-145.

[9] Ivi, p. 259.

[10] Ivi, p. 260.

4. *La valenza seduttiva dell'abbigliamento*

La seduzione si esercita lasciando vedere il nascosto, o, come dice Roland Barthes "attraverso l'evidenza del *sotto*".[11] Sembra infatti che i capi di vestiario siano animati da una sorta di forza centrifuga grazie alla quale l'interno è costantemente sospinto verso l'esterno, mostrandosi, sia pure parzialmente, al collo, ai polsi, davanti al busto, in fondo alla gonna, creando quel misto sospeso di evidente e di nascosto in cui si intreccia il gioco estetico ed erotico, dove la regola è "di far vedere il nascosto senza però distruggere il suo carattere segreto". Interprete rigoroso del principio freudiano "dove c'è tabù c'è desiderio",[12] il sistema delle vesti gioca sulla fondamentale *ambivalenza* degli indumenti, incaricati di indicare una nudità nel momento stesso in cui la nascondono, di sottolineare i caratteri sessuali primari e secondari che ricoprono.

Questa constatazione ha consentito a Konrad Lorenz di parlare del sistema delle vesti come di una "addizione di stimoli" nel senso più stretto della parola, perché la combinazione di numerosi segnali, di cui ognuno esercita una certa azione, produce a livello visivo un'impressione straordinaria, che arriva a modificare il comportamento di coloro ai quali questi segnali sono diretti. Ciò è possibile, secondo Lorenz, perché "l'uomo è innanzitutto un animale visivo e perciò i fattori scatenanti sono quelli della vista che, più degli altri, agiscono su di lui".[13] Questa constatazione avvalora l'ipotesi di René König secondo cui:

> La moda non è che uno dei mezzi previsti dalla natura per la conservazione della specie, per cui il desiderio di mutare seguendo la moda agisce con la stessa forza cieca con cui agirebbe qualsiasi altro impulso diretto allo stesso fine.[14]

Eppure niente meglio del gioco erotico della moda distoglie l'istinto sessuale dal suo fine naturale, che è l'unione dei sessi, per trattenerlo in quel gioco estetico che si alimenta e si esaurisce nell'esibizione del nascosto, nella sottolineatura paradossale

[11] Ivi, p. 156.
[12] S. Freud, *Totem und Tabu* (1912); tr. it. *Totem e tabù*, in *Opere*, Bollati Boringhieri, Torino 1968-1993, vol. VII, p. 43.
[13] K. Lorenz, *Über tierisches und menschliches Verhalten*, Pieper, München 1965, vol. II, p. 82.
[14] R. König, *Il potere della moda*, cit., p. 95.

del segreto. Proprio per il fatto che il vestito copre, suscita il desiderio irresistibile di scoprire. Questa curiosità spinge la donna a rinnovare incessantemente i suoi artifici per coprirsi e scoprirsi, affinché il desiderio, che tende sempre più a riassorbire nel suo attimo l'episodio sessuale, non si affievolisca.

Dividere e ricongiungere non sono più azioni dei corpi, ma giochi delle vesti che, simulando la sessualità, la risolvono nel fantastico sottraendola al reale. Il vestito "senza cuciture", osserva ad esempio Barthes,[15] simula nell'indumento un corpo entrato senza aver lasciato tracce del suo passaggio. Le varianti di continuità intervengono pesantemente nel gioco della simulazione, dove dividono o non dividono, ricompongono o lasciano disgiunto, creando quella discontinuità dell'indumento dove il corpo si mostra o si schiva, e dove l'indumento, attraverso il gioco delle rotture e delle saldature, si lascia disintegrare qua e là, assentandosi parzialmente, per tornare a giocare con le nudità di un corpo che sempre più si sottrae, per consegnarsi irrimediabilmente al sistema della moda.

E questo perché se il corpo nudo è la realtà, il corpo che si lascia intravedere sotto la trasparenza delle vesti non è abbastanza definito per bloccare l'immaginazione, e non è abbastanza nascosto per non suscitarla. In questo frammezzo tra il visibile e l'invisibile, io scopro il mio desiderio nelle peripezie che solo il gioco ambiguo della presenza e dell'assenza inaugura come desiderio che oltrepassa le vesti per catturare un corpo che, solo sfuggendo, alimenta il desiderio. Infatti, come scrive Jean Baudrillard:

> Nel gioco della seduzione, il desiderio non è un fine ma un'ipotetica posta in gioco. Anzi, più precisamente, la posta in gioco è provocare e deludere il desiderio, la cui unica verità è brillare e restare deluso. Un desiderio che abusa del suo potere, un potere che gli è stato dato solo per essergli tolto. Non riuscirà neppure a sapere che cosa gli stia succedendo. Certo, colei o colui che seduce può amare o desiderare realmente, ma più in profondità (o in superficie, se si vuole, nell'abisso superficiale delle apparenze) si gioca un altro gioco, che nessuno dei due conosce e in cui i protagonisti del desiderio sono soltanto comparse.[16]

[15] R. Barthes, *Sistema della moda*, cit., pp. 138-139.

[16] J. Baudrillard, *Il destino dei sessi e il declino dell'illusione sessuale*, in Aa. Vv., *L'amore*, Mazzotta Editore, Milano 1992, p. 87.

Il desiderio non sa cosa vuole. È un atto infondato che trova insopportabile ogni gesto della ripetizione e perciò, nella concessione offerta dalla trasparenza, scruta e fruga il corpo dell'altro come se volesse scoprire qualcosa che va al di là della sua anatomia. Quando, infatti, per concessione della trasparenza, ci si incammina lungo quel percorso che culmina nella fascinazione di un corpo che le vesti lasciano trasparire, allora si scopre che ciò che affascinava non era quel corpo, ma l'incarnazione che esso realizzava del nostro desiderio.

La trasparenza delle vesti non è quindi un percorso che, partendo dall'avidità del nostro sguardo, giunge a toccare il corpo dell'altro, ma è ciò che deopacizza il corpo dell'altro per trasformarlo in uno specchio che riflette il nostro desiderio. Sembra infatti che non possiamo conoscere i nostri desideri se il corpo dell'altro non ce li riflette, ma per questo è necessario che il corpo dell'altro rinunci alla sua opacità, che avidamente assorbe ogni sguardo senza restituirlo, e si faccia superficie di riflesso, in modo da consentire al desiderio di chi guarda di trasparire.

E non per nulla la seduzione, scrive Baudrillard, " non si fida della natura".[17] Un corpo nudo come natura l'ha fatto non è seducente senza l'intervento dell'artificio delle vesti, in grado di scongiurare la semplice nudità e cancellare la naturalità di un corpo in sé e per sé insignificante. Senza l'ammiccamento, senza il gioco dell'apparire e dello sparire, senza un oltrepassamento del corpo e del suo essere semplicemente nudo, in vista di quel vuoto che è poi l'anima dell'altro sognata sempre nella sua ingannevole complicità, non si dà gioco di seduzione.

5. *La valenza economica della moda*

Il tema della seduzione oggi ha acquistato rilevanza perché il corpo è stato liberato da due catene che hanno sempre accompagnato il suo incedere nella storia, che ha sempre conosciuto un *corpo di fatica* e un *corpo di riproduzione*. Maschile il primo, femminile il secondo, il corpo era segnato da queste due mansioni che scandivano il suo senso per la vita.

Ora tutto questo non è più così vincolante e necessario. La sessualità è sempre meno legata alla riproduzione e la fatica è sempre più delegata alla macchina, per cui per il corpo, libero da

[17] Ivi, p. 86.

codici, si apre un campo di libertà espressiva finora sconosciuta, che la moda utilizza come energia produttiva, mettendo in scena lo spettacolo della *se-duzione* in vista della *pro-duzione.*[18]

Nella nostra società, infatti, che più non conosce il corpo di fatica e il corpo di riproduzione, ogni corpo "liberato" è liberato solo perché è già stato catturato dalla rete del *mercato* e dall'ordine delle sue parole, che la moda diffonde allucinando il desiderio con bisogni da soddisfare quali la bellezza, la giovinezza, la salute, la sessualità, che sono poi i nuovi valori da vendere. Così mobilitato dalle ingiunzioni della moda, il corpo diventa quell'istanza gloriosa, quel santuario ideologico in cui l'uomo consuma gli ultimi resti della sua alienazione.

Tutta la religione della spontaneità, della libertà, della creatività, della sessualità gronda del peso del produttivismo, e anche le funzioni vitali si presentano immediatamente come funzioni del sistema economico. La stessa nudità del corpo, che pretende di essere emancipata e progressista, lungi dal trovare la naturalezza al di là degli abiti, dei tabù e della moda, passa accanto al corpo come equivalente universale dello spettacolo delle merci, per scrivere i suoi segni univoci, che si evidenziano nel linguaggio dei bisogni indotti e dei desideri manipolati.

Diventando cultura di massa, la moda, scrive Barthes, "dà in uso, a classi che non possiedono le disponibilità economiche per consumarli, prodotti di cui, molto spesso, esse non consumano che le immagini".[19] Ma anche là dove le disponibilità economiche non mancano, il desiderio, ormai codificato dalla moda, non si riferisce tanto agli oggetti, quanto alla *mitologia* con cui la moda li ha rivestiti, e spesso è solo quest'ultima a essere consumata, anche se, avverte Barthes:

> Il mito è una parola *rubata* e *restituita*. Solo che la parola riportataci non è più interamente quella sottratta. Nel riportarla non la si è esattamente rimessa al suo posto. Questo rapido furto, questo breve momento di una falsificazione, costituisce l'aspetto congelato della parola mitica.[20]

[18] Si veda a questo proposito M. GUILLAUME, *Le capital et son double* (1975); tr. it. *Il capitale e il suo doppio*, Feltrinelli, Milano 1978, e in particolare il capitolo 3: "Oggetti-feticcio, immagini feticcio", pp. 26-36.

[19] R. BARTHES, *Mythologies* (1957); tr. it. *Miti d'oggi*, Einaudi, Torino 1974, p. 119.

[20] Ivi, p. 207.

La moda ricorre alla "parola mitica" per equiparare il nostro bisogno di beni con il bisogno dei beni di essere consumati. Per questo i suoi inviti sono esplicite richieste a rinunciare agli oggetti che già possediamo, e che magari ancora svolgono un buon servizio, perché altri nel frattempo ne sono sopraggiunti, altri che "non si può non avere". In una società opulenta come la nostra – in cui l'identità di ciascuno è sempre più consegnata agli oggetti che possiede, i quali non solo sono sostituibili, ma "devono" essere sostituiti – ogni invito della moda è un appello alla distruzione.

Si tratta di una distruzione che non è *la fine* naturale di un prodotto, ma *il suo fine*, perché, sopravanzando le sue creazioni, la moda rende obsoleti i suoi prodotti, la cui fine non segna la conclusione di un'esistenza, ma fin dall'inizio ne costituisce lo scopo. In questo processo la moda usa i consumatori come suoi alleati per garantire la mortalità dei suoi prodotti, che è poi la garanzia della sua immortalità.

6. *L'onnipotenza della moda*

La moda è una dea creatrice che può permettersi di parlare di corpi mal fatti perché ha l'onnipotenza di rettificarli, attraverso quella serie di artifici che allungano, assottigliano, gonfiano, ingrossano, diminuiscono, affinano, fino a trasformare il corpo reale nel corpo ideale della *cover-girl* che, osserva Barthes,[21] non esprime il corpo di nessuno, ma quella forma pura, quella sorta di tautologia dove il corpo non dice di sé, ma dell'indumento che indossa. Questa onnipotenza della moda diffonde, in chi la segue, un senso di potenza illimitata e di euforia, perché immerge in uno stato di innocenza in cui tutto è per il meglio e nel migliore dei modi.

Con il suo sistema di varianti, l'indumento adatta i tratti somatici ai valori morfologici del tempo, a quelli storici dei valori e a quelli psicologici dell'identità personale. Nell'indumento il corpo sembra ritrovare quella coppia antichissima che Platone illustra là dove connette la cosa leggera alla memoria, alla voce, al vivo, e quella pesante all'oscuro, all'oblio, al freddo.[22]

Come sostituto del corpo, l'indumento partecipa in questo mo-

[21] R. Barthes, *Sistema della moda*, cit., pp. 261-262.
[22] Platone, *Parmenide*, 130 e-131 d.

do alle immagini archetipiche che rinviano al cielo, alla caverna, alla sepoltura, al sonno, per cui con il suo peso si fa ala o sudario, seduzione o autorità, mobilità o morte, mentre con la sua leggerezza e vaporosità festeggia il matrimonio, la nascita, la vita, la festa, la felicità dell'evento. Aderendo al corpo, l'indumento, a seconda dei casi, dà la sensazione della protezione o della prigione, mentre può ingrandire il corpo e renderlo impreciso in ossequio a un'etica della personalità e dell'autorità, così come può seguirlo e segnarlo per renderlo più rispondente a un'etica dell'erotismo.

Come centro di riferimento di tutte le varianti, il corpo è l'origine di tutte le simmetrie, e siccome, come notava Pascal, "non c'è simmetria in altezza o in profondità, ma solo in larghezza",[23] tra destra e sinistra c'è quella perfetta corrispondenza che non c'è tra l'alto (la testa) e il basso (le gambe). Inserendosi in quest'ordine di simmetria e asimmetria, l'indumento esprime autentiche "forze vestimentarie", come le chiama Barthes,[24] slanciando corpi tarchiati, accorciando corpi troppo alti, e riducendo quelli troppo larghi, in modo che in nessun caso si oltrepassino le frontiere del tabù estetico.

Giocando con dei particolari sull'alternativa della destra e della sinistra, l'indumento richiama inconsciamente quella serie di significati sessuali, etnici, rituali e politici che Claude Lévi-Strauss ha riscontrato nel pensiero selvaggio.[25] Questa opposizione produce sensi così forti perché, essendo il corpo sul piano orizzontale perfettamente simmetrico, è assolutamente immotivata la collocazione di un elemento sulla destra o sulla sinistra, per cui, come in ogni fatto non sostenuto da natura, l'arbitrarietà e la mancanza di motivazione rafforzano il segno, perché lo connettono alla libertà e quindi alla scelta e al rischio. Forse per questo, osserva Barthes:

> L'antica distinzione, di natura religiosa, fra la destra e la sinistra (*il sinistro*) non è stata che un modo di esorcizzare il vuoto naturale di questi due segni, la libertà (vertiginosa) di senso che essi emanano.[26]

[23] B. Pascal, *Pensées* (1657-1662, prima edizione 1670); tr. it. *Pensieri*, Rusconi, Milano 1993, *pensiero* 50: "Simmetria, in ciò che si vede con un colpo d'occhio, fondata sul fatto che non si ha ragione di fare diversamente. È fondata pure sulla figura dell'uomo, per cui accade che si vuole la simmetria solo in larghezza, e non in altezza o in profondità".

[24] R. Barthes, *Sistema della moda*, cit., p. 134.

[25] C. Lévi-Strauss, *La pensée sauvage* (1962); tr. it. *Il pensiero selvaggio*, il Saggiatore, Milano 1970, capitolo V: "Categorie, elementi, specie, numeri", pp. 151-178.

[26] R. Barthes, *Sistema della moda*, cit., p. 148.

Su questa *libertà vertiginosa* gioca la moda e il suo potere illimitato di seduzione. Seguendo rigorosamente la sua dialettica, che è a un tempo quella del *conformismo* e del *cambiamento*, alla moda, scrive Barthes,[27] basta "un particolare per dare una personalità", "un piccolo nulla per cambiare tutto", e così, rincarando la dose sul "nulla", assottigliandolo fino all'"ineffabile", che per Barthes è "la metafora stessa della vita", la moda conferisce al nulla un potere semantico che si irradia a distanza fino a significare tutto, fino a "trasformare il fuori-senso in senso, il fuori-moda in moda". Così la moda coglie l'occasione di offrirsi come democratica perché il particolare "non costa niente", e al tempo stesso "partecipa alla dignità dell'idea, consacrando la democrazia delle borse nel rispetto di un'aristocrazia dei gusti".

7. *La moda e i giochi di società*

Giocando sulla *psico-sociologia dei ruoli*, la moda trasforma il lavoro in ozio, la tuta dell'operaio nei jeans dello sfaccendato, e risolve problemi di identità: "se volete esser questo, vestitevi nel dato modo". E così, senza la fatica dell'azione, compie il miracolo per cui non è più necessario agire, ma è sufficiente vestirsi per ostentare l'essere dell'azione senza assumerne la realtà.

"Vestirsi a festa", osserva Barthes,[28] significa avere l'occasione di partecipare al mito di una vita senza lavoro che viene dalla notte dei tempi. "Attrezzarsi per il week-end" segnala quei valori di ricchezza di chi non dispone solo di quel giorno triviale e popolare che è la domenica, ma di qualcosa di più, per sfiorare la campagna nei suoi segni più affascinanti come le camminate, i fuochi di legna, le vecchie case, senza trattenersi nell'opacità faticosa della monotonia contadina.

I luoghi sfiorati dalla moda, siano essi la città, la campagna, il mare, la montagna, sono sempre "luoghi assoluti", scrive Barthes, sono quell'"altrove" di cui si deve afferrare di colpo l'essenza *diversa* che facilita il gioco del sogno. A sostegno del sogno la moda mette a disposizione quel *fare* incessante che allontana alienazione, noia, incertezza, impossibilità economica, come ad esempio:

[27] Ivi, p. 245.
[28] Ivi, pp. 250-254.

Fare dello shopping che, oltre a non essere né impossibile, né costoso, né stancante, né imbarazzante, né deludente [...], dà la sensazione di un potere illimitato di acquisto, la promessa d'esser bella, il godimento della città e la gioia di una superattività perfettamente oziosa.[29]

8. *La moda e i giochi di identità*

In una nota alle *Questioni di metodo*,[30] Jean-Paul Sartre osserva che come la persona produce l'indumento, nel senso che si esprime attraverso di esso, così l'indumento produce magicamente la persona, per cui al limite, trasformando l'indumento, si trasforma il proprio essere. "Giocando" con la blusa, con la cravatta, con la cintura si partecipa a quel tema ludico per eccellenza che gli antichi avevano mitizzato in Giano bifronte. Grossi problemi di identità si possono ludicamente risolvere componendo diversamente i tratti vestimentari, in modo da apparire contemporaneamente "dolci e fieri", "rigidi e teneri", "severi e disinvolti". Questi paradossi psicologici hanno un valore nostalgico, testimoniano un sogno di totalità dove non è necessario scegliere, perché si può essere tutto contemporaneamente.

La moda non respinge nulla. Si offre sia a chi vuole sfuggire alla ripetizione ossessiva, sia a chi la ricerca perché da tempo insegue un sogno di identità. Per questo, scrive Barthes,[31] "dolci, siete voi"; "rigide, siete ancora voi"; "fiere, siete sempre voi". Moltiplicando le persone in un solo essere, la moda dà un saggio della sua onnipotenza, "recupera il tema ancestrale della maschera, attributo essenziale degli dèi", e la offre agli uomini. Giocando con le maschere senza rischio, perché il gioco delle vesti non è il gioco dell'essere, la moda scherza con il tema più grave della coscienza umana, il tema dell'identità, incessantemente proposto dall'interrogativo: "Chi sono?". È questa "la domanda della Sfinge", la domanda dell'antica tragedia, a cui la moda risponde con la sua tastiera di segni fra cui una persona sceglie il divertimento di un giorno.

Come sempre accade, si gioca a quello che non si osa essere;

[29] Ivi, p. 254.

[30] J.-P. Sartre, *Critique de la raison dialectique* (1960); tr. it. *Critica della ragione dialettica*, il Saggiatore, Milano 1963, p. 127.

[31] R. Barthes, *Sistema della moda*, cit., pp. 258-259.

e attraverso la moda, osserva Barthes,[32] si può giocare al potere *politico* perché la moda è monarca, a quello *religioso* perché i suoi imperativi hanno il tocco del decalogo, si gioca alla *follia* perché la moda è irresistibile, alla *guerra* perché è offensiva, aggressiva, e alla fine vincitrice. I suoi decreti non hanno una causa, ma non per questo sono privi di volontà, la sua tirannia produce un "universo autarchico" in cui i pantaloni scelgano da sé la propria giacca e le gonne la propria lunghezza per dei corpi ridotti a manichini.

Viene ora da chiedersi: quali sono gli effetti della moda sulla costruzione e sul mantenimento dell'identità personale? Disastrosi. Perché là dove le cose perdono la loro consistenza, il mondo diventa evanescente e con il mondo la nostra identità. Privi di consistenza, di durata, e al limite di utilità, i prodotti della moda esistono solo per essere consumati e, dove resistono al consumo, per essere sostituiti da prodotti "nuovi e migliori" che l'innovazione tecnologica porta con sé.

In un mondo dove gli oggetti durevoli sono sostituiti da prodotti destinati all'obsolescenza immediata, l'individuo, senza più punti di riferimento o luoghi di ancoraggio per la sua identità, perde la continuità della sua vita psichica, perché quell'ordine di riferimenti costanti, che è alla base della propria identità, si dissolve in una serie di riflessi fugaci, che sono le uniche risposte possibili a quel senso diffuso di irrealtà che la cultura della moda diffonde come immagine del mondo.

Là infatti dove un mondo fidato di oggetti e di sentimenti durevoli viene via via sostituito da un mondo popolato da immagini evanescenti, che si dissolvono con la stessa rapidità con cui appaiono, diventa sempre più difficile distinguere tra sogno e realtà, tra immaginazione e dati di fatto.

Declinandosi sempre più nell'*apparire*, l'individuo impara a vedersi con gli occhi dell'altro. Impara che l'immagine di sé è più importante della sua personalità. E dal momento che verrà giudicato da chi incontra in base a ciò che possiede e all'immagine che rinvia, e non in base al carattere o alle sue capacità, tenderà a rivestire la propria persona di teatralità, a fare della sua vita una *rappresentazione*, e soprattutto a percepirsi con gli occhi degli altri, fino a fare di sé uno dei tanti prodotti di consumo da immettere sul mercato.

Priva di un mondo costante, durevole e rassicurante nella sua

[32] Ivi, p. 273.

solidità, l'identità diventa incerta e problematica, non perché l'individuo non appartiene più a precise categorie sociali, ma perché non abita più un mondo stabile e dotato di esistenza indipendente. Là infatti dove il mondo è di continuo creato e ricreato e gli oggetti durevoli sono sostituiti da prodotti "usa e getta", non si dà più una realtà solida e stabile, ma una vita psichica vissuta senza un senso costante di sé, che naufraga in una serie di riflessi fugaci nello specchio dell'ambiente circostante.

Qui la differenza tra realtà e apparenza diventa sempre più vaga, come vaga diventa la propria identità e indefinito lo spazio della libertà, intesa ormai non più come la scelta di una linea d'azione che porta all'individuazione, ma come la scelta di mantenersi aperta la libertà di scegliere, dove è sottinteso che le identità possono essere indossate e scartate come la cultura della moda ci ha insegnato a fare con gli abiti.

9. *La moda e la frantumazione del tempo*

"Rifiutando dogmaticamente la moda che l'ha preceduta," osserva Barthes, "la nuova moda rifiuta il proprio passato"[33]; chiama senza scrupoli angolosità e fratture quelle che ieri erano linee ben disegnate; non eredita, ma sovverte l'ordine appena affermato e, facendosi gioco del tempo, afferma il diritto assoluto del presente, dell'eterno presente che è prerogativa degli dèi. Nutrendosi di infedeltà a se stessa e al proprio passato, per sfuggire alla carica colpevolizzante di questo sentimento, la moda "aggredisce il tempo col ritmo delle vendette, affondando ogni anno l'intero presente nel nulla del passato".[34]

Si conferma così il tratto nichilista della moda che eleva il non-essere di tutte le cose a condizione della sua esistenza, il loro non permanere a condizione del suo avanzare e progredire. E se agli occhi di Platone le cose del mondo apparivano scadenti perché, a differenza delle idee, erano soggette al tempo e perciò transitorie, agli occhi della moda la transitorietà di tutte le cose, il loro diventare obsolete ed essere superate, il loro non-durare è la condizione del suo esistere.

Il tratto nichilistico della moda, che vive della negazione del mondo da essa prodotto perché la sua permanenza significhe-

[33] Ivi, p. 275.
[34] Ivi, p. 291.

rebbe la sua fine, destruttura nei consumatori la dimensione del tempo, sostituendo alla durata temporale, che è fatta di passato, presente e futuro, la precarietà di un assoluto presente che non deve avere alcun rapporto con il passato e il futuro.

E allora oltre alla produzione forzata del bisogno e del desiderio, ben al di là dei limiti della sua rigenerazione fisiologica, la moda utilizza strategie al fine di rendere ciò che è ancora *materialmente* utilizzabile *socialmente* inutilizzabile, e perciò bisognoso di essere sostituito.

Tra queste strategie, Barthes menziona i "limiti della memoria umana",[35] che la moda utilizza per confondere il ricordo delle mode passate con l'orgia delle creazioni continue, che danno un senso di rigoglio incontenibile e di vitalità eterna. Questo è possibile, scrive Barthes, perché:

> La moda del presente gioca sui sinonimi e, fingendo di prenderli per sensi diversi, moltiplica i significati di uno stesso significante e i significanti di uno stesso significato. In questo modo il sistema è sommerso sotto la letteratura, e il consumatore di moda sprofondato in un disordine che è presto un oblio, perché gli fa vedere l'attuale sotto la specie di un nuovo assoluto. Da questo punto di vista la moda fa indubbiamente parte di tutti i fatti di *neomania* che sono apparsi nella nostra civiltà probabilmente con la nascita del capitalismo: il nuovo è, in un modo affatto istituzionale, un valore che si compra. Ma il nuovo di moda sembra avere nella nostra società una funzione antropologica ben definita, dipendente dalla sua ambiguità: a un tempo imprevedibile e sistematico, regolare e sconosciuto, aleatorio e strutturato, congiunge fantasticamente l'intelligibile, senza cui gli uomini non potrebbero vivere, con l'imprevedibilità associata al mito della vita.[36]

Prima che la memoria umana si riprenda dallo shock coscienziale che investe chi si trova di fronte all'indecifrabilità di un mistero, la moda ha già dissolto il mito dei significati innocenti nel momento stesso in cui li ha prodotti, e ha già sostituito il proprio fantasmagorico artificio alla vera natura delle cose, quasi per sfuggire a quel senso vago e minaccioso che Roland Barthes lesse scolpito su una tomba di un cimitero di Parigi: "Ieri ero quello che sei, domani sarai quello che sono".[37]

[35] Ivi, pp. 299-305.
[36] Ivi, pp. 304-305.
[37] Ivi, p. 275.

10. *I modelli proposti dalla moda e la loro influenza sociale*

Che influenza sociale hanno i modelli proposti dalla moda? E in particolare in che modo condizionano stili di vita e comportamenti soprattutto nell'universo femminile? Dico queste cose perché la donna che oggi la moda ci propone è una donna quale potrebbe apparire a uno sguardo troppo impreciso sulla differenza sessuale, e che perciò oscilla tra la paura del femminile e la distanza di sicurezza che ingessa il femminile in una statuarietà immobilizzata o in una mobilità manierata.

Intendiamoci, niente da dire sulle condotte o sugli stili di vita di chi predilige una sessualità dai contorni imprecisi. Ma quando lo sguardo promosso dagli stilisti diventa potere, "il potere della moda", in grado, in quanto potere, di imporre modelli a cui si adeguano tra l'altro migliaia di ragazzine dall'identità ancora incerta, allora non agli stilisti, ma a queste va detto chiaro e tondo che la donna *tossico-shock*, rappresentata dalla moda oggi dominante, non assomiglia alla donna che incontriamo per le strade, che troviamo in carriera, che vediamo uscire da un negozio, da un parrucchiere, da una discoteca, o più semplicemente seduta a un tavolo a discutere con noi, ma a quel terrore panico della donna, che è il vissuto di ogni identità che ancora non è approdata alla differenza sessuale.

A questo punto è inutile che psicologi e sociologi ci vengano a dire che oggi gli uomini hanno paura delle donne. Se il modello di riferimento è la donna-copertina che gli stilisti incessantemente ci propongono, di quella donna c'è da aver paura. Si tratta, infatti, di una donna che gli stilisti de-sessualizzano nel momento stesso in cui la rivestono o la spogliano, mettendo così in scena una sorta di spettacolo della paura, come se l'erotismo dovesse arrestarsi alle soglie dei loro abiti, portati con quei gesti rituali che vogliono a un tempo provocare l'idea del sesso e insieme la sua interdizione.

Dopo aver ridotto il pubblico a semplice rappresentante di un generico voyeurismo, questo sguardo, che teme la donna, maschera la sua paura accarezzando il corpo femminile con tutta la delicatezza del suo raffinato manierismo e, dopo aver agghindato la sua creatura con tutti gli accessori e gli stereotipi di cui è capace, finisce per ridurla all'insignificanza, ostentando la sua bellezza al solo scopo di renderla inaccessibile, e al limite esorcizzarla.

Alcuni frammenti di erotismo, appena accennati dalla deambulazione sulla passerella, sono riassorbiti in quel rituale rassicurante che è il sistema (economico) della moda, che cancella l'elemento della sessualità femminile con tanta decisione e sicurezza, quanto un buon farmaco può fare nei confronti di una malattia.

E allora a fiumi quella fantasia stereotipata, scambiata per creatività, che allontana il corpo della donna in scenari che hanno del favoloso e del romanzesco, all'unico scopo di ridurre la donna a puro e semplice oggetto travestito, al punto che, se il nudo traspare, resta anch'esso un nudo irreale, chiuso e inaccessibile, come un bell'oggetto che non si lascia afferrare per la sua lontananza o per la sua stravaganza rispetto alla consuetudine della quotidianità.

Nella moda, infatti, tutto ciò che è femminile, seducente e invitante è avvolto in quell'atmosfera di purezza diafana che spranga la femminilità come potrebbe fare una vetrina trasparente e blindata di una gioielleria, dove la donna è esposta come un gioiello prezioso e, in questa preziosa esposizione, irriducibilmente ridotta a oggetto attraente e inaccessibile.

L'incedere ritmato delle modelle in passerella, contrariamente al giudizio corrente, non è per nulla un fattore erotico, anzi probabilmente è addirittura il contrario: serve a scongiurare il rischio della spudoratezza. Non c'è infatti nulla di più efficace del gesto ritmato e cadenzato, gesto rituale ripetuto fino alla noia, per ricoprire di monotonia l'intenzione allusivamente sessuale, dove il sesso gioca un ruolo parassitario, in una lontananza che lo rende perlomeno improbabile. Questa lontananza nasconde la donna sotto l'indifferenza glaciale dell'abile professionista, rifugiata con alterigia nella certezza della tecnica che la riveste più dell'abito che indossa.

E poi, perché no! La passerella è assimilata a una carriera dove le esordienti e le future promesse si dedicano, come in ogni professione, all'esercizio assiduo di una specializzazione e, come le operaie qualificate, possono rivestirsi del nobile alibi del lavoro, quando non addirittura della vocazione, la vocazione di rappresentare quel neutro tra il maschile e il femminile, che è tutto ciò che oggi lo sguardo della moda sembra poter concedere a un uomo e a una donna.

Si tratta per giunta di una donna che, così guardata ed esposta, diventa modello per milioni di donne, che più non sanno se devono mangiare o non mangiare, accrescersi o ridursi il seno, avvitarsi la pancia o torcersi il collo, dipingersi la faccia o intonacarla, nel tentativo di raggiungere quell'idea platonica di femminilità che l'ambiguo sguardo della moda ha messo in circolazione tra l'asessuato e l'equivoco e che, malamente imitato dalla gran parte delle donne, approda a quei visi da totem e a quegli occhi da triste vegetale, dove la ricerca dell'essenza rarefatta della bellezza cancella irrimediabilmente le ultime tracce di una possibile bellezza esistenziale.

Sarebbe augurabile che le immagini delle modelle che, dopo la loro prima comparsa sulla passerella, riempiono le pagine di tutti i rotocalchi allo scopo di sconvolgerci, non ci facessero più alcun effetto perché, con il suo sguardo, lo stilista si è sostituito troppo generosamente a noi nella formazione del suo soggetto. In un certo senso ha costruito per noi un'immagine di uomo e di donna che non conosciamo e non riconosciamo. Troppo artificiale per riuscire a stupirci, troppo ingannevole per convincerci di non averci, ancora una volta, defraudato della nostra capacità di giudizio.

Per quanto gli è stato possibile, a partire dai labirinti intricati della sua sensibilità, troppo diversa da quella che abitualmente ciascuno di noi si ritrova, lo stilista ha finito con il sostituirsi a noi nel giudizio, nella riflessione, persino nella sollecitazione delle nostre passioni, per non lasciarci alla fine se non il dovere di un'acquiescenza del nostro gusto, e il denaro per acquistare quelli che lui ha stabilito debbano essere per quella stagione i nostri valori estetici. In realtà i modelli da lui prodotti e da lui caricati di significati non hanno per noi alcuna corrispondenza, e nei loro confronti fatichiamo a reperire una nostra spontanea e personale accoglienza.

Il nutrimento estetico che tali modelli ci offrono è illusorio, perché di fatto è già stato assimilato e perfettamente digerito dal suo creatore che, anche se vuole solo sorprenderci, non potendo arrivare a sconvolgerci, commette comunque sempre lo stesso errore di principio, che è quello di negare il momento più raro e più intimo della nostra sensibilità estetica, che si forma a contatto con l'esperienza quotidiana, per sostituirlo con un gesto che vuole apparire unico e paradossale, solo per svelare l'indomani che era solo un gesto di massa.

A stilisti e modelle verrebbe da chiedere ancora un segnale più rispettoso della nostra individualità e della nostra sensibilità estetica, e anche meno gratuità che, oltre ad apparire troppo intenzionale, scaturisce quasi sempre da un'invadente volontà di condizionare. E tutto questo perché la nostra accoglienza non finisca per chiudersi troppo presto su un puro segno, teso a negare la differenza sessuale che ancora rende piacevole e sensato l'incontro fra gli uomini e le donne. Anche perché l'indistinzione delle differenze sessuali a cui, per le ragioni addotte, tende la moda di oggi fa sì, come scrive Barthes, che "la leggibilità perfetta della scena, anzi la sua *messa in scena*, ci dispensa dal ricevere profondamente l'immagine nel suo scandalo".[38]

Per scandalizzare, infatti, e nello scandalo promuovere un oltrepassamento del gusto, a cui tutti i creatori di moda tendono, l'immagine che viene proposta deve avere una qualche parentela con noi, perché altrimenti, anche se non ci lascia inerti, certamente non riesce davvero a disorientarci. Ma per questo è necessario prodursi in creazioni in cui torna a risuonare l'eterosessualità, in modo da poterci ritrovare tra immagini che poi corrispondono al modo con cui di solito un uomo guarda una donna e una donna un uomo. Solo allora l'uomo e la donna, incontrandosi, avranno meno paura, meno sospetto, meno soggezione l'uno dell'altra.

[38] R. BARTHES, *Miti d'oggi*, cit., p. 103.

7.
Il mito del potere

> Ci piacerebbe credere che sia l'amore a determinare il nostro destino, o che i veri fattori formativi che dirigono la nostra vita siano i grandi sogni e le passioni dell'anima o i progressi delle scienze tecnologiche. Invece, nel vivere reale, solo le idee del business sono di fatto sempre presenti, dalla soglia di casa alla scrivania in ufficio, dall'alba al crepuscolo. E fra le idee del business, il *potere* la fa da padrone.
>
> J. HILLMAN, *Forme del potere* (1995), p. 9.

1. *Le maschere del potere*

Il potere è sempre esistito o nella forma truculenta della tirannide o in quella legale dello Stato. In entrambi i casi si tratta di un potere visibile, a cui ci si può opporre oppure riconoscerlo. Oggi il potere è diventato più subdolo, più mascherato, più nascosto, ma proprio per questo più pervasivo, fino a permeare il nostro inconscio, al punto da farci apparire ovvia quella che in realtà è una sua imposizione.

Per rendercene conto dobbiamo domandarci se a volte non abbiamo del potere un concetto troppo grossolano al punto da non riconoscerlo proprio là dove ci assedia. Il potere non si presenta mai come tale, ma indossa sempre i panni del prestigio, dell'ambizione, dell'ascendente, della reputazione, della persuasione, del carisma, della decisione, del veto, del controllo, e dietro queste maschere non è facile riconoscere le due leve su cui si fonda: il *controllo* assoluto delle nostre condizioni di vita e la massima *efficienza* delle prestazioni che ci sono richieste.

Il mito dell'efficienza, che molti sembrano condividere applaudendo i leader politici che promettono di garantirla, fu sperimentato su larga scala come macchina di potere nei lager nazisti, dove il problema era di "sistemare" in ventiquattro ore i convogli dei deportati che quotidianamente arrivavano. In uno dei lunghi colloqui che Gitta Sereny ebbe con Franz Stangl, direttore del campo di sterminio di Treblinka, si legge:

STANGL: "Il lavoro di uccidere con il gas da cinquemila a seimila persone in ventiquattro ore esigeva il massimo di efficienza. Nessun gesto inutile, nessun attrito, niente complicazioni, niente accumulo. Arrivavano e, tempo due ore, erano già morti [...]".
SERENY: "Ma lei, nella sua posizione, non poteva far cessare quelle nudità, quelle frustate, quegli orrori dei recinti da bestiame?".
STANGL: "No, no, no! Questo era il sistema. L'aveva escogitato Wirth. Funzionava. E dal momento che funzionava era irreversibile".[1]

James Hillman, tentando una psicoanalisi del potere e delle maschere dietro le quali si nasconde, ritiene che un personaggio come Stangl è la figura d'ombra che incombe dietro le spalle di ogni uomo seduto al tavolo di un ufficio, dove l'agire è regolato da quell'unica causa: la *causa efficiente* che – messe in ombra le altre cause che Aristotele chiamava "finale", "formale", "materiale" – diventa l'unica risposta alla domanda che chiede il *perché* di un determinato agire.

Ma quando la causa efficiente perde di vista la sua correlazione con le altre cause diventando l'unica motivazione dell'agire, allora non importa più che cosa avviene, o per chi avviene, o a quale scopo avviene. Elevata a valore assoluto, l'efficienza mette in ombra lo scopo delle azioni, la loro direzione, il loro senso, per attestarsi sulla mitologia della pura funzionalità priva di riferimento.[2]

Celandosi dietro la maschera dell'efficienza, scrive Hillman,[3] il potere ottiene da un lato l'*ubbidienza dei subordinati*, inducendo in loro un pensiero a breve scadenza, per cui non si guarda più intorno e in avanti e a lungo termine sui valori di fondo della vita con conseguente atrofizzazione dei sentimenti, e dall'altro lato quella *diffusa insensatezza* per cui i "fini" raggiunti diventano "mezzi" per fini ulteriori, dove il semplice "fare" trova la sua giustificazione indipendentemente da ciò che si fa.

Ma là dove l'efficienza rappresenta di per sé una ragione sufficiente per l'agire umano, l'inefficienza diventa uno dei modi per sabotare la tirannia dell'efficienza, una sorta di "etica" adottata per protestare contro lo smarrimento di senso e di fini (*causa finale*), contro lo sfruttamento illimitato delle risorse naturali (*cau-*

[1] G. SERENY, *Into that Darkness* (1974); tr. it. *In quelle tenebre*, Adelphi, Milano 1975, pp. 227, 271-272.

[2] J. HILLMAN, *Kinds of Power* (1995); tr. it. *Forme del potere*, Garzanti, Milano 1996, pp. 33-37.

[3] Ivi, p. 38.

sa materiale), contro l'abolizione dell'etica e dell'estetica in ogni processo di produzione e consumo (*causa formale*).

Pensare esclusivamente in termini di "costi e benefici" secondo il principio che prescrive di ottenere il massimo dando il minimo "non è giusto," scrive Hillman, "non è etico, è antisociale, è abusivo, forse è *il male*".[4] E il potere che nasconde la sua forza sotto i paludamenti dell'efficienza differisce da Treblinka solo per il contenuto a cui si applica, non per il principio, per cui conclude Hillman:

> Sarebbe bene tener presente l'immagine di Treblinka quando si chiede al governo di essere più "efficiente". [...] Quando un candidato a un incarico politico imposta la sua campagna elettorale su una piattaforma di efficienza del governo, lascia intravvedere l'infiltrarsi di ideali fascisti. Mussolini faceva viaggiare i treni in orario: ma a quale costo?[5]

Eppure l'efficienza serve alla *crescita* e, dal punto di vista psicologico, "crescita" significa maturare, migliorare, divenire indipendenti, essere padroni di sé, farsi carico della propria vita, avere potere. Questi valori, che la psicoanalisi ha assunto come propri ideali e modelli di sviluppo della personalità, forse appartengono all'epoca della Rivoluzione industriale del XIX secolo quando, scrive Hillman, le macchine a vapore riducevano la fatica e aumentavano la produzione, le rotaie ferroviarie si protendevano verso orizzonti illimitati, l'elettricità a buon mercato dava l'idea di poter illuminare i luoghi bui di tutta la terra al semplice scatto di un interruttore, come nell'epoca dell'Illuminismo la luce della ragione aveva illuminato i sotterranei irrazionali della nostra anima.[6]

Ebbene, l'esaltazione acritica di questi valori, che hanno permeato di sé anche il nostro inconscio, forse trascura di considerare che essere "indipendenti" significa anche essere "soli", e che "crescere", "diventare più grandi", ci ricorda Hillman, non sempre e non solo significa "migliorare" e "maturare", ma anche "appassire" e "morire".[7]

Dimenticare tutto questo e vivere la "crescita" nei termini in cui il potere ce la dipinge nelle sfavillanti scenografie della po-

[4] Ivi, p. 41.
[5] *Ibidem*.
[6] Ivi, p. 29.
[7] Ivi, p. 42.

tenza significa non rendersi conto che ogni crescita quantitativa ha un costo in termini di scadimento qualitativo. Tutti i numeri in ascesa, che ogni forma di potere ostenta con spirito ottimistico, nascondono quell'aspetto oscuro che manda segnali di declino, quando non di pericolo, fino a quel limite che è l'estinzione.

A questo punto "la crescita assume una coloritura cancerosa", come accade al nostro organismo quando le cellule si moltiplicano oltremisura. È allora che la crescita, questo ideale ottocentesco così radicato nel nostro inconscio, acquista un significato sinistro, "vuoi che a crescere sia il debito pubblico, oppure la popolazione, i disoccupati, le dimensioni della città, l'inquinamento dell'aria, l'aliquota di imposta, il costo della vita, il tasso di colesterolo, e persino i numeri quando saliamo sulla bilancia del nostro bagno".[8]

Oltre un certo livello, "crescere" è dunque sintomo di problemi, quando non addirittura di declino. La psicologia evolutiva, che per Hillman "proviene dagli armadi vittoriani del darwinismo sociale, non si accorge quanto sia cambiato il valore dell'idea di *sviluppo*, così come non se ne accorgono i proprietari terrieri, i fautori delle proprietà immobiliari e quelli dell'industrializzazione forzata".[9] E se la psicologia non fa presto a emanciparsi da quel modo infantile di vedere la crescita come "buona", e non smette di propagandare quel "capitalismo psicologico", come lo chiama Hillman, "per cui le inferiorità devono essere superate e le menomazioni integrate in un Io sempre in crescita",[10] la psicologia continuerà a dar manforte a quel tipo di potere che toglie ai subordinati la possibilità di capire quale fra le due espressioni "sottosviluppato" e "ipersviluppato" sia quella con la "connotazione ecologicamente più negativa".

Hillman parla della correità della psicologia non solo perché è psicologo, ma perché oggi il potere, se ai margini dell'Occidente ancora si esercita con la truculenza di Treblinka, entro i confini dell'Occidente governa con mezzi psicologici che non seducono o ingannano l'inconscio, ma lo costruiscono da cima a fondo.[11] Che cos'è infatti l'inconscio? A questa domanda Hillman risponde:

[8] Ivi, p. 43.
[9] Ivi, p. 44.
[10] *Ibidem.*
[11] Su questo tema si veda anche U. GALIMBERTI, *Psiche e techne. L'uomo nell'età della tecnica*, Feltrinelli, Milano 1999, dove si sostiene che, oltre all'"inconscio pulsionale" descritto da Freud, si è stratificato in noi anche un "inconscio tecnologico" (cfr. pp. 620-624).

"Esattamente ciò che la parola dice: ciò che è meno conosciuto perché è più usuale, più familiare, più quotidiano".[12] E che cosa c'è oggi di più quotidiano dell'economia in cui il potere trattiene le nostre condizioni di vita, le sue possibilità, la sua qualità? "Oggi la nostra teologia è l'economia," scrive Hillman, perché:

> Il potere dell'economia, come quello delle religioni, è stato interiorizzato. Governa con mezzi psicologici. È l'economia a determinare chi è incluso e chi è marginalizzato, distribuendo premi e punizioni quali ricchezza e povertà, vantaggi e svantaggi. Proprio perché questa interiorizzazione delle sue idee è così indiscutibilmente e universalmente accettata, è l'economia il luogo dove oggi risiede l'inconscio e dove il bisogno di analisi psicologica è maggiore. Non è più la nostra vita personale il luogo dell'inconscio. [...]
> Affrontare separatamente il tema del profitto, il desiderio di possesso, gli ideali dell'equa retribuzione e della giustizia economica, il risentimento nei confronti del fisco, le fantasie di inflazione e di depressione, l'interesse per il risparmio, così come ignorare le psicopatologie del commerciare, del collezionare, del consumare, del vendere e del lavorare, e tuttavia pretendere di comprendere la vita interiore delle persone della nostra società, sarebbe come analizzare i contadini, gli artigiani, le dame e i nobili della società medievale ignorando la teologia cristiana come se fosse un fatto irrilevante.[13]

2. *Il potere e il controllo delle idee*

Se oggi, "la nostra teologia è l'economia, quel tempio comune che accoglie tutti e dal quale i mercanti non sono stati cacciati",[14] come sommo sacerdote di quel tempio, il potere non governa come un re a cui bisogna assolutamente ubbidire, e neppure come un dittatore con una polizia segreta o con dogmi pedagogici per indottrinare la gioventù, non ha un programma politico, né un partito nazionale, niente chiese, niente credo, preti o Sacre scritture.

Nella sua incarnazione economica il potere agisce attraverso la pervasività delle sue idee, e la civiltà che ne nasce è tenuta insieme non dalle idee di bellezza, verità, giustizia, pace, convivenza di popoli, ma dalle idee di commercio, proprietà, prodot-

[12] J. Hillman, *Forme del potere*, cit., p. 11.
[13] Ivi, pp. 11-12.
[14] Ivi, p. 12.

to, scambio, valore, profitto, denaro, che in modo inconscio governano la vita dell'uomo occidentale e, per imitazione, dell'uomo del pianeta.

Chi riesce a impadronirsi di quest'ordine di idee, ormai depositate nell'inconscio collettivo, e a condirle con la seduzione dell'eccessiva semplificazione e della semplicità, com'è nello stile di propaganda delle destre nel mondo capitalistico, offre pace mentale senza fatica mentale, perché, scrive Hillman:

> Le idee semplici, o semplificate al di là di quanto possano esserlo, appaiono comode perché non danno problemi, perché si depositano tranquillamente nella fanghiglia in fondo alla mente, dopo aver dissolto ogni tensione e ogni complicazione, nonostante l'avvertimento di Einstein: "Tutto dovrebbe essere semplice come può esserlo, ma non di più".[15]

Trattandosi di *pervasività inconscia*, con cui il potere oggi condiziona la nostra mente, sarebbe allora tempo che la psicologia, la psichiatria, la psicoanalisi si destassero dal torpore profondo in cui sono assopite e capissero che sono le idee dis-funzionali del mondo di oggi ad aver bisogno della nostra cura psicologica, più che le ferite del bambino interiore del passato. Certo i nostri problemi continuano a essere dentro la nostra vita, ma la nostra vita è vissuta entro "campi di potere" come li chiama Hillman[16] che sono le nostre città, con i loro uffici e capuffici, le loro fabbriche e la loro produzione, la finanza e le sue speculazioni, gli affari e i loro profitti, le auto in circolazione e il loro intasamento, le montagne di rifiuti e il loro sintomatico olezzo.

Questo sistema è *collettivo* e solo secondariamente *individuale*, per cui i sentimenti di fallimento, impotenza e frustrazione che assalgono una singola persona possono benissimo essere le angosce dell'anima collettiva che si riflette sull'individuo.[17] Il pensiero degli antichi Greci non poteva nemmeno immaginare l'anima dell'individuo separata dall'anima della città. Sarebbe opportuno che la psicologia recuperasse questa antica intuizione e, uscendo dalla camera da letto di mamma e papà, cominciasse a curare le idee dis-funzionali che percorrono la nostra società e non soltanto i portatori e le vittime di queste idee.

[15] Ivi, p. 15.

[16] Ivi, p. 19.

[17] Su questo tema si veda anche P. Fédida, *Des bienfaits de la dépression. Éloge de la psychothérapie* (2001); tr. it. *Il buon uso della depressione*, Einaudi, Torino 2002.

Se, infatti, osserva Hillman, "non è l'individuo la causa di gran parte della più diffusa sofferenza, non potrà nemmeno esserne l'oggetto di cura".[18]

Al potere che ci forgia non con costrizioni fisiche o con limitazioni di libertà, ma con idee che fanno riferimento alla *sicurezza* (dalle assicurazioni alle telecamere, dalle porte blindate alle prigioni), al *consumo* (come disponibilità, abbondanza, opulenza, spreco, status symbol), alla *passività* (davanti ai media, incantati dallo spettacolo, dalla celebrità, dal successo che innescano processi imitativi nel più assoluto misconoscimento della propria individuale personalità), al *narcisismo individualistico* (nel più completo disinteresse delle sorti della collettività, per la quale non si riesce neppure a immaginare un futuro significativo), al potere che marcia su queste idee semplici, dove ciò che si celebra è solo l'inerzia dello spirito, occorre contrapporre, scrive Hillman, "il *potere delle idee* che non rifuggono dalla visione immaginativa, dal pensiero avventuroso", dalla chiarificazione intellettuale, promossa da anime alla disperata ricerca del potere della mente da contrapporre all'impotenza che sperimentano.

Ma anche quando andiamo alla ricerca di nuove idee, le strategie educative messe in atto dal potere fanno di tutto per impedirci di maneggiarle bene, per cui le bruciamo troppo rapidamente, ce ne liberiamo mettendole immediatamente in pratica perché, come scrive Hillman:

> Sembra che con un'idea sappiamo fare un'unica cosa: applicarla, trasformarla in qualcosa da poter usare, per cui una "buona idea" è buona perché fa risparmiare tempo o denaro. E così l'idea muore proprio nel momento stesso della sua applicazione. Non più, come dicevano gli Stoici, "*lógos spermatikós*", idea seminale e generatrice, ma idea da mettere in pratica [...] come se gli uccelli esistessero solo per essere messi in gabbia.[19]

Il fatto che un'idea riesca a persuaderci e perfino a convertirci, demolendo abiti mentali a cui pure eravamo affezionati, ci dà un potere immenso su quelle idee scontate su cui marcia il potere senza che neppure ce ne accorgiamo. E passare dalle idee che ci *posseggono* alle idee che *pensiamo* è il primo atto della nostra libertà e la prima forma di limitazione del potere che ci so-

[18] J. Hillman, *Forme del potere*, cit., p. 19.
[19] Ivi, pp. 22-23.

vrasta ogni volta che persuade il nostro inconscio che le *sue* idee non possono che essere le *nostre* idee.

Ma per questo ci vuole scuola, università, libri, biblioteche, laboratori scientifici, congressi, conferenze, competenze linguistiche e informatiche, con buona pace di quanti, in nome dell'"utilitarismo", oggi unico generatore simbolico di tutti i valori, si vantano di non aver bisogno di attingere a nessuna idea, che è l'esatta definizione della supina accettazione e della passiva subordinazione al potere esistente.

3. *Il potere senz'anima dei manager*

La categoria dell'utilitarismo, rigorosamente regolamentato dalla *ragione strumentale* che sa solo far di conto[20] e non oltrepassa quell'ambito ristretto che prevede il massimo conseguimento degli scopi con l'impiego minimo dei mezzi è, a parere di Pier Luigi Celli, il limite culturale dei manager italiani, pronti a fare del bilancio una religione, ma spesso incapaci di comprendere la realtà che li circonda, perché assumono come massimo orizzonte di riferimento l'efficienza e la specializzazione e, a partire da questo scenario così angusto, pretendono di proclamare che "ciò che è bene per l'azienda è bene per il paese".[21]

Questa persuasione non è solo degli uomini d'azienda, ma anche dei politici che, a partire dal basso livello a cui hanno ridotto la loro funzione, non esitano a parlare ad esempio dell'"azienda Italia", e in subordine di "azienda sanitaria", "azienda scolastica", non rendendosi minimamente conto che dire "azienda" significa risolvere l'*agire politico* nel *fare tecnico*, e ridurre l'arte di governare i conflitti, che nelle società complesse si fanno sempre più sofisticati e troppo sottili per sguardi opachi, all'uso dei due soli strumenti di cui il "fare tecnico" dispone: l'*efficienza* e la *competenza specialistica*.

In questo convergere del mondo aziendale e del mondo politico nell'orizzonte ristretto del *fare tecnico,* nasce in ambito aziendale l'illusione di poter affrontare la crisi della dinamica produttiva prescindendo dalla complessità e dalla presa di coscienza delle continue e decisive trasformazioni del mondo, e

[20] Si vedano a questo proposito le pagine illuminanti di M. HEIDEGGER sul "pensiero calcolante (*Denken als Rechnen*)" in *Was heisst Denken?* (1954); tr. it. *Che cosa significa pensare?*, Sugarco, Milano 1971.

[21] P.L. CELLI, *L'illusione manageriale*, Laterza, Bari 1997, p. IX.

in ambito politico l'illusione di poter semplificare la complessità del mondo da governare attenendosi alle uniche due leve del mondo aziendale. Con questa povertà di strumenti concettuali, del tutto insufficienti a interpretare le nuove complessità, abbiamo ad esempio costruito l'Europa con l'atteggiamento dei contabili d'azienda che leggono il mondo a partire dai registri dei loro conti.

La tesi di Pier Luigi Celli – secondo cui è "illusione manageriale" pensare di poter affrontare la crisi del sistema aziendale ragionando con le sole categorie interne al sistema, senza riferimento all'ambiente esterno che è la società – è il principio che troviamo alla base della teoria dei sistemi, secondo la quale ogni sistema che, vivendo in un ambiente, non si lascia influenzare e disordinare dall'ambiente, per ricostruirsi a un livello superiore proprio a partire da questa influenza e da questo disordine, è destinato a fallire.

A meno che, e questo a mio parere è il punto decisivo, anche l'ambiente, che nel nostro caso è l'ambiente sociale, non sia a sua volta strutturato, nelle sue linee di fondo, in modo aziendale, e allora, per il sistema-azienda non c'è alcun bisogno di guardar fuori, perché il "fuori" è già strutturato come il "dentro" e, guardando fuori, il sistema aziendale non vedrebbe altro che la riproduzione, su più ampia scala, di se stesso.[22]

Se questo è il sospetto, è possibile suggerire al sistema aziendale di cominciare a considerare se la "ragione strumentale" è sufficiente a motivare le persone, le quali, al pari di tutti i mezzi utili a raggiungere il profitto, sono visualizzate solo come "risorse", e denominate appunto "risorse umane". Se questo è il perimetro al cui interno crescono i manager o addirittura i leader, allora, scrive Celli:

> Avremo uomini dalle medie virtù che attraversano i luoghi aziendali con quel linguaggio standardizzato che abilita a comunicazioni di "transito", senza coinvolgimento ai cambiamenti di scena. Una tribù di "neocinici", sempre più masterizzati, che sul mercato della professione legittimano la loro quotazione con passioni fredde e saperi standard che li rendono perfetti nella loro ovvietà. [...] I loro pensieri e le loro parole hanno corso solo nell'ambito di una cerchia di riconoscimento data e vincolata a modalità standard di interlocuzione. [...] Nasce così la lingua dei bilanci, dei budget, l'arida mito-

[22] Si veda a questo proposito U. Galimberti, *Fare tecnico e agire politico*, Postfazione a P.L. Celli, *L'illusione manageriale*, cit., pp. 135-148.

logia dei *business plans*, dove al pensiero è preclusa ogni via di fuga e l'identità specifica dell'azienda è interpretata dal numero e non più dalla sua storia.[23]

Questi manager, "più attenti a presidiare il curriculum che a giocare responsabilmente una parte", dicono che "l'impresa non è competente a fare altri mestieri". Il fatto è che "li fa" e, non essendo preparata, li distorce a suo uso e consumo con quella patina di rigore che, ripulendo il linguaggio, impoverisce il pensiero e rende sterile l'immaginazione.[24]

Quando le cose vanno male per eccesso di autoreferenzialità, che non consente alle imprese di porsi come soggetti civili e organismi sociali, allora si punta il dito "contro i poteri forti che nascono e fioriscono quando i pensieri sono deboli", quando le imprese abbondano di manager che assomigliano più "ai replicanti che agli spiriti liberi",[25] capaci di eccitare la fantasia e suscitare interesse in quel tessuto vivo e confuso che è la società magmatica, mobile e imprevedibile, che risulta indecifrabile all'impresa quando questa si confina nell'ambito ristretto della "ragione strumentale" e si affida alla stupidità della ragionevolezza a tutti i costi.

Questo invito alle imprese ad allargare i propri orizzonti è ribadito anche da David Gutmann, che a Parigi insegna Analisi e trasformazione istituzionale all'École nationale d'administration, in una lunga intervista rilasciata a Oscar Iarussi,[26] dove apprendiamo che anche le organizzazioni hanno un'anima, soffrono e gioiscono, sono depresse o vitali proprio come gli individui, per cui anche un'istituzione, un partito, un'impresa possono stendersi sul lettino della psicoanalisi per produrre meglio e, naturalmente, ma qui il nesso non è convincente, "per favorire la felicità di quanti vi lavorano".

Se ogni lavoro "per altri" è un'"alienazione", non c'è dubbio che è meglio lavorare nell'alienazione da motivati che da passivi prestatori d'opera. Ma per carità, non scambiamo la motivazione, a cui il management, con la sua retorica, cerca di persuadere i suoi subordinati, con la felicità.

Giampaolo Rugarli, nel suo saggio introduttivo, definisce Gut-

[23] P.L. Celli, *L'illusione manageriale*, cit., pp. 4-5.
[24] Ivi, pp. 8-9.
[25] Ivi, pp. 9-10.
[26] D. Gutmann, O. Iarussi, *La trasformazione. Psicoanalisi, desiderio e management nelle organizzazioni*, Edizioni Sottotraccia, Salerno 1999.

mann (e quanti come lui discettano sull'organizzazione aziendale avendo in vista non solo l'efficienza di quanti vi prendono parte, ma anche il loro cuore) un "romanziere d'impresa",[27] perché oggi le imprese più che di esattezza hanno bisogno di inventiva, di coinvolgimento e in generale di tutte quelle risorse che le scienze umane profondevano con abbondanza e su cui oggi, invece, i progetti di riforma della scuola e dell'università lesinano. E questo nel tentativo di adeguarsi all'impresa che nel frattempo ha già cambiato volto, da quando ha preso a dubitare che la ragione tecnica sia una bussola più affidabile di quanto non lo sia la fantasia per i processi di trasformazione delle organizzazioni, siano esse aziendali, istituzionali o politiche. Anche se, ci avverte Celli:

> Viviamo in tempi che non amano le emozioni dense. Senza grandi illusioni abbiamo imparato a giocare in anticipo le delusioni, attutendo la carica dirompente degli schieramenti che alimentano lo spirito di parte. L'età del compromesso quotidiano è anche il tempo delle passioni fredde, della presa di distanza, degli sguardi neutri, di quelle passioni depotenziate che subiscono il disincanto di una caduta pressoché generale dei valori collettivi.[28]

Se è vero che il sentimento o, come dice Celli, le passioni sono fuori moda nelle imprese, quando non addirittura fuori luogo in un mondo consegnato sempre di più al dominio della ragione strumentale, è altrettanto vero che, scrive Celli:

> Gran parte del decadimento della grande impresa e della sua capacità generatrice è anche attribuibile a questa decadenza delle passioni, mandate fuori corso in nome di una tardiva scoperta del mercato nella sua versione più esteriore e meccanicistica: eredità, anche, di un gigantismo gerarchico che aveva progressivamente deresponsabilizzato tutti i livelli professionali e svuotato ruoli e funzioni.[29]

Con il crollo dei grandi sistemi a forte tenuta ideale, infatti, le imprese hanno progressivamente perso la capacità di esprimere una propria visione del mondo, per appiattirsi sulla pura e semplice logica di mercato, regolato da una ragione che sa solo far di conto. Ciò ha determinato nelle imprese un clima anonimo e omologato, attraversato da passioni fredde, prese di di-

[27] G. RUGARLI, *Dal romanzo al saggio in luogo di romanzo*, Prefazione a D. GUTMANN, O. IARUSSI, *La trasformazione*, cit., pp. 7-15.
[28] P.L. CELLI, *Passioni fuori corso*, Mondadori, Milano 2000, p. 19.
[29] Ivi, p. 27.

stanza, sguardi neutri, atteggiamenti prudenti che in altri tempi sarebbero stati giudicati vigliacchi. Eppure tutti sappiamo che

> Il successo e l'insuccesso dell'impresa dipendono sempre più dagli uomini che la compongono e dai modi con cui le élite di comando riescono a tenerli, tutti, dentro una storia che li faccia sentire protagonisti, [...] e non in quello spazio privilegiato dei tiepidi, di coloro che hanno una vera passione per il rischio zero.[30]

E allora, si chiede Celli, come fa un'azienda a "competere" se a costituirla sono individui educati al profilo basso di questi valori, senza più alcun senso di appartenenza e senza altro stimolo e obiettivo che non sia il microavanzamento in stipendio e carriera? Senza più una propria storia, capace di offrire ragioni di identificazione, l'impresa sarà sempre più costituita da soggetti pronti a tradirla con la stessa indifferenza con cui l'impresa ha tradito le loro aspettative.

Oggi, con l'esplosione dei mercati e la loro globalizzazione, le imprese, secondo Celli, necessitano di una capacità di investimento che non è mai solo intellettuale ma anche passionale, perché senza passione non si dà capacità di tenuta e neppure di sfondamento. Per questo occorre investire sul capitale umano. In caso diverso, scrive Celli:

> L'impresa rischia di presentarsi come un organismo che si misura essenzialmente sui tempi brevi del rendiconto trimestrale e della quotazione in Borsa. Mentre la nozione di capitale umano suggerisce il respiro più lungo di una forza che si conquista per maturazioni e arricchimenti successivi, che richiedono tempi diversamente scanditi. Il capitale finanziario e il capitale umano hanno ritmi di accumulazione radicalmente diversi.[31]

Ma per questo è necessario, come sottolinea Andrea Vitullo, che "le persone, i lavoratori non diventino solo mezzi per raggiungere il profitto"[32] e che i parametri di efficienza e produttività non siano utilizzati solo per valutare il benessere economico di un'organizzazione, ma anche per leggere i rapporti tra le persone, spesso visualizzate in un'ottica esclusivamente razionale e strumentale, senza più spazio per desideri, sogni, emozio-

[30] Ivi, p. 15.
[31] Ivi, p. 63.
[32] A. VITULLO, *Leadership riflessive*, Apogeo, Milano 2006, p. 2.

ni, aspirazioni, e tantomeno per una ricerca di senso. Oggi l'aspetto esistenziale delle persone non trova considerazione presso quegli "officianti della tecnica" che sono i manager, interessati solo all'ottimizzazione dell'apparato tecnico-produttivo. Anzi, a sentire Vitullo:

> La ricerca di un senso, al di là del fare tutto e subito, viene boicottata, poiché placherebbe troppe ansie che nelle organizzazioni vengono invece alimentate proprio per mantenere e riprodurre il passo e la velocità imposti dalla tecnologia. [...] I tempi della produzione, anche intellettuale, sono compressi e ristretti. La velocità regna sovrana, liberando sensazioni collettive di "perenne ritardo". La stessa libertà è sempre più collegata al concetto di "cose da fare". La condizione essenziale per essere liberi è quella di essere competenti in qualcosa all'interno di un contesto che ha bisogno della mia competenza. Ma se aspiro a essere qualcuno con competenze diverse da quelle già acquisite, crollano gli equilibri relazionali costituiti, in quanto il mio essere nel mondo dei legami professionali non è più funzionale al sistema.[33]

Questa visione della libertà come competenza determina una sorta di schizofrenia tra vita pubblica e vita privata, tra la funzione con cui si viene riconosciuti sotto il profilo tecnico e le aspirazioni dell'individuo, che devono essere tacitate, rimosse o nascoste sotto le maschere dei ruoli, l'ordine delle gerarchie, il rigore dei mansionari, dove entrano in gioco solo le prestazioni e non le qualità soggettive. E questo perché, scrive Vitullo:

> Le aziende si sono sviluppate nel culto della razionalità che considera la gestione dei sentimenti e delle emozioni come un impaccio da evitare, perché possono creare dissesto nel mondo delle relazioni formali.[34]

Eppure sotto le dinamiche scoperte e visibili quali il contesto organizzativo, gli obiettivi, i processi, le strutture che l'organizzazione aziendale si dà insieme alle politiche operative e produttive, ci sono forze più nascoste ma non meno attive come i bisogni delle persone, la loro creatività, il loro carattere, le loro emozioni, i loro sentimenti che, anche se ignorati o addirittura tacitati, non per questo cessano di agire nell'organizzazione.

[33] Ivi, p. 3.
[34] Ivi, p. 21.

Il culto della razionalità tende a promuovere nei posti di comando personalità narcisistiche, costrette a comparire e a farsi vedere per riscuotere consenso, seguito e approvazione, nel tentativo di compensare con il potere e il successo quella scarsa stima di sé, tipica di chi non sa trovare la propria identità se non nel riconoscimento esterno. A questo punto Andrea Vitullo, dopo la sua lunga esperienza di Executive coach di manager e leader di aziende italiane e multinazionali, si domanda opportunamente: ma davvero le organizzazioni possono funzionare senz'anima e con leadership così poco riflessive? E la ragione strumentale, l'unica vigente nelle organizzazioni, è davvero sufficiente a immaginare nuovi scenari, a individuare impensate strategie, a motivare colui che lavora e per natura pensa anche in modo non strumentale e quindi ideativo?

Qui non servono corsi di formazione che non fanno che rafforzare la ragione strumentale; qui serve la *pratica filosofica*, scrive Vitullo, che, ampliando la visione del mondo di quanti operano in un'organizzazione, genera ideazioni più ampie, immaginazioni più ricche, motivazioni più sentite, capaci di rispondere a quella domanda angosciante e quotidianamente trattenuta che, negli ambienti di lavoro, si chiede, come spesso si domandava Bruce Chatwin nel suo ininterrotto peregrinare: "Che ci faccio io qui?".[35]

E questo non solo nell'interesse delle persone che lavorano, ma anche nell'interesse delle organizzazioni, che non possono pensare di superare periodi di stagnazione e depressione economica utilizzando unicamente il pensiero calcolante capace solo di far di conto. Le idee non scaturiscono dai calcoli, ma dall'immaginazione, che non nasce da persone ridotte a esecutrici di strategie, ma da persone che, proprio perché riconosciute come tali, attivano, oltre al loro sentimento, anche il loro pensiero, in termini decisamente più produttivi di quanto non sia l'ideazione oggi affidata alle sole menti esauste dei pubblicitari.

Per rianimare le aziende forse occorrono meno pubblicitari e più filosofi, capaci di persuadere le leadership a disattivare il pilota automatico del sapere già disponibile e delle mappe concettuali già collaudate. Questo, ci ricorda Vitullo, faceva Socrate quando girava per Atene e provocava i suoi concittadini allo scopo di risvegliarli dal torpore mentale delle loro idee, che non ave-

[35] B. Chatwin, A. Gnoli, *La nostalgia dello spazio*, Bompiani, Milano 2000, p. 17.

vano altra solidità se non la consuetudine. Con loro non scambiava opinioni per giungere a una decisione, ma sospendeva la decisione per allargare la visione in cui collocare il problema con parametri nuovi, che nascevano dall'aver indagato innanzitutto se il problema era davvero un problema e, nel caso, se la soluzione non fosse da cercare in un altrove fino ad allora insospettato perché non si era abbastanza indagato.[36]

E allora verrebbe da consigliare ai manager più *scienze umane* e meno *scienze aziendali*, più *filosofia* e meno *tecnica dell'organizzazione*. E questo va raccomandato soprattutto oggi che l'università sta cambiando volto per adeguarsi al mercato del lavoro e dell'impresa, quando, dai libri che abbiamo visionato e dai molti altri che abbondanti escono di questi tempi sull'argomento, si chiede ai manager di essere meno "razionali" per capire di più, e meno "visionari" per non perdere il contatto con la realtà.

Ma le scienze umane e la filosofia innanzitutto, a cui oggi i nuovi ordinamenti universitari tendono a ridurre sempre più lo spazio, non tenevano proprio questa via media tra la ragione e la visione, senza appiattirsi sul puro calcolo e senza sfociare nel delirio? Non è il caso allora di incrementare i saperi che *formano*, invece di sacrificarli sull'altare dei saperi che *sanno*, ma non *pensano*? In fondo, per incrementarsi le aziende hanno bisogno di "pensiero", perché di "sapere" ne hanno già, e senza pensiero anche il sapere non esprime tutta la sua potenzialità.

4. *Il potere del leader e la sua patologia*

Robert Dilts, che in California guida le ricerche della Programmazione neurolinguistica (Pnl) nel settore dello sviluppo organizzativo, ritiene che per "creare un mondo al quale le persone desiderino appartenere"[37] occorre passare dai manager ai leader, perché mentre il manager, scrive Dilts, è "uno capace a far fare le cose agli altri", il leader è "uno capace di convincere gli altri a fare le cose" attraverso la "creazione di una visione", la "mobilitazione dell'impegno", il "riconoscimento dei bisogni", la "presentazione di valori nuovi" rispetto a quelli presenti, dipinti co-

[36] A. Vitullo, *Leadership riflessive*, cit., capitolo 3: "Vivere filosoficamente", pp. 107-147.

[37] R. Dilts, *Visionary Leadership Skills. Creating a World to which People Want to Belong* (1996); tr. it. *Leadership e visione creativa. Come creare un mondo al quale le persone desiderino appartenere*, Guerini e Associati, Milano 1999, p. 13.

me obsoleti per l'autorealizzazione di ciascuno, e dannosi rispetto agli obiettivi prefissati in cui quell'autorealizzazione può trovare attuazione.[38]

Gestendo l'impatto dei valori sull'organizzazione e sugli individui che ne fanno parte, il leader, a differenza del manager, scrive Giovanni Testa nella sua *Introduzione* al libro di Dilts, è "un produttore di cultura perché la sua parola e il suo gesto conferiscono significati nuovi".[39] E la novità del significato dà l'illusione del cambiamento, un'illusione tutta psichica, perché l'obiettivo resta sempre l'affermazione, il successo, il profitto, ma colorato dall'illusione dell'autorealizzazione personale di tutti i subordinati che vi concorrono.

L'opportunità di passare dal management alla leadership è tipica del nostro tempo e viene registrata anche da Giancarlo Trentini, secondo il quale la nostra non è più la stagione dei "capi con i quali l'autorità viene imposta dall'esterno (*Headship*)", ma dei "leader ai quali l'autorità viene conferita dai seguaci (*Leadership*)".[40] Nel primo caso l'identificazione del gruppo o dell'organizzazione con il suo capo è basata sul timore, nel secondo caso sull'amore. Un amore del tutto particolare, che Mirabeau, citato da Trentini, riferisce agli "schiavi volontari che fanno più tiranni, di quanto i tiranni non facciano schiavi forzati".[41]

A differenza del manager, infatti, il leader non si accontenta dell'ottima esecuzione delle prestazioni da parte dei suoi subordinati ma, come scrive Robert Dilts, dai suoi subordinati vuole anche il cuore.[42] E qui entriamo in quella sfera affettiva di cui tutte le organizzazioni, da quelle aziendali a quelle politiche, sembrano affannosamente alla ricerca per conciliare, ma io direi mascherare, quello che Franco Fornari chiamava il *codice paterno* dell'efficienza del gruppo con il *codice materno* dell'amore e dell'autorealizzazione dell'individuo.[43] Queste categorie psicodinamiche, che Giancarlo Trentini ben coniuga nel suo discor-

[38] Ivi, pp. 12-13.

[39] G. Testa, *Leadership e cambiamento culturale*, Introduzione a R. Dilts, *Leadership e visione creativa*, cit., p. XVI.

[40] G. Trentini, *Oltre il potere. Discorso sulla leadership*, Franco Angeli, Milano 1997, p. 27.

[41] Ivi, p. 37. La citazione di G.-H. Mirabeau è tratta da *Des lettres de cachet et des prisons d'État* (1782) e in originale recita: "Les esclaves volontaires font plus de tyrans che les tyrans font des esclaves forcés".

[42] R. Dilts, *Leadership e visione creativa*, cit., p. 30.

[43] F. Fornari, *Gruppo e codici affettivi*, in G. Trentini (a cura di), *Il cerchio magico*, Franco Angeli, Milano 1987, pp. 137-169.

so sulla leadership, consentono di cogliere il nesso tra leadership e carisma.

Un nesso che, per essere compreso, richiede un attento esame delle caratteristiche del leader, così ben descritte dallo psicoanalista Manfred Kets de Vries, docente di Gestione delle risorse umane presso l'Istituto europeo di gestione aziendale di Fontainebleau.[44] A suo dire, quando il sorriso diventa una maschera e l'ottimismo una condotta, quando la comunicazione ha i toni della sicurezza propria di chi non ha paura, quando la complessità è semplificata fino all'indicazione di una sola via perché "non ci sono alternative", quando si è persuasi che ogni branco ha bisogno di un capo e le metafore tratte dal mondo animale diventano abituali, quando lo sguardo è sempre dall'alto, proiettato nel futuro perché il presente è sotto controllo, quando la dipendenza è ciò che soprattutto si esige dagli altri, e quando negli altri si vede solo il proprio riflesso, che è poi il riflesso di una luce senz'ombra, allora siamo in presenza di un leader alla cui formazione concorrono natura e cultura in questa dosata miscela.

Innanzitutto la *ricerca del potere*, che per essere seria e non velleitaria deve avere quel tanto di patologico che è tipico di tutte le funzioni compensatorie, che risolvono fuori di noi i conflitti che non siamo riusciti a comporre dentro di noi. Tali sono le esperienze infantili insoddisfatte, dovute a scarsi riconoscimenti o a soverchianti richieste genitoriali, che generano nell'individuo quel senso di inadeguatezza cui il gregario si rassegna, mentre il leader tenta di superarlo attraverso un'azione dominata dal sacrificio e dal senso del dovere spinti all'eccesso.

Di qui il bisogno di una rivincita e di una rivalsa pari alla rinuncia e allo sforzo cui il leader si è sottoposto; a ciò si accompagna uno smisurato bisogno di attenzione e di affetto pari a quello non riscosso da bambino, che induce il leader a quella necessità coatta di cercare consenso per compensare quella disistima che ogni leader profondamente avverte nei propri confronti, e continuamente rimuove per poter sopravvivere.

L'impalcatura del potere e del successo sostituisce quella *carenza di identità* tipica di ogni leader che, fondamentalmente privo di un sé interiore, è costretto a cercare nel riconoscimento

[44] M. Kets de Vries, *Leaders, Fools and Impostors. Essay on the Psychology of Leadership* (1993); tr. it. *Leader, giullari e impostori. Sulla psicologia della leadership*, Raffaello Cortina, Milano 1994.

esterno il rimedio all'angoscia. Quando la ricerca del potere è promossa da una carenza di identità, alto è il grado di attaccamento di chi detiene il potere e ridottissime le possibilità di rinuncia.[45]

Qui la leadership si salda al *carisma*, perché mentre i comuni mortali hanno *progetti*, i leader hanno *visioni*, quella visione o sogno del mondo che cammina al limite della realtà e della paranoia. Il sogno, probabilmente mortificato da piccolo e inseguito da grande, si profila così alto nella scala dei valori, della difficoltà, della fedeltà e della sfida, da coinvolgere tutti i gregari che vogliono uscire dal colore opaco e grigio della quotidianità.

È a questo punto, come vuole l'espressione di Gian Piero Quaglino, "che il sogno diventa un bi-sogno, un sogno a due"[46] che, quando non rasenta la *folie à deux*, risponde a quella costante della natura umana per cui metà del mondo si aspetta che qualcuno dica cosa si deve fare e l'altra metà si aspetta di doverlo dire.

Il leader, che appartiene a questa seconda metà, per fare del *sogno* un *bi-sogno* coinvolgente in cui tutti si ritrovano, è costretto a spingere i confini del sogno fino a quel punto in cui i fatti rasentano i desideri e la realtà la sua simulazione. Un passo ancora e il sogno si infrange, tutti aprono gli occhi e, come annota Quaglino,[47] alla delusione collettiva che immancabilmente accompagna la fine di un sogno, quasi sempre si aggiunge la violenza distruttiva della leadership, che così esprime la vendetta di un sogno tradito. Senza sogni, come dicevamo all'inizio, la storia non cammina, ma anche nei sogni occorre una misura se si vuole evitare un risveglio da incubo.

Gli antichi sovrani, ci ricorda Kets de Vries, si difendevano dagli incubi introducendo a corte un *giullare* che poteva dire cose che in bocca a un filosofo sarebbero costate la testa. Ridendo e scherzando, attraverso avvertimenti che, provenendo dalla follia, dalla stupidità e quindi dall'innocuità, erano lasciati correre, "il giullare diventava il guardiano della realtà, impedendo paradossalmente al sovrano decisioni insensate".[48] I leader di oggi non si circondano di giullari, e neppure rimpiazzano la loro as-

[45] Ivi, capitolo 2, § 1: "Reazioni alle ferite psicologiche dell'infanzia", pp. 27-30.

[46] G.P. Quaglino, *Leader senz'ombra e organizzazioni senz'anima*, Prefazione all'edizione italiana di M. Kets de Vries, *Leader, giullari e impostori*, cit., p. IX.

[47] Ivi, p. X.

[48] M. Kets de Vries, *Leader, giullari e impostori*, cit., p. 79.

senza con una sufficiente dose di autoironia. Al contrario, si prendono molto sul serio e scambiano l'ironia con l'umorismo che mette capo a quelle battute idiote, dove ciò che si esprime è solo un concentrato di senso comune, in cui l'ovvietà e la banalità trovano chiassosa conferma. A questo proposito Quaglino osserva che:

> Gli *yes-men* diventano improvvisamente *smile-men*, sorrisi, pacche sulle spalle, informalità e soprattutto ottimismo. Tutto questo ovviamente sempre come dovere, sempre come abito, sempre come conformità. E agli *smile-men* tocca il *leader-ridens*. [...] Il leader che sorride, e che ride, deve comunicare tutta la sua sicurezza di sé: che non ha paura, che non vede ombre (tantomeno dentro di sé), che testimonia una certezza solare (il posto al sole, o il sole dell'avvenire, che sono equivalenti).[49]

Nel mondo tutti recitiamo una parte, basta vedere come ci presentiamo in pubblico e come in privato per convenire che siamo tutti degli impostori. Ma se tutti lo siamo il leader è costretto a esserlo perché, obbligato com'è a impersonare un ruolo, stenta a ritrovare le radici profonde del suo Io. Il posto lasciato vuoto dall'Io è occupato dai disturbi della sua identità mascherati dall'arte della rappresentazione che, nell'imperturbabilità del volto e nella sequenza monotonica delle sue parole, fa trasparire quella desolante impersonalità assolutamente priva di emozioni, non per sviluppata capacità di controllo, ma per sconcertante assenza di qualsiasi moto d'anima.

Costretto com'è a compensare con la stima attestatagli dagli altri l'assoluta disistima di sé, e con la dipendenza cieca e assoluta degli altri l'assoluta mancanza di indipendenza, il leader, al pari del mendicante è costretto a vivere di carità pubblica. Invece delle monetine, raccoglie nella sua mano tesa quel riconoscimento collettivo, senza il quale solo il suicidio potrebbe restituire un po' di autenticità che ogni anima, prima di spegnersi, esige per sapere, almeno per un attimo, d'essere vissuta.[50]

Ma i leader ce l'hanno l'anima? Sì, tutti abbiamo un'anima, chi piena, chi a brandelli. E a brandelli è l'anima del leader, la cui scarsa identità consente quel tanto di superficialità e mutevolezza che lo rende particolarmente adatto alle esigenze del merca-

[49] G.P. Quaglino, *Leader senz'ombra e organizzazioni senz'anima*, cit., p. XII.
[50] Sulla tendenza alla menzogna del leader si veda anche M. Kets de Vries, *Leader, giullari e impostori*, cit., capitolo 6: "La sindrome dell'impostore", pp. 93-114.

to, contro la cui flessibilità un tratto stabile del carattere potrebbe entrare facilmente in conflitto.

Rifacendosi agli studi di Erich Fromm sulla società contemporanea[51] e di Michael Maccoby,[52] Kets de Vries afferma che il tratto tipico della spersonalizzazione e la capacità di adattamento alle regole del conformismo consentono al leader quell'insospettabile sottomissione senza condizioni all'organizzazione, nonché l'idealizzazione sentimentale del potere, al quale il leader è propenso a sacrificare per intero i residui della propria personalità. Nell'organizzazione, come istituzione totale, naufraga ogni traccia di identità personale, mentre la realtà assume quel volto distorto che non può non assumere quando è visualizzata da quell'unico punto di vista costituito dagli interessi dell'organizzazione.[53]

Per meglio identificare la sindrome patologica del leader, Kets de Vries recupera il termine *allessitimia*, coniato negli anni settanta dallo psichiatra di Boston Peter Sifenos,[54] per caratterizzare quei soggetti incapaci di trovare le parole per descrivere i propri sentimenti e, al di là del funzionamento impeccabile, la sterilità emotiva, la monotonia delle idee e un grave impoverimento dell'immaginazione.

Privi di capacità empatica, gli alessitimici, tra i quali si possono annoverare i leader dalle accentuate componenti narcisistiche o psicopatiche, peraltro molto funzionali alla razionalità strumentale che governa le organizzazioni, presentano tratti di indifferenza e freddo distacco che non segnalano tanto padronanza della situazione, quanto mancanza di qualità umana nelle relazioni e negli amori, che per gli uomini di comando sono così irrilevanti da essere frequentemente intercambiabili con lasciti di indifferenza, noia e frustrazione.

I leader, infatti, sanno di essere amati per ciò che non sono, e sanno che il non-essere è il loro costitutivo appena compensato da un superadattamento alla realtà esterna che manda in cortocircuito il mondo dell'immaginario e i residui di sentimento che faticano a crescere nelle loro anime secche. Interrogati in proposito, forniscono risposte rigide e prive di emozioni, quan-

[51] E. Fromm, *The Sane Society* (1955); tr. it. *Psicoanalisi della società contemporanea*, Edizioni Comunità, Milano 1976.

[52] M. Maccoby, *The Gamesman*, Simon and Schuster, New York 1976.

[53] M. Kets de Vries, *Leader, giullari e impostori*, cit., pp. 55-57.

[54] P. Sifenos, *Short-Term Psychotherapy and Emotional Crisis*, Harvard University Press, Cambridge, Mass., 1972.

do addirittura non ricorrono alla descrizione di avvenimenti esterni per loro più familiari di quelli interiori.

Individuati questi tipi di personalità, le organizzazioni li promuovono a posizioni di comando. La povertà della loro realtà interiore eviterà confusioni sulle decisioni da prendere in quella esterna, l'unica che interessa all'organizzazione, il resto lo si lascia sbrigare in famiglia, dove povertà e squallore emotivo vengono compensati dal luccichio del potere e dal riconoscimento che ne deriva.

Lo psicoanalista Luigi Zoja[55] riferisce di una ricerca di Belinda Board e di Katarina Fritzon dell'Università di Surrey, le quali hanno comparato un gruppo di trentanove leader di successo con criminali e pazienti psichiatrici gravi, caratterizzati da mancanza di scrupoli, di responsabilità, di sensi di colpa, con accentuata tendenza alla menzogna, alla manipolazione, al cinismo.

La classificazione finale ha diviso la popolazione esaminata in "psicopatici di successo" (i leader) e in "psicopatici senza successo", che sono i criminali e i malfattori classici che non hanno saputo adattarsi completamente ai nuovi rapporti economici e tecnologici. La differenza tra le due categorie sta nell'aggressività. Nei leader si manifesta in modo più differenziato e senza fretta. Non aggrediscono fisicamente, si limitano a sottomettere i loro subordinati a un regime che le due ricercatrici definiscono di "cinismo aziendale". Dobbiamo concludere che dai primitivi a noi l'esercizio del potere non ha mai dismesso la sua aggressività, ma solo il modo di esercitarla?

[55] L. Zoja, *La morte del prossimo*, Einaudi, Torino 2009, pp. 28-29.

8.
Il mito della psicoterapia

> L'imperativo terapeutico che si va diffondendo promuove non tanto l'*autorealizzazione*, quanto l'*autolimitazione*. Infatti, postulando un sé fragile e debole, implica che per la gestione dell'esistenza sia necessario il continuo ricorso alle conoscenze terapeutiche. [...] È allarmante che tanti cerchino sollievo e conforto in una diagnosi.
> Si può individuare, nell'istituzionalizzazione di un'etica terapeutica, l'avvio di un regime di controllo sociale. [...] La terapia, infatti, come la cultura più vasta di cui fa parte, insegna a stare al proprio posto. In cambio offre i dubbi benefici della conferma e del riconoscimento.
>
> F. FUREDI, *Il nuovo conformismo* (2004), pp. 29, 248.

1. *La medicalizzazione della condizione umana*

Ma davvero siamo così vulnerabili che di fronte a ogni incertezza della nostra vita abbiamo bisogno di un'assistenza psicologica? Non è che si va diffondendo anche da noi, come è già diffusa in America, un'*etica terapeutica* per cui basta che un bambino sia un po' vivace e turbolento che subito viene etichettato come affetto da un "disturbo da deficit di attenzione con iperattività"?

Che dire poi degli studenti che, apprestandosi a fare l'esame di maturità, si definiscono "stressati" per aver studiato durante l'anno con una media di un'ora al giorno, e intorno ai quali si affollano i consigli degli psicologi, quando non addirittura quelli dei dietologi e dei medici? Che significa mettere in guardia le donne in procinto di partorire dalla "depressione postpartum", inscrivendo preventivamente quel fenomeno naturale che è la generazione di un figlio in uno scenario al confine con la patologia? Davvero i cassaintegrati e i licenziati hanno bisogno di un'assistenza psicologica per evitare drammi familiari, e non invece, più semplicemente, di un nuovo posto di lavoro?

Che cosa significa questo continuo ricorso ai termini "sindrome da ansia generalizzata" per dire che uno è preoccupato, "ansia sociale" per dire che uno è timido, "fobia sociale" per dire che uno è molto riservato, "libera ansia fluttuante" per chi non sa di che cosa si preoccupa?

Dai risultati di una ricerca condotta da Frank Furedi,[1] sociologo ungherese che insegna all'Università del Kent, a Canterbury, risulta che, negli anni settanta, la parola "sindrome" non compariva né sui giornali né nelle aule dei tribunali. Nel 1985 faceva la sua comparsa in novanta articoli, nel 1993 in mille e nel 2003 in ottomila articoli di riviste e periodici.

Per non parlare poi della parola "autostima", sconosciuta negli anni settanta e oggi diffusissima nei media, a scuola, nei servizi sanitari, sul posto di lavoro e nel linguaggio quotidiano. Dalla mancanza di autostima oggi si fanno dipendere insuccessi scolastici, demotivazioni in campo professionale, depressione in ambito familiare, devianza giovanile nei tortuosi percorsi dell'alcol e della droga, condotte suicidali.

Infine, il "trauma" non viene più considerato una giusta e fisiologica reazione emotiva a un evento doloroso o sconcertante, ma il generatore di un progressivo disadattamento alla vita, tale da condizionarla per tutto il suo corso, e quindi bisognoso di assistenza terapeutica.

Ma che cosa c'è sotto questo cambiamento linguistico, per cui esperienze fino a ieri ritenute normali, oggi vengono rubricate tra le sindromi psicopatologiche? A cosa mira questa invasione della psicopatologia nella vita quotidiana, se non a creare in noi tutti un senso di *vulnerabilità* e quindi un bisogno di protezione, di tutela, quando non addirittura di cura?

A queste domande dà una risposta Frank Furedi, secondo il quale la patologizzazione di esperienze umane, fino a ieri ritenute normali, risponde all'esigenza di omologare gli individui non solo nel loro modo di "pensare" (a questo ha già provveduto il "pensiero unico" per cui, come già ammoniva Nietzsche, "chi pensa diversamente va spontaneamente in manicomio"),[2] ma soprattutto nel loro modo di "sentire".

Allo scopo vengono solitamente impiegati i mezzi di comu-

[1] F. Furedi, *Therapeutic Culture. Cultivating Vulnerability in an Uncertain Age* (2004); tr. it. *Il nuovo conformismo. Troppa psicologia nella vita quotidiana*, Feltrinelli, Milano 2005.

[2] F. Nietzsche, *Also Sprach Zarathustra. Ein Buch für Alle und Keinen* (1883-1885); tr. it. *Così parlò Zarathustra. Un libro per tutti e per nessuno*, in *Opere*, Adelphi, Milano 1968, vol. VI, 1, p. 12.

nicazione che, dalla televisione ai giornali, con sempre maggiore insistenza irrompono con indiscrezione nella parte discreta dell'individuo per ottenere non solo attraverso test, questionari, campionature, statistiche, sondaggi d'opinione, indagini di mercato, ma anche e soprattutto con intime confessioni, emozioni in diretta, storie d'amore, trivellazioni di vite private, che sia lo stesso individuo a consegnare la sua interiorità, la sua parte discreta, rendendo pubblici i suoi sentimenti, le sue emozioni, le sue sensazioni, secondo quei tracciati di spudoratezza che vengono acclamati come espressioni di sincerità, perché in fondo: "Non si ha nulla da nascondere, nulla di cui vergognarsi".

Comportandoci in questo modo ognuno di noi dà un ottimo esempio di quell'omologazione dell'intimo cui tendono tutte le società conformiste che, interessate a che l'individuo non abbia più segreti e al limite neppure più un'interiorità, alimentano il proliferare incontrollato di interviste, pubbliche confessioni, rivelazioni dell'intimità, come è facile vedere in numerose trasmissioni televisive particolarmente seguite, dove l'invito è quello di collaborare attivamente e con gioia alla pubblicizzazione dei propri sentimenti e della propria interiorità, perché il non farlo sarebbe un sintomo di "insincerità", se non addirittura – e qui anche gli psicologi danno una mano – di "introversione", di "chiusura in se stessi", quindi di "inibizione" se non di "repressione". E inibizione e repressione, recitano i manuali di psicologia, sono sintomi di un "adattamento sociale frustrato", quindi di una socializzazione fallita.

Fin qui si può arrivare avviando una sequenza un po' disinvolta di sillogismi, perché "non aver nulla da nascondere, nulla di cui vergognarsi" significa che le istanze del conformismo e dell'omologazione lavorano per portare alla luce ogni segreto, per rendere visibile ciascuno a ciascuno, per togliere di mezzo ogni interiorità come un impedimento, ogni riservatezza come un tradimento, per apprezzare ogni volontaria esibizione di sé come fatto di lealtà, se non addirittura di salute psichica.

E tutto ciò, anche se non ci pensiamo, approda a un solo effetto: attuare l'*omologazione della società* fin nell'intimità dei singoli individui e portare a compimento il conformismo. Per chi proprio non riesce vengono in soccorso quelle che possiamo chiamare le "psicologie dell'adattamento", il cui implicito invito è di essere sempre meno se stessi e sempre più congruenti al modo conforme di vivere.

Non diversamente si spiega il declino della psicoanalisi come indagine sul proprio profondo, e il successo del cognitivismo e del comportamentismo. Il primo per aggiustare le proprie idee e ridurre le proprie dissonanze cognitive in modo da armonizzarle all'ordinamento funzionale del mondo; il secondo per adeguare le proprie condotte, indipendentemente dai propri sentimenti e dalle proprie idee che, se difformi, sono tollerati solo se coltivati come tratto originale della propria identità, purché non abbiano ricadute pubbliche.

Si viene così a creare quella situazione paradossale in cui l'autenticità, l'essere se stesso, il conoscere se stesso, che l'antico oracolo di Delfi indicava come la via della salute dell'anima, diventa nelle società conformiste e omologate qualcosa di patologico, come può esserlo l'essere centrati su di sé (*self-centred*), la scarsa capacità di adattamento (*poor adaptation*), il complesso di inferiorità (*inferiority complex*). Quest'ultima patologia lascia intendere che è inferiore chi non è adattato, e quindi che "essere se stesso" e non rinunciare alla specificità della propria identità è una patologia.

E in tutto ciò c'è anche del vero, nel senso che sia il cognitivismo sia il comportamentismo, in quanto "psicologia del conformismo", assumono come ideale di salute proprio quell'essere conformi che, da un punto di vista esistenziale, è invece il tratto tipico della malattia. Dal canto loro i singoli individui, interiorizzando i modelli indicati dal cognitivismo e dal comportamentismo, respingono qualsiasi processo individuativo che risulti non funzionale alla società omologata. Si perviene così a quella che già Freud chiamava "la miseria psicologica di massa", i cui tratti sono così descritti:

> Oltre agli obblighi concernenti la restrizione pulsionale, ci sovrasta il pericolo di una condizione che potremmo definire la miseria psicologica di massa. Questo pericolo incombe maggiormente dove il legame sociale è stabilito soprattutto attraverso l'identificazione reciproca dei vari membri. [...] La presente condizione della civiltà americana potrebbe offrire una buona opportunità per studiare questo temuto male della civiltà. Ma evito la tentazione di addentrarmi nella critica di tale civiltà. Non voglio destare l'impressione che io stesso ami servirmi di metodi americani.[3]

Di metodi americani si serve invece abbondantemente Frank Furedi per concludere che l'imperativo terapeutico che massic-

[3] S. FREUD, *Das Unbehagen in der Kultur* (1929); tr. it. *Il disagio della civiltà*, in *Opere*, Bollati Boringhieri, Torino 1968-1993, vol. X, p. 603.

ciamente va diffondendosi in questa società ha lo scopo di promuovere non tanto l'autorealizzazione, quanto l'*autolimitazione* degli individui che, una volta persuasi di avere un sé fragile e debole, saranno loro stessi a chiedere non solo un ricorso alle pratiche terapeutiche, ma addirittura la gestione della loro esistenza, che è quanto di più desiderabile possa esistere per il potere.

E qui non si fatica a intravvedere le potenziali implicazioni autoritarie a cui inevitabilmente porta la diffusione generalizzata dell'etica terapeutica, che è la versione secolarizzata dell'etica della salvezza con cui le religioni hanno sempre tenuto gli uomini sotto tutela. Anzi, per Furedi, questo nuovo "conformismo emotivo", come lui lo definisce, è un governo delle anime più sottile e pervasivo di quanto le religioni e le ideologie del passato siano mai riuscite a fare, perché allenta le tensioni sociali, spegne i possibili conflitti, riduce al silenzio le voci che rifiutano di uniformarsi al sistema, risolve quelle che, con tutta evidenza, sono questioni pubbliche in problemi privati degli individui.

2. *Il rimedio farmacologico*

Nulla da dire contro la somministrazione dei farmaci quando la vita si carica di troppa sofferenza, ma somministrare Prozac ai bambini per evitare agli adulti l'angoscia della loro tristezza o Ritalin quando si ribellano o appaiono iperattivi penso risponda più all'esigenza dei genitori di vedere i bambini sorridere quando a loro va a genio, o tranquilli quando tornano a casa dal lavoro e altro non desiderano se non quell'azzeramento dei problemi, e al limite delle altrui esistenze, che siamo soliti chiamare "quiete".

Abbandonati davanti alla televisione a inghiottire scene truculente (si calcola che in tre ore di esposizione al video si può assistere in media a dieci omicidi) i bambini, privi come sono dei mezzi emotivi necessari per elaborare la solitudine in cui sono lasciati e l'invasività televisiva a cui sono esposti, per forza diventano tristi, e allora una bella pastiglia di Prozac per tirarli su, farli apparire vivaci, e quindi, chissà per quale equazione, anche intelligenti. Ma il fondo della loro anima resta insicuro. La condizione d'abbandono che per intero li percorre, senza la speranza emotivamente fondata di una comunicazione credibile, non consente in loro la formazione di quel nucleo caldo che, ben consolidato nell'infanzia, è la miglior difesa contro l'insidia della depressione.

Ma che cos'è la depressione? Quella condizione dell'anima che si registra quando il mondo circostante non ci dice più nulla e il mondo immaginifico, quello dei nostri sogni e dei nostri progetti, tace avvolto da un silenzio così cupo e impenetrabile da impedire anche il più timido degli sguardi che osi proiettarsi nel futuro.

Che questa condizione possa ricorrere nell'età adulta e in quella senile, dove il presente talvolta ripete la monotonia del già vissuto e il futuro sembra assumere le cadenze del passato, irrimediabilmente passato, è comprensibile. Ma che tutto ciò accada ai bambini che non hanno un passato da ricordare ma solo un futuro da dispiegare, o agli adolescenti che, con tutto il baccano di cui si circondano, non trovano un motivo per continuare a vivere con quel minimo di gioia che la loro età giustificherebbe, questo è davvero impressionante.[4]

E allora preoccupante non è il fatto che l'agenzia americana per i farmaci abbia autorizzato l'uso del Prozac per i bambini e per gli adolescenti depressi, ma che la nostra cultura, la nostra civiltà, all'apparenza così piena di stimoli e di sollecitazioni, crei dei bambini e degli adolescenti depressi. Il problema, infatti, è nell'origine del male, e non nell'autorizzazione del rimedio farmacologico che, quando interviene, agisce su un terreno psichico ormai inaridito, e non per irrorarlo e ridargli vita, ma solo per togliergli la sembianza dell'aridità.

Se solo pensiamo che il mondo non parla mai a un bambino direttamente, ma sempre e solo attraverso la mediazione di una parola di cui il bambino si fida, per averla sentita già quando era nella pancia della madre e poi, dopo la nascita, per averla conosciuta come quel veicolo che gli rendeva accessibile il mondo, secondo quei percorsi di fiducia di base che portano ad aprirsi invece che a chiudersi alle esperienze che si incontrano, allora la domanda è: quanto abbiamo circondato questi bambini di parole rassicuranti, come abbiamo fatto con i baci e le carezze di cui li abbiamo riempiti appena sono nati? Quanto mondo è stato veicolato dalla nostra *presenza attiva* che seguiva i loro itinerari di scoperta, rassicurandoli e mettendoli in guardia in modo che potessero apprendere gli itinerari fiduciosamente praticabili e quelli rischiosi nel loro modo ingenuo di essere al mondo? Quanto abbiamo parlato con loro e, soprattutto, quanto li abbiamo ascoltati?

[4] Si veda in proposito U. GALIMBERTI, *L'ospite inquietante. Il nichilismo e i giovani*, Feltrinelli, Milano 2007.

Perché i bambini non crescono come le piante, alle quali basta un seme caduto in un terreno adatto. I bambini crescono bene solo se si parla tanto con loro, non con una *parola precettiva*: "fai questo", "non fare quest'altro", ma con una *parola curiosa* che si intrattiene con loro per scoprire il perché dei loro movimenti, delle loro ideazioni, delle congetture con cui creano lo schema del loro mondo, in cui noi siamo ospitati come compagni di viaggio nella scoperta del nuovo e non come guide che già conoscono tutte le vie e perciò le indicano senza lasciarle scoprire.

E questo perché un bambino ama se stesso e il mondo che lo circonda attraverso le scoperte che fa e che può comunicare, e non perché segue vie tracciate, che possono essere anche quelle giuste, ma che lui non sente come sue. E allora si ritira in un se stesso non scoperto, come non scoperto è il mondo che lo circonda. E in questa sequenza di ubbidienze cieche, lungo percorsi che non riconosce come suoi, alla fine o si ribella e diventa iperattivo e allora un po' di Ritalin, o si chiude in se stesso e si deprime e allora un po' di Prozac.

Purtroppo, però, i farmaci non sono un rimedio sufficiente alla comunicazione mancata. Possono mascherare un sintomo ma non curare il male. E una volta che a un bambino abbiamo fatto mancare la fiducia di base, con cui solamente è possibile entrare con interesse nel mondo e guardare con curiosità il domani, il male è già accaduto e non c'è Prozac o Ritalin che possa porvi rimedio.

Ma per creare la fiducia di base è necessario tempo, tanto tempo da trascorrere con i bambini e, in modi diversi, con gli adolescenti. E quando dico tempo dico "quantità" e non "qualità", come siamo soliti raccontarci, per acquietare la nostra coscienza quando ai bambini e agli adolescenti dedichiamo poco tempo. E allora la domanda, questa volta davvero drammatica, potrebbe essere: può la nostra società, che sequestra ai genitori tutto il loro tempo, disporre ancora delle condizioni necessarie che consentano la crescita di bambini, se non felici, almeno sereni, o quantomeno non depressi?

Viviamo infatti in una società che ha perso tutti i legami parentali, dove solitudini familiari si vedono costrette ad assoldare baby-sitter che con i bambini svolgono più il ruolo di badanti che di interlocutrici attive, dove le istituzioni per l'infanzia, oltre a scarseggiare, sono visualizzate dai genitori più come strutture di assistenza e sorveglianza che di cura ed educazione.

Una società come questa, regolata esclusivamente dai valori economici e dove tutto il tempo è sequestrato, è ancora compatibile con la nascita e la crescita dei figli? Io credo di no. E allora Prozac, Ritalin e quant'altro per porre rimedio a un male che, nella depressione dei bambini, non ha la sua origine ma solo il suo inevitabile e tragico effetto. Questo dobbiamo saperlo per non pensare ingenuamente, ma forse solo ipocritamente, che a tutto c'è rimedio.

3. *Il rimedio psicoanalitico*

Dopo trentacinque anni di pratica analitica, Robert U. Akeret, psicoanalista americano allievo di Rollo May e di Erich Fromm, decide di interrompere la sua attività per andare a trovare alcuni suoi pazienti, congedati da diversi anni, per vedere come stanno, che vita conducono, per capire se l'analisi ha fatto qualcosa nella loro vita.

Dopo aver percorso chilometri e chilometri di autostrade interconnesse da svincoli lungo la costa atlantica, Robert Akeret incontra Naomi, una bella ragazza ebrea del Bronx che si credeva una ballerina andalusa di flamenco. Un piccolo delirio per sopravvivere o una bella scissione della personalità, che poi sono più o meno la stessa cosa, essendo la nevrosi e la psicosi null'altro che estremi rimedi per riuscire, nonostante tutto, a essere al mondo? Naomi aveva smesso di credersi una ballerina, ma senza questo mondo alternativo in cui rifugiarsi erano ripresi quei sentimenti di odio per se stessa cominciati con i maltrattamenti della madre e mai davvero sopiti.

Poi fu la volta dell'incontro con Seth, divorato da cruente fantasie di sesso e di morte che lo rendevano incapace di un normale rapporto d'amore. Dopo decenni in cui si era sentito più forte, più felice, più positivo, Seth andò incontro a una terribile depressione, che solo il passare del tempo riuscì in parte a risanare.

Che dire poi di Charles, che nel circo ammaestrava bestie feroci, attraversato da un'ossessione erotica che lo rendeva perdutamente innamorato di un orso bianco? E di Sasha, che, preso da frenesia sessuale, aveva perso l'ispirazione per scrivere? Né l'uno né l'altro, scrive Robert Akeret, si sentivano significativamente meglio rispetto a quando li aveva visti la prima volta. Charles aveva smesso di amare l'orso, ma anche tutte le espressioni della sua vita erano decisamente meno appassionate, mentre Sasha dichiarava di sentirsi bene, ma di preferire il tempo in cui si sentiva appassionatamente infelice rispetto a ora in cui si sentiva stupidamente beato.

Lo psicoanalista, dopo aver letto l'ultima pagina che gli mancava dei suoi romanzi psicoanalitici, tornò nel suo studio per nulla scoraggiato, ma semplicemente persuaso che la psicoanalisi non serve a guarire, ma a sentirsi più vivi, e quindi più capaci di partecipare a tutta una gamma di emozioni, inclusi il lutto, la compassione, il dolore, oltre all'entusiasmo, alla passione, alla gioia, rispetto a quel ritirarsi dalla vita che, protratto, innesca quel modo d'essere che sconfigge le possibilità della vita stessa. Come diceva il suo maestro Erich Fromm: "biofilia" o "necrofilia". Questa è la differenza che fa l'analisi. Così è scritto ne *L'uomo che si innamorò di un orso bianco.*[5]

Sulla crisi della psicoanalisi riflette anche lo psicoanalista Lucio Russo[6] secondo il quale la psicoanalisi è nata dall'incontro casuale tra la soggettività di Freud e l'oggettività della crisi epocale del suo tempo. Come tale, la psicoanalisi non enuncia leggi immutabili della psiche umana, ma figure epocali, inevitabilmente soggette al declino e alla fine se non si rinnova l'incontro della soggettività degli analisti con l'oggettività del loro tempo.

E l'oggettività che il nostro tempo segnala è, per Lucio Russo, la depressione, non per lutto e malinconia come voleva Freud, ma per *indifferenza dell'anima*. È questo un antico motivo gnostico che esprime con linguaggio mitologico quello che oggi può essere espresso in termini scientifici, se solo si va oltre la metapsicologia di Freud[7] che descriveva un apparato psichico differenziato, per raggiungere quella terra indifferenziata di nessuno dove sono le radici del silenzio malinconico. Leggere la radice della depressione non come conseguenza del lutto come pensava Freud, ma come indifferenza dell'anima, che è un tratto tipico della nostra epoca, è un modo di sintonizzarsi con lo spirito del tempo e scoprire che l'origine del male è più profonda di quanto finora non si fosse sospettato. Quanto poi allo star bene, è tutto un altro discorso.

Insomma, *Cento anni di psicoterapia e il mondo va sempre peggio*, come recita il titolo di un bel libro di James Hillman e

[5] R.U. AKERET, *The Man Who Loved a Polar Bear* (1995); tr. it. *L'uomo che si innamorò di un orso bianco*, Pratiche editrice, Parma 1998.

[6] L. RUSSO, *L'indifferenza dell'anima*, Borla, Roma 1998.

[7] S. FREUD, *Metapsychologie* (1915); tr. it. *Metapsicologia*, in *Opere*, cit., vol. VIII.

Michael Ventura.[8] La tesi è che, se la terapia si propone di adattare l'individuo a una società che genera malessere, finisce per generare ulteriore malessere nell'individuo e nella società. L'invito allora è di togliere l'anima, e quindi l'interiorità dell'uomo, dal solipsismo in cui l'ha relegata la psicoanalisi, e farle assaporare quel sentimento comunitario e quella passione civile indispensabili perché, come scrive Hillman: "Io non *sono*, se non in un campo psichico con gli altri, con la gente, gli edifici, gli animali, le piante".[9] Cioè sono al mondo e non nel chiuso della mia anima autistica.

E così la psicoanalisi, naturalmente senza mai nominarla, scopre la fenomenologia: cioè Jaspers, Husserl, Heidegger, Sartre, Merleau-Ponty, Binswanger, e da noi Cargnello, Callieri, Borgna, Basaglia, che queste cose le hanno predicate da tempo. Ma guai a riconoscerlo, guai a dirlo, guai a confondere le carte. Guai a mescolare psicoanalisi e fenomenologia.[10] Ogni chiesa ha i suoi sacerdoti, ciascuno con la sua divinità, mai un Olimpo, con tanti dèi e sempre di più.

A questo proposito val la pena di leggere l'ottimo contributo fenomenologico di Edoardo Giusti e Antonio Jannazzo,[11] che alla psicoterapia propongono, come vuole l'espressione di Bruno Callieri che presenta il libro, un "modello transteorico", perché la follia non risponde agli impianti teorici degli psicoterapeuti, ma ne è lo sbaragliamento. E restare attaccati al proprio impianto teorico significa garantirsi una sicurezza, ma non inseguire la follia nei suoi percorsi randagi e in quelle linee impensate di fuga che fanno fare agli impianti teorici, a cui gli psicoterapeuti si abbarbicano, la figura delle trappole vuote, come onestamente ci ha riferito Robert Akeret dopo avere intrapreso il suo viaggio alla ricerca dell'orso bianco.

Ma per inseguire la follia nei suoi imprevedibili percorsi di fuga bisogna affidarsi al racconto. Non al racconto che la psicologia può fare *sull'*anima, ma al racconto *dell'*anima, come ci

[8] J. Hillman, M. Ventura, *We've Had a Hundred Years of Psychotherapy – And the World's Getting Worse* (1992); tr. it. *Cento anni di psicoterapia e il mondo va sempre peggio*, Raffaello Cortina, Milano 1998.

[9] Ivi, p. 47.

[10] Si veda in proposito U. Galimberti, *Psichiatria e fenomenologia* (1979), Feltrinelli, Milano 2006 e in particolare la Parte seconda: "La fondazione fenomenologica della psichiatria".

[11] E. Giusti, A. Jannazzo, *Fenomenologia e integrazione pluralistica. Libertà e autonomia di pensiero dello psicoterapeuta*, Edizioni Universitarie Romane, Roma 1998.

avverte Mario Trevi,[12] perché nella parola tecnica del sapere psicologico l'anima non è più la *fonte* del discorso, ma l'*effetto* di una procedura discorsiva, dove la natura dell'anima non emerge nella sua peculiarità, ma è stabilita dal discorso che parla di lei.

Non dissimili sono le conclusioni di Basilio Reale,[13] poeta e psicoanalista, che, rivisitando la sua pluriennale attività di psicoanalista a partire dalla crisi della psicoanalisi, che a suo parere prende le mosse dalla fine degli anni settanta, chiude senza esitazione il discorso sulle pretese scientifiche della psicoanalisi, per ricondurre questa "cura attraverso le parole" alle movenze del racconto, dove è il racconto stesso, per un'antica virtù intrinseca alla narrazione, a tessere la cura.

Sfuggendo alla dicotomia logica vero-falso, e a quella etica bene-male, il racconto compone i fili sparsi della propria storia facendo, di un groviglio annodato di fili, un tessuto in cui traspare la trama della propria esistenza che è meglio conoscere che ignorare. L'analisi, in questa visione, è pochissimo "analitica" e molto "ricostruttiva". Si tratta di ricostruire, attraverso la narrazione di sé a sé, il disegno della propria vita, in modo da reperire le tracce della propria identità consolidata, e delle mille identità potenziali appena accennate, in cui sono le chance di trasformazioni future.

Quanto poi al dolore e all'infelicità, sono componenti dell'esistenza da cui al limite, se si vuol conservare qualche tratto umano, non vale neanche la pena di guarire. Scopo dell'analisi infatti non è la guarigione, ma la *conoscenza di sé*, di cui solo il racconto può farsi mediatore, ricostruendo la nostra trama che, senza analisi, siamo soliti lasciare in frammenti di solitudine.

Ma forse nell'età della tecnica la nostra identità è già stata riassorbita dalla nostra funzione, così come la nostra libertà è forse solo una forma dissimulata di schiavitù, la nostra individualità un'illusione sommersa da quella cultura di massa al cui interno l'unico racconto che circola è il monologo collettivo dei media, dove ognuno dice quello che ha sentito da tutti e ascolta quello che tranquillamente potrebbe dire da sé. In questa afasia dell'anima individuale, si fanno strada quei rimedi tecnologici che si chiamano psicofarmaci, dove la psiche tace, e a parlare so-

[12] M. Trevi, *Per uno junghismo critico*, Bompiani, Milano 1987, p. 111.
[13] B. Reale, *Le macchine di Leonardo. Analisi, immaginazione, racconto*, Moretti e Vitali, Bergamo 1998.

no solo le esigenze dell'ordine sociale e l'incapacità dei singoli a fare esperienza del dolore.

Che ne è allora della psicoanalisi nel nostro tempo? Abbiamo fatto una rapida panoramica dei libri usciti negli ultimi tempi sull'argomento, da cui si ricava l'impressione che la psicoanalisi non è in buona salute. Forse le sue categorie portanti hanno in mente un uomo che non c'è più, forse la struttura della nostra società a sfondo metropolitano ha ridotto di molto la possibilità di comunicazione che gli uomini hanno sempre conosciuto come prima forma di cura, forse i singoli individui si sono fatti con loro stessi afasici a tal punto da non aver più nulla da dirsi, per cui decidono che è meglio perdersi nel rumore del mondo con qualche farmaco a portata di mano. Forse la vita che ognuno aveva sognato era un'altra, e un'altra non c'è.

Di ritorno dal suo viaggio, lo psicoanalista che era andato a vedere cosa avevano combinato i suoi pazienti dopo la terapia, chiude il suo libro con la risposta che l'ultimo paziente intervistato gli aveva dato: "Forse la terapia funziona solo quando funziona". E a commento: "Sono tornato dal mio viaggio con una sorta di religioso timore circa la capacità di sopravvivere dell'uomo. L'impresa di per sé mi pare eroica. E niente di quello che la terapia può fare o non può fare è paragonabile a ciò".[14]

4. *La vulnerabilità della condizione umana*

Forse la sofferenza, che di tanto in tanto costella la vita umana, non è necessariamente una *patologia* che richiede in ogni caso una medicalizzazione farmacologica o psicoterapica. Forse è solo un sintomo di quella vulnerabilità che, a sentire la sapienza greca, caratterizza la condizione umana. Scrive in proposito Platone:

> Un giorno Zeus, volendo castigare l'uomo senza distruggerlo, lo tagliò in due. Da allora ciascuno di noi è il simbolo di un uomo, la metà che cerca l'altra metà, il simbolo corrispondente. [...] In seguito, per curar l'antica ferita, Zeus, dopo averla inflitta, inviò Amore, fra gli dèi l'amico degli uomini, il medico, colui che riconduce all'antica condizione. Cercando di far uno ciò che è due, Amore cerca di medicare l'umana natura.[15]

[14] R.U. Akeret, *L'uomo che si innamorò di un orso bianco*, cit., p. 221.
[15] Platone, *Simposio*, 190 d-191 d.

In questo modo Platone spezza il codice binario salute/malattia per indicare nella ferita e nella conseguente vulnerabilità la *condizione normale* dell'uomo. Noi siamo vulnerabili per il solo fatto che siamo esposti al mondo dove, come diceva Galeno, il nostro corpo nel suo impasto materiale (*mĩxis*) e nel suo temperamento geneticamente determinato (*krãsis*) subisce l'effetto dell'ambiente fisico e sociale, dei suoi benefici e dei suoi veleni.[16] E siccome per essere al mondo bisogna farsi dal mondo contaminare, la vulnerabilità è la nostra condizione, e la ferita è la nostra apertura comunicativa. Per questo non dobbiamo guardare al male e al dolore come a dei cedimenti dello stato di salute. Questo "stato" non esiste. Esiste invece la "dinamica" della contaminazione, perché se il mondo non ci contagia, non siamo semplicemente al mondo.

Presso i primitivi, più sensibili di noi all'esperienza della vulnerabilità, la malattia aveva un significato sociale, e come tale era qualcosa che si poteva scambiare nel gruppo. L'antropologo J. Pouillon[17] ci informa, ad esempio, che presso la popolazione dei Dangaleat la malattia aveva un valore iniziatico; non si poteva far parte del gruppo, né acquisire una qualsiasi posizione sociale se prima non si era stati ammalati. Come segno di elezione nel gruppo, la malattia non era vissuta individualmente, ma scambiata come tutte le cose, in quell'ordine simbolico che faceva di ogni evento una relazione sociale ricca di senso.

Il processo di guarigione, e questo non solo presso i Dangaleat ma in tutte le società primitive, non si svolgeva come oggi da noi in quel rapporto duale, ma non reciproco, che si stabilisce tra medico e paziente, ma in uno spazio più ampio, in cui tutto il gruppo prendeva parte alla cura distribuendosi intorno al male, concepito non come una lesione organica che investe un individuo, ma come una rottura, uno squilibrio nello scambio sociale.

L'organicismo imperante nella nostra cultura non ci consente più di capire questo linguaggio dei primitivi, soprattutto per le malattie che, per comodità scientifica, definiamo "somatiche". Ma che dire di quelle "psichiche", che certi settori della ricerca scientifica tendono a trattare come quelle somatiche, e quindi a leggere la vulnerabilità non come la condizione naturale dell'uomo, ma come un incidente nel percorso della salute, quindi

[16] Galeno, *Ars medica*, in *Opere scelte*, Utet, Torino 1978.

[17] J. Pouillon, *Les Dangaleat*, in "Nouvelle Revue de Psychanalyse", n. 1, Paris 1974, pp. 65-67.

come qualcosa da ricucire al più presto in modo che non ne resti traccia?

Contro questa lettura organicista della psiche oggi trionfante, Giovanni Stanghellini[18] legge le sofferenze dell'anima a partire da quella lacerazione costitutiva dell'uomo che lo fa da se stesso un separato, dove l'identità è messa continuamente in gioco da quella non-identità che intimamente lo abita come altro da sé, come sua alienazione. E non ci vengano a dire gli organicisti della psiche, secondo i quali l'anima è solo un evento chimico, che queste sono solo chiacchiere filosofiche intorno a cui la cultura può dilettarsi, ma non la medicina che è una pratica seria. A costoro sarebbe opportuno chiedere: quando, nella sua storia, la medicina è stata immune dalla cultura del tempo? Quando non ne è stata così radicalmente condizionata da inventare malattie a seconda dello spirito del tempo?

È questa una tesi documentata dallo psichiatra Alberto Gaston,[19] che ci illustra come, nel XVIII secolo dominato dal materialismo scientifico di stampo illuministico, il corpo, nella sua immagine di coacervo di organi solidi e meccanici, riuniti, collegati e vitalizzati dall'albero nervoso, viene messo brutalmente al centro dell'espressione della follia. Non si tratta più del corpo squassato nelle sue membra dalla presenza del maligno, ma di un corpo organico vittima della disarmonica distribuzione di spiriti, vapori e passioni, facile preda di eccessi, per cui la follia è *convulsione* che eccita, sospende e snatura tutte le funzioni. Per effetto di questa lettura, la patofobia imperante in quest'epoca carnale è la sifilide, una malattia molto più individuale della peste dei secoli precedenti, ma soprattutto una malattia molto più legata al contatto diretto del corpo nelle sue espressioni più intime e segrete.

Nel XIX secolo la convulsività cede il posto all'*isteria* esibita all'ospedale della Salpêtrière e da cui Freud trarrà spunto per la sua teoria psicoanalitica. L'isteria è solo una malattia tra le molte (ipocondria, sterilità, nevrastenia, idiozia) che nascono dalla "teoria della degenerazione". Non più il corpo convulso nei suoi interni movimenti, ma il corpo stanco afflitto da impotenza energetica e perciò, come scrive Fernand Levillain nel 1891: "Nevrastenie di qua, nevrastenie di là. È la malattia alla moda".[20]

[18] G. Stanghellini, *Antropologia della vulnerabilità*, Feltrinelli, Milano 1997.
[19] A. Gaston, *La psiche ferita*, Lalli Editore, Poggibonsi 1988.
[20] Citazione tratta da A. Gaston, *La psiche ferita*, cit., p. 38.

Il secolo dell'*astenia*, che succede al secolo della convulsività, sposta la sproporzione tra sensibilità e movimento, che sono i parametri costanti della nevroticità, a favore della sensibilità, e perciò Paolo Mantegazza, che parla del proprio secolo come del "secolo nevrotico dove il nervosismo americano si allarga a tutti i popoli civili", dice che nell'astenia "si esagerano le forme e i movimenti della sensibilità fiaccando e rallentando tutte le energie del moto".[21] La malattia tipica di questo periodo, osserva opportunamente Gaston, è la tubercolosi, una malattia il cui contagio è meno immediato, il processo più interno di quello della sifilide, mentre il corpo stanco si avvia lentamente verso una consunzione esangue.[22]

Giungiamo così al XX secolo, dove il corpo non più "convulso", non più "stanco", cede tutti i suoi segreti alla scienza, ma, per effetto del suo depotenziamento, si apre quella che Gaston chiama "la nuova spazialità virtuale dello psichico", una spazialità interna non più accessibile allo sguardo. A questo punto la malattia alla moda non è più la convulsività, né l'astenia, ma l'*angoscia* che, come nevrosi, si congeda dai corpi depotenziati per diffondersi nella letteratura, nell'arte, nella filosofia. Al corpo si lascia l'angoscia fobica che trova il suo punto di ancoraggio nel cancro, la malattia "incurabile" che viene da dentro verso la superficie, che ha a che fare con "cellule impazzite" per le quali il contagio o il contatto non ha forse più alcun valore.

A questo punto vien da chiedere agli psichiatri organicisti se davvero sono convinti che le loro ricerche camminano sul solo sentiero dell'indagine naturalistica o non sono piuttosto influenzate dalla cultura del tempo, dall'intreccio tra cultura e patogenia, per cui è difficilmente confutabile la tesi sostenuta dal medico Giorgio Baglivi che già nel 1696 scriveva: "*Medicina non ingenii humani partus est, sed temporis filia*".[23] Pensano davvero, con il loro atteggiamento, di poter evitare il rischio segnalato da Italo Svevo: "Qualunque sforzo di darci la salute è vano. Questo non può appartenere che alla bestia che conosce un solo progresso, quello del proprio organismo"?[24]

[21] P. Mantegazza, *Fisiologia del dolore* (1888). Citazione tratta da A. Gaston, *La psiche ferita*, cit., p. 38.

[22] Si veda in proposito Th. Mann, *Der Zauberberg* (1924); tr. it. *La montagna incantata*, Dall'Oglio Editore, Milano 1930.

[23] G. Baglivi, *De praxi medica* (1696). Citazione tratta da A. Gaston, *La psiche ferita*, cit., p. 22.

[24] I. Svevo, *La coscienza di Zeno* (1923), Feltrinelli, Milano 1993, p. 58.

A differenza dell'animale, all'uomo non è dato un mondo adattato ai suoi istinti che per giunta non ha,[25] ma un mondo che per poter abitare occorre costruire, e nella costruzione del proprio mondo numerose sono le ferite che si aprono, si rimarginano e di nuovo si riaprono per la fatica e la gioia di essere al mondo. Un mondo proprio, costruito da sé e così difficile da mettere in comune, per effetto di quella lacerazione che non compone mai perfettamente identità e socializzazione. Dalle labbra mai ben composte di questa ferita scaturisce il dolore.

Chi pretende di guarire dal dolore pretende di guarire dalla condizione umana. Ma qual è la vulnerabilità della condizione umana e la possibilità della sua descrizione? Chi la riproduce più fedelmente? Il linguaggio della psichiatria che ne immiserisce l'aspetto emozionale risolvendolo in quel catalogo di sintomi che le varie edizioni del *Diagnostic and Statistical Manual* (Dsm) elencano senza farci avvertire un sussulto di vita? La descrizione popolare che lascia inalterato l'aspetto emozionale nella sua manifestazione immediata e dirompente, senza però darci, come peraltro la descrizione psichiatrica, la minima idea di quel che accade dentro chi sopporta la ferita?

Questa informazione solo il "malato" potrebbe darla, ma appena il suo discorso prende forma diventa per l'osservatore la descrizione di un fenomeno, non l'espressione di un vissuto. E allora la ferita è incomunicabile, il dolore è intransitivo, ha solo una breccia di partecipazione, e questa breccia, come diceva Platone, si chiama Amore, "fra gli dèi l'amico degli uomini, il medico [che] cerca di medicare l'umana natura".

Diamo tutti i nomi possibili alla vulnerabilità della condizione umana, ma non troveremo mai il suo vero nome. E vano è cercar per essa un ancoraggio somatico che è il punto di riferimento fisso dell'osservazione medica, così come è vano fissarne i contorni, dal momento che continuamente cambia la proporzione della tollerabilità sociale nei confronti delle malattie dell'anima i cui nomi, in epoche diverse, designano oggetti diversi, come ci illustra accuratamente Alberto Gaston in un altro libro che ha per titolo *Genealogia dell'alienazione*.[26]

La parola *psicopatologica*, quella che cerca la radice del do-

[25] Si veda a questo proposito A. GEHLEN, *Der Mensch. Seine Natur und seine Stellung in der Welt* (1940); tr. it. *L'uomo. La sua natura e il suo posto nel mondo*, Feltrinelli, Milano 1983.

[26] A. GASTON, *Genealogia dell'alienazione*, Feltrinelli, Milano 1987.

lore nell'anima come ci ha insegnato Karl Jaspers,[27] è stata sostituita da quella *farmacologica,* che scambia l'anima con un laboratorio chimico. E anche se oggi si pensa sempre più in termini di narcisismo e depressione, per poi connettere la depressione alle problematiche dell'attaccamento e della perdita, anche se queste "patologie" sono meno corporee nella loro espressività e sempre più psicologiche, anche se sono più interne e private e meno immerse nel tessuto socio-culturale in cui si manifestano, l'ultima parola è affidata al farmaco, di cui si vede solo l'aspetto di "rimedio" e non quello di "veleno".[28] E il veleno del farmaco è nel far tacere quel che non si ha più la voglia di dire, perché intorno a noi non c'è nessuno disposto ad ascoltare. Quel medico, che è Amore, da tempo se n'è andato dalla nostra città, nel tripudio di tutti i trafficanti sulla salute della città.

5. *La pratica filosofica*

Le nostre sofferenze psichiche, i nostri disagi esistenziali dipendono sempre da conflitti interni, da traumi remoti, da coazioni a ripetere esperienze antiche e in noi consolidate come vuole la psicoanalisi, o qualche volta, e magari il più delle volte, dipendono dalla nostra *visione del mondo* troppo angusta, troppo sclerotizzata, troppo irriflessa, per consentirci da un lato di comprendere il mondo in cui viviamo e dall'altro per reperire un senso per la nostra esistenza e quindi delle buone ragioni per vivere in accordo con noi stessi?

Se questa seconda ipotesi è vera, perché non prendere in considerazione una *terapia delle idee*? Come ci ricorda James Hill-

[27] K. Jaspers, *Allgemeine Psychopathologie* (1913-1959); tr. it. *Psicopatologia generale*, Il Pensiero Scientifico, Roma 2000.

[28] Il riferimento è alla medicina della scuola di Kos che, a proposito dei farmaci, ne sottolinea l'ambivalenza che sancisce l'identità del male e del rimedio. Euripide, riprendendo questo motivo nella tragedia *Ione* (vv. 1012-1017), ci dice che uno è il sangue, e opposti sono gli effetti che la regina Creusa impiega per far perire l'eroe:

"Una goccia è un veleno mortale, l'altra è un rimedio."
"Qual è la virtù della prima goccia?" domanda il vecchio schiavo alla regina.
"Allontana la malattia e alimenta il vigore."
"E come agisce la seconda?"
"Uccide. È il veleno dei serpenti della Gorgone."
"Le tieni unite o separate?"
"Separate. Si mescola forse il nocivo col salutare?"

man,[29] alla mente le idee piacciono, anzi la mente ne ha un continuo bisogno, ne chiede di fresche, non per ritardare il declino delle funzioni cerebrali, visto che le idee non sono semplici vitamine o utili integratori, ma per comprendere e, se è il caso, cambiare il nostro modo di essere al mondo che le idee determinano e condizionano. Ma chi si prende cura delle idee oggi che le chiese sono deserte, gli insegnamenti filosofici si sono ritirati nella quiete delle aule accademiche, le pratiche psicoanalitiche hanno perso il loro referente, ossia la realtà, dal cui esame si individua per scostamento la nevrosi?

Senza religione, senza filosofia, senza psicoanalisi, a trarre profitto è l'industria farmaceutica che seda l'anima e riduce l'inquietudine dell'individuo. Un'inquietudine che ha cambiato forma. Non più generata dal conflitto interiore tra passioni e ragione che, su larga o piccola scala, era stato il campo da gioco dei riti religiosi e delle cure psicoanalitiche, ma dal conflitto tra la propria visione del mondo e il modo in cui oggi accade il mondo. Un mondo che consegna all'individuo il senso della sua radicale impotenza.

Infatti, cos'è mai la mia vita e la mia realtà se la prima non è più scandita dalle dinamiche della mia esistenza e la seconda da quello spessore stabile e concreto su cui finora era possibile misurarsi, se l'una e l'altra si sono dissolte e volatilizzate in quegli unici misuratori di tutte le misure che sono la giovinezza, la bellezza, il successo, il denaro, i nuovi valori da vendere? È collassata la realtà come la tradizione ce l'aveva fatta conoscere e la nostra mente, che nella realtà aveva la sua misura sia per il suo equilibrio, sia per il suo squilibrio, non ha più referente.

Il lettino psicoanalitico, ultima metafora del raccoglimento prima religioso e poi filosofico, è vuoto, e le parole che giungono alle spalle degli ultimi pazienti ancora sdraiati sono parole fuori dal mondo, perché vanno a cercare l'origine del dolore esclusivamente nella patologia e nella biografia, mentre oggi sono la geografia e la storia a disanimare l'anima, a instillare sussulti d'angoscia.

L'individuo, nozione nata in Occidente con il concetto di "anima",[30] su cui l'Occidente ha costruito la sua cultura nella

[29] J. Hillman, *The Force of Character and the Lasting Life* (1999); tr. it. *La forza del carattere*, Adelphi, Milano 2000, p. 19.

[30] Si veda in proposito U. Galimberti, *Psichiatria e fenomenologia* (1979), Feltrinelli, Milano 2006, Parte I: "Anima e corpo nella tradizione occidentale" e *Gli equivoci dell'anima* (1987), Feltrinelli, Milano 2001, Parte I: "Storia dell'anima".

forma dei diritti e delle libertà individuali, non ha più molto senso se in gioco è l'indifferenza per la vita in generale, la sua sprecabilità, la sua inincidenza sull'andamento truculento del mondo. Il passato, in cui la psicoanalisi fa i suoi affondi per reperire le trame del disagio, sembra diventato così antiquato, diverso, quasi archeologico rispetto al presente, da non offrire nessuna chiave di lettura per ri-orientare l'anima nell'indecifrabilità dell'oggi, dove tutte le chiavi di lettura si sono perse nel disordine del mondo.

Il futuro poi ci è stato semplicemente tolto, sia quello religioso perché Dio è morto, sia quello laico perché la rivoluzione è impossibile, l'utopia è lontana, la scienza progredisce in modo afinalizzato, spiazzando l'etica su cui avevamo costruito le nostre regole di condotta e conosciuto le nostre deroghe. Il futuro-promessa, che alimentava in chiave religiosa la fede nella salvezza e in chiave scientifica il progresso, si è trasformato in futuro-minaccia,[31] e anche l'ipotesi di Freud secondo cui la consapevolezza sarebbe subentrata e avrebbe preso il posto delle forze scatenate e sconvolgenti dell'inconscio (scrive letteralmente Freud: "Dov'era l'Es deve subentrare l'Io. Questa è l'opera della civiltà")[32] si è rivelata un sogno, una vuota profezia.

Per usare una metafora di Umberto Eco, questo può sembrare il discorso tipico degli "apocalittici",[33] ma quale altro discorso è possibile se gli "integrati" hanno trovato il loro rifugio tra coloro ai quali, e sono i più, la televisione, lo stadio, la moda, lo shopping hanno fornito gli opportuni strumenti di rimozione e di ottundimento di sé? E chi si rifiuta di consegnarsi all'ottundimento, perché ancora dispone di una discreta consapevolezza di sé, a chi si rivolge quando incontra non questo o quel dolore, intorno a cui si affollano le psicoterapie, ma quell'essenza del dolore che è l'irreperibilità di un senso?

Qui le psicoterapie non servono perché non è "patologico", come si vorrebbe far credere, porsi domande, sottoporre a verifica le proprie idee, prendere in esame la propria visione del mon-

[31] Si veda in proposito M. Benasayag e G. Schmit, *Les passions tristes. Souffrance psychique et crise sociale* (2003); tr. it. *L'epoca delle passioni tristi*, Feltrinelli, Milano 2004.

[32] S. Freud, *Neue Folge der Vorlesungen zur Einführung in die Psychoanalyse* (1932); tr. it. *Introduzione alla psicoanalisi (Nuova serie di lezioni)*, in *Opere*, cit., vol. XI. Lo stesso motivo era già presente in *Das Ich und Es* (1922); tr. it. *L'Io e l'Es*, in *Opere*, cit., vol. IX, p. 517, dove si legge: "La psicoanalisi è uno strumento inteso a rendere possibile la progressiva conquista dell'Es da parte dell'Io".

[33] U. Eco, *Apocalittici e integrati*, Bompiani, Milano 1964.

do per vedere quanto c'è di angusto, di ristretto, di fossilizzato, di rigido, di coatto, di inidoneo per affrontare i cambiamenti della propria vita e i mutamenti così rapidi e imprevisti del mondo.

Se non tutto il dolore è patologia, una risposta a questo genere di sofferenza e di disagio, meglio della psicoterapia, la può dare la filosofia, nata in Grecia nel v secolo a. C. non solo come conoscenza, ma come *pratica di vita*. Tali erano le scuole filosofiche greche prima che la filosofia, amputando se stessa, si disinteressasse della vita e divenisse solo conoscenza teorica, assestandosi su un terreno che oggi le scienze di giorno in giorno erodono.

Nessuno di noi abita il mondo, ma esclusivamente la propria visione del mondo. E non è reperibile un senso della nostra esistenza se prima non perveniamo a una chiarificazione della nostra visione del mondo, responsabile del nostro modo di pensare e di agire, di gioire e di soffrire. Questa chiarificazione non è una faccenda di psicoterapia. Chi chiede una consulenza filosofica non è "malato", è solo alla ricerca di un senso. E dove è reperibile un senso, anzi il senso che, sotterraneo e ignorato, sottende la nostra vita a nostra insaputa, se non in quelle proposte di senso in cui propriamente consiste la filosofia e la sua storia?

Fu così che nel 1981 il filosofo tedesco Gerd Achenbach[34] aprì in Germania il primo studio di consulenza filosofica, a cui seguì la fondazione di una Società per la pratica filosofica (*Gesellschaft für philosophische Praxis*), divenuta poi internazionale per la sua diffusione in Olanda, Francia, Stati Uniti, Israele, e dal 1999 anche in Italia, dove la casa editrice Apogeo ha inaugurato una collana che raccoglie i contributi italiani e internazionali delle "Pratiche filosofiche" per quanti sentono un "bisogno di filosofia" o sono persuasi, come ammonisce Platone, che "una vita che non mette se stessa alla prova, non è degna di essere vissuta".[35] Sarà per questo che Socrate diceva di sé:

> Non faccio nient'altro che andare in giro a persuadervi, giovani e vecchi, a capire che la vostra prima e maggiore preoccupazione non deve riguardare il vostro corpo o le vostre ricchezze ma la vostra anima, in modo che sia la più eccellente possibile.[36]

[34] Di G.B. ACHENBACH sono disponibili in traduzione italiana: *Philosophische Praxis* (1987), tr. it. *La consulenza filosofica*, Apogeo, Milano 2004; *Das kleine Buch der inneren Ruhe* (2001), tr. it. *Il libro della quiete interiore*, Apogeo, Milano 2005; *Lebenskönnerschaft* (2001), tr. it. *Saper vivere*, Apogeo, Milano 2006; *Vom Richtigen im Falschen* (2003), tr. it. *Del giusto nel falso*, Apogeo, Milano 2008.

[35] PLATONE, *Apologia di Socrate*, 38 a.

[36] Ivi, 30 a-b.

Per chi ha simili aspirazioni, che sono poi le aspirazioni che dovrebbe avere ogni uomo che voglia essere all'altezza della sua natura pensante, l'incontro con la consulenza filosofica potrebbe essere l'occasione che lo differenzia, che lo porta all'altezza della sua vita, nell'ottundimento del mondo. A raccomandarlo è lo stesso Kant, che in proposito scrive:

> Spetta al filosofo prescrivere una dieta per l'anima. [...] Per questo il medico non dovrebbe negare al filosofo un suo intervento, se questi talvolta tentasse l'impegnativa cura della pazzia.[37]

[37] I. KANT, *Versuch über die Krankheiten des Kopfes* (1764); tr. it. *Saggio sulle malattie della testa*, in *Ragione e ipocondria*, Edizioni 10/17, Salerno 1989, pp. 75-76.

9.
Il mito della follia

> La follia è una condizione umana. In noi la follia esiste ed è presente come lo è la ragione. Il problema è che la società, per dirsi civile, dovrebbe accettare tanto la ragione quanto la follia, invece incarica una scienza, la psichiatria, per tradurre la *follia* in *malattia* allo scopo di eliminarla. Il manicomio ha qui la sua ragion d'essere che è poi quella di far diventare razionale l'irrazionale. Quando qualcuno è folle ed entra in manicomio smette di essere *folle* per trasformarsi in *malato*. Diventa razionale in quanto malato.
>
> F. Basaglia, *Conferenze brasiliane* (1979), p. 34.

1. *Le vie errabonde della psichiatria*

Sappiamo davvero che cos'è la follia o ci muoviamo tra vie errabonde, dove fatichiamo a scorgere le corrispondenze tra ciò che le diagnosi psichiatriche ci dicono e le modalità con cui qualcuno di noi diventa "folle"? Come opportunamente osserva il filosofo Ian Hacking dell'Università di Toronto: "Non abbiamo ancora chiara l'interazione tra la conoscenza degli esperti e il comportamento delle persone con problemi psichici. È questo l'obiettivo da perseguire".[1]

Per inoltrarci in questa problematica potremmo cominciare a chiederci quanto incidono la cultura del tempo e la cultura del luogo sulla "malattia mentale". Moltissimo. Ne tengano conto gli *organicisti* ogni volta che sono tentati di risolvere qualsiasi disagio psichico nel fondo enigmatico e buio del nostro cervello, e con loro ne tengano conto i *nominalisti* a proposito dei quali già Kant, due secoli or sono, avvertiva: "C'è un genere di medici, i medici della mente, che ritengono di aver sco-

[1] I. Hacking, *Mad Travellers. Reflexions on the Reality of Transient Mental Illness* (1998); tr. it. *I viaggiatori folli. Lo strano caso di Albert Dadas*, Carocci, Roma 2000, p. 41.

perto una nuova malattia ogni volta che escogitano un nome nuovo".[2]

È noto che la malattia mentale ha bisogno di vittime e di esperti. Dove ci sono le vittime, ma non gli esperti – oggi diremmo dove ci sono i pazienti ma non gli specialisti – la malattia non è individuata, non è isolata, al limite non è neppure avvertita. È il caso di coloro che abbandonano la propria casa e fanno perdere le loro tracce. Costoro sono affetti da disturbi mentali reali o vittime di concettualizzazioni psichiatriche, di artefatti culturali, di sindromi alimentate da specialisti, di imitazioni, o più semplicemente di postulati tipici di una cultura che vuole medicalizzare ogni grattacapo che dà filo da torcere a genitori, insegnanti, datori di lavoro, o più semplicemente ai conducenti degli autobus?

Sono, queste, alcune considerazioni che Ian Hacking svolge in margine allo strano caso di Albert Dadas, impiegato alla compagnia del gas di Bordeaux, che un bel giorno abbandona la casa, il lavoro e la vita di tutti i giorni per iniziare un lungo viaggio prima in Algeria, poi a Mosca e infine a Costantinopoli, con tappe di settanta chilometri al giorno percorse a piedi, finché alla fine non lo arrestano per vagabondaggio e lo mettono in prigione. Viaggiava ossessivamente, straniato, senza documenti d'identità, e forse senza neppure identità e quindi senza sapere chi era e perché viaggiava, a conoscenza solo della tappa successiva. Al momento del ritorno non aveva la più pallida idea di dove era stato, ma sotto ipnosi riviveva ogni tappa del suo viaggio.

Dai referti del dottor Pitres, nel cui reparto il nostro simpatico viaggiatore era stato ricoverato, scopriamo che a partire dal 1887 si era verificata una piccola epidemia di viaggiatori il cui epicentro era Bordeaux, ma che presto si diffuse a Parigi, poi in tutta la Francia, quindi in Italia e più tardi in Germania e in Russia. A questo punto gli specialisti presero a denominare questa sindrome con epiteti poco riguardosi come *Wandertrieb*, o con latinismi più raffinati come *Automatisme ambulatoire*, e infine, come vuole la tradizione medica, con grecismi quali *dromomania* o *poriomania*.[3]

Le fughe, cioè i viaggi strani e imprevedibili, erano conosciuti da sempre, ma solo dopo la denominazione degli specialisti divennero una malattia che nei manuali psichiatrici ricorse fino

[2] I. Kant, *Versuch über die Krankheiten des Kopfes* (1764); tr. it. *Saggio sulle malattie della testa*, in *Ragione e ipocondria*, Edizioni 10/17, Salerno 1989, pp. 75-76.

[3] I. Hacking, *I viaggiatori folli*, cit., p. 17.

agli anni venti e poi scomparve. Dai manuali o dalla realtà? Questo è il problema che si pone Ian Hacking che si chiede: quante malattie mentali esistono realmente, e quanti sono solo dei "deliri scientifici" dove la malattia scaturisce di concerto con i medici e con i media?[4]

È il caso dell'"autismo subclinico",[5] una diagnosi affibbiata a quanti, impacciati nei movimenti e restii a stringere nuove amicizie, vengono considerati dagli esperti (a loro volta condizionati dai modelli di socializzazione diffusi dai media) non come degli individui solitari o semplicemente un po' imbranati, ma come dei malati con tutto il campionario di medicine, terapie e conti da pagare.

E allora, qual è il criterio per stabilire se un disturbo psichiatrico è un'entità reale e riconoscibile e non una diagnosi arbitraria suscettibile di essere derubricata non appena cambi il clima culturale? Cosa significa, ad esempio, che l'isteria spopolava in Europa tra la fine Ottocento e il primo Novecento e oggi non troviamo un medico disposto a sottoscrivere questa diagnosi? È scomparsa una malattia, o è scomparsa semplicemente una definizione psichiatrica?

E qui viene in mente il caso di Emma Eckstein che un giorno si presenta nello studio che il dottor Freud aveva appena aperto a Vienna, dopo le sue sfortune accademiche, per esporgli un quadro di sofferenze che lo stesso Freud faticava a trattare. Dopo diversi incontri Freud decise di inviare la paziente al dottor Fliess, famoso otorinolaringoiatra di Berlino che teorizzava una stretta relazione tra il naso e i mali dell'organismo. Questa relazione Freud l'aveva già sperimentata su di sé a proposito di certi suoi spasmi cardiaci superati dopo un trattamento nasale.

La poveretta fu sottoposta da Fliess a un'operazione al naso che la lasciò sfigurata, anche perché nella cavità nasale era stata dimenticata una benda. Ne seguì un'emorragia che portò la paziente a un passo dalla morte, ma Freud, amico di Fliess, difese a tal punto l'operato del collega da interpretare quell'emorragia come un sintomo isterico. La paziente, ripresasi, tornerà da Freud per curare la diagnosticata isteria e dopo alcuni anni diventerà essa stessa analista.

Non meravigliamoci se una definizione ha fatto una vittima. Le definizioni continueranno a farne, se è vero, come sosteneva

[4] Ivi, pp. 109-114.
[5] Ivi, p. 19.

Ludwig Wittgenstein, che "la psicologia è quella scienza fatta di metodi sperimentali e confusione concettuale".[6]

Infatti, accanto ai metodi clinici della medicina, che la psichiatria organicistica tenta di fare propri nella speranza di reperire il "riscontro organico" dell'autismo subclinico, abbiamo le innumerevoli varianti e derivazioni della psicoanalisi, i sistemi di autoanalisi, le analisi di gruppo, gli assistenti di vario genere, ivi compresi preti e guru. Abbiamo i metodi statistici di epidemiologia e di genetica della popolazione, i metodi sperimentali di biochimica, di neurologia, di biologia molecolare, abbiamo i modelli teorici delle scienze cognitive e di quelle comportamentiste.

Abbiamo, come si vede, una bella confusione concettuale perché le malattie dell'anima, a differenza di quelle del corpo, sono profondamente legate al sistema di credenze che al momento dominano, al punto da modificare il modo di pensare noi stessi, nonché la concezione che abbiamo di noi e dei nostri simili.

Oggi il nostro simpatico viaggiatore folle affetto da "dromomania", ed Emma Eckstein, la sfortunata paziente di Freud affetta da "isteria", verrebbero rubricati sotto la diagnosi di "personalità multipla", a proposito della quale non possiamo non chiederci: che cosa significa? È una malattia o è l'effetto di quel pregiudizio sociale così diffuso in Occidente secondo il quale "sano" è colui che ha una sola personalità, sempre identica a se stessa fino alla noia? Questo disturbo è "iatrogeno", provocato cioè dalle definizioni dei medici, o addirittura "tassogeno", provocato cioè dal sistema di opinioni coltivato dai medici e dai terapeuti?

Che dire, poi, dell'atteggiamento moralistico con cui giudichiamo le malattie? Se uno ha bisogno di una costosa operazione all'anca perché ha continuato a praticare sport fino a età avanzata non è accusato, perché nella nostra cultura il proseguimento di un'attività giovanile è considerato una virtù. Se invece la malattia dipende dal sesso, dall'alcol, dal fumo, dalla droga o dall'astinenza dal cibo, chi ne è soggetto è malato o colpevole?

Come si vede manca un criterio scientifico, e nel vuoto del sapere sono i pregiudizi a farla da padroni. Si prenda ad esempio la "sindrome premestruale" siglata dai manuali con "Spm". Si tratta di un disturbo reale o di un pregiudizio scientifico, inseri-

[6] L. Wittgenstein, *Philosophische Untersuchungen* (1953); tr. it. *Ricerche filosofiche*, Einaudi, Torino 1974, Parte II, § 14, p. 301: "*Es bestehen nämlich, in der Psychologie, experimentelle Methoden und Begriffsverwirrung*".

to nella nosologia dal gruppo professionale a predominanza maschile degli psichiatri, per non avere a che fare con pazienti irritabili o irritanti?

Lo stesso dicasi a proposito dei bambini irrequieti che sono sempre esistiti, prima rubricati come affetti da "iperattività", poi "da deficit di attenzione da iperattività", quindi da vero e proprio disturbo clinico che si può sanare con lo steroide Ritalin, come si possono sanare i disturbi derivati da mancanza d'affetto con il Prozac. Che cosa sono queste sindromi? Disturbi mentali o artefatti della psichiatria che, medicalizzando tutto ciò che non è a norma (culturale), vuol togliere a ciascuno il peso della cura di sé e soprattutto, quel che più conta, degli altri?

A proposito delle malattie mentali il nostro serbatoio di ignoranza è senza limiti, ma nostre sono anche le confusioni concettuali che le nuove conoscenze e soprattutto le nuove definizioni e le nuove diagnosi non aiutano a eliminare, con buona pace di tutti i rigidi seguaci del Dsm (il manuale diagnostico-statistico) che si attaccano alle sue definizioni come un naufrago a tutto quel che gli capita sotto mano per non affogare nel mare dell'incertezza e della non conoscenza. Cento anni di osservazione psichiatrica ci hanno abituati al carattere transitorio di molte malattie mentali, non nel senso che queste vanno e vengono nella vita di un individuo, ma nel senso che si presentano in una certa epoca e in un certo luogo e poi spariscono.

La fuga di Albert Dadas appare come "sindrome psichiatrica" perché, come ci ricorda Ian Hacking,[7] all'epoca non esisteva il turismo di massa, ma solo il turismo romantico delle classi agiate e il vagabondaggio criminale dei non abbienti. Per i rappresentanti della classe media, che non potevano fare viaggi di piacere e, per il loro attaccamento profondo alle convenzioni sociali, non trasgredivano e non compivano crimini, non restava che la fuga come via d'uscita per uomini a un passo dalla libertà, ma in trappola.

Non essendo ricchi e quindi in condizione di potersi permettere quel che volevano, e non essendo criminali, per loro non era disponibile altra classificazione se non quella di "malati". Per rendere questa classificazione credibile, però, occorreva disporre di una tassonomia medica che allora contemplava fondamentalmente l'isteria e l'epilessia, per cui i viaggiatori senza meta, definiti epilettici a Bordeaux e isterici a Parigi, diedero vi-

[7] I. Hacking, *I viaggiatori folli*, cit., pp. 38-41.

ta a una nuova sindrome: l'istero-epilettica, che serviva solo per conciliare le diagnosi parigine con quelle degli psichiatri di Bordeaux.

Tassonomia medica (isteria ed epilessia), polarità culturale (il viaggio dei ricchi e quello criminale dei poveri), osservabilità (più accentuata sulle classi medie che su quelle agiate) ed evasione (da uno stile di vita che non concede deroghe) compongono quella che Ian Hacking definisce "nicchia ecologica".[8]

Questa metafora è in grado di spiegare quelle malattie transitorie come la *fuga*, diffusa per un certo tempo in Europa continentale, ma non in Inghilterra e in America, dove mancava il vettore della polarità culturale e dell'osservabilità, perché in America i viaggiatori non erano soggetti a controlli e il vagabondaggio non era ancora considerato un problema sociale.

Il criterio della "nicchia ecologica", che Ian Hacking prudentemente limita alle malattie "transitorie", potrebbe forse essere esteso a malattie ora considerate "non transitorie", come il *disturbo dissociativo dell'identità*, come oggi si chiama la personalità multipla (dove vien da chiedersi se in questa diagnosi rientrino anche quelli che oggi cambiano sesso), l'*anoressia* (dove i fattori culturali diffusi dai media sembrano avere una significativa incidenza), il gruppo delle *schizofrenie*, che già nel nome affastella una quantità tale di sintomi da rendere la classificazione poco credibile, e infine la *depressione* che, come ci ricorda Alain Ehrenberg,[9] non è più caratterizzata dal senso di colpa, come accadeva nella società della disciplina fino alla fine degli anni sessanta, ma dal senso di inadeguatezza per ciò che si potrebbe fare e non si è in grado di fare, come sempre più di frequente è dato constatare nell'attuale società dell'efficienza.

Come si vede, i dati culturali non sono meno significativi dei riscontri clinici. E bene farebbe la psichiatria ad affiancare alla ricerca genetica e biologica un'elevata sensibilità e attenzione per le trasformazioni sociali. Ma per questo occorre una cultura umanistica, perché è difficilmente contestabile il fatto che non è possibile curare la mente, che è l'organo che sintetizza cultura, prescindendo dalla cultura che è il lavoro della mente.

Del resto, già quarant'anni fa, lo psichiatra inglese Ronald Laing avvertiva che "la biochimica di un essere umano è alta-

[8] Ivi, p. 23.

[9] A. Ehrenberg, *La fatigue d'être soi. Dépression et société* (1998); tr. it. *La fatica di essere se stessi. Depressione e società*, Einaudi, Torino 1999.

mente sensibile alle circostanze sociali".[10] Evitiamo di invertire questa relazione e concludere, come sembra fare la psichiatria appiattita sulla farmacologia che "le circostanze sociali si sono fatte altamente sensibili alla biochimica".

Quanto ad Albert Dadas, il "viaggiatore folle" che ci ha consentito queste riflessioni, non sappiamo che fine abbia fatto. Disponiamo di due sue fotografie: una da sveglio e una in ipnosi, delle carte geografiche con l'itinerario dei suoi viaggi, e nulla più. In fondo per la psichiatria (dell'epoca?) non era un "uomo", ma solo un "caso". Si sa che sua moglie morì giovane di tubercolosi e che sua figlia, nel tentativo di ottenere un posto di lavoro come sarta, fu violentata e indotta alla prostituzione.

2. *La follia e le peripezie delle diagnosi psichiatriche*

Ma chi sono gli psichiatri? Sono i medici dell'anima (*psyché*) preposti alla sua cura (*iatreía*). Naturalmente per curare l'anima bisogna conoscerla. Ma gli psichiatri si sentono esonerati dalla conoscenza dell'anima individuale, perché a loro basta conoscere i sintomi della malattia, che sono poi quelle espressioni dissonanti rispetto al modo comune di essere al mondo che, in quanto dissonanti, vanno curati.

Ma qual è il modo comune di essere al mondo? È un modo che varia di epoca in epoca e da regione geografica a regione geografica, per cui quel che è normale in una tribù africana è folle per un cittadino europeo, così come quel che è normale oggi poteva essere rubricato tra le patologie nel secolo scorso. Si prenda ad esempio la masturbazione, per la quale c'erano nel Settecento e nell'Ottocento medici specializzati in "malattie respiratorie e masturbatorie", tra cui Simon André David Tissot che scrisse un libro sulle malattie mentali prodotte dalla masturbazione,[11] o il suo contemporaneo Johann Georg Zimmermann,[12] medico personale di Federico II di Prussia, che condivide tutte le teorie di Tissot, con l'unica variante che considera

[10] R. Laing, *The Politics of Experience* (1967); tr. it. *La politica dell'esperienza*, Feltrinelli, Milano 1968, p. 115.

[11] S.A.D. Tissot, *De l'onanisme. Sur les maladies produites par la masturbation* (1760), Lousanne 1775.

[12] J.G. Zimmermann, *Warnung an Aeltern, Erzieher und Kinderfreunde wegen der Selbstbefleckung*, in G. Baldinger (a cura di), *Neues Magazin für Aerzte*, Leipzig 1779, pp. 43-51.

l'onanismo femminile molto più gravido di conseguenze morbose di quello maschile.

La psichiatria dunque, per un lungo periodo si affida, più che al sapere, alle richieste d'ordine che di volta in volta provengono dal sociale, rubricando nella forma della malattia tutto ciò che l'ordine sociale espelle da sé. Eppure, come ci ricorda Franco Basaglia, dovremmo sapere che:

> La follia è una condizione umana. In noi la follia esiste ed è presente come lo è la ragione. Il problema è che la società, per dirsi civile, dovrebbe accettare tanto la ragione quanto la follia, invece incarica una scienza, la psichiatria, per tradurre la *follia* in *malattia* allo scopo di eliminarla. Il manicomio ha qui la sua ragion d'essere che è poi quella di far diventare razionale l'irrazionale. Quando qualcuno è folle ed entra in manicomio smette di essere *folle* per trasformarsi in *malato*. Diventa razionale in quanto malato.[13]

Oggi i manicomi (non si sa fino a quando) sono stati chiusi, e i folli, sottratti al trattamento manicomiale, sono stati affidati al trattamento biochimico. Forse il successo della legge Basaglia, che ha avviato la chiusura dei manicomi, è dovuto al fatto che si sono liberati edifici (gli istituti manicomiali) e offerto un discreto business alle industrie farmaceutiche. Di tutto ciò la psichiatria non è colpevole, perché la psichiatria è una "iatria", una cura, non un sapere, non una "logia". La psichiatria conosce la schizofrenia, di cui elenca statisticamente i sintomi, non lo schizofrenico cancellato come uomo e ridotto a "caso di una malattia". Già Jung – allievo di Eugen Bleuler (lo psichiatra che introdusse il termine "schizofrenia") a cui Freud chiese, senza successo, di aderire al movimento psicoanalitico che andava fondando – ebbe a dire:

> Un tempo codesta malattia veniva designata con il nome non del tutto appropriato di "demenza precoce" datale da Kraepelin. Bleuler la chiamò più tardi "schizofrenia". Sventura volle che questa malattia fosse scoperta dagli psichiatri, giacché è a questo fatto che si deve la sua prognosi apparentemente infausta. "Demenza precoce" è infatti sinonimo di malattia incurabile. Che sarebbe dell'isterismo se lo si giudicasse dal punto di vista della psichiatria! Lo psichiatra, come è naturale, ha modo di vedere nel suo ospedale solo i casi più disperati e, sentendosi come paralizzato per quel che riguarda la te-

[13] F. Basaglia, *Conferenze brasiliane* (1979), Raffaello Cortina, Milano 2000, p. 34.

rapia, è logico che sia pessimista. I tubercolotici sarebbero in una situazione deplorevole, se si presentasse la loro malattia basandosi esclusivamente sulle osservazioni fatte in un sanatorio per incurabili! Come i soggetti affetti da isterismo cronico che si abbrutiscono lentamente nei manicomi sono poco indicativi del vero isterismo, così la "schizofrenia" non può servir da norma per quei suoi studi preliminari tanto frequenti nella pratica medica e che di rado hanno modo di cadere sotto lo sguardo degli psichiatri dei nosocomi. "Psicosi latente": ecco un concetto che lo psicoterapeuta ben conosce e paventa.[14]

Questi concetti vengono di nuovo ribaditi in una lettera che Jung scrive a Freud nel 1907:

> Ho potuto constatare una volta ancora, fino alla sazietà, che senza le sue idee la psichiatria va a sbattere inevitabilmente contro un muro, come è già il caso di Kraepelin. Anatomia e sforzi di classificazione continuano a dominare il campo oggi, ma si tratta di strade secondarie che non portano in nessuna direzione.[15]

Sette anni dopo Eugène Minkowski, in un articolo che ha per titolo *A proposito della nosologia in psichiatria,* scriveva:

> Al tempo in cui, nel 1914, ero assistente di Bleuler, per ogni nuovo caso si trovava un cartoncino rosa con una nomenclatura nosologica più o meno convenzionale sul quale bisognava segnare con una croce la diagnosi scelta.[16]

Dal 1914 è passato quasi un secolo, e qual è stato il progresso della psichiatria? Dal punto di vista del metodo direi assolutamente nulla. Per convincersene basta leggere la descrizione della schizofrenia data dall'ultima edizione del *Manuale diagnostico e statistico dei disturbi mentali* (Dsm IV) dell'American Psychiatric Association, il testo di riferimento per tutti gli psichiatri del mondo. A costo di annoiare il lettore, riporto senza commento i primi tre paragrafi della voce "Schizofrenia":

[14] C.G. JUNG, *Wandlungen und Symbole der Libido* (1912), riedito con il titolo *Symbole der Wandlung. Analyse des Vorspieles zu einer Schizophrenie* (1952); tr. it. *Simboli della trasformazione*, in *Opere*, Bollati Boringhieri, Torino 1969-1998, vol. V, p. 52.

[15] C.G. JUNG, *Lettera 44J* dell'11 settembre 1907, in *Lettere tra Freud e Jung* (1906-1913), Bollati Boringhieri, Torino 1974, p. 93.

[16] E. MINKOWSKI, *À propos de la nosologie en psychiatrie*, in "Annales Médico-Psychologique", n. CXXV (1967), vol. II, p. 68.

A. *Sintomi caratteristici*: due (o più) dei sintomi seguenti, ciascuno presente per un periodo di tempo significativo durante un periodo di un mese (o meno se trattati con successo): 1. deliri, 2. allucinazioni, 3. eloquio disorganizzato (per esempio frequenti deragliamenti o incoerenza), 4. comportamento grossolanamente disorganizzato o catatonico, 5. sintomi negativi, cioè appiattimento dell'affettività, alogia, abulia.
Nota: è richiesto un solo sintomo del criterio A se i deliri sono bizzarri, o se le allucinazioni consistono di una voce che continua a commentare il comportamento o i pensieri del soggetto, o di due o più voci che conversano tra loro.
B. *Disfunzione sociale-lavorativa*: per un periodo significativo di tempo dall'esordio del disturbo, una o più delle principali aree di funzionamento come il lavoro, le relazioni interpersonali, o la cura di sé si trovano notevolmente al di sotto del livello raggiunto prima della malattia (oppure, quando l'esordio è nell'infanzia o nell'adolescenza, si manifesta un'incapacità di raggiungere il livello di funzionamento interpersonale, scolastico o lavorativo prevedibile).
C. *Durata*: segni continuativi del disturbo persistono per almeno sei mesi. Questo periodo di sei mesi deve includere almeno un mese di sintomi (o meno se trattati con successo) che soddisfino il criterio A (cioè sintomi della fase attiva), e può includere periodi di sintomi prodromici o residui. Durante questi periodi prodromici o residui, i segni del disturbo possono essere manifestati soltanto da sintomi negativi o da due o più sintomi elencati nel criterio A presenti in forma attenuata (per esempio convinzioni strane, esperienze percettive inusuali).

Ora che sappiamo cos'è per la psichiatria la schizofrenia, leggiamo qualche riga delle pagine che ci hanno lasciato un uomo e una donna che sono incorsi in questa diagnosi. L'uomo è il drammaturgo Antonin Artaud:

Ho passato nove anni in un manicomio. [...] I manicomi sono da bruciare come ricettacoli di magia nera e io ho visto troppi orrori. [...] I medici dei manicomi sono dei sadici coscienti e premeditati, e a quello che mi dirà: "Antonin Artaud, tu sei pazzo", io gli risponderò: "Tu sei il cinico, e non è da un giorno che ti conosco". Se non ci fossero stati dei medici non ci sarebbero stati dei malati, perché è dai medici e non dai malati che la società è cominciata. Quelli che vivono, vivono dei morti. E bisogna anche che la morte viva, e non c'è niente come un manicomio per covare dolcemente la morte. E tenere nell'incubatrice dei morti. Ciò è cominciato quattromila anni avanti Gesù Cristo, questa tecnica della morte lenta, e la medicina moderna, complice della più sinistra e abietta magia, passa i suoi morti per l'elettrochoc o per l'insulinoterapia per bene vuotare ogni giorno gli uomini dal loro io, e di presentarli così vuoti, cioè fantasticamente disponibili e vuoti, alle oscene sollecitazioni anatomiche e atomiche dello stato chiamato Bardo, consegna dell'equipaggiamento di vivere alle esigenze del non-io.[17]

La donna è la poetessa Alda Merini, che ha concesso alla rivista "aut aut" una sua pagina inedita:

> È inutile accantonare certe figure che io ho raccolto durante la mia vita asociale cintata da quelle mura che tutti hanno creduto sterili e senza canto. Ci sono anni, in cui la poesia tace, ed è come se la vita si tirasse indietro e dai polpastrelli scompare l'attitudine al tatto, alla materia, al brivido. Sono anni incolori in cui uno si siede a numerare le piastrelle del suo pavimento che gli sembrano rombi infelici rispetto alla sua grandezza.
> Ti parlo di pancacce di legno e intendo dire che queste panche hanno deriso ma hanno anche rivelato i grandi misteri della vita. Queste panche erano alberi, alberi pieni di suoni e di colori, e bastava un poco di fantasia per dimorare in quella grande stanchezza che genera le albe migliori e i figli... sì, i figli non li avresti dimenticati mentre sorgeva la notte, mentre tante anime erano inoperose. [...]
> Alle volte ho riso del mio disfacimento e di quello degli altri, delle calunnie e delle magie occulte. E poi come erano ilari certi confini tra il sogno e la realtà. Il delirio, quel cornicione asciutto su cui ho camminato per anni come una sonnambula con le labbra in avanti, ansiosa di un bacio d'amore.
> Oggi devo sempre giustificarmi nelle trattorie, e quando mi chiedono "è sola?" dico che siamo in tre, noi due e l'amica ironia, la beffa del poeta contro la vita.[18]

Ma allora gli schizofrenici sono diversi dalla schizofrenia come è descritta dalla psichiatria che, lo ripeto, è una "iatria", cioè una cura, non una "logia", cioè un sapere che vuole capire lo schizofrenico a partire dalla sua anima e non dall'elenco dei suoi sintomi, dalla comprensione di un uomo e non dalla spiegazione di una malattia così imprecisa, incerta, così variamente modulata nelle sue espressioni individuali.

Fu così che nel 1913 si affermò, con Jaspers, la *psicopatologia* che non è una "iatria", ma una "logia", un sapere, un tentativo di

[17] A. Artaud, *Dossier d'Artaud le mômo (Aliénation et magie noire)*, tr. it. *Dossier di Artaud le mômo (Alienazione e magia nera)*, in "aut aut", n. 285-286, maggio agosto 1998, pp. 204-206.

[18] A. Merini, *Queste panche erano alberi*, in "aut aut", n. 285-286, maggio-agosto 1998, pp. 204-206.

comprendere la multiforme fenomenologia dei sintomi a partire dalla modalità individuale in cui si esprimono in ciascun individuo.[19] E dopo Jaspers, Ludwig Binswanger ci descrive la schizofrenia quale appare agli occhi non dello psichiatra, ma dello psicopatologo che, lungi dal sovraccaricare il folle di sovrastrutture teoriche a lui estranee, abolisce la distinzione concettuale tra salute e malattia mentale, perché sia il "sano" sia il "folle" appartengono allo stesso mondo, anche se il folle vi appartiene con una struttura di modelli percettivi e comportamentali differenti, dove la differenza non ha più il significato della "dis-fuzione", ma semplicemente quella della "funzione" di un certo modo di essere al mondo e di progettare nonostante tutto un mondo.[20]

Un mondo comprensibile non sulla base dei sintomi, dove si evidenziano le differenze rispetto al modo medio e comune di esistere, ma sulla base delle modalità, comuni a tutti gli uomini e perciò comprensibili oggettivamente e non solo per empatia, quali il tempo (che si frantuma), lo spazio (che si contrae), il passato (che allucina), il futuro (che si svuota), la distanza (che si annulla), la prossimità delle cose quotidianamente raggiunte e abbandonate perché la loro consistenza si è fatta labile e la fantasia corposa.

E allora forse bisogna proprio mettersi "a cavallo di quel muretto" sul quale, a sentire Pier Aldo Rovatti, da sempre sono a dialogare follia e filosofia, perché:

> La natura e il trattamento della linea che separa il senso dal nonsenso sono questioni che abitano fin da subito il gesto del pensiero: nello stesso Cartesio l'imprigionamento sancito dal cogito è accompagnato dall'apertura abissale a cui il cogito è inevitabilmente esposto. Se la follia è una parola impropria che indica il luogo del nonsenso, allora ogni gesto filosofico o di pensiero ha a che fare con la follia.[21]

A differenza della filosofia, la psichiatria, come ci ricorda Foucault,[22] relegando la follia nell'ordine della malattia, istituisce se

[19] K. Jaspers, *Allgemeine Psychopatologie* (1913-1959); tr. it. *Psicopatologia generale*, Il Pensiero Scientifico, Roma 2000.

[20] L. Binswanger, *Ausgewählte Vorträge und Aufsätze. Zur phänomenologische Anthropologie* (1920-1936, pubblicato nel 1947); tr. it. *Per un'antropologia fenomenologica*, Feltrinelli, Milano 1970.

[21] P.A. Rovatti, *A cavallo di un muretto. Note su follia e filosofia*, in "aut aut", n. 285-286, maggio-agosto 1998, p. 7.

[22] M. Foucault, *Préface a l'Histoire de la folie à l'âge classique* (1961); tr. it. *Prefazione alla "Storia della follia"*, in *Archivio Foucault*, vol. I, 1961-1970, Feltrinelli, Milano 1996.

stessa non come cura della diversità, ma come quella cura che tutela i cosiddetti "sani" dalla loro paura della diversità. E allora forse è bene che la filosofia intervenga di diritto accanto alla psichiatria a moderare il lavoro di tutela della psichiatria, perché se è vero, come ci ricorda Rovatti, che la follia indica il luogo del non-senso, non dimentichiamo che la linea che separa il senso dal non-senso è la questione che tormenta e fonda il primo gesto del pensiero filosofico.

Dialogando con la filosofia e con la psicopatologia, la psichiatria potrebbe uscire dal mondo chiuso dei "corpi", divenuti per la psichiatria "anime", e apprendere che normalità e follia, le protagoniste del suo inquietante teatro dove non c'è scena senza il loro alterno dialogare, hanno una loro unitarietà nell'atto stesso della nascita della coscienza, partendo dal quale è possibile dire che: *come noi parliamo della follia, così la follia parla di noi*.

E questo resta vero anche se per la psichiatria dei giorni nostri la follia è solo una faccenda biochimica. Come infatti ci ricorda Ronald Laing: "Sappiamo che la biochimica di un essere umano è altamente sensibile alle circostanze sociali".[23] Invece di intervenire su quelle, oggi sembra che il monito di Laing sia stato capovolto: "Le circostanze sociali si sono fatte altamente sensibili alla biochimica". Se questa è l'ultima parola della psichiatria, vediamo almeno di non chiamare tutto questo "progresso scientifico".

3. *Il dilemma della psichiatria: scienza naturale o scienza umana?*

> Se la razza umana sopravvivrà, gli uomini del futuro, temo, guarderanno intorno alla nostra illuminata epoca come a una vera età delle tenebre, e probabilmente saranno in grado meglio di noi di trarre divertimento dall'ironia della situazione: rideranno di noi. Vedranno chiaramente come ciò che noi ora chiamiamo "schizofrenia" fosse una delle forme in cui, spesso, tramite delle persone del tutto comuni, la luce cominciava a baluginare tra le crepe delle nostre menti rigidamente serrate.[24]

[23] R.D. Laing, *La politica dell'esperienza*, cit., Milano 1968, p. 115.
[24] Ivi, pp. 129-130.

Così scriveva Ronald Laing ne *La politica dell'esperienza*, un libro che suscitò molti entusiasmi negli anni settanta quando i movimenti dell'antipsichiatria cominciarono a discutere dell'opportunità di procedere alla chiusura dei manicomi, ritenuti più utili alla reclusione che alla guarigione. Oggi al manicomio, un'istituzione ingombrante, complessa, problematica e costosa, si è sostituita la chimica, che circoscrive la follia non nel recinto di una costruzione, ma nel chiuso dell'anima individuale. Pazzi, ma soli. E soprattutto senza un vociare tumultuoso e un gestire ingombrante per gli altri.

A opporsi con forza e radicalità all'orientamento biologico e classificatorio che la psichiatria italiana va assumendo sotto l'influenza della psichiatria americana è Bruno Callieri, secondo il quale si ha l'impressione che la psichiatria non sia più la scienza del disagio mentale, ma la scienza delle nostre difese nei confronti del disagio mentale.

Nel bisogno incontenibile di costituirsi come *scienza esatta* sul modello delle scienze naturali, invece di mantenersi al livello di *scienza umana* come sembrerebbe richiedere il suo oggetto,[25] la psichiatria non vede più l'*uomo*, ma la *malattia*, a cui rivolgersi con un atteggiamento di fredda neutralità e obiettiva distanziazione, con gli occhi puntati sui sintomi nella loro costituzione schematica, lasciando nella più oscura insignificanza quei nodi di significato che si addensano e si stratificano nei sintomi.

Per questo tipo di sguardo, oggi dominante perché sostenuto da un lato dall'industria farmaceutica a cui non interessano le produzioni di senso espresse dall'esperienza psicotica, e dall'altro dall'ansia sociale e familiare a cui interessa solo la riduzione dei sintomi che sono fonte di inquietudine e di lacerante angoscia, per questo tipo di sguardo, osserva Bruno Callieri, può esistere solo la malattia e non può esistere una soggettività portatrice di segni, il cui significato muta a seconda del contesto ambientale e della qualità della comunicazione interpersonale.[26]

Questa tendenza psichiatrica, oggi sempre più diffusa, solo mentendo a se stessa può dirsi "scientifica", perché non può considerarsi scientifico un atteggiamento che, per raggiungere i suoi

[25] Per questa distinzione si veda W. Dilthey, *Einleitung in die Geisteswissenschaften* (1883); tr. it. *Introduzione alle scienze dello spirito*, Bompiani, Milano 2007.

[26] B. Callieri, *Lo psicopatologo clinico e la demitizzazione della nosologia*, in A. Ballerini, B. Callieri (a cura di), *Breviario di psicopatologia*, Feltrinelli, Milano 1996, pp. 43-50.

scopi dettati dall'industria farmaceutica e dall'ansia sociale, falsifica, quando addirittura non trascura, un dato d'esperienza.

Ed è un dato d'esperienza che chiunque può constatare il fatto che i sintomi psicotici, come scrive Eugenio Borgna, non rappresentano clinicamente qualcosa di statico e di immodificabile che prescinde dai modi interiori con cui sono ascoltati, ma costituiscono qualcosa di fluido e di mutevole che si attenua e si decompone, si sfilaccia e si svuota a seconda della disposizione che si assume nei confronti dei pazienti: disposizione di apertura e di accoglienza o di chiusura e di opaca incomprensione.[27]

Questa modificabilità dei sintomi, che non sfugge a qualsiasi osservazione attenta, è un dato d'esperienza sufficiente a tematizzare i sintomi psicotici non come epifenomeni della biochimica cerebrale e come tali riducibili solo farmacologicamente, ma come modi relazionali che si formano e si aggregano così come si disfano e si disaggregano in base alle diverse strutture relazionali con cui si confrontano, per cui, come scrive Ronald Laing: "Può non essere una perdita di tempo star seduto delle ore accanto a un catatonico che dà tutti i segni di non riconoscere la sua esistenza".[28] Questa silenziosa vicinanza, infatti, se da un lato può evitare al catatonico l'insignificanza della sua solitudine, certamente evita allo psichiatra il monologo solitario della sua ragione sulla follia.

Ma vediamo di conoscerlo questo monologo paludato di scienza e perciò votato allo spirito di incomprensione della qualità della sofferenza che, come ognuno sa per esperienza diretta, si declina sempre secondo le modalità dell'individuo e non del calcolo statistico con cui sono costruiti quei diffusissimi manuali diagnostici Icd e Dsm che sono la bibbia di tutti gli psichiatri senz'anima che, pur di difendersi dal contatto con il paziente, sfoggiano classificazioni di malattie come il botanico le classificazioni delle piante, nella completa noncuranza di chi sta di fronte, a proposito del quale scrive Callieri:

> L'Altro, il Tu, proprio perché appello, incontro, evento, volto, non posso manipolarlo neppure riconoscendo l'oggettivabile denominatore comune della *natura* umana, della "mente neuronale", della *basic personality* di Linton: il Tu resta sempre l'alterità che mi si

[27] E. Borgna, *Malinconia*, Feltrinelli, Milano 1992, capitolo 1: "Senso e non senso dell'esperienza psicotica", pp. 19-36.
[28] R.D. Laing, *The Divided Self* (1959); tr. it. *L'io diviso. Studio di psichiatria esistenziale*, Einaudi, Torino 1969, p. 32.

pone di fronte con le modalità ineludibili e irriducibili dell'incontro, anche se questo Tu è confinato in un letto o nel fondo di una corsia, in un grigio (anche se verde) ospizio o in un qualificato centro medico, oggetto delle mie indagini impersonali, o nel mio studio medico.[29]

Eppure, prosegue Callieri, "dall'ordinamento tassonomico invece che dallo sforzo e dall'impegno dell'incontro personale, che è poi l'unico in grado di cogliere la modulazione esistenziale delle singole esperienze",[30] gli psichiatri di oggi rimuovono la *psicopatologia*, che è il vero momento scientifico della psichiatria perché considera i fenomeni psichici come aree di esperienza distinte dai fenomeni biologici, per risolvere la psichiatria o in *encefaloiatria* o in *socioiatria*. Infatti, scrive Eugenio Borgna:

> Oggi la psichiatria sembra divorata e sopraffatta da una dilagante farmacopsichiatria o da una trionfante (assolutizzata) psichiatria sociale che diviene non infrequentemente socioiatria. [...] Ovviamente ciascuno è libero di fare le sue scelte: di lasciarsi risucchiare dal fascino segreto e talora demoniaco di una psichiatria naturalistica che oggi è farmacopsichiatria, o dalle sirene dileguanti di una psichiatria territoriale che è la controfigura lacerata di una autentica e radicale psichiatria sociale.[31]

Nel primo caso si ha un appiattimento dei fenomeni psichici sui fenomeni organici, nel secondo un appiattimento sui fenomeni sociali, con conseguente destituzione della specificità della psichiatria che, come sottolinea Borgna, "da scienza applicata all'analisi delle esperienze *soggettive*, si uniforma alle scienze radicalmente e spietatamente *oggettive*".[32]

C'è chi potrebbe vedere in tutto ciò un'evoluzione e convenire con Wilhelm Griesinger che, a partire dall'impostazione somatico-positivista dominante nell'Ottocento, non esitò a dichiarare che "le malattie mentali sono malattie del cervello".[33] Anche se poi fu lo stesso Griesinger a dubitare della sua ipotesi là dove scrive:

[29] B. Callieri, *Lo psicopatologo clinico e la demitizzazione della nosologia*, cit., p. 44.
[30] *Ibidem.*
[31] E. Borgna, *Il fantasma della psicopatologia*, in A. Ballerini, B. Callieri (a cura di), *Breviario di psicopatologia*, cit., pp. 33-34.
[32] Ivi, p. 35.
[33] W. Griesinger, *Leherbuch der Pathologie und Therapie der psychischen Krankheiten*, Braunschweig, Stuttgart 1845, p. 9.

A che servirebbe se conoscessimo tutto ciò che accade nel cervello durante la sua attività, se potessimo penetrare tutti i processi chimici, elettrici e così via, fino all'ultimo dettaglio? Qualsiasi oscillazione e vibrazione, qualsiasi evento chimico e meccanico, non è mai uno stato d'animo, un'idea. Comunque vadano le cose, quest'enigma resterà insoluto fino alla fine dei tempi, e io credo che se oggi venisse un angelo dal cielo e ci spiegasse tutto, il nostro intelletto non sarebbe nemmeno capace di comprenderlo.[34]

Questa "considerazione inattuale" di Griesinger, che sorprenderà tutti gli psichiatri organicisti che l'hanno assunto come padre, è richiamata da Alberto Gaston[35] che, dopo aver mostrato che la medicina non è una scienza esatta, per cui, anche a costo di togliere un po' di sicurezza ai pazienti, dovrebbe "esercitare il dubbio e l'approccio problematico", ancor meno esatta è la psichiatria, che neppure dispone degli strumenti scientifici classici della medicina, quali l'etiologia, la fisiologia e la patologia.

Se è vero infatti, scrive sempre Gaston, che "non siamo andati molto avanti rispetto alla dura e rigorosa affermazione di Giovanni Battista Morgagni (il primo grande anatomo-patologo che nel Settecento individuò la sindrome maniaco-depressiva) che definiva il substrato medico di riferimento *textura obscura, obscuriores functiones, morbi obscurissimi*", costruire un manuale diagnostico quando "non conosciamo le cause delle cosiddette malattie mentali e in più non siamo a conoscenza del valore patogenetico o semplicemente di sede, che può avere la relativa struttura di riferimento, sia essa il cervello (in toto o in una sua parte) sia essa una sinapsi",[36] significa paludarsi di abiti impropri e ricadere nella denuncia che Kant rivolgeva a certi medici e in particolare ai "medici della mente che ritengono di aver scoperto una nuova malattia ogni volta che escogitano un nome nuovo".[37]

La psichiatria, infatti, non è e non può essere scienza della natura, perché, come osserva opportunamente Gaston, le scienze naturali sono *scienze di leggi* dove i singoli fatti hanno valore non per la loro singolarità, ma per la loro ripetibilità, mentre la psichiatria, al pari di tutte le *scienze dello spirito*, si occupa "di

[34] Ivi, p 125.
[35] A. Gaston, *La psicopatologia tra scienze della natura e scienze dello spirito*, in A. Ballerini, B. Callieri (a cura di), *Breviario di psicopatologia*, cit., p. 87.
[36] Ivi, p. 83.
[37] I. Kant, *Saggio sulle malattie della testa*, cit., pp. 75-76.

singole persone, di singoli fatti, di espressioni isolate e uniche, di particolarità, non solo singolari, ma addirittura irripetibili".[38]

Se queste considerazioni appaiono insignificanti agli psichiatri più attenti alle sollecitazioni delle industrie farmaceutiche che ai problemi epistemologici, detti psichiatri non potranno non convenire con Eugenio Borgna là dove scrive che:

> In psichiatria non si danno diagnosi se non sindromiche, quindi convenzionali. Non si fa diagnosi di un'esperienza psicotica o neurotica sulla base di elementi esterni alla soggettività del paziente e, cioè, sulla base di una fredda (neutrale) valutazione dei "sintomi" che non possono essere intesi e interpretati come indici (indizi) di malattia: essendo essi estremamente mutevoli e configurandosi essi come *segni* che si lasciano capire e decifrare con categorie ermeneutiche di discorso. Non ci sono "sintomi" lineari e rigidi, bloccati in psichiatria ma, appunto, segni immersi nella intersoggettività e nella rete delle relazioni sociali.[39]

Se ciò non basta a distogliere la psichiatria oggi dominante dalla tentazione a costituirsi come scienza oggettiva, Bruno Callieri ricorda, a tutti gli psichiatri che si rifugiano nei manuali diagnostici per nascondere a se stessi la propria insicurezza, "la *storicità* del sintomo, il suo esser senso nella vicenda esistenziale (mai astorica, il che invece purtroppo è l'errore della *psichiatria oggettivante*) e insieme la sua irrepetibile singolarità".[40] Sulla storicità del sintomo ritorna anche Alberto Gaston per il quale:

> Dove c'è l'uomo c'è storicità. Si può concludere che qualsiasi uomo espulso o defraudato dalla sua storia perde per ciò stesso la sua "dimensione" di uomo. Non ci sembra inutile ricordare che Marx ed Engels, parlando dell'alienazione, ribadivano il concetto che "la svalorizzazione del mondo umano cresce in rapporto diretto con la valorizzazione del mondo delle cose".[41]

Se Marx è autore fuori moda di questi tempi, in cui si celebrano le magnifiche sorti dell'individuo e della sua libertà in un

[38] A. Gaston, *La psicopatologia tra scienze della natura e scienze dello spirito*, cit., p. 89.
[39] E. Borgna, *Il fantasma della psicopatologia*, cit., p. 36.
[40] B. Callieri, *Lo psicopatologo clinico e la demitizzazione della nosologia*, cit., p. 46.
[41] A. Gaston, *La psicopatologia tra scienze della natura e scienze dello spirito*, cit., p. 89.

contesto di scarsissima sensibilità sociale, almeno non si dimentichi il monito di Kafka: "Scrivere una ricetta è facile, parlare con chi soffre è molto più difficile".[42] Ma per comprendere chi soffre è necessario che la psichiatria rinunci alla sua pretesa *scientifica* per conciliarsi con la sua dimensione *clinica*.

Clinica non è diagnosi e prognosi. *Clinica è declinazione*. E come i verbi si declinano per rendere il più fedelmente possibile la situazione, così l'atteggiamento clinico, invece di assestarsi nel suo sapere che altro non è se non uno dei molti modi per non essere in dialogo con l'altro, deve declinarsi in quella verità che l'altro abita, per intenderla là dove scaturisce nella sua condizione meno mascherata. "Noi siamo un colloquio,"[43] dice Hölderlin, e, quasi in forma di commento, Borgna scrive che:

> Sarebbero necessarie dosi minori di analgesici, di sonniferi, di tranquillanti e magari di insulina nei diabetici se i pazienti potessero essere ascoltati: alleggerendo la loro solitudine che esaspera e aggrava ogni condizione di sofferenza psicologica ma anche di malattia.[44]

Il colloquio è fatto unicamente di parole, ma le parole non si dicono solo, si ascoltano anche. Ascoltare non è "prestare l'orecchio", è farsi condurre dalla parola dell'altro là dove la parola conduce. Se poi, invece della parola, c'è il silenzio dell'altro, allora ci si fa guidare da quel silenzio. Nel luogo indicato da quel silenzio è dato reperire, per chi ha uno sguardo forte e osa guardare in faccia il dolore, la verità avvertita dal nostro cuore e sepolta dagli psicofarmaci la cui prima funzione è quella di mettere a tacere il cuore. Per questo molti psichiatri biologicamente orientati evitano l'incontro e il dialogo con il folle. Lo sguardo di pietra di quest'ultimo è un atto d'accusa al silenzio che essi hanno imposto al loro cuore.

[42] F. Kafka, *Betrachtungen über Sünde, Leid, Hoffnung und den wahren Weg* (1917-1918); tr. it. *Considerazioni sul peccato, il dolore, la speranza e la vera via*, in *Confessioni e diari*, Mondadori, Milano 1976, p. 795.

[43] È questa un'espressione che ritroviamo nell'abbozzo di una poesia incompiuta di F. Hölderlin, che comincia con *Versöhnender, der du nimmergeglaubt* (Conciliatore, tu che non mi hai creduto), in *Le liriche*, Adelphi, Milano 1977, tomo II, p. 184, commentata da M. Heidegger in *Erläuterungen zu Hölderlins Dichtung* (1944); tr. it. *La poesia di Hölderlin*, Adelphi, Milano 1988, p. 47.

[44] E. Borgna, *Malinconia*, cit., p. 169.

4. *La psichiatria fenomenologica e le figure dell'ascolto e dello sguardo*

Perché la *psichiatria organicista*, quella che impiega i farmaci per intenderci, utilissimi, anzi in alcuni casi indispensabili per alleviare le condizioni di chi soffre, non ascolta con una certa continuità e frequenza le parole che sgorgano dalla sofferenza e che riproducono in modo drammatico le condizioni d'esistenza di ciascuno di noi, e in modo vertiginoso alcuni abissi che solo l'arte, la poesia, la musica, la mistica sanno dischiudere, chiedendo spesso il sacrificio dell'artista, del poeta, del musicista, del mistico?

Solo la *psichiatria fenomenologica*, che in Italia non è insegnata in alcuna scuola di specializzazione, si presta a questo ascolto, per andare incontro alla speranza di chi soffre, sciogliere i vissuti di colpa che incatenano, perforare i muri della solitudine quando nessuna parola la raggiunge, nessun gesto la incrina, fino a quel *tædium vitæ* che tutti, per brevi attimi, avvertiamo come nausea dell'esistenza.

Perché non avviene un'integrazione di questi due orientamenti psichiatrici? Perché la pratica farmacologica sopprime l'ascolto, disumanizza l'uomo, riducendolo a un "caso" da rubricare in quei quadri nosologici, dove è l'efficacia del farmaco a decidere la diagnosi, mettendo a tacere tutte le parole del dolore che la follia urla e le nostre anime sussurrano? E così disimpariamo il vocabolario delle emozioni, anche se sappiamo che tutte le parole dimenticate diventano opachi silenzi del cuore, che aprono quei percorsi bui e insospettati di cui ci accorgiamo solo quando approdano a gesti tragici.

Perché la follia sta diventando solo una faccenda "medica" e non più un evento "umano"? Perché la categoria della "malattia" deve occupare tutto lo spazio, fino a oscurare la profonda parentela che esiste tra l'eccesso dell'anima e la sua normale condizione? Perché ricorrere subito a un medico o a un farmaco quando la malinconia di un adolescente o la sua angoscia, almeno all'inizio, stanno implorando solo un po' di ascolto? Davvero non abbiamo più alcuna fiducia in uno sguardo comprensivo, in una parola che sa corrispondere all'abisso della disperazione? Davvero non abbiamo più tempo in quest'epoca che ci vuole tutti insensatamente gioiosi e, se non riusciamo, almeno mascherati da quella fredda razionalità che non lascia trasparire alcun moto d'anima?

E allora, se proprio nessuno ci ascolta, se noi stessi, complici di questa mancata comunicazione, imbocchiamo quella strada che ci porta a tacitare l'anima, per poi offrirci, disarmati, alle sue profonde perturbazioni che neppure sappiamo più riconoscere e tantomeno nominare, se il silenzio intorno a noi e dentro di noi si è fatto cupo e buio, apriamo un luogo di conoscenza, una terra amica, dove possiamo constatare che le "malattie dell'anima", prima che una faccenda medica o farmacologica, sono condizioni comuni dell'esistenza umana, che i poeti, prima e meglio degli psichiatri, sanno descrivere in tutta la loro abissalità. Perché i poeti, come ci ricorda Heidegger, sono "i più arrischianti",[45] i più vicini, quando non i più inoltrati negli scenari della follia, dove la condizione umana è descritta fino a quei limiti a cui può estendersi e implorare ascolto, accoglienza, ri-conoscenza.

A partire da queste considerazioni propongo agli psichiatri (perché non rinchiudano subito la follia nelle mura spesse e opache della malattia) e a tutti noi (per non cancellare, fino a dimenticarle del tutto, le parole dell'anima) due importanti contributi della psichiatria fenomenologica. Uno di Eugenio Borgna, *Come in uno specchio oscuramente,*[46] l'altro di Bruno Callieri, *Corpo, esistenze, mondi.*[47]

Borgna e Callieri sono oggi i due maggiori psicopatologi italiani che, dall'alto della loro biografia e pratica clinica, si espongono in questi libri, raccontando i loro incontri con l'esperienza psicotica a cui si sono offerti, come ospiti a un tempo stranieri e insieme compartecipi, a quei mondi che oscillano tra realtà e delirio, in uno spazio coartato dall'angoscia o dilatato nel buio senza confine e senza fondo della depressione malinconica, alla ricerca di un senso, dove anche le forme più sgangherate di follia riflettono le aree tematiche raggiunte dai vertici della poesia, o segretate nelle pieghe della nostra anima di cui non abbiamo più cura.

Seguendo l'intuizione del poeta romantico Clemens Brentano, Eugenio Borgna legge la follia come "la sorella sfortunata della poesia".[48] E perciò le esperienze di vita e di morte nelle considerazioni filosofiche di Simone Weil, la malinconia sfibrata e oscura di Emily Dickinson e di Ingeborg Bachmann che si fa mu-

[45] M. Heidegger, *Wozu Dichter?* (1946); tr. it. *Perché i poeti?*, in *Sentieri interrotti*, La Nuova Italia, Firenze 1968, p. 292.

[46] E. Borgna, *Come in uno specchio oscuramente*, Feltrinelli, Milano 2007.

[47] B. Callieri, *Corpo, esistenze, mondi. Per una psicopatologia antropologica*, Edizioni Universitarie Romane, Roma 2007.

[48] E. Borgna, *Come in uno specchio oscuramente*, cit., p. 14.

sica in Franz Schubert, l'angoscia che soffoca e però trova parola in Georg Trakl ed espressione in Francesco Bacone, il destino di dolore che è scacco esistenziale di Van Gogh, nelle cui esperienze artistiche trova espressione l'angoscia psicotica, sono quello specchio dove, ora oscuramente, ora con toni abbaglianti, la condizione esistenziale di noi tutti trova un suo riflesso, una sua descrizione, che la psichiatria organicista trascura, mentre la psichiatria fenomenologica raccoglie per offrirla a chiunque voglia conoscere quanto è segretato nella propria anima, ma mai, per fortuna, definitivamente sepolto.

C'è, infatti, una creatività sempre incistata nella follia, c'è un bisogno di esprimere mondi altri da quello che abitualmente abitiamo, c'è un desiderio di espandere orizzonti fino alla vertigine del senza-confine, c'è la perla della conchiglia, come vuole l'immagine di Jaspers là dove scrive che:

> Lo spirito creativo dell'artista, pur condizionato dall'evolversi di una malattia, è al di là dell'opposizione tra normale e anormale e può essere metaforicamente rappresentato come la perla che nasce dalla malattia della conchiglia. Come non si pensa alla malattia della conchiglia ammirandone la perla, così di fronte alla forza vitale dell'opera non pensiamo alla schizofrenia che forse era la condizione della sua nascita.[49]

Proprio perché ascolta, invece di tacitare immediatamente il linguaggio della follia con il farmaco, nel suo libro Eugenio Borgna riesce a individuare e a descrivere le differenze tra le connotazioni maschili e femminili dell'anoressia nella sua immersione in un presente divorato dal desiderio narcisistico di un corpo "altro" da quello che si ha, i diversi modi maschili e femminili di vivere la tristezza vitale della depressione e di immaginare la morte volontaria come ultimo orizzonte di una speranza divenuta impossibile. E ancora, riconoscere i volti dell'angoscia nelle differenti risonanze maschili e femminili di vivere gli sconvolgimenti emozionali e le metamorfosi relazionali, dove, come in uno specchio, è dato cogliere, oscuramente, quel che è in ciascuno di noi, perché ciascuno di noi, anche se non se ne rende conto, è quotidianamente impegnato ad armonizzare le dissonanze tra il mondo della ragione e il mondo della follia che ci abita.

E a proposito di "mondi", Bruno Callieri descrive, con la sen-

[49] K. JASPERS, *Strindberg und Van Gogh* (1922); tr. it. *Genio e follia. Strindberg e Van Gogh*, Raffaello Cortina, Milano 2001, p. 120.

sibilità del fenomenologo da cui si tiene distante la psichiatria organicista, il *mondo della vita* che ha per soggetto l'esistenza con i suoi vissuti, e non l'"organismo" a cui la pratica medica ha ridotto la nozione di "corpo". Infatti, quando in gioco è la sofferenza dell'esistenza, rapportarsi a un "apparato organico" come fa la medicina o a un "apparato psichico" come fa la psicologia è diverso dal rapportarsi fenomenologicamente a un corpo vivente che dispone di una sua esperienza e di un suo mondo.

Organicamente mi appariranno tensioni nervose e contrazioni muscolari, psicologicamente le dinamiche di quell'energia che Freud ha chiamato "libido", in nessuno dei due casi mi apparirà una successione di esperienze, perché sia l'apparato organico sia l'apparato psichico sono senza mondo e senza quell'intenzionalità che si dispiega nel desiderio, nel timore, nella speranza e nella disperazione per le cose del mondo.

A questo punto, pensare di comprendere meglio l'esperienza di un corpo vivente che abita un mondo, scindendolo nell'impersonalità dei due sistemi, uno organico e uno psichico, che per definizione non hanno un mondo, perché sono costruiti sui modelli concettuali ricavati dalla fisica e dalla biologia, significa non rendersi conto di quanto sia assurdo tentare di comprendere persone con procedimenti di spersonalizzazione.

Se infatti la follia, come ci ricorda Bruno Callieri, è la scissione nell'uomo, la sua lontananza dagli altri, la sua estraneità al mondo, come si può pensare di guarire applicando una dottrina i cui principi sono l'esatta riproduzione delle componenti della follia? Come si può pensare di condurre all'unità dell'esistenza un uomo "a pezzi", servendosi di una dottrina che non ha mai conosciuto l'unità, ma sempre e solo la giustapposizione dei "pezzi"?

Se è vero, come dice Heidegger, che "il linguaggio parla",[50] termini come psico-fisico, psico-somatico, bio-psico-logico, psico-pato-logico, psico-sociale dicono che la psicologia non ha mai conosciuto l'unità dell'esistenza, ma solo la composizione delle parti che la scienza ha già consegnato ai vari sistemi. Il suo sforzo di ricostruzione, come ci ricorda Ronald Laing, assomiglia "allo sforzo disperato dello schizofrenico per ricomporre il suo Io e il suo mondo disgregati".[51]

[50] M. Heidegger, *Die Sprache* (1950); tr. it. *Il linguaggio*, in *In cammino verso il linguaggio*, Mursia, Milano 1973, pp. 27-44. In proposito si veda anche U. Galimberti, *Il tramonto dell'Occidente nella lettura di Heidegger e Jaspers* (1975-1984), Feltrinelli, Milano 2005, Parte XV: "Heidegger e la ricerca del linguaggio", pp. 617-655.

[51] R.D. Laing, *L'io diviso*, cit., p. 24.

Quando la psichiatria organicista presterà ascolto alla psichiatria fenomenologica e imparerà a conoscere le "diverse modalità" della sofferenza esistenziale che non ha organi specifici di riferimento? E, soprattutto, quando noi, tutti noi, presteremo attenzione all'urlo straziante del folle o al suo muto silenzio, dal momento che non possiamo ignorare che la sua disperazione solo per intensità e frequenza differisce dalla nostra?

Per tematizzare le figure dell'ascolto, e più in generale della relazione medico-paziente, Eugenio Borgna preferisce attingerne le modalità non dal linguaggio clinico, ma da quello poetico, perché i poeti osano spingere l'esperienza umana fino al suo limite, affinché ceda il suo senso o il suo non-senso, in quegli abissi di verità che la poesia, la letteratura e talvolta la filosofia sanno raggiungere, al di là delle diagnosi cliniche, il cui vocabolario, spesso, sembra solo un'armatura difensiva.

Perché un ascolto sia un buon ascolto e possa dar luogo a un dialogo costruttivo tra medico e paziente, è necessaria da parte di entrambi un'apertura al futuro, a cui sono intimamente connesse l'*attesa* e la *speranza*. Entrambe, infatti, scrive Borgna, hanno a che fare con il futuro, quindi con la vita che ha da venire. L'attesa con l'avvenire immediato solitamente legato a un evento, la speranza con un futuro lontano pieno di promesse, senza le tracce dell'ansia, dell'inquietudine, della perplessità, dell'insicurezza che caratterizzano l'attesa. C'è un forte nesso tra l'attesa e l'angoscia.

Nell'attesa c'è una vertiginosa accelerazione e un'enigmatica anticipazione del futuro che brucia il presente e rende insignificanti i suoi momenti, perché tutta l'attenzione e la tensione sono spostate in avanti, spasmodicamente concentrate sull'evento che si attende, come evento di felicità che può andare delusa o come evento infausto che non si sa come evitare. Nell'attesa non c'è durata, non c'è organizzazione del tempo, perché il tempo è divorato dal futuro che risucchia il presente a cui toglie ogni significato, perché tutto ciò che succede è deviato dall'attesa, che prende forma nello sguardo e nel volto.

Attendere, aspettare, ci ricorda Borgna, rinviano al latino "ex-spectare" rafforzativo di "specere" che significa "guardare".[52] L'attesa si fa corpo nello sguardo, dove si stratificano il timore, l'angoscia, la speranza e talvolta tragicamente il silenzio, perché lo sguardo che attende chiede di rintracciare nello sguardo del-

[52] E. Borgna, *L'attesa e la speranza*, Feltrinelli, Milano 2005, p. 70.

l'altro a cui si rivolge una risposta alla sua attesa. E, in effetti, scrive Borgna:

> Muovendo dagli sguardi che illuminano o oscurano un volto, ci è possibile cogliere e riconoscere l'altro nelle sue attese e nelle sue inquietudini, nella sua identità e nella sua vulnerabilità, nei suoi orizzonti di senso e nelle sue lacerazioni, nelle sue ambivalenze e nella sua trascendenza. L'esperienza, e in fondo la conoscenza, dell'altro ci giungono, prima ancora che dalle sue parole, dai suoi sguardi e dai suoi gesti. La conoscenza intuitiva dell'altro nella sua malattia e nella sua disperazione, e anche la diagnosi della sua malattia, sono possibili sulla scia dell'immediata percezione degli sguardi e dei volti, sulla scia del linguaggio radicale e metaforico che anima gli sguardi e i volti, nei quali si riflettono le luci e le ombre delle mille emozioni e delle mille attese che sono in ciascuno di noi.[53]

Così, a parere di Borgna, va instaurata la relazione medico-paziente, a partire dall'attesa scritta nello sguardo del paziente e dalla risposta a quell'attesa ignorata dallo sguardo del medico, che spesso non vede *persone* ma *sintomi*, non percepisce vissuti ma deragliamento di comportamenti, e soprattutto pensa di poter guarire un'anima prescindendo dall'anima.

Quando lo sguardo si fa clinico, la competenza ha il sopravvento sull'umanità, l'estraneità sulla richiesta di comprensione, e l'attesa che modulava lo sguardo del paziente ricade su se stessa ignorata e delusa. Nell'affidarla alla genericità del farmaco non si è colta la specificità della sofferenza, perché il modo di ammalarsi, se è uguale per tutti quando le malattie sono del corpo, è specifico per ciascuno quando la malattia è dell'anima, per cui equiparare la competenza psichiatrica alla competenza medica significa non solo ignorare la specificità della sofferenza psichica, ma anche la specificità dell'intervento psichiatrico, che con quello medico ha solo marginali similitudini.

Lo sguardo del medico, più del farmaco, può restituire speranza all'attesa inscritta nello sguardo del paziente, perché la speranza, guardando più lontano e ampliando lo spazio del futuro, distoglie l'attesa dalla concentrazione sul presente e, liberandola dall'immediato, la dilata in orizzonti che la concentrazione sul presente aveva cancellato. Speranza, infatti, è l'apertura del possibile, fa riferimento a quei nuovi cieli e a quelle nuove terre che sono promessi dalla religione, dall'utopia, dalla rivoluzione, dal-

[53] Ivi, p. 74.

la trasformazione personale che siamo soliti temere, perché arroccati sulla nostra identità, assunta come un "fatto" e non come un'interminabile e mai conclusa "costruzione".

Noi siamo una costruzione. E se l'attesa è l'ansia che quella costruzione che noi siamo abbia buon fine, la speranza attiva il nostro comportamento affinché sia nelle nostre mani l'accadere del buon fine. In questo senso diciamo, con Eugène Minkowski,[54] che l'attesa è passiva, in quanto vive il tempo come qualcosa che viene verso di noi, mentre la speranza è attiva perché ci spinge verso il tempo, come quella dimensione che ci è assegnata per la nostra realizzazione. Il dolore, la sofferenza, l'infelicità sono sempre accompagnati da un margine di passività. Effetto psicologico della cultura religiosa, che ci ha insegnato a pensarci "nelle mani di Dio", il quale, se sappiamo sopportare, sa garantirci la vita eterna.

I Greci, che non avevano speranze ultraterrene, conoscevano la crudeltà della natura che vive della morte degli individui che genera e, a partire da questa visione tragica, insegnavano a reggere il dolore e, per il breve tempo che ci è concesso di vivere, a condurre una "vita buona" che, se ben governata e non gettata in balia degli eventi, poteva essere anche una vita felice.[55] Attivi per quel tanto che ci è dato da vivere, non passivi perché "nelle mani di Dio".

E siamo attivi quando con la speranza andiamo verso il tempo e non quando con l'attesa aspettiamo che il tempo venga verso di noi. Quando l'attesa è disabitata dalla speranza subentra la *noia,* il futuro perde slancio e il presente si dilata in uno spessore opaco dove il tempo oggettivo, quello dell'orologio, cadenza il suo ritmo sul tempo vissuto che si è arenato, infossato, arrestato. Perché, scrive Borgna:

> Nella noia, nel suo dilagare senza fine e nel suo risucchiare (nel suo incenerire) ogni attesa e ogni speranza, non ci sono più né futuro né passato (né attese né ricordi): non ci sono più né progetti né storia; nel gorgo di un presente, che è la dimensione radicale della noia, nel quale ogni orizzonte di senso si inaridisce e si spegne.[56]

[54] E. MINKOWSKI, *Le temps vécu* (1968); tr. it. *Il tempo vissuto*, Einaudi, Torino 1971, p. 102.

[55] Si veda a questo proposito U. GALIMBERTI, *La casa di psiche. Dalla psicoanalisi alla pratica filosofica*, Feltrinelli, Milano 2005, e in particolare l'Introduzione, pp. 11-26.

[56] E. BORGNA, *L'attesa e la speranza*, cit., p. 45.

Se un giorno è come tutti, tutti i giorni sono come uno solo, nell'uniformità perfetta di una vita che assapora quel vuoto d'esperienza che accade quando si sono vanificate tutte le attese, tutte le speranze, tutte le illusioni. È allora che l'impossibile, come un muro, sbarra tutte le vie del possibile che alimentano il futuro. E lo spazio lasciato vuoto dal futuro, disertato sia dall'attesa sia dalla speranza, viene occupato dal dilagare del passato che divora tutte le attese e tutte le speranze, sottraendo al tempo la sua dimensione a venire.

È a questo punto che dalla noia si passa alla *depressione*, che fa retrocedere tutte le parole che invitano alla speranza, per lasciare il posto alle suggestioni del suicidio. Eppure, scrive Borgna,[57] anche nel suicida la speranza non è del tutto estinta, perché non si potrebbe compiere quel gesto se la morte non fosse vista come la sola ragione di vita, dopo che le speranze sono state negate, le illusioni falciate e le attese sono apparse senza fine.

Questa condizione così frequente nell'adolescenza spesso si prolunga nella vita, ora mitigata, ora esasperata, ora frenata e ora scompensata. Resa fragile dagli eventi e dalle situazioni tragiche che spesso sconfiggono un'esistenza, la speranza porta alla morte come "ultima speranza" quando questa più non riesce a proiettarsi in un futuro, perché più non è capace di recuperare un passato.

Sia Giuda sia Pietro, infatti, hanno tradito Gesù, ma mentre Giuda, suicidandosi, ha assegnato al passato il compito di esprimere tutto il senso della sua vita, Pietro ha conosciuto la fatica di ri-assumere il proprio passato, togliendogli l'onore di dire l'ultima parola sul senso della sua vita. Questo è lo spazio dove si gioca la speranza o il gesto suicida. Sperare, infatti, non significa solo guardare avanti con ottimismo, ma soprattutto guardare indietro per vedere come è possibile configurare quel passato che ci abita, per giocarlo in possibilità a venire. Suicidarsi, invece, è decidere che il nostro passato contiene il senso ultimo e definitivo della nostra vita, per cui non è più il caso di ri-assumerlo, ma solo di porvi semplicemente fine.

E così sia la speranza sia il suicidio giocano i loro dadi sul passato e sul senso che il passato viene assumendo per me. E siccome sono io a dar senso al passato, nella speranza c'è la libertà di conferire al passato la custodia di sensi ulteriori, mentre nel suicidio c'è l'illibertà di chi nel passato vede solo un senso inol-

[57] Ivi, pp. 125-127: "Non c'è suicidio senza speranza".

trepassabile e perciò definitivo. Queste sono le riflessioni a cui ci invita l'indirizzo fenomenologico della psichiatria. Sono riflessioni che nascono dall'aver osservato, e non solo farmacologizzato, la notte enigmatica e buia della follia, e che ben si adattano anche alla nostra vita, dove l'enigma non è del tutto estraneo e il buio, conseguente al naufragio della speranza, mai definitivamente scongiurato.

5. *Lo sguardo fenomenologico sull'abisso della depressione*

Secondo Emanuele Severino forse all'inizio della vita dell'uomo non c'è il focolare intorno a cui la psicologia ha costruito se stessa. Prima del focolare, luogo di racconti lamentosi e consolatori, c'è il grido che aduna gli uomini in preda al terrore.[58] Intorno a questo grido si snodano le pagine di *Malinconia,*[59] dedicato alle figure della depressione. In questo libro Eugenio Borgna, prima di guardare lo scompaginarsi della mente con l'occhio del medico, affonda lo sguardo in quella disarticolazione del linguaggio in cui, abolito ogni senso, è il grido a prodursi come disperazione del linguaggio. Affrontare la depressione con i farmaci significa toglierle la parola e proibirsi di capire la sua verità, che fa retrocedere tutte le parole nell'inarticolato, all'altezza del quale c'è solo quel grido che talvolta interrompe la corazza opaca e spessa del silenzio che, massiccio, avvolge la solitudine malinconica.

Terrorizzati dal silenzio della depressione, invece di portarlo alla parola come sarebbe nelle attese dei depressi, la terapia farmacologica – a cui sempre più si rivolge il sapere psichiatrico, in ciò confortato dalle attese dei parenti che da tempo hanno smesso di parlare con il loro congiunto depresso – evita di perforare

[58] E. Severino, *Il parricidio mancato*, Adelphi, Milano 1985, capitolo II: "Il grido", dove a pagina 41 leggiamo: "Il grido. Sta all'inizio della vita dell'uomo sulla terra. Il grido di caccia, di guerra, d'amore, di terrore, di gioia, di dolore, di morte. Ma anche gli animali gridano; e per l'uomo primitivo grida anche il vento e la terra, la nube e il mare, l'albero e la pietra, il fiume. Ma solo l'uomo si raccoglie attorno al proprio grido, in assenza degli eventi che l'hanno provocato. Al grido sono legati gli aspetti decisivi dell'esistenza e nella rievocazione del grido le più antiche comunità umane non solo scorgono la trama che le forma, ma annodano stabilmente i fili della trama, cioè si stabiliscono e confermano nel loro essere comunità umane. L'intera vita dei popoli più antichi si raccoglie intorno alla rievocazione del grido, cioè attorno al canto; e il canto avvolge i viventi ben più strettamente del calore dei fuochi attorno a cui essi stanno".

[59] E. Borgna, *Malinconia*, cit.

il silenzio e cercare di raggiungere quel grido taciuto, che è tale perché non c'è più ascolto che possa raccoglierlo.

Così il silenzio diventa tumultuoso, e la depressione prende a parlare, non con le nostre parole assolutamente euforiche e inutilmente consolatorie, ma con quelle rotture simili alla lacerazione delle ferite quando il corpo le conosce come ferite mortali.

E allora il tema della morte, questo assoluto silenzio, inizia a parlare con il tono tranquillo di chi sa di tenere nelle proprie mani tutte le sorti. Fine del baccano indiavolato con cui quotidianamente tentiamo di perdere la nostra anima. Un baccano che è la parodia del grido che affonda nella depressione. Chiudere le orecchie non serve. Se vogliamo capire qualcosa della nostra esistenza non possiamo far tacere quel grido intorno a cui si raccoglie il primo segno che ci fa riconoscere un uomo nel deserto delle cose.

A questo punto, al posto della parola intervengono il Prozac o gli antidepressivi di nuova generazione a desertificare, non a curare, la tristezza del cuore. Basta interrompere la cura e il deserto ritorna più ossessivo e incalzante, fino a espandersi da quel presente muto, in cui il depresso disabita, per invivibilità, ogni evento, al passato che ha desertificato amori che non si sono radicati, creatività estinte al loro nascere, ricordi che non hanno nulla a cui riaccordarsi, in quella solitudine frammentata dove l'identico, nella sua immobilità senza espressione, coglie quell'altra faccia della verità che è l'insignificanza dell'esistere.

Non si può parlare neppure di disperazione, perché l'anima del depresso non è più solcata dai residui della speranza. E le parole che alla speranza alludono, le parole di tutti, più o meno sincere, le parole che non si rassegnano, le parole che insistono, le parole che promettono, le parole che vogliono guarire languono tutte attorno al depresso, come rumore insensato: il rumore che gli altri, i non depressi, si scambiano ogni giorno per far tacere a più riprese quella verità che il depresso, nel suo silenzio, dice in tutta la sua potenza.

Bisogna avere il coraggio di vivere fino in fondo anche l'insignificanza dell'esistenza per essere all'altezza di un dialogo con il depresso, e solo muovendosi intorno a questa sua verità, che è poi la verità che tutti gli uomini si affannano a non voler sentire, può aprirsi una comunicazione.

Comunicazione rischiosa, non perché ci può trascinare nella depressione, ma perché può tradire la nostra insincerità. E il depresso è sensibile al volto che smentisce la parola, e il suo silenzio smaschera la finzione e l'inconsistenza. Per questo i volti dei depressi sono rigidi e pietrificati. Abitando la verità dell'esistenza con tutto il suo dolore, i depressi non stanno al doppio gioco della parola che danza disinvolta sull'insensatezza della vita, o che, impegnata, indica una formazione di senso, laggiù ai confini del deserto. Il depresso sa che il confine, come l'orizzonte, è sempre al di là di ciò che di volta in volta appare come confine e orizzonte, sa che non c'è felicità nella sequenza dei giorni, che il sole che muore è lo stesso che risorge, e che nel cerchio perfetto che il ritorno disegna naufraga il progetto che per un giorno si era levato per reperire un senso alla vita.

L'invisibile armonia del cerchio che ripete se stesso spezza ogni irruzione rumorosa del senso, che il farmaco antidepressivo cerca di restaurare come generica euforia, del tutto sganciata dalle radici del dolore. Lo sguardo di pietra del depresso vede troppa menzogna nella somministrazione del farmaco, e soprattutto nello sguardo di coloro che glielo propongono: uno sguardo da cui traspare troppo desiderio di voler seppellire il buio del silenzio, troppa speranza nel voler annullare la disperazione.

E allora, a quanti indefessamente sostengono l'efficacia della "pillola della felicità", e a quanti, affascinati dalla possibilità, molto improbabile, di veder trasformata l'anima in un evento chimico, va raccomandato di non rinunciare troppo frettolosamente alla parola e all'ascolto, perché il depresso racconta quella verità che, con la nostra vita euforica, ogni giorno noi seppelliamo per la gioia della nostra epidermide.

La verità del depresso è che la vita è anche dolore, e che il dolore cresce quando il nostro cuore resta inascoltato. La prima funzione dell'antidepressivo è di mettere a tacere definitivamente il nostro cuore. E questo è il modo più sicuro per non entrare in dialogo, prima che con gli altri, con il profondo di noi stessi.

Non rallegriamo artificialmente lo sguardo di pietra del depresso. La sua gioia farmacologica non è persuasiva, anzi è più inquietante del suo silenzio. Lui in fondo non ci crede e alla fine neppure noi. Con l'antidepressivo non gli abbiamo restituito la gioia di esistere, abbiamo solo trovato un modo sbrigativo per non essere in dialogo con lui. A differenza del farmaco, il dialogo dispone solo di parole, ma le parole si fanno potenti quando non solo si dicono, ma si ascoltano anche.

Ascoltare non è prestare l'orecchio, è farsi condurre dalla parola dell'altro là dove la parola conduce. Se poi, invece della parola, c'è il silenzio dell'altro, allora ci si fa guidare da quel silenzio. Nel luogo indicato da quel silenzio è dato reperire, per chi ha uno sguardo forte e osa guardare in faccia il dolore, la verità avvertita dal nostro cuore e sepolta dalle nostre parole.

Questa verità, che si annuncia nel volto di pietra del depresso, tace per non confondersi con tutte le altre parole. Parole perdute per il senso profondo della nostra esistenza che ogni giorno tentiamo di disabitare, dietro le maschere in cui sono dipinte ovvietà, incrostazioni di felicità, o recitate euforie.

Questo scenario della depressione è ben descritto dalla psichiatra Kay Redfield Jamison che ne soffriva nella forma di quel "disturbo bipolare" che alterna stati depressivi a stati maniacali ed euforici. La sua parola è importante perché enunciata non dalla sua competenza di psichiatra, ma dalla sua sofferenza di ciclotimica, dove depressione e mania si narrano nella loro tragica alternanza ritmata, come la notte e il giorno, da quell'inesorabile scansione temporale che gli antichi Greci avevano chiamato "tempo ciclico".[60]

È un tempo, scrive Kay Jamison, dove "agli stati d'animo gloriosi che ti portano a danzare tutta la notte fino all'alba, o a liberarti attraverso i cieli stellati e a ballare sugli anelli di Saturno" succedono stati a tal punto depressivi che "distorcono le idee, inducono comportamenti terribili, distruggono le basi del pensiero razionale e troppo spesso minano il desiderio e la volontà di vivere".[61]

Ed è per non vedere l'orizzonte desertificato fino all'estremo suo limite che Kay si consegna, nello stato maniacale, all'istantaneità dell'adesso elevato a orizzonte massimo del suo contatto col mondo. Un contatto euforico perché all'insegna dell'assoluta e continua novità, ma anche superficiale perché nell'istante non c'è spazio né tempo per il dispiegarsi di una biografia, per la continuità di un senso che le cose sono solite portare con sé quando una vita le ha frequentate, caricandole di quei significati che sono poi la risonanza di un vissuto.

Il modo maniacale di essere al mondo dischiude una presenza gioiosa in cui ogni giorno si celebra la vittoria dell'istinto sulle coercizioni e sulle inibizioni. È una presenza che tende ad abolire ogni sorta di difficoltà sia logica che reale in una forma di esaltato ottimismo, dove negli stati maniacali Kay diventa grande e il mondo piccolo.

[60] A proposito del tempo ciclico si veda U. Galimberti, *Gli equivoci dell'anima* (1987), Feltrinelli, Milano 2001, capitolo 14: "L'anima e le figure del tempo".

[61] K.R. Jamison, *An Unquiet Mind* (1995); tr. it. *Una mente inquieta*, Longanesi, Milano 1996, pp. 96-97.

Priva com'è di tempo, Kay non è in grado di riflettere e di comunicare. Il suo linguaggio diventa gioco di parole che si inserisce in quel gioco più ampio che invade l'intera struttura della sua esistenza, ormai incapace di comporre gli istanti del tempo, in quella continuità senza la quale una vita resta priva di quei contorni e di quell'unità di senso che la esprimono nella sua inconfondibilità.

A ciò si aggiunge la fuga delle idee, che dei tratti maniacali è forse il sintomo più evidente e probabilmente anche inevitabile, perché le idee si presentano al di fuori di ogni connessione biografica. Di qui l'ottimismo di Kay, che non conosce la fatica di una costruzione che richiede tempo, perché tutti i legami costitutivi sono sciolti. In questo scioglimento, che non è soluzione, Kay vive la libertà di una spensieratezza sfrenata, in quell'assoluta mancanza di riguardi in cui si esprime la sua iperattività esuberante fino all'esaltazione, quasi sempre accompagnata da una superficialità del suo umore non offuscato né oppresso da alcuna problematica, perché l'estensivo ha avuto il sopravvento sull'intensivo, l'apertura, la scoperta, la dilatazione sulla profondità, sul radicamento, sulla carica di senso, dove l'assenza della profondità genera quel tipo di presenza caratterizzata da un superficiale "qui" che facilmente si abbandona a un indeterminato "dappertutto".

L'attività, che nello stato depressivo fatica persino a trasformarsi in attesa, nello stato maniacale si risolve in quel vuoto darsi da fare in un mondo dove non c'è propriamente nulla da fare, perché Kay già lo possiede come desidera possederlo, senza la minima traccia di contraddizione. Tutto ciò si ripercuote a livello sociale dove l'inesauribile espansività di Kay non incontra mai qualcuno, ma solo un "qualsiasi-tutti-nessuno" con cui è impossibile instaurare autentiche relazioni.

Per questo l'apparente facilità di socializzazione di Kay non persuade. Troppo spesso i rapporti che instaura sono un mero tripudio senza storia, finché, improvvisa, irrompe la luce nera della depressione che precipita Kay "nel nulla di un universo senza pareti, [...] in una terribile condizione di prossimità con la morte e distanza da ogni rifugio".[62]

Solo euforia e desolazione secondo il ritmo geometrico dell'eterna ripetizione, descritta senza nessuna riserva linguistica,

[62] Ivi, p. 51.

perché chi conosce la vita nelle sue condizioni-limite trova anche le parole all'altezza di quello sguardo che non ha chiuso gli occhi di fronte al dolore.

6. *La malattia dell'Occidente*

In occasione della prima Conferenza nazionale per la salute mentale promossa da Umberto Veronesi nel gennaio 2001, siamo venuti a sapere che in Italia si suicidano dieci persone al giorno e altre dieci ci provano. Sono perlopiù donne e anziani che hanno fatto un deserto della loro speranza. A questi si aggiungono dieci milioni di "sofferenti mentali" che coinvolgono intorno al loro dolore un non indifferente numero di famiglie italiane. Si tratta di un dolore impalpabile, ma dallo spessore opaco e buio, che rende le vie d'accesso scarsamente praticabili e la speranza di una fine realisticamente remota.

È un quadro allarmante, non a tutti noto, perché il disagio mentale tende a nascondersi, a non farsi notare, a concedersi lo spazio stretto e non comunicativo della gestione personale. Del resto, basterebbe frugare nelle tasche degli italiani che vanno in macchina, in metropolitana, in ufficio, per trovarvi pillole antipanico (due milioni), ansiolitici (tre milioni), antidepressivi (cinque milioni), sonniferi a portata di mano per riuscire a reggere la qualità della vita che ci siamo costruiti, con un costo sociale equivalente a quello impiegato per le malattie cardiovascolari, e doppio rispetto a quello richiesto per la cura del cancro, giusto per citare le malattie a maggior incidenza sociale, quelle per cui si muore di più.

Dunque in Italia, ma allargando l'orizzonte possiamo dire in Occidente, l'anima sta male, se è vero, come ci riferisce l'Organizzazione mondiale della sanità, che del miliardo di sofferenti psichici (un sesto dell'umanità), ben seicento milioni abitano i paesi industrialmente e tecnicamente avanzati, dove gli uomini sono sempre meno "soggetti" della loro vita e sempre più "funzionari" degli apparati che li impiegano e concedono loro le condizioni per vivere.

Preposte alla loro cura ci sono in Occidente schiere sempre più numerose di psichiatri, psicologi e psicoanalisti che, a pagamento, cercano di ricostruire, nelle anime desertificate dal dolore, delle trame di senso. A questi vanno aggiunti preti, educatori, operatori sociali, e perché no, medici di famiglia, omeopati, maghi, praticanti di tecniche orientali o di ginnastiche terapeutiche, un esercito insomma che cerca di intervenire con lo strumento della comunicazione, sia verbale sia somatica, a cui si aggiunge la chimica che si compra in farmacia per stare passabilmente bene, non avendo né tempo né voglia e forse neppure l'interesse o la capacità di sapere chi davvero si è.

Alla base c'è quel deserto affettivo che è diventato il paesaggio abituale dell'uomo occidentale e che la psichiatria rubrica sotto il nome di "depressione" che, come ci ricorda Eugenio Borgna,[63] a partire dagli anni settanta, è diventata la forma per eccellenza della sofferenza psichica, liquidando d'un colpo le forme "nevrotiche" che hanno caratterizzato il nostro secolo, e quindi anche la psicoanalisi nata e cresciuta come cura della nevrosi.

La nevrosi infatti è un *conflitto* tra il desiderio che vuole infrangere la norma e la norma che tende a inibire il desiderio. Come conflitto, la nevrosi trova il suo spazio espressivo nelle *società della disciplina* che si alimentano della contrapposizione permesso/proibito, una macchina che i più vecchi tra noi conoscono perché regolava l'individualità fino a tutti gli anni cinquanta e sessanta. Poi, a partire dal Sessantotto, e via via nel corso degli anni successivi, la contrapposizione fra il *permesso* e il *proibito* tramonta, per far spazio a una contrapposizione ben più lacerante che è quella tra il *possibile* e l'*impossibile*.

Che significa tutto questo agli effetti della depressione? Significa, come opportunamente osserva il sociologo francese Alain Ehrenberg,[64] che, nel rapporto tra individuo e società, la misura dell'individuo ideale non è più data dalla docilità e dall'obbedienza disciplinare, ma dall'iniziativa, dal progetto, dalla motivazione, dai risultati che si è in grado di ottenere nella massima espressione di sé. L'individuo non è più regolato da un ordine esterno, da una conformità alla legge, la cui infrazione genera sensi di colpa (per cui il vissuto di colpevolezza era il nucleo centrale delle forme depressive), ma deve fare appello alle sue risorse interne, alle sue competenze mentali, per raggiungere quei risultati a partire dai quali verrà valutato.

In questo modo, dagli anni settanta in poi, la depressione ha cambiato radicalmente forma: non più il *conflitto nevrotico tra norma e trasgressione* con conseguente senso di colpa, ma, in uno

[63] E. BORGNA, Prefazione ad A. EHRENBERG, *La fatica di essere se stessi. Depressione e società*, cit., pp. IX-XX.

[64] A. EHRENBERG, *La fatica di essere se stessi. Depressione e società*, cit., e in particolare il capitolo 7: "Il soggetto incerto della depressione e l'individuo di fine secolo", pp. 263-320.

scenario sociale dove non c'è più norma perché tutto è possibile, il nucleo depressivo origina da un *senso di insufficienza e di inadeguatezza* per ciò che si potrebbe fare e non si è in grado di fare, o non si riesce a fare secondo le aspettative altrui, a partire dalle quali ciascuno misura il valore di se stesso. Per effetto di questo mutamento, scrive Ehrenberg:

> La figura del soggetto ne esce in gran parte modificata. Il problema dell'azione non è: ho il diritto di compierla? ma: sono in grado di compierla? Ormai ci troviamo tutti coinvolti in un'esperienza in cui il riferimento a ciò che è permesso è inquadrato in un riferimento a ciò che è possibile.[65]

Questo mutamento *strutturale* della depressione, così ben individuato da Ehrenberg, ha fatto sì che i sintomi classici della depressione, quali la tristezza, il dolore morale, il senso di colpa, passassero in secondo piano rispetto all'ansia, all'insonnia, all'inibizione, in una parola alla *fatica* di essere se stessi. E questo perché in una società dove, come scrive Borgna:

> La norma non è più fondata, come in passato, sull'esperienza della colpa e della disciplina interiore, ma sulla responsabilità individuale, sulla capacità di iniziativa, sull'autonomia nelle decisioni e nell'azione, [...] la depressione tende a configurarsi non più come una perdita della gioia di vivere, ma come una *patologia dell'azione*, e il suo asse sintomatologico si sposta dalla tristezza all'inibizione, alla perdita di iniziativa in un contesto sociale dove "realizzare iniziative" si costituisce come un criterio decisivo al fine di misurare e di sigillare il valore della persona.[66]

Qui intervengono i nuovi farmaci antidepressivi (quelli venuti dopo gli antidepressivi triciclici) che hanno assunto come orizzonte terapeutico elettivo quello di sopprimere l'insonnia e l'ansia parossistica, oppure la perdita più o meno estesa di iniziativa, l'inibizione all'azione, il senso di fallimento e di scacco – fattori, questi, che entrano in implacabile collisione con i paradigmi di efficienza e di successo che la società odierna considera essenziali per definire la dignità e la significanza esistenziale di ciascuno di noi. Del resto già Freud, considerando le richieste che

[65] Ivi, p. 305.
[66] E. Borgna, Prefazione a A. Ehrenberg, *La fatica di essere se stessi. Depressione e società*, cit., pp. XVIII-XIX.

la società esigeva dai singoli individui, a più riprese si chiedeva se alle volte:

> Non è forse lecita la diagnosi che alcune civiltà, o epoche civili, e magari tutto il genere umano, sono diventati "nevrotici" per effetto del loro stesso sforzo di civiltà? [...] Pertanto non provo indignazione quando sento chi, considerate le mete a cui tendono i nostri sforzi verso la civiltà e i mezzi usati per raggiungerle, ritiene che il gioco non valga la candela e che l'esito non possa essere per il singolo altro che intollerabile.[67]

Questa intollerabilità, a parere di Freud, era dovuta all'eccesso di regole che governano le società civili, e ciò consentiva di inscrivere la depressione nel novero delle "nevrosi", dove si registra il conflitto tra norma e trasgressione, con conseguente vissuto di colpevolezza. Oggi le norme limitative non esistono più, per cui ciò che un tempo era proibito è sfumato nel possibile e nel consentito.

Per effetto di questo slittamento, oggi la depressione non si presenta più come un *conflitto* e quindi come una "nevrosi", ma come un *fallimento* nella capacità di spingere a tutto gas il possibile fino al limite dell'impossibile. E quando l'orizzonte di riferimento non è più in ordine a ciò che è permesso, ma in ordine a ciò che è possibile, la domanda che si pone alle soglie del vissuto depressivo non è più, osserva Ehrenberg: "*Ho il diritto* di compiere questa azione?", ma "*Sono in grado* di compiere questa azione?".[68]

Quel che è saltato nella nostra attuale società è il concetto di *limite*. E in assenza di un limite, il vissuto soggettivo non può che essere di inadeguatezza, quando non di ansia, e infine di inibizione. Tratti, questi, che entrano in collisione con l'immagine che la società richiede a ciascuno di noi e, come scrive Borgna:

> La coscienza di questo crudele fallimento sul piano della responsabilità e dell'iniziativa dilata (amplifica) immediatamente i confini della sofferenza e dell'inadeguatezza che sono presenti in ogni depressione e che i modelli sociali dominanti rendono ancora più dolorose e talora insanabili.[69]

[67] S. Freud, *Das Unbehagen in der Kultur* (1929); tr. it. *Il disagio della civiltà*, in *Opere*, Bollati Boringhieri, Torino 1968-1993, pp. 629-630.

[68] A. Ehrenberg, *La fatica di essere se stessi. Depressione e società*, cit., p. 305.

[69] E. Borgna, Prefazione ad A. Ehrenberg, *La fatica di essere se stessi. Depressione e società*, cit., p. XX.

Alain Ehrenberg vede l'origine dell'odierna depressione, così diversa da quella che si legge nei manuali di psicoanalisi e psichiatria troppo disattenti ai mutamenti sociali, in due cambiamenti di tendenza registrati negli ultimi trent'anni della nostra storia circa il modo di concepire l'individuo e le possibilità della sua azione. Il primo cambiamento si è registrato verso la fine degli anni sessanta quando, scrive Ehrenberg:

> "Emancipazione" è la parola d'ordine che assembla l'intero continente giovanile: "tutto è possibile". Il movimento è anti-istituzionale: la famiglia è una camera a gas, la scuola una caserma, il lavoro (e il suo rovescio, il consumismo) un'alienazione, e la legge (borghese s'intende) uno strumento di sopraffazione di cui ci si deve liberare ("vietato vietare"). Una libertà di costumi fino ad allora sconosciuta si coniuga a un progresso delle condizioni materiali, e nuove prospettive di vita diventano una realtà tangibile nel corso del decennio. Se la follia, nel comune sentire dei primi anni Settanta, appare come il simbolo dell'oppressione moderna e non più come una malattia mentale, questo è appunto dovuto al fatto che tutto è possibile: il pazzo non è malato, è solo diverso, e soffre proprio per la mancata accettazione della sua diversità.[70]

Su questa cultura preparata dal Sessantotto, ma che il Sessantotto aveva pensato in termini *sociali*, si impianta, per uno strano gioco di confluenza degli opposti, la stessa logica di impostazione americana, giocata però a livello *individuale*, dove ancora una volta tutto è possibile, ma in termini di iniziativa, di performance spinta, di efficienza, di successo al di là di ogni limite, anzi con il concetto di limite spinto all'infinito, per cui Ehrenberg si chiede:

> Qual è il "limite" tra un ritocco di chirurgia estetica e la trasformazione in androide di un Michael Jackson, o tra un'abile gestione dei propri umori grazie ai farmaci psicotropi e la trasformazione in "robot chimici", o tra le strategie di seduzione "troppo" spinte e l'abuso sessuale, o tra il riconoscimento dei diritti degli omosessuali e il diritto all'adozione finora non ancora sancito dalla legge? E via esemplificando. Sono proprio le frontiere della persona e quelle tra le persone a determinare un tale stato di allarme da non sapere *più chi è chi*.[71]

[70] A. Ehrenberg, *La fatica di essere se stessi. Depressione e società*, cit., p. 312.
[71] Ivi, p. 305.

Come scrive Augustin Jeanneau: "La liberazione sessuale ha sostituito la preoccupazione di *sbagliare* con la preoccupazione di *essere normali*".[72] Espressione sintomatica del cambiamento, non dissimile da quella segnalata da Vidiadhar Naipaul:

> Non potevo più rassegnarmi al destino. Il mio destino non era di essere buono, secondo la nostra tradizione, ma di fare fortuna. Ma in che modo? Che cosa avevo da offrire? L'inquietudine cominciava a mangiarmi dentro.[73]

E allora psicofarmaci o, se vogliamo anche un certo piacere, droga. Tra l'odierna depressione e la tossicodipendenza Ehrenberg traccia un parallelismo che approda alla complementarità. E questo perché:

> La depressione è la degenerazione di un individuo che è solo se stesso e, di conseguenza, mai se stesso, come se corresse perpetuamente dietro alla propria ombra. Se la depressione è la patologia di una coscienza che è solo se stessa, la dipendenza è la patologia di una coscienza che non è mai sufficientemente se stessa, mai sufficientemente colma di identità, mai sufficientemente attiva, perché troppo indecisa, troppo esplosiva. La depressione e la dipendenza sono come il diritto e il rovescio di una medesima patologia dell'insufficienza.[74]

Il vissuto di insufficienza, causa prima della depressione odierna, attiva la dipendenza psicofarmacologica, dove le promesse di onnipotenza assomigliano non a caso a quelle che popolarizzano la droga. Il farmacodipendente e il tossicodipendente sono infatti due versanti di quel tipo umano che infrange la barriera tra il "tutto è possibile" e il "tutto è permesso". Essi radicalizzano la figura dell'individuo sovrano, e pagano il conto con la schiavitù della dipendenza, che è il prezzo della libertà illimitata che l'individuo si assegna.

Ma i nuovi antidepressivi sono in un certo senso più insidiosi delle droghe, perché le molecole messe oggi sul mercato dalle industrie farmaceutiche contro la depressione alimentano l'immaginario di poter maneggiare illimitatamente la propria psiche, senza i rischi di tossicità delle droghe o gli effetti secondari

[72] A. Jeanneau, *Les risques d'une époque ou le narcissisme du dehors*, Puf, Paris 1986, p. 15.

[73] V.S. Naipaul, *A bend in the river* (1979); tr. it. *Alla curva del fiume*, Adelphi, Milano 1982, p. 88.

[74] A. Ehrenberg, *La fatica di essere se stessi. Depressione e società*, cit., p. 304.

dei vecchi antidepressivi. In questo modo lo psicofarmaco, sopprimendo i sintomi della depressione, che è un arresto nella corsa sfrenata a cui siamo chiamati, accelera tale corsa, rendendoci perfettamente omogenei alle richieste sociali.

Mettendo a tacere il sintomo, vietando che lo si ascolti, psicofarmaci e droghe inducono il soggetto a superare se stesso, senza essere mai se stesso, ma solo una risposta agli altri, alle esigenze efficientistiche e afinalistiche della nostra società, con conseguente inaridimento della vita interiore, desertificazione della vita emozionale, omologazione alle norme di socializzazione richieste dalla nostra società, a cui fanno più comodo robot de-emotivizzati e automi impersonali, che soggetti capaci di essere se stessi e di riflettere sulle contraddizioni, sulle ferite della vita e sulla fatica di vivere.

Nel 1887, un anno prima di scendere nel buio della follia, Nietzsche annunciava profeticamente "l'avvento dell'*individuo sovrano*, uguale soltanto a se stesso, riscattato dall'eticità dei costumi".[75] Oggi, a cento anni dalla morte di Nietzsche, possiamo dire che l'emancipazione ci ha forse affrancati dai drammi del senso di colpa e dallo spirito d'obbedienza, ma ci ha innegabilmente condannati al parossismo della prestazione, dell'iniziativa e dell'azione, nella più assoluta incapacità di essere se stessi, al di là delle richieste sociali di efficienza, iniziativa, rapidità di decisione e di azione, di cui non è dato scorgere il limite.

E così la fatica depressiva ha preso il sopravvento sull'angoscia nevrotica. Una considerazione, questa di Ehrenberg, su cui dovrebbero riflettere psichiatri e psicoanalisti che, impegnati a cercare l'origine della depressione nel fondo biologico del nostro corpo, o nella chiusa interiorità della nostra anima, non sollevano mai lo sguardo, come invece accadeva negli anni settanta, per dare un'occhiata al *sociale*, dove, nell'ambito ristretto del proprio individualismo e dell'autoaffermazione esasperata, è collassata la relazione sociale e soprattutto quella affettiva.

Di qui la necessità di congedarci dal cerchio ristretto del mondo psicologico e del suo arroccamento sulle sorti dell'individuo, per puntare lo sguardo su quella frattura sempre più esasperata nel nostro tempo tra pubblico (la società) e privato (la famiglia). Ci riteniamo civili per aver fatto questa distinzione, e per aver

[75] F. NIETZSCHE, *Zur Genealogie der Moral. Eine Streitschrift* (1887); tr. it. *Genealogia della morale. Uno scritto polemico*, in *Opere*, Adelphi, Milano 1968, vol. VI, 2, Seconda dissertazione, § 2, p. 257.

salvaguardato con questa distinzione la nostra libertà privata. Quella dei nostri sentimenti che fuori non possono apparire, quella dei nostri vissuti che in pubblico dobbiamo contenere, all'insegna di quel risparmio emotivo che interrompe la comunicazione tra pubblico e privato, tra *famiglia*, luogo dei nostri affetti, e *società*, luogo delle nostre rappresentazioni.

Ma forse questa separazione è divenuta esasperata, e a quel privato che è la famiglia il pubblico può apparire come il deserto della non-comunicazione, un deserto senza catastrofe e senza tragedia, perché ciò che lo contrassegna è semplicemente l'indifferenza che cerca di mascherare se stessa con il frasario convenuto delle buone maniere.

Una società del disimpegno di massa che trasforma il corpo sociale (il pubblico) in un corpo esangue, in un organismo deprivato di ogni interesse, in un luogo di non-comunicazione, quasi uno spazio in disuso, dove le professioni possono anche funzionare ma senza una partecipazione emotiva, e dove le operazioni sociali avvengono in quella condizione di indifferenza burocratica che somiglia all'assenza di gravità.

Non lo sconforto metafisico che caratterizzava la fine del secolo XIX quando Nietzsche annunciava il crollo di tutti i valori, ma l'assoluta indifferenza.[76] Questa è la bella notizia del nostro tempo che sembra abbia oltrepassato persino il limite segnalato da tutte le diagnosi filosofiche e sociologiche sul nichilismo della civiltà europea. Nessuna angoscia, nessun pessimismo, solo una bulimia di sensazioni, di sesso, di divertimento che non compensa quel vuoto di comunicazione per cui, uscendo dalla soglia di casa, si entra in quel mondo anaffettivo dove ciascuno di noi perde il proprio nome perché è individuato solamente dalla sua funzione.

Qui il deserto non si traduce più come nell'entusiasmo degli anni sessanta in rivolta, in grido, in sfida alla comunicazione, ma in quell'estetica fredda tipica dell'esteriorità e della distanza. Quando il sociale va in disuso, il privato resta senza ricambio d'aria, e l'asfissia porta o alle stragi in famiglia o ai suicidi di famiglia. La morte diventa equivalente alla vita, talvolta preferibile a una vita a cui è stato tolto quell'ossigeno che è la comunicazione.

[76] F. NIETZSCHE, *Nachgelassene Fragmente 1887-1888*; tr. it. *Frammenti postumi 1887-1888*, in *Opere*, cit., vol. VIII, 2, fr. 9 (35): "*Nichilismo*: manca il fine; manca la risposta al 'perché?'. Che cosa significa nichilismo? – *Che i valori supremi perdono ogni valore*". Sul nichilismo giovanile del nostro tempo si veda U. GALIMBERTI, *L'ospite inquietante. Il nichilismo e i giovani*, Feltrinelli, Milano 2007.

In un sistema disinvestito affettivamente, infatti, basta anche un avvenimento modesto, un nonnulla, perché la nausea della vita non trovi più alcuna resistenza. E allora senza clamore, senza motivo, in quel deserto di indifferenza asfissiante che toglie al nucleo familiare anche le tracce biologiche dell'affettività, ciascuno dei componenti della famiglia diventa agente attivo del deserto, lo amplifica, lo estende finché il deserto non ha più né inizio né fine. È questo il momento in cui ci si arrende, perché l'indifferenza del mondo di fuori è entrata anche nella casa.

In una società della *pubblica indifferenza*, in cui gli affetti sono reperibili solo tra le mura di casa, dove spesso manca l'aria per mancato ricambio, anche il suicidio subisce quell'indeterminatezza in cui il desiderio di vivere e il desiderio di morire non sono più antinomici, ma fluttuano da un polo all'altro nello spazio dell'indifferenza. Spesso nessun messaggio, nessun biglietto per i sopravvissuti, nessuna spiegazione, un suicidio senza progetto, senza una volontà che si afferma. Pura riconferma del vuoto. Per chi la raccoglie, traccia di una testimonianza per una condizione che forse ci accomuna. Camminiamo ogni giorno accompagnati dal nostro anonimato, e spesso non basta la casa per sentirci chiamare con il nostro nome.

Eppure, al di là di quello che la biochimica oggi ci dice e domani la genetica ci dirà, almeno da un secolo sappiamo che alla base del disagio psichico c'è una sofferenza affettiva. E l'amore non ha costi sociali. Lo si può diffondere con generosità e anche con piacere, se solo le nostre anime non si sono del tutto desertificate. In caso diverso, avremmo individuato la vera malattia dell'Occidente.

7. *La follia come condizione umana*

Nel 1978 Franco Basaglia riuscì a far approvare in Italia la legge 180 che sancì la chiusura dei manicomi, che l'Organizzazione mondiale della sanità, nel 2003, ha indicato come "uno dei pochi eventi innovativi nel campo della psichiatria su scala mondiale". Ma sarebbe estremamente erroneo considerare la chiusura dei manicomi come il risultato maggiore dell'opera e delle intenzioni di Basaglia. Erroneo e vantaggioso per chi sta dalla parte della legge, dove di solito funziona questo tipo di mossa: si concede una cosa, nella fattispecie la chiusura dei manicomi, per non dar seguito al principio ispiratore che quella cosa aveva richiesto come primo passo di un lungo cammino da perseguire.

Un cammino che era iniziato con una serie di saggi, scritti tra il 1963 e il 1979, oggi pubblicati con il titolo *L'utopia della realtà.*[77] A differenza della rivoluzione che, come ci ricorda Salvatore Natoli,[78] ha un carattere esplosivo perché segna un'accelerazione del tempo in vista di un *altro* futuro, l'utopia, che guarda al futuro con un'etica terapeutica, dove i mali si eliminano tramite il controllo razionale degli effetti, ha bisogno di tanto futuro. L'operazione di Basaglia è un'operazione utopica, non rivoluzionaria.

La chiusura dei manicomi era, negli intenti di Basaglia, solo un primo passo verso un sommovimento della società e una rivisitazione dei rapporti sociali a partire dalla *clinica*, proprio da quella clinica che a suo tempo era nata per tutelare la cattiva coscienza della società, la quale, per garantire la sua quiete e i rapporti di potere in essa vigenti, non aveva trovato di meglio che incaricare la clinica di fornire le giustificazioni scientifiche (allo stato attuale delle conoscenze psichiatriche molto dubbie) che rendessero ovvia e da tutti condivisa la reclusione dei folli entro mura ben cintate.

Per rendere il suo servizio, la clinica ridusse la *follia* a *malattia* che, per essere curata, deve essere sottratta al mondo in cui essa ha origine, che è poi quel mondo-della-vita che Husserl per primo ha segnalato come *Lebenswelt.*[79] Nasce così la reclusione manicomiale, a proposito della quale, scrive Basaglia:

> Il manicomio ha qui la sua ragion d'essere che è poi quella di far diventare razionale l'irrazionale. Quando qualcuno è folle ed entra in manicomio smette di essere *folle* per trasformarsi in *malato*. Diventa razionale in quanto malato.[80]

In realtà, la chiusura dei manicomi non era lo scopo finale dell'operazione basagliana, ma il mezzo grazie al quale la società poteva fare i conti con le figure del disagio che la attraversano quali la miseria, l'indigenza, la tossicodipendenza, l'emarginazione e persino la delinquenza, a cui la follia non di rado si im-

[77] F. Basaglia, *L'utopia della realtà* (1963-1979), Einaudi, Torino 2005.

[78] S. Natoli, *Télos, skopós, éschaton. Tre figure della storicità* (1982), in *Teatro filosofico*, Feltrinelli, Milano 1991, pp. 49-50.

[79] E. Husserl, *Die Krisis der europäischen Wissenschaften und die transzendentale Phänomenologie* (1934-1937, pubblicato nel 1954); tr. it. *La crisi delle scienze europee e la fenomenologia trascendentale*, il Saggiatore, Milano 1972.

[80] F. Basaglia, *Conferenze brasiliane* (1979), Raffaello Cortina, Milano 2000, p. 34.

parenta. Infatti, la follia dei ricchi non si esprime con la *segregazione*, ma al massimo con l'*interdizione*, qualora la follia intacchi gli interessi patrimoniali. Per questo, scrive Basaglia:

> Non è dunque a questa follia che si rivolge la ragione, ma a quella segregata, istituzionale, incarcerata che è sempre la follia della miseria – che è essenzialmente miseria se l'altra follia può continuare a esprimersi altrove, fuori dalla segregazione. Il rapporto della ragione con *questa* follia è dunque rapporto della ragione con la miseria.[81]

Per controllare e contenere questa miseria non c'è modo migliore che quello di renderla muta come *miseria* e farla parlare solo come *malattia*. E allora, se la clinica ha messo il suo sapere al servizio di una società che non vuole occuparsi dei suoi disagi, Basaglia tenta l'operazione opposta, ossia l'accettazione da parte della società di quella figura, da sempre inquietante, che è la follia, da lui così definita:

> La follia è una condizione umana. In noi la follia esiste ed è presente come lo è la ragione. Il problema è che la società, per dirsi civile, dovrebbe accettare tanto la ragione quanto la follia, invece incarica una scienza, la psichiatria, per tradurre la *follia* in *malattia* allo scopo di eliminarla. Il manicomio ha qui la sua ragion d'essere.[82]

Non era questo l'intento di Philippe Pinel, che nel 1793 inaugurò a Parigi il primo manicomio, liberando i folli dalle prigioni, in base al principio che il folle non può essere equiparato al delinquente.[83] Con questo atto di nascita la psichiatria si presenta come scienza della liberazione dell'uomo. Ma fu un attimo, perché il folle, liberato dalle prigioni, fu subito rinchiuso in un'altra prigione che si chiamerà manicomio. Da quel giorno comincerà il calvario del folle e la fortuna della psichiatria. Se infatti passiamo in rassegna la storia della psichiatria, vediamo emergere i nomi di grandi psichiatri, mentre dei folli esistono solo etichette: isteria, astenia, mania, depressione, schizofrenia. "La storia della psichiatria," scrive Basaglia, "è storia degli psichiatri, non storia dei malati."[84]

[81] F. Basaglia, F. Ongaro Basaglia, *Follia/delirio*, in *Enciclopedia*, Einaudi, Torino 1979, vol. 6, p. 267.
[82] F. Basaglia, *Conferenze brasiliane*, cit., p. 34.
[83] Ph. Pinel, *Traité médico-philosophique sur l'aliénation mentale ou la manie* (1800); tr. it. *La mania. Trattato medico-filosofico sull'alienazione mentale*, Marsilio, Venezia 1987.
[84] F. Basaglia, *Conferenze brasiliane*, cit., p. 4.

Ma la depressione, la mania, la schizofrenia sono davvero "malattie" come l'ulcera, l'epatite virale, il cancro? O il modo d'essere schizofrenico è così diverso da individuo a individuo e così dipendente dalla storia personale di ciascuno da non consentire di rubricare storie e sintomi così diversi sotto un'unica denominazione?

L'ansia di accreditarsi come scienza sul modello della medicina ha fatto sì che la psichiatria trascurasse, senza curarsene, la "soggettività" dei folli, i quali furono tutti "oggettivati" di fronte a quell'unica soggettività salvaguardata che è quella del medico. Ma è davvero credibile che, negando istituzionalmente la soggettività del folle, sia possibile guarirlo, cioè restaurarlo nella sua soggettività? Evidentemente no.

Accettando la condizione di parità tra medico e paziente, Basaglia scopre che, restituendo al folle la sua soggettività, questi diventa un uomo con cui si può entrare in relazione. Scopre che il folle ha bisogno non solo delle cure per la malattia, ma anche di un rapporto umano con chi lo cura, di risposte reali per il suo essere, di denaro, di una famiglia e di tutto ciò di cui anche il medico che lo cura ha bisogno. Insomma: "Il malato non è solamente un malato, ma un uomo con tutte le sue necessità".[85]

Trattato come uomo, scrive Basaglia, "il folle non presenta più una *malattia*, ma una *crisi*",[86] una crisi vitale, esistenziale, sociale, familiare, che diventa permanente e definitiva se il folle, che si è perso nel mondo, viene sottratto al mondo per essere più o meno definitivamente rinchiuso in quel non-mondo che si chiama manicomio.

Se la sofferenza psichica non è una malattia, ma la storia potenziale di chiunque che, da un giorno all'altro, può trovarsi in una deriva di pensieri, sensazioni e sentimenti che, sconnessi, affogano in quella luce nera e così poco rassicurante che, con un nome che oscilla tra il poetico, il geniale e il patologico, siamo soliti chiamare "follia"; se oltre a non essere una prerogativa esclusiva dei pazzi, uno stato permanente, una condizione definitiva, è un episodio isolato o reiterato che diventa permanente e definitivo se non curato, non si può pensare di risolvere il problema della sofferenza psichica identificando la cura con la reclusione in quello spazio chiuso e privo di mondo che si chiama manicomio.

[85] Ivi, p. 10.
[86] Ivi, p. 13.

Fu così che, prima a Gorizia e poi a Trieste, Basaglia avvia la sperimentazione dell'apertura dei manicomi, affiancato in questo da Eugenio Borgna in quel di Novara, dove i "pazzi", opportunamente accompagnati, potevano uscire dalle mura, muoversi con qualche incertezza e un po' di sconcerto nella città, bere un caffè al bar, entrare in una chiesa, comprare qualcosa al mercato, scambiare parole, il più delle volte non corrisposte, con la gente, acquisire insomma le coordinate del mondo comune, da cui la follia li aveva esclusi temporaneamente e il manicomio definitivamente.

A non uscire erano quelli che la reclusione manicomiale aveva ridotto a uno stadio pre-umano, avvolti nel buio della loro depressione che aveva marcato irrimediabilmente i tratti del loro volto, oppure confusi nel loro delirio troppo ricco ed effervescente perché tutti i temi potessero essere ricomposti, in quell'ideazione fluente che creava un mondo fantastico in sostituzione di quello reale a loro precluso. E poi quelli attraversati da quella mania che solo Platone chiamava "divina",[87] quando si manifestava vicino agli oracoli, e che invece nel chiuso del manicomio diventava disumana, talvolta pre-umana.

Se l'uomo, come ci ricorda Heidegger, è nato per "essere-nel-mondo",[88] c'è da credere davvero che quando il mondo si allontana per l'accadere tempestoso della follia, sia essa muta come nella depressione o chiassosa come nella mania, sarà possibile recuperare il folle precludendogli definitivamente il mondo e quindi la possibilità di organizzarlo, che è poi l'unico esercizio della ragione?

Queste cose le insegnavano fin dagli anni trenta Binswanger e Minkowski in Svizzera, e poi negli anni successivi Laing e Cooper in Inghilterra, Deleuze e Foucault in Francia, Cargnello, Callieri e Borgna in Italia, dove mai una cattedra universitaria è stata assegnata a un esponente di questa corrente psichiatrica antimanicomiale e antifarmacologica, finché un giorno Franco Basaglia aprì i cancelli del manicomio in quell'unica città, forse, dove li si poteva aprire: Trieste.

Trieste, infatti, è un po' austriaca, un po' slovena, un po' croa-

[87] PLATONE, *Fedro*, 244 a. Sulla "divina follia" si veda U. GALIMBERTI, *La terra senza il male. Jung dall'inconscio al simbolo* (1984), Feltrinelli, Milano 2001, capitolo 13: "La divina follia".

[88] M. HEIDEGGER, *Sein und Zeit* (1927); tr. it. *Essere e tempo*, Utet, Torino 1978, Parte I, capitolo 2: "Essere-nel-mondo in generale come costituzione fondamentale dell'Esserci".

ta, un po' italiana, città del futuro se vogliamo, perché abituata ad avere a che fare con lo "straniero" e quindi anche con lo "strano", che è poi quello che noi chiamiamo "folle". Oggi i "matti" si muovono tranquillamente in quella città insieme ai vecchi di cui la città è piena, e che un po' ragionano come i matti, insieme agli stranieri che portano quel loro modo di vedere il mondo che a quelli del luogo appare un po' strano, ma poi neanche tanto, se si attenuano le proprie rigidità e si impara quella virtù che si è soliti chiamare "tolleranza".

Se il sogno di Basaglia era che la clinica potesse diventare un laboratorio per nuove forme di relazioni sociali, oggi non poteva esserci risveglio più brusco se dobbiamo constatare che dominante è la "psichiatria organicista" quando non la "genetica psichiatrica". Nulla da obiettare contro le scoperte della scienza e i suoi rimedi, purché si eviti di considerare l'uomo e gli oscuri meandri della sua mente come un semplice laboratorio in cui la scienza verifica le sue ipotesi.

L'utopia di Basaglia di fare della clinica un laboratorio per rendere "umane" e non "oggettivanti" le relazioni tra gli uomini – attraverso la creazione di servizi di salute mentale diffusi sul territorio, residenze comunitarie, gruppi di convivenza, con la partecipazione di maestri, educatori, accompagnatori, attori motivati – sembra in procinto di naufragare e fallire anche se l'Organizzazione mondiale della sanità ci informa che un giovane su cinque in Occidente soffre di disturbi mentali, e ci avverte che nel 2020 i disturbi neuropsichiatrici cresceranno in una misura superiore al cinquanta per cento, divenendo una delle cinque principali cause di malattia, di disabilità e di morte.

Che facciamo? Mettiamo tutti in manicomio o facciamo recuperare loro quel rapporto con il mondo che il manicomio preclude definitivamente e i servizi di salute mentale, così come sono oggi, non garantiscono per incuria, trascuratezza, indifferenza, per la paura che la società ha della diversità che ospita nelle figure degli immigrati, dei tossici, dei senzatetto, degli emarginati? Per questa disfunzionalità Basaglia temeva, e in qualche modo prevedeva, che non era da escludere un ritorno ai manicomi, anche se la sua dimensione utopica e non visionaria gli consentiva di dire:

> La cosa importante è che abbiamo dimostrato che l'impossibile diventa possibile. Dieci, quindici anni, vent'anni fa era impossibile che un manicomio potesse essere distrutto. Magari i manicomi torneranno a essere chiusi e più chiusi di prima, io non lo so, ma a ogni

> modo noi abbiamo dimostrato che si può assistere la persona folle in un altro modo, e la testimonianza è fondamentale. Non credo che il fatto che un'azione riesca a generalizzarsi voglia dire che si è vinto. Il punto importante è un altro: è che ora si sa che cosa si può fare. Noi, nella nostra debolezza, in questa minoranza che siamo, non possiamo vincere, perché è il potere che vince sempre. Noi possiamo al massimo convincere. Nel momento in cui convinciamo, vinciamo, cioè determiniamo una situazione di trasformazione difficile da recuperare.[89]

Basaglia sapeva perfettamente che non bastava chiudere l'istituzione manicomiale e porre fine alle vite bruciate tra le sue mura, silenzioso olocausto consumato nel nome della scienza, per ottenere dalla società una rivisitazione dei suoi rapporti con le figure della follia e, più in generale, del disagio. A ciò si deve aggiungere che la cura psichiatrica, ai nostri giorni, si è fatta più esigente, più asettica, persino più pulita, anche se decisamente più invasiva di quanto non fosse l'istituzione manicomiale.

Oggi a essere minacciata è la società come istituzione totale, dove troppi individui, nel tentativo di gestire al meglio i propri umori, preferiscono, alla relazione sociale, il ricorso quotidiano alle pillole, fino a trasformarsi in robot chimici sempre all'altezza delle loro prestazioni, nel cupo silenzio della loro anima. A questo proposito Franco Rotelli, che ha raccolto l'eredità di Franco Basaglia, scrive in un suo saggio:

> La biologia molecolare e la neurofisiologia potranno avere poteri ancora enormi, le neuroscienze potranno dirci molto sul cervello, molto ci dirà la genetica. C'è però una cosa su cui mai potremo avere risposte da queste scienze: sull'etica, cioè sulla modalità con cui gli uomini decidono di stabilire un contratto sociale, sui valori e sui punti in base ai quali gli uomini decidono di stabilire le modalità del proprio relazionarsi. Ebbene, io penso che Franco Basaglia abbia saputo fare questa operazione: ha saputo porre la questione al massimo livello, l'ha posta cioè a partire dall'etica. E ciò per riaffrontare il problema della malattia, della medicina, della relazione, a partire dal cuore dell'etica stessa, a partire dai valori, a partire da come questi valori si strutturano. A partire, ancora, dalla questione di come le istituzioni organizzano concretamente questi valori, li rendono pratici, danno loro un volto concreto.[90]

[89] F. Basaglia, *Conferenze brasiliane*, cit., pp. 142-143.
[90] F. Rotelli, *Quale pratica per la salute mentale alla fine di un secolo di riforme?*, in "La psicoanalisi", n. 25, Astrolabio, Roma 1999, n. 25, p. 95.

Questo era il progetto di Basaglia. La chiusura dei manicomi era solo un primo passo, in un campo limitato, quello del disagio mentale, per chiedere alla società di non avere più paura della diversità che ospita, e che, in questa o in altre forme, sempre più dovrà ospitare. Ma forse la difesa dei diversi, dei folli, dei soggetti più deboli, che era un'atmosfera diffusa negli anni settanta e che ha portato alla chiusura dei manicomi, non è più un ideale della nostra cultura che si sta rivelando sempre più sensibile a rapporti di forza piuttosto che a rapporti di sostegno.

Che sia questa la premessa per cui la follia, e la disperazione che sempre l'accompagna, trovano un terreno favorevole per dilagare? Il cuore si è fatto duro e si è persa fiducia nel carattere terapeutico che la comunicazione e la relazione sociale possiedono come loro tratto specifico e come ognuno di noi può verificare quando sta male.

MITI COLLETTIVI

10.
Il mito della tecnica

> Ciò che è veramente inquietante non è che il mondo si trasformi in un completo dominio della tecnica. Di gran lunga più inquietante è che l'uomo non è affatto preparato a questo radicale mutamento del mondo. Di gran lunga più inquietante è che non siamo ancora capaci di raggiungere, attraverso un pensiero meditante, un confronto adeguato con ciò che sta realmente emergendo nella nostra epoca.
>
> M. HEIDEGGER, *L'abbandono* (1959), p. 36.

1. *La tecnica come condizione dell'esistenza umana*

Siamo soliti considerare la tecnica come uno *strumento* a disposizione dell'uomo, quando invece la tecnica oggi è diventata il vero *soggetto* della storia, rispetto al quale l'uomo è ridotto a *funzionario* dei suoi apparati. Al loro interno, infatti, egli deve compiere quelle azioni descritte e prescritte che compongono il suo "mansionario", mentre la sua *persona* è messa tra parentesi a favore della sua *funzionalità*.

Se dunque la tecnica è diventata il soggetto della storia e l'uomo il suo obbediente funzionario, l'"umanismo", che come ci ricorda Heidegger,[1] prevede la centralità dell'uomo, può considerarsi concluso, e le categorie umanistiche, che finora abbiamo adottato per leggere la storia, risultano inidonee a interpretare il tempo dischiuso dall'età della tecnica.

Diciamo questo pur riconoscendo che la tecnica può essere considerata come l'*essenza stessa dell'uomo*. E questo perché, come ci insegna una lunga tradizione che va da Platone ad Arnold Gehlen,[2] l'uomo è l'unico vivente privo di istinti. La definizione

[1] M. HEIDEGGER, *Brief über den "Humanismus"* (1946); tr. it. *Lettera sull'"umanismo"*, in *Segnavia*, Adelphi, Milano 1987.

[2] Si veda in proposito U. GALIMBERTI, *Psiche e techne. L'uomo nell'età della tecnica*, Feltrinelli, Milano 1999, e in particolare il capitolo 8: "La tecnica come condizione dell'esistenza umana" e il capitolo 16: "Per una rifondazione della psicologia. Un modello: *L'uomo* di Arnold Gehlen".

tradizionale che lo definisce "animale ragionevole" è sostanzialmente impropria, perché all'uomo manca quella prima caratteristica fondamentale dell'animalità che è l'istinto.

L'istinto, infatti, è una risposta *rigida* a uno stimolo. Se, porgo a un erbivoro un pezzo di carne, l'erbivoro non percepisce quella carne come cibo, se invece gli porgo un covone di fieno, non esita a mangiarlo. Gli uomini invece non sono dotati di queste risposte rigide agli stimoli che chiamiamo "istinti".

Anche Freud, che nelle sue prime opere parla di *Instinkt*, successivamente abbandona questa parola e la sostituisce con *Trieb*, che in italiano traduciamo con "pulsione", ovvero spinta *generica* verso qualcosa. Lo stesso "istinto sessuale" è così poco istintivo che noi, in presenza di una sollecitazione sessuale, possiamo abbandonarci a ogni tipo di perversione – cosa che sembra non sia concessa agli animali – così come possiamo indirizzarci verso una meta non sessuale, quale può essere un'opera d'arte, una composizione poetica o musicale e simili, in base a quel processo che Freud chiama "sublimazione della pulsione sessuale".[3]

Per questo l'uomo non va pensato come un animale fornito di istinti, ma come quel vivente che, non essendo codificato dagli istinti, può sopravvivere solo se diventa *immediatamente tecnico*. In tal senso possiamo collocare la nascita dell'umanità nel momento in cui il primo antropoide ha alzato un bastone per prendere un frutto. La componente tecnica è dunque la dimensione con la quale l'uomo supplisce alla sua carenza istintuale, e come tale essa rappresenta anche il luogo eminente della sua libertà.

Questa, infatti, non va pensata come scesa dal cielo. L'uomo è libero perché è biologicamente carente, perché non è codificato in maniera rigida dagli istinti. Quindi la libertà è una sua indeterminazione biologica. A differenza dell'animale che, dal momento in cui nasce, sa tutto quello che deve fare fino al giorno in cui muore, l'uomo – come ci ricorda Gehlen – "è un essere che per natura è così problematicamente dotato, da dover fare di una natura trasformata il punto di appoggio della sua propria, dubbia, capacità di vivere".[4] Non, quindi, la tecnica come prodotto maturo della progressiva evoluzione umana, ma la tecnica come

[3] S. Freud, *Drei Abhandlungen zur Sexualtheorie* (1905); tr. it. *Tre saggi sulla teoria sessuale*, in *Opere*, Bollati Boringhieri, Torino 1928-1993, vol. IV.

[4] A. Gehlen, *Zur Geschichte der Anthropologie* (1957); tr. it. *Per la storia dell'antropologia*, in *Antropologia filosofica e teoria dell'azione*, Guida, Napoli 1990, p. 198.

condizione imprescindibile dell'esistenza umana, come ciò senza il quale l'uomo non avrebbe potuto inaugurare la propria storia.

La teoria per cui gli uomini non hanno istinti è enunciata per la prima volta da Platone nel *Protagora*,[5] dove racconta che Zeus incaricò Epimeteo (*epi-metis*, colui che pensa dopo; quindi l'improvvido, lo sprovveduto) di assegnare a tutti i viventi delle qualità, che erano poi le qualità istintuali. Giunto all'uomo, Epimeteo più non ne disponeva da distribuire, perché era stato troppo prodigo nelle assegnazioni precedenti. Allora Zeus, impietositosi della sorte umana, incaricò il fratello di Epimeteo, Prometeo (*pro-metis*, colui che pensa in anticipo), affinché desse agli uomini la propria virtù: l'antiveggenza, il pre-vedere.

Anche Hobbes sostiene che, mentre gli animali mangiano quando hanno fame, l'uomo è "*etiam famis futuræ famelicus*",[6] ovvero affamato anche dalla fame futura. In altri termini, l'uomo non ha bisogno dello stimolo della fame per procurarsi il cibo, perché prevede che, anche quando sarà sazio, arriverà il tempo in cui necessiterà di cibo. Questa è la virtù dell'uomo: la *capacità di previsione*.

Dunque, l'uomo nasce originariamente "tecnico". Utilizzando una formula più articolata, si potrebbe dire che il giorno in cui tra gli antropoidi si è manifestato per la prima volta un gesto tecnico, quel giorno è nato colui che oggi chiamiamo "uomo".

2. *Il mondo greco e il primato della natura sulla tecnica*

Il problema della tecnica è stato oggetto di riflessione in Grecia prima ancora della nascita della filosofia, come ad esempio nel *Prometeo incatenato* di Eschilo. A questo proposito non bisogna pensare che le tragedie greche siano rappresentazioni teatrali messe in scena semplicemente per commuovere o far partecipare la gente al dolore delle vicende umane. Al contrario, quando nella città sorgevano dei problemi, venivano rappresentati nel teatro, ovvero all'interno di una dimensione sacrale. Infatti tutte le parole greche che cominciano per *the-*, quindi *theós*

[5] PLATONE, *Protagora*, 320 d-322 d.

[6] TH. HOBBES, *Elementorum philosophiæ sectio secunda: De homine* (1658); tr. it. *Elementi di filosofia: Il corpo – L'uomo*, Utet, Torino 1972, capitolo X, § 3, p. 588.

(dio, da cui anche *Zeus*), *theoréma* (teorema), *théatron* (teatro), contengono un riferimento al sacro.

Nella tragedia di Eschilo cui si è fatto cenno, Prometeo, amico degli uomini, dona loro il fuoco con cui possono trasformare i metalli e produrre strumenti. Dà loro la capacità del calcolo, della previsione e, in qualche modo, i princìpi dell'operatività tecnica. A questo punto, però, Zeus diventa timoroso che gli uomini, grazie alla tecnica, possano diventare più potenti degli dèi. Già in questo passaggio è evidente il tema del conflitto tra religione e scienza. Con la scienza e con la tecnica, infatti, è possibile ottenere ciò per cui un tempo bisognava pregare gli dèi. Allora Zeus punisce Prometeo: lo lega a una roccia con un'aquila che gli rode il fegato, che si riforma continuamente per garantire l'eternità del supplizio.

I miti devono essere considerati con molta attenzione, perché non sono racconti, favole, pure invenzioni di fantasia. Nei miti c'è scienza, c'è sapere. Ad esempio, nell'ipotesi che il fegato si riformi c'era tutta la competenza dei medici della scuola di Kos, i quali avevano già individuato una caratteristica fondamentale del fegato, ovvero quella di rigenerarsi continuamente. Ogni tre o quattro settimane, infatti, le cellule epatiche si rinnovano. Vi erano dunque delle nozioni scientifiche alla base di questo mito.

Comunque, procedendo nel racconto di Eschilo, a un certo punto il Coro chiede a Prometeo se sia più forte la tecnica oppure la natura. Per comprendere questa domanda è necessario immergersi profondamente nel pensiero greco. E ciò significa liberarsi della concezione cristiana della natura che permea tutti noi, tanto i credenti quanto gli atei.

Per la cultura giudaico-cristiana, infatti, la natura è il prodotto della volontà di Dio che l'ha creata, per cui, come tutti i prodotti di una volontà, la natura ha determinate caratteristiche, ma avrebbe potuto averne anche altre, differenti. Non solo, la natura prodotta dalla volontà di Dio viene poi consegnata agli uomini perché possano trarne sostentamento e su di essa possano esercitare il loro potere. Dio, infatti, affida ad Adamo il dominio sugli animali della terra, sui pesci dell'acqua e sui volatili del cielo. Quindi la natura è concepita come il prodotto della volontà di Dio consegnato al dominio dell'uomo. Leggiamo infatti nel *Genesi*:

> Poi Iddio disse: "Facciamo l'uomo a nostra immagine, secondo la nostra somiglianza: *domini* sopra i pesci del mare e sugli uccelli del

cielo, sugli animali domestici, su tutte le fiere della terra e sopra tutti i rettili che strisciano sulla sua superficie".[7]

Nel mondo greco tutto ciò è inconcepibile, perché, per i Greci, la natura è quel Tutto immutabile governato da una categoria potentissima: la necessità (*anánke*). Come ci ricorda Eraclito, le leggi della natura non possono subire alcuna modificazione, perché "questo cosmo che nessun Dio e nessun uomo fece, sempre è stato, sempre è, e sempre sarà: immutabile".[8] Quindi non un prodotto della volontà che può essere così ma anche altrimenti, né tantomeno qualcosa che l'uomo può dominare, perché, come dice Platone:

> Anche quel piccolo frammento che tu rappresenti, o uomo meschino, ha sempre il suo intimo rapporto con il cosmo e un orientamento a esso, anche se non sembra che tu ti accorga che ogni vita sorge per il Tutto e per la felice condizione dell'universa armonia. Non per te infatti questa vita si svolge, ma tu piuttosto vieni generato per la vita cosmica.[9]

Quindi tutti coloro che pensano che i Greci, e in particolare Platone, siano anticipatori della cultura cristiana, o non hanno capito i Greci o non hanno capito il cristianesimo. C'è un abisso tra i due scenari.

Secondo la *mentalità greca* gli uomini devono contemplare la natura e cercare di catturarne le costanti. Sulla base di queste costanti devono costruire l'ordine della città e l'ordine dell'anima. La natura è dunque l'orizzonte di riferimento sia per la politica sia per il buon governo dell'anima, oggi di competenza della psicologia.

Secondo la *tradizione giudaico-cristiana*, per la quale la natura è data in consegna all'uomo affinché la domini, non c'è alcuna contraddizione fra la tecnica e la natura, a differenza della cultura greca per la quale la contraddizione si presenta in tutta la sua forza perché, se la natura è immutabile, cosa succede se la tecnica modifica la natura? La risposta di Prometeo al Coro che pone la domanda è lapidaria: "*téchne d'anánkes asthenestéra makrôi*",[10] la tecnica è di gran lunga più debole della ne-

[7] *Genesi*, 1, 28.
[8] Eraclito, *fr.* B 30.
[9] Platone, *Leggi*, Libro X, 903 c.
[10] Eschilo, *Prometeo incatenato*, v. 514.

cessità che vincola la natura alla sua immutabilità e alla regolarità delle sue leggi.

Anche Sofocle, nell'*Antigone,* racconta che l'aratro solca la terra, però la terra si ricompone dopo il suo passaggio. Allo stesso modo la nave solca il mare, ma le onde si ricompongono presto in una calma trasognata.[11] Quindi la natura non viola la legge delle necessità e la tecnica non oltrepassa mai la legge che governa la natura. Tuttavia la risposta di Prometeo è corretta solo perché la tecnica, all'epoca dei Greci, era molto modesta.

3. *L'età moderna e il primato della scienza e della tecnica sulla natura*

Se ora passiamo dal mondo greco alla vigilia dell'epoca moderna, quando ancora si coltivavano i campi esattamente come al tempo dei Greci, constatiamo che, dal punto di vista tecnico, non sono intervenute grosse novità. Nonostante l'architettura e l'idraulica romana, si continuavano a sfruttare le pendenze naturali e le risorse energetiche che la natura offriva. Anche in medicina, il farmaco non era considerato l'elemento che guariva, ma piuttosto ciò che assecondava la natura nel processo di guarigione. Insomma, permaneva l'antico primato della natura.

Nel 1600, fa la sua comparsa quello sguardo assolutamente nuovo inaugurato dalla *scienza moderna*. I nomi di riferimento sono Bacone, Galileo, Cartesio, per i quali non bisogna più procedere come i Greci, che si limitavano a contemplare la natura nel tentativo di catturarne le leggi. Occorre, dicono costoro, un'operazione inversa: formuliamo delle ipotesi sulla natura, sottoponiamo la natura a esperimento e, se la natura conferma l'esperimento, assumiamo le *nostre* ipotesi come leggi di natura. Questo è il metodo scientifico, il fondamento della cosiddetta scienza moderna.

Due secoli dopo, Kant si riferisce a quell'evento come a una "rivoluzione copernicana". Prima di Copernico si pensava che la terra fosse il centro dell'universo. Con Copernico si inverte l'ipotesi, ponendo al centro dell'universo il sole con la terra che si muove intorno a esso. Kant cita anche due nomi di italiani: Galileo e Torricelli che, nei confronti della natura, "non si sono

[11] SOFOCLE, *Antigone*, vv. 334-341.

comportati come gli *scolari* che accettano tutto quello che dice il maestro, ma come i *giudici* che obbligano l'imputato a rispondere alle loro domande".[12] La natura è ora l'imputato che risponde alle domande degli uomini e, se conferma le ipotesi che questi hanno formulato, tali ipotesi vengono assunte come "leggi di natura".

A questo punto possiamo dire che l'essenza dell'umanesimo non è rappresentata tanto dalla letteratura intorno all'uomo, dal trattato di Lorenzo Valla sulla dignità dell'uomo, né dall'arte che inneggia alla grandezza dell'umano, quanto dalla scienza, perché, come dice bene Cartesio, attraverso il metodo scientifico l'uomo diventa *"maître et possesseur du monde"*,[13] dominatore e padrone del mondo. Ciò significa che l'uomo ha trovato il metodo con cui leggere la natura e organizzarla secondo i propri progetti. In questa luce risulta alquanto ingenua la ripartizione tra scienze umane e scienze naturali, poiché è proprio la scienza moderna che consegna all'uomo il primato sull'ordine naturale.

Ora, però, sono doverose due precisazioni. Quando si parla di *scienza* non si deve pensare a qualcosa di "puro" rispetto al quale la *tecnica* costituisce un'applicazione, buona o cattiva a seconda dell'uso che se ne fa. Questa concezione è fondata sulla falsa persuasione che la tecnica sia una semplice *applicazione* della scienza, mentre in realtà ne è l'*essenza* stessa. E questo non nel senso che, senza tecnica, non sarebbe possibile alcuna ricerca scientifica, ma perché la scienza non guarda il mondo per contemplarlo, ma per manipolarlo, per trasformarlo. Lo sguardo scientifico possiede da subito un'intenzione tecnica che lo configura, lo qualifica e lo indirizza verso la manipolabilità. È come se in un bosco si recassero un poeta e un falegname: i due non vedrebbero la stessa cosa osservando gli alberi, perché il falegname vedrebbe già dei mobili.

Passiamo al secondo pregiudizio. È vero: tra religione e scienza, tra Zeus e Prometeo per rifarci al mito a cui si è fatto cenno, c'è una certa conflittualità. Però è una conflittualità relativa, molto meno rilevante rispetto alla profonda identità che c'è tra teologia e scienza.

La scienza infatti è figlia della teologia medievale. Anche se

[12] I. Kant, *Kritik der reinen Vernunft* (1781, 1787); tr. it. *Critica della ragion pura*, Laterza, Bari 1959, Prefazione alla seconda edizione (1787), pp. 18-19.

[13] R. Descartes, *Discours de la méthode* (1637); tr. it. *Discorso sul metodo*, in *Opere*, Laterza, Bari 1986, vol. I, Parte V, p. 318.

si professa afinalistica e procede come se Dio non fosse, la scienza gronda di metafore teologiche. La teologia aveva scandito il tempo in passato, presente e futuro, e aveva stabilito che il passato è il male (il peccato originale), il presente è il riscatto (la redenzione avvenuta con Cristo e poi tramite le opere buone degli uomini), e il futuro è la salvezza. Passato, presente e futuro non sono dunque tre tempi omogenei.[14] Questa triade, questo modo di concepire il tempo così qualificato, è la stessa che rintracciamo nella scienza, la quale stabilisce che il passato è male perché è ignoranza, il presente è ricerca, il futuro è progresso. La scienza pensa teologicamente e quindi si può dire che nell'opera degli scienziati vi è una base teologica molto profonda.[15]

Di questo è buon testimone Bacone, il quale, nel *Novum Organum*, scrive esplicitamente che "la scienza concorre alla redenzione dell'uomo".[16] Per quale ragione? Perché, scrive Bacone, attraverso la scienza gli uomini possono recuperare le virtù preternaturali che Adamo possedeva prima del peccato originale, ma soprattutto perché, grazie a essa, possono ridurre le pene conseguenti al peccato originale. Queste ultime sono, come tutti sanno, il *dolore* ("partorirai nel dolore"), e il *lavoro* ("guadagnerai il pane con il sudore della fronte").[17] La scienza, o se preferiamo la tecno-scienza, riducendo la fatica del lavoro e l'atrocità del dolore, concorre alla redenzione. E questo è proprio lo scenario teologico entro il quale nasce la scienza in senso moderno.

Dopodiché, sempre nel 1600, si immaginano delle città tecnologiche descritte in opere che prefigurano gli scenari conseguenti alla rivoluzione scientifica. Tali sono *La nuova Atlantide* di Bacone,[18] *Utopia* di Tommaso Moro,[19] *La città del sole* di

[14] A proposito di questa scansione del tempo e della differenza qualitativa delle tre estasi temporali (passato, presente e futuro) si veda S. NATOLI, *Télos, skopós, éschaton. Tre figure della storicità* (1982), in *Teatro filosofico*, Feltrinelli, Milano 1991, pp. 9-54.

[15] Si veda in proposito U. GALIMBERTI, *Psiche e techne. L'uomo nell'età della tecnica*, cit., capitolo 33: "L'epoca moderna e il primato della scienza e della tecnica come deriva teologica".

[16] F. BACONE, *Instauratio Magna, Pars secunda: Novum Organum* (1620); tr. it. *La grande instaurazione*, Parte seconda: *Nuovo organo*, in *Scritti filosofici*, Utet, Torino 1986, § 52.

[17] *Genesi*, 3, 14-19.

[18] F. BACONE, *New Atlantis* (1627), versione latina: *Nova Atlantis* (1638); tr. it. *La nuova Atlantide*, in *Scritti filosofici*, cit.

[19] T. MORO, *Utopia. De optimo rei pubblicæ statu* (1516); tr. it. *L'Utopia o la migliore forma di repubblica*, Laterza, Roma-Bari 2008.

Campanella.[20] Ma naturalmente si tratta di proiezioni fantastiche, poiché in realtà la tecnica non aveva ancora trovato le sue applicazioni. I campi si coltivavano ancora come all'epoca dei Greci.

4. *Il capovolgimento dei mezzi in fini*

Due secoli dopo la nascita della scienza moderna, due riflessioni di Hegel si rivelano decisive per lo strutturarsi dell'età della tecnica. Nella *Scienza della logica* sostiene che nel futuro la ricchezza non sarà più determinata dai "beni", ma dagli "strumenti" perché i beni si consumano, mentre gli strumenti sono in grado di costruire nuovi "beni".[21]

A noi che siamo cresciuti nel mondo industriale e poi nel mondo tecnico questo appare ovvio, ma all'epoca non era assolutamente così. Basti pensare che appena quarant'anni prima Adam Smith, il fondatore dell'economia politica con la sua celebre *Indagine sulla natura e le cause della ricchezza delle nazioni,*[22] aveva indicato come misuratore della ricchezza, appunto, i beni. Hegel, al contrario, dice che d'ora innanzi la ricchezza sarà determinata dagli strumenti, dai macchinari, da ciò che produce e non da ciò che si consuma.

La seconda, decisiva, considerazione di Hegel è la seguente: quando un fenomeno cresce da un punto di vista *quantitativo* non si ha solo un aumento in ordine alla quantità, ma si ha anche una variazione *qualitativa* radicale.[23] Hegel fa un esempio molto semplice: se mi tolgo un capello sono uno che ha i capelli, se mi tolgo due capelli sono uno che ha i capelli, se mi tolgo tutti i capelli sono calvo. Vi è dunque un cambiamento qualitativo per il semplice incremento quantitativo di un gesto.

Marx cattura questo teorema di Hegel e lo applica all'economia. Tutti siamo abituati a considerare il denaro come un mezzo per realizzare determinati scopi, che sono la soddisfazione dei

[20] T. Campanella, *La città del sole* (1602, pubblicata nel 1623), Adelphi, Milano 1995.

[21] G.W.F. Hegel, *Wissenschaft der Logik* (1812-1816); tr. it. *Scienza della logica*, Laterza, Bari 1974, vol. II, pp. 833-856.

[22] A. Smith, *An Inquiry into the Nature and Causes of the Wealth of Nations* (1776); tr. it. *Indagine sulla natura e le cause della ricchezza delle nazioni*, Utet, Torino 1975.

[23] G.W.F. Hegel, *Scienza della logica*, cit., pp. 409-417.

bisogni e la produzione di beni. Ma, dice Marx, se il denaro aumenta quantitativamente fino a diventare la *condizione universale* per soddisfare qualsiasi bisogno e per produrre qualsiasi bene, allora il denaro non è più un *mezzo*, ma il principale *fine*, per ottenere il quale si vedrà se soddisfare i bisogni e in che misura produrre i beni. In questo modo il denaro da *mezzo* diventa *fine*, e quelli che erano fini diventano strumenti per realizzare quel fine (il denaro) che tutti continuano a considerare solo un mezzo.[24]

L'argomento marxiano può essere applicato anche alla tecnica. Se la tecnica, come osserva Emanuele Severino,[25] è la *condizione universale* per realizzare qualsiasi scopo, la tecnica non è più un *mezzo*, ma è il primo *fine* da raggiungere per poter poi perseguire tutti gli altri scopi che, in assenza del dispositivo tecnico, resterebbero dei sogni.

Noi abbiamo assistito al crollo dell'Unione Sovietica. Spesso, con grande ingenuità, si attribuisce tale crollo a ragioni "umanistiche", come le condizioni materiali di vita delle persone o la mancanza di libertà civili e politiche. Ma non sono mai le ragioni umanistiche a determinare i collassi storici.

Nei primi anni sessanta l'Unione Sovietica aveva un dispositivo tecnico equipollente al suo antagonista, il mondo capitalistico americano. In quegli anni, quando gli americani ancora non erano riusciti a mandare in orbita un proprio satellite, l'Unione Sovietica aveva lanciato lo Sputnik. Allora il collasso dell'Unione Sovietica non era ipotizzabile. Negli anni ottanta, invece, la strumentazione tecnica americana tocca livelli irraggiungibili per i sovietici, come testimoniato da Gorbaciov che a Reykjavik, capitale dell'Islanda, implora Reagan di non procedere alla costruzione dello scudo stellare perché l'Unione Sovietica non avrebbe avuto nulla da contrapporre. A quel punto l'Unione Sovietica non può che crollare. Infatti, come ci ricorda ancora Emanuele Severino,[26] se lo scopo, il comunismo, può essere realizzato solo attraverso la disponibilità tecnica, venendo meno quest'ultima anche il comunismo non dispone più di alcun sostegno.

Allo stesso modo, se la tecnica diventa ciò senza cui nessun fine è realizzabile, allora essa diventa, a prescindere dagli sco-

[24] K. Marx, *Oekonomisch-philosophische Manuskripte aus dem Jahre 1844* (1844); tr. it. *Manoscritti economico-filosofici del 1844*, in *Marx Engels Opere Complete*, Editori Riuniti, Roma 1976, vol. III, pp. 350-354.

[25] E. Severino, *Il destino della tecnica*, Rizzoli, Milano 1998, pp. 11 sgg., 35 sgg.

[26] E. Severino, *Il declino del capitalismo*, Rizzoli, Milano 1993, pp. 50 sgg.

pi, ciò che tutti vogliono, perché senza la tecnica anche quelli che si presume siano i veri fini – per esempio il comunismo mondiale o il capitalismo mondiale – non possono essere raggiunti. Tutto ciò ha delle conseguenze enormi sul piano antropologico. Per brevità, limiterò questo discorso a due soli ambiti: la politica e l'etica.

5. *Il tramonto della politica nell'età della tecnica*

La politica è stata sostanzialmente inventata da Platone ed è quindi una cosa tutto sommato recente. Prima della politica c'era la tirannide. Oggi, come scrive Giacomo Marramao, "la politica appare come un sovrano spodestato che si aggira tra le antiche mappe dello Stato e della società, rese inservibili perché più non rimandano alla legittimazione della sovranità".[27] Utile per le rappresentazioni, per la raccolta e l'organizzazione delle identità, delle appartenenze, delle passioni, oggi la politica non sembra essere più il luogo della *decisione*, perché, per decidere, deve guardare all'economia, e l'economia, a sua volta, per decidere i suoi investimenti guarda alle disponibilità e alle risorse tecnologiche.

Quando si sostiene che potremo difenderci dall'invasione dei prodotti cinesi solo migliorando la nostra tecnologia, e dunque investendo nella ricerca, è come se si riconoscesse il primato della tecnica sull'economia, a sua volta fondato sul primato dell'economia sulla politica. In questo senso, dicevamo, la politica diventa la *rappresentazione* della decisione, non più il *luogo* della decisione.

Tutto ciò non è esente da rischi perché, come ci ricorda Platone, le tecniche sanno *come* si devono fare le cose ma non sanno *se* quelle devono essere fatte e *perché* devono essere fatte.[28] Di qui la necessità, sempre secondo Platone, di quella "tecnica regia (*basiliké téchne*)", che è la politica capace di assegnare alle tecniche le finalità delle loro procedure.[29] Oggi il rapporto tra tecnica e politica, che per Platone doveva sovrintendere le tecniche, si è completamente capovolto.

[27] G. MARRAMAO, *Dopo il Leviatano. Individuo e comunità nella filosofia politica* (1995), Bollati Boringhieri, Torino 2000, p. 28.
[28] PLATONE, *Alcibiade minore*, 146 e-147 b.
[29] PLATONE, *Politico*, 304 e.

Non solo. La tecnica sovverte anche la *struttura del potere* che, nell'età pre-tecnologica, poteva essere rappresentata dalla figura del triangolo, dove al vertice c'è il momento decisionale – l'arbitrio del sovrano, la legge, il potere –, e alla base l'ubbidienza o la trasgressione, la legittimità o l'illegittimità, i cittadini o i sudditi.

Oggi la tecnica non consente più una simile rappresentazione, perché la tecnica conferisce potere a tutti coloro che operano in un apparato. Per cui, ad esempio, bastano dieci controllori di volo per fermare tutto il complesso della navigazione aerea, quando un tempo uno sciopero tradizionale, per avere successo, doveva coinvolgere l'ottanta per cento dei lavoratori di un certo settore.

Siamo quindi di fronte a un potere nuovo, perché la tecnica prevede una coordinazione dei suoi sub-apparati, affinché tutto possa funzionare con una regolarità e una coordinazione assolute. Basta infatti l'interruzione di un piccolo segmento perché si blocchi tutto l'apparato. In questo modo la tecnica conferisce potere a tutti coloro che operano nell'apparato, un potere che gli americani hanno ben identificato nella denominazione *no making power*, il potere di non fare.

A questo punto, invocare politici decisionisti, come spesso capita di sentire, nell'età della tecnica è quanto di meno efficace possa esistere, perché se basta una piccola astensione per bloccare tutto l'apparato, il lavoro del politico dovrà essere di grande *mediazione*, più che di *decisione*. La decisione non è compatibile con la funzionalità della tecnica.

Inoltre la tecnica potrebbe determinare la *fine della democrazia* (il condizionale è motivato dal fatto che siamo tutti affezionati alla democrazia, ma in realtà si potrebbe anche dire che essa è già venuta meno). La tecnica, infatti, ci mette di fronte a problemi sui quali siamo chiamati a pronunciarci senza alcuna competenza. Basti pensare, a titolo esemplificativo, al referendum sulla fecondazione assistita, o al dibattito sulle centrali nucleari, o a quello sugli organismi geneticamente modificati. In tutti questi casi si possono giudicare con competenza i termini dei problemi solo se si è rispettivamente un biologo, un fisico nucleare o un genetista. Le persone prive di queste specifiche qualifiche prenderanno posizione su basi "irrazionali", quali sono l'appartenenza ideologica a un partito, la fascinazione per chi è maggiormente persuasivo in televisione, la simpatia per un politico.

Platone avrebbe definito questo sistema, che oggi potremmo chiamare *telecrazia*, in termini di *retorica* o *sofistica*. Che cos'era la retorica all'epoca di Platone? Dei trentacinque dialoghi che il filosofo ateniese ci ha lasciato, una decina sono indirizzati contro i retori e i sofisti, cioè contro coloro che ottengono il consenso non con argomenti razionali, non insegnando come vanno le cose, non distribuendo competenza, non argomentando le loro tesi, ma sulla base della mozione degli affetti, della sofisticazione dei paralogismi, dell'appello all'autorità, della persuasione emotiva.

Secondo Platone costoro devono essere espulsi dalla città perché non può nascere un sistema democratico finché ci sono tali mistificatori del linguaggio e del consenso. Quando diciamo che la *telecrazia* rischia di cancellare la democrazia, riproponiamo il problema sollevato da Platone a proposito della *retorica* e della democrazia. Noi oggi ci troviamo nella stessa situazione, perché la tecnica mette sul tavolo problemi che richiedono una competenza di gran lunga maggiore rispetto a quella di cui disponiamo.

6. *L'impotenza dell'etica nell'età della tecnica*

Se dalla politica passiamo all'*etica*, constatiamo che la tecnica pone dei problemi che esigono delle decisioni "morali". Ma con quale morale è possibile rapportarsi agli eventi tecnico-scientifici? In Occidente abbiamo conosciuto fondamentalmente tre tipi di morale:

a) La *morale cristiana,* che ha una storia grandiosa, al punto che su di essa si è fondato l'intero ordine giuridico europeo. Si qualifica come morale dell'*intenzione*, nel senso che per giudicare una persona occorre considerare l'intenzione che ha promosso la sua azione. Chi ha commesso un delitto, se aveva l'intenzione di uccidere è considerato colpevole, se ha ucciso per errore, senza appunto l'intenzione di farlo, il suo delitto è colposo, se invece il gesto era stato pianificato precedentemente è un delitto intenzionale, se era organizzato prima ma non in maniera propriamente scientifica, si tratta di un delitto preterintenzionale, e via di seguito. In ogni caso è sempre presente questa categoria dell'intenzione, questo riferimento all'indagine della coscienza, attraverso la quale giudicare la bontà o la moralità dei comportamenti.

L'etica dell'intenzione nell'età della tecnica non è di grande utilità. Di fronte a un evento tecnologico, i cui effetti possono essere devastanti, poco importa conoscere le intenzioni di coloro che lo hanno prodotto. Nel caso della bomba atomica, siamo interessati al suo potenziale distruttivo, non alle ragioni che hanno mosso Fermi e i suoi compagni di ricerca allo sviluppo di quel progetto.

b) Abbiamo poi una *morale laica*, che per brevità potremmo riassumere nella bella proposizione di Kant: "L'uomo va trattato sempre come un fine, mai come un mezzo".[30] Anche questa, come la precedente, è una morale dell'intenzione, però Kant la costruisce prescindendo da qualsiasi riferimento teologico, con strumenti esclusivamente razionali. Per questo motivo può essere definita *laica*.

È una morale che non ha mai avuto modo di realizzarsi, in quanto l'uomo, nella nostra cultura soprattutto, è giustificato nella sua esistenza solo in quanto funzionario di un apparato o produttore di qualcosa. Prendiamo l'esempio di un immigrato: il fatto che esista e che magari abbia dei bisogni primari da soddisfare non legittima la sua presenza nel nostro paese, che invece gli viene riconosciuta se connessa a una funzione produttiva. Come funzionario delle merci la sua presenza è legittimata. In questo senso Marx ha previsto con straordinaria lucidità la condizione dell'uomo nell'età della tecnica. E se ha commesso degli errori, ha sbagliato solo per difetto, perché è difficile confutare quella sua considerazione secondo la quale:

> Il risultato di tutte le nostre scoperte e del nostro progresso sembra essere che le forze materiali vengano dotate di vita spirituale e l'esistenza umana avvilita a forza materiale. [...] L'umanità diventa signora della natura, mentre l'uomo diventa schiavo dell'uomo o schiavo della propria infamia.[31]

Eppure, anche se gli uomini fossero trattati come fini e non come mezzi, questo tipo di morale presenterebbe comunque dei limiti di efficacia. Cosa vuol dire che l'uomo deve essere trattato come un *fine*? Che tutto il resto può essere trattato come un *mezzo*. Ma nell'età della tecnica, l'aria è un mezzo o è un fine da

[30] I. Kant, *Grundlegung zur Metaphysik der Sitten* (1785); tr. it. *Fondazione della metafisica dei costumi*, Rusconi, Milano 1994, Sezione II, p. 95.

[31] K. Marx, *Die Revolution von 1848 und das Proletariat* (1866); tr. it. *La rivoluzione del 1848 e il proletariato*, in *Marx-Engels Gesamtausgabe*, vol. X, Frankfurt a.M.-Moskva, 1927-1935, p. 42.

salvaguardare? L'acqua è un mezzo o è a sua volta un fine da salvaguardare? Gli animali, le piante, sono dei mezzi o dei fini da tutelare?

Nessuna di queste morali, né quella cristiana né quella laica, si sono mai fatte carico degli *enti di natura*, perché all'epoca in cui furono formulate non era necessario. Gli uomini erano pochi e, rispetto alla popolazione, la natura era sovrabbondante. Oggi la popolazione mondiale è cresciuta a dismisura al punto da mettere a rischio la natura. Di fronte alla necessità di difenderla e tutelarla siamo privi di strumenti etici. Anche se ci sono dei dispositivi giuridici, non si è ancora fatto strada nella coscienza collettiva il concetto che chi inquina commette un crimine dal punto di vista morale. E se lo stupro, giusto per fare un esempio, risulta immorale agli occhi di chiunque, non così l'inquinamento, per cui anche la morale laica non è all'altezza dell'accadere tecnico.

c) Agli inizi del secolo scorso Max Weber ha teorizzato una morale che è stata poi riproposta negli anni ottanta da un allievo di Heidegger, Hans Jonas.[32] Si tratta della *morale della responsabilità* (*Verantwortungsethik*) che il sociologo tedesco contrappone alla morale dell'intenzione (*Gesinnungsethik*) perché, dice Weber, noi non dobbiamo guardare le *intenzioni* con cui gli uomini compiono le azioni, bensì gli *effetti* delle azioni stesse. Ma a questa proposizione aggiunge: "finché gli effetti sono *prevedibili*".[33]

Ebbene, è caratteristica propria della tecnica produrre effetti imprevedibili. E ciò perché la mentalità degli scienziati non è *finalistica*, ma *procedurale*, nel senso che un biologo, ad esempio, studia per dieci anni una determinata molecola, un altro, senza una ragione e senza uno scopo, studia per altri dieci anni un'altra molecola, perché l'etica della scienza impone di sapere tutto ciò che si può sapere. Se poi dalla combinazione di queste competenze accade che scaturisca qualcosa di antropologicamente vantaggioso, allora abbiamo una ricaduta di una qualche utilità.

Per "antropologicamente vantaggioso" dobbiamo naturalmente intendere anche e soprattutto "economicamente vantag-

[32] H. Jonas, *Das Prinzip Verantwortung* (1979); tr. it. *Il principio responsabilità. Un'etica per la civiltà tecnologica*, Einaudi, Torino 1990.

[33] M. Weber, *Politik als Beruf* (1919); tr. it. *La politica come professione*, in *Il lavoro intellettuale come professione*, Einaudi, Torino 1971, p. 109.

gioso". In caso contrario avremmo già curato dalla malaria, dalla lebbra o dall'Aids le popolazioni africane, mentre questo non avviene perché la ricaduta antropologica non è lo scopo primario dello scienziato, il quale, nella sua ricerca, prescinde da qualsiasi utilità, scopo e destinazione.

La tecno-scienza, infatti, non ha altro scopo che non sia il suo massimo auto-potenziamento. Ne è una prova il continuo finanziamento delle ricerche sul nucleare. Come ci ricorda Günther Anders,[34] nel mondo di oggi le potenze nucleari hanno la possibilità di distruggere la terra diecimila volte, ma questo fatto non determina l'interruzione della ricerca sul perfezionamento della bomba atomica. Siamo dunque al limite dell'assurdo. Ma è proprio l'assurdo che ci fa vedere la caratteristica dell'apparato tecnico-scientifico che, essendo la condizione imprescindibile per la realizzazione di qualsiasi fine, non ha altro scopo che non sia l'auto-potenziamento.

A ciò si aggiunge il fatto che non c'è alcun potere in grado di controllare la tecno-scienza, perché non c'è alcun potere che sia all'altezza della competenza scientifica. Ormai i livelli di specializzazione sono tali che, ad esempio, negli Stati Uniti sono nate delle riviste "divulgative" per i fisici, in grado di spiegare al fisico A cosa sta facendo il fisico B con un linguaggio più semplificato per consentire ai due di intendersi. Se questi sono i livelli della specializzazione scientifica, chi può esercitare un controllo in questo campo?

Comunque non siamo ancora nell'età della tecnica compiutamente dispiegata. L'economia controlla ancora la tecno-scienza, nel senso che promuove solo le ricerche con un'immediata ricaduta economica. Ma tra non molto la tecno-scienza si libererà anche di questo vincolo, perché è la forma più alta di razionalità raggiunta dall'uomo.

L'economia, infatti, che in termini di razionalità era la forma più alta prima dell'avvento della tecnica, ha poi ceduto alla tecnica il primato, perché l'economia soffre ancora di una passione umana: la *passione per il denaro*, che è un elemento irrazionale dal punto di vista della perfetta funzionalità e ottimizzazione del rapporto mezzo-fine. Possiamo allora dire che l'economia, pro-

[34] G. Anders, *Die Antiquiertheit des Menschen*, Band I: *Über die Seele im Zeitalter der zweiten industriellen Revolution* (1956); tr. it. *L'uomo è antiquato*, Libro I: *Considerazioni sull'anima nell'epoca della seconda rivoluzione industriale*, Bollati Boringhieri, Torino 2003, pp. 259-273.

prio perché viziata da una passione umana, è ancora una scienza "umanistica", per quanto continui a condizionare quella competenza non umanistica che è la tecnica.

7. *La mutazione antropologica nell'età della tecnica*

La Seconda guerra mondiale può essere considerata la soglia d'inizio dell'età della tecnica. Non perché prima non ci fosse una società tecnologica. La tecnica, infatti, comincia a dispiegare la sua potenza nell'Ottocento con la rivoluzione industriale e poi con le necessità belliche. Tuttavia, durante la Seconda guerra mondiale si assiste a uno sviluppo tecnologico che determina una *mutazione antropologica* senza precedenti. Il modo di pensare che si forma in quegli anni diventerà il paradigma dominante per tutti noi che oggi viviamo nell'età della tecnica.

Ne è convinto Günther Anders, filosofo tedesco rifugiatosi in America a causa delle persecuzioni naziste. Impiegatosi in una fabbrica della Ford, ebbe a constatare che, nonostante il suo maestro Heidegger gli avesse insegnato che l'uomo è il "pastore dell'essere", a lui pareva di trovarsi nella condizione di "pastore delle macchine", le quali esprimono una competenza, una precisione, un'intelligenza talmente superiori alla nostra da farci provare una sorta di "vergogna prometeica" nei confronti dell'accadere macchinale.[35]

Secondo Anders, ebreo perseguitato, nell'epoca nazista si è determinato un cambiamento radicale di mentalità che a suo parere è un fatto "più tragico dei sei milioni di ebrei trucidati".[36] Di che cosa si tratta? Anders si riferisce al passaggio dall'*agire* al puro e semplice *fare*: io "agisco" quando compio delle azioni in vista di uno scopo, mentre "faccio" quando eseguo bene il mio mansionario, prescindendo dagli scopi finali che non conosco o, ipotizzando che li conosca, non ne sono comunque responsabile.

Nel corso del processo di Norimberga, così come in quello a Eichmann, quando gli esponenti nazisti catturati venivano interrogati in merito alla responsabilità delle loro azioni, la risposta che fornivano era sempre: "Mi sono limitato a eseguire gli ordini". Nella società della tecnica potremmo considerare questa

[35] Ivi, Parte I: "Della vergogna prometeica", pp. 37-120.

[36] G. ANDERS, *Wir Eichmannsöhne* (1964); tr. it. *Noi figli di Eichmann*, Giuntina, Firenze 1995, pp. 60-63.

risposta rigorosamente corretta. Per questo motivo Günther Anders arriva a dire che il nazismo è stato un "teatro sperimentale di provincia"[37] dove si è fatto l'esperimento dell'accadere dell'età della tecnica, in cui si è passati dall'agire al fare, dall'assunzione di responsabilità in ordine agli scopi finali in cui consiste l'*agire* alla pura assunzione della buona o della cattiva esecuzione del proprio mansionario: puro e semplice *fare*.

Ne sono una prova le interviste che Franz Stangl, direttore del campo di concentramento di Treblinka, rilasciò a Gitta Sereny, che a più riprese gli andava chiedendo come avesse fatto a sopprimere cinquemila persone al giorno e soprattutto che sentimento provava. Franz Stangl non capisce la domanda e continua a ripetere la stessa litania: arrivavano tremila persone alle undici del mattino che dovevano essere soppresse entro le tre del pomeriggio perché ne sarebbero sopraggiunte altre duemila che dovevano essere soppresse entro il giorno successivo. Il metodo l'aveva ideato Wirth. "Funzionava. E dal momento che funzionava era irreversibile. Eseguirlo era il mio lavoro (*Arbeit*)."[38]

La stessa risposta la riceve Günther Anders a una sua lettera scritta al pilota americano che ha sganciato la bomba su Hiroshima. Anders vuole capire da dove il pilota traesse forza e motivazione per fare una cosa del genere: sganciare una bomba atomica su una popolazione che neppure conosceva e mai aveva frequentato, sapendo gli effetti che avrebbe prodotto. Il pilota non risponderà direttamente alla lettera, ma, tempo dopo, nel corso di un'intervista a un giornale in cui gli si chiedeva che cosa avrebbe potuto replicare ad Anders, la sua risposta fu: "*Nothing, that was my job* (niente, quello era il mio lavoro)".[39] In altre parole, si considerava un buon pilota perché sapeva quando e come il bottone doveva essere schiacciato. Ciò che gli si richiedeva era solo una *competenza tecnica*. Quello era il suo "lavoro", di altro non era responsabile.

La parola "lavoro", così carica di implicazioni positive, nell'età della tecnica è molto insidiosa, perché, come ci ricorda Adriano Zamperini,[40] limita la responsabilità alla buona esecuzione

[37] Ivi, p. 61.

[38] G. Sereny, *Into that Darkness* (1974); tr. it. *In quelle tenebre*, Adelphi, Milano 1975, pp. 227-229, 271-272.

[39] R. Jungk (a cura di), *Off Limits für das Gewissen. Der Briefwechsel zwischen dem Hiroshima-Piloten Claude Heatherly und Günther Anders* (1961); tr. it. *Il carteggio del pilota di Hiroshima Claude Heatherly e di Günther Anders*, Einaudi, Torino 1962.

[40] A. Zamperini, *Psicologia sociale della responsabilità*, Utet, Torino 1998, p. 5.

degli ordini, quindi una responsabilità *nei confronti del superiore*, senza alcuna considerazione in ordine agli *effetti della propria azione*.

Se ci dovessimo recare in una fabbrica di mine antiuomo come dovremmo chiamare chi presta la sua opera: "assassino" o "operaio"? Alla fine bisogna decidersi, in qualche modo bisogna pur definirlo. Forse sarebbe più opportuno chiamarlo "operaio", perché si può star sicuri che, se gli si offrisse uno stipendio più alto per andare a lavorare ad esempio in un'industria alimentare, non esiterebbe. Anche in questo caso siamo di fronte a una sostanziale indifferenza verso lo scopo finale di un "lavoro".

Quando anni fa l'agenzia canadese di una banca italiana fu coinvolta nello scandalo della fornitura di armi a Saddam, gli impiegati di quella banca erano colpevoli? Evidentemente no. E gli impiegati dell'azienda telefonica americana che oggi sappiamo aver concorso al colpo di stato in Cile e gli azionisti di quell'azienda erano colpevoli o no? Anche per loro bisogna dire di no.

Quando investiamo soldi in Borsa, siamo responsabili degli scopi finali delle industrie che finanziamo? No, perché la nostra attenzione si limita a quel piccolo settore che copre il rapporto tra l'investimento e il relativo profitto. Lì riteniamo finisca la nostra responsabilità. Ma così facendo passiamo dall'*agire*, che tiene sempre in vista lo scopo, al puro e semplice *fare*, che si limita alla buona esecuzione delle procedure. Questa è l'età della tecnica, come a più riprese ci ha ricordato l'ex presidente degli Stati Uniti Bush jr. quando diceva che i soldati americani dovevano rimanere in Iraq fino a quando non avessero terminato il loro "lavoro", quasi si trattasse di un semplice "mansionario" privo di responsabilità finali, all'insegna di una completa de-responsabilizzazione di quanto realmente sotto i loro occhi stava accadendo.

8. *La modificazione del nostro modo di pensare e di sentire*

Martin Heidegger, forse perché non lontano dall'ideologia nazista, dopo aver visto il "teatro sperimentale di provincia" di cui parla Günther Anders, aveva compreso in anticipo l'età della tecnica, a proposito della quale ha scritto:

> Ciò che è veramente inquietante non è che il mondo si trasformi in un completo dominio della tecnica. Di gran lunga più inquietante è che l'uomo non è affatto preparato a questo radicale mutamento

del mondo. Di gran lunga più inquietante è che non siamo ancora capaci di raggiungere, attraverso un pensiero meditante, un confronto adeguato con ciò che sta realmente emergendo nella nostra epoca.[41]

Oggi, infatti, disponiamo unicamente di quel tipo di pensiero che Heidegger chiama "calcolante (*Denken als rechnen*)", in grado solo di far di conto, di rispondere al richiamo dell'utile e del vantaggioso, di operare unicamente in quel breve tratto che connette i mezzi ai fini in modo da ottimizzarne l'impiego al minor costo possibile. Anche la bellezza rientra in questo meccanismo, perché persino l'opera d'arte diventa tale quando entra nel mercato, che è calcolo, valutazione. Sembra infatti che anche l'arte non abbia valore in sé, se a sua volta non entra nel mercato diventando quindi "calcolabile". In questo modo non sappiamo più cos'è "il bello", cos'è "il buono", cos'è "il giusto", cos'è "il virtuoso", cos'è "il santo", cos'è "il vero".

Ci sono ancora dei pensieri liberi, ma non sono più che un passatempo, un esercizio domenicale. Non incidono realmente su ciò che accade nel mondo, dove tutto ruota intorno all'utilità, all'ottimizzazione del rapporto mezzo-fine.

In questo modo la tecnica modifica radicalmente il nostro *modo di pensare*, perché le macchine, anche se ideate dagli uomini, ormai contengono un'oggettivazione dell'intelligenza umana decisamente superiore alla competenza dei singoli individui. La memoria di un computer è decisamente superiore alla nostra memoria. E anche se si tratta di una memoria "stupida", frequentandola, essa modifica il nostro modo di pensare, traducendolo da "problematico", come sempre è stato, in "binario", secondo lo schema 1/0, che ci rende idonei a dire solo "sì" o "no", al massimo "non so".

Non è un caso che il pensiero umano si è evoluto proprio quando ha superato questo tipo di impostazione. Il pensiero primitivo, infatti, era fondato sui binomi: luce e tenebre, giorno e notte, terra e cielo. Due erano i parametri all'inizio della nostra storia. Poi abbiamo cominciato a pensare in modo problematico e complesso. Oggi questo tipo di pensiero implode nuovamente in una logica binaria, che ritroviamo nelle trasmissioni a quiz che fanno da traino ai telegiornali, negli esami di maturità, persino nelle ammissioni all'università.

[41] M. Heidegger, *Gelassenheit* (1959); tr. it. *L'abbandono*, il melangolo, Genova 1983, p. 36.

Né vale l'obiezione secondo cui la tecnica è buona o cattiva a seconda dell'uso che se ne fa, perché a modificarci non è il buono o il cattivo uso, ma, come ci ricorda Anders, "il solo fatto che ne facciamo uso".[42] Il suo utilizzo ci modifica. Parlare con i nostri amici attraverso una chat significa subire una trasformazione nella modalità di relazione, perché discutere via chat è diverso che incontrarsi *vis-à-vis*. Se i nostri bambini guardano la televisione quattro o più ore al giorno è inevitabile che si trasformi il loro modo di pensare e di sentire. E questo indipendentemente dai buoni o dai cattivi programmi. È sufficiente la prolungata esposizione.

Anche il nostro *modo di sentire* viene significativamente modificato. Noi abbiamo una psiche che risponde all'ambiente circostante (*Um-welt*), che è poi quello dove siamo nati, dove coltiviamo le nostre frequentazioni. Ma i mezzi di comunicazione ci mettono in contatto con i problemi dell'intero mondo (*Welt*). E allora come possiamo far fronte? Se muore un mio congiunto piango, se muore il mio vicino di casa faccio le condoglianze alla famiglia, se mi dicono che ogni otto secondi nel mondo muore di fame un bambino, mi dispiace, ma questa per ciascuno di noi finisce con l'essere solo una statistica. Non reagiamo più, perché i media ci offrono uno scenario di accadimenti che oltrepassa la nostra capacità di percezione emotiva. "Il troppo grande ci lascia indifferenti", scrive Anders.[43] E per non toccare con mano la nostra impotenza a modificare il corso delle cose, rimuoviamo l'informazione. Neppure emotivamente, quindi, siamo all'altezza dell'evento "tecnica".

Ancora una volta constatiamo che la tecnica non è più un *mezzo* a disposizione dell'uomo, ma è l'*ambiente*, all'interno del quale anche l'uomo subisce una modificazione, per cui la tecnica può segnare quel punto assolutamente nuovo nella storia, e forse irreversibile, dove la domanda non è più: "Che cosa possiamo fare noi con la tecnica", ma "Che cosa la tecnica può fare di noi".

[42] G. ANDERS, *L'uomo è antiquato*, Libro I: *Considerazioni sull'anima nell'epoca della seconda rivoluzione industriale*, cit., p. 123.
[43] G. ANDERS, *Noi figli di Eichmann*, cit., p. 39.

11. Il mito delle nuove tecnologie

> Archimede disse una volta: "Datemi un punto di appoggio e solleverò il mondo". Oggi ci avrebbe indicato i nostri *mezzi di comunicazione* elettronici dicendo: "Mi appoggerò ai vostri occhi, alle vostre orecchie, ai vostri nervi e al vostro cervello, e il mondo si sposterà al ritmo e nella direzione che sceglierò io". Ma una volta che abbiamo consegnato i nostri sensi e i nostri sistemi nervosi alle manipolazioni di coloro che cercano di trarre profitti prendendo in affitto i nostri occhi, le orecchie, i nervi e il cervello, il risultato sarà che non avremo più diritti.
>
> M. McLuhan, *Gli strumenti del comunicare* (1964), p. 79.

1. *Il monologo collettivo e l'effetto omologazione*

Il sospetto è che la sempre più massiccia diffusione dei mezzi di comunicazione, potenziati dalle nuove tecnologie, abolisca progressivamente il bisogno di comunicare, perché nonostante l'enorme quantità di voci diffuse dai media, o forse proprio per questo, la nostra società parla nel suo insieme solo con se stessa.

Infatti, come osserva Günther Anders,[1] alla base di chi parla e di chi ascolta non c'è, come un tempo, una diversa esperienza del mondo, perché sempre più identico è il mondo a tutti fornito dai media, così come sempre più identiche sono le parole messe a disposizione per descriverlo. Il risultato è una sorta di comunicazione tautologica, dove chi ascolta finisce con l'ascoltare le identiche cose che egli stesso potrebbe tranquillamente dire, e chi parla dice le stesse cose che potrebbe ascoltare da chiunque. In questo senso è possibile dire che la diffusione dei mezzi di co-

[1] G. Anders, *Die Antiquiertheit des Menschen*, Band I: *Über die Seele in Zeitalter der zweiten industriellen Revolution* (1956); tr. it. *L'uomo è antiquato*, Libro I: *Considerazioni sull'anima nell'epoca della seconda rivoluzione industriale*, Bollati Boringhieri, Torino 2003, Parte II, capitolo 1: "Il mondo fornito a domicilio", pp. 121-149.

municazione, che la tecnologia ha reso esponenziale, tende ad abolire la necessità della comunicazione.

Con il loro rincorrersi, infatti, le mille voci che riempiono l'etere eliminano progressivamente le differenze che ancora sussistono fra gli uomini e, perfezionando la loro omologazione, rendono superfluo, se non impossibile, parlare in prima persona. In questo modo i mezzi di comunicazione cessano di essere dei *mezzi*, perché, come ci ricorda Günther Anders, nel loro insieme compongono quel *mondo* fuori dal quale non è dato avere altra e diversa esperienza, né altra libertà se non quella di prendervi parte o starsene in disparte.[2] Ma è davvero possibile "stare in disparte" in un mondo dove non ha valore la *realtà* del mondo o l'*esperienza* che se ne può fare, ma solo la sua *rappresentazione*, la sua buona riuscita nella versione telecomunicata?

Di tutt'altro avviso è Nicholas Negroponte, uno dei maggiori esperti mondiali di comunicazione digitale, secondo il quale:

> Aumentando le interconnessioni tra gli individui, molti dei valori tradizionali propri dello Stato-nazione lasceranno il passo a quelli di comunità elettroniche, grandi o piccole che siano. Socializzeremo in un vicinato digitale dove lo spazio fisico sarà irrilevante e il tempo giocherà un ruolo differente. Fra venti anni, guardando fuori dalla finestra, potrete vedere qualcosa distante da voi cinquemila miglia e sei fusi orari. Un'ora di televisione può essere stata mandata a casa vostra in meno di un secondo. Un reportage sulla Patagonia potrà darvi la sensazione di andarci di persona. Un libro scritto da William Buckley potrà essere una conversazione con lui.[3]

Qui non si tratta di enfatizzare o demonizzare le enormi potenzialità presenti e future dei mezzi di comunicazione, ma di capire come l'uomo profondamente si trasforma per effetto di questo potenziamento. Allo scopo è necessario far piazza pulita di tutti quei luoghi comuni, per non dire idee arretrate, che fanno da tacita guida a quasi tutte le riflessioni sui media, e in particolare a quella persuasione secondo la quale l'uomo può usare le tecniche comunicative come qualcosa di neutrale rispetto alla sua natura, senza neppure il sospetto che la natura umana possa modificarsi proprio in base alle modalità con cui si declina tecnicamente nella comunicazione. L'uomo, infatti, non è qualcosa che

[2] Ivi, § 1: "Nessun mezzo è soltanto un mezzo", pp. 123-125.
[3] N. Negroponte, *Being Digital* (1995); tr. it. *Essere digitali*, Sperling & Kupfer, Milano 1995, p. 29.

prescinde dal modo con cui manipola il mondo, e trascurare questa relazione significa non rendersi conto che a trasformarsi non saranno solo i mezzi di comunicazione, ma, come dice McLuhan, l'uomo stesso. Infatti:

> Il "messaggio" di un medium o di una tecnologia è nel mutamento di proporzioni, di ritmo e di schemi che introduce nei rapporti umani. [...] Ci avviciniamo al conflitto tra vista e suono, tra il modo scritto e il modo orale di percepire e organizzare l'esistenza. Dato che la comprensione, come faceva notare Nietzsche, interrompe l'azione, noi possiamo placare la violenza di questo conflitto cercando di capire i media che ci prolungano e che scatenano queste guerre dentro e fuori di noi.[4]

Infatti la radio, la televisione, il computer, il cellulare ci plasmano qualunque sia lo scopo per cui li impieghiamo, perché una trasmissione televisiva edificante e una degradante, per diversi che siano gli scopi a cui tendono, hanno in comune, come osserva Anders, "il fatto che noi *non vi prendiamo parte*, ma ne consumiamo soltanto la sua *immagine*".[5] Il "mezzo", indipendentemente dallo "scopo", ci istituisce come spettatori e non come partecipi di un'esperienza o attori di un evento.

Questa condizione, che vale per la televisione, vale in maniera esponenziale per internet, dove il *consumo in comune* del mezzo non equivale a una *reale esperienza comune*. Ciò che in internet si scambia, quando non è una somma spropositata di informazioni, è pur sempre una realtà *personale* che non diventa mai una realtà *condivisa*. Lo scambio ha un andamento solipsistico dove, come vuole la metafora di Anders, un numero infinito di "eremiti di massa" comunicano le vedute del mondo quale appare dal loro eremo, separati l'uno dall'altro, chiusi nel loro guscio come i monaci di un tempo sui picchi delle alture, "non già per rinunciare al mondo, bensì per non perdere, per l'amor del cielo, nemmeno una briciola del mondo *in effigie*".[6]

E così, sotto la falsa rappresentazione di un computer personale (*personal computer*), ciò che si produce è sempre di più l'uomo di massa, e per generarlo non occorrono maree oceaniche, ma oceaniche solitudini che, sotto l'apparente difesa del diritto al-

[4] M. McLuhan, *Understanding Media* (1964); tr. it. *Gli strumenti del comunicare*, il Saggiatore, Milano 1967, pp. 16, 24.
[5] G. Anders, *L'uomo è antiquato*, Libro I: *Considerazioni sull'anima nell'epoca della seconda rivoluzione industriale*, cit., p. 124.
[6] Ivi, p. 126.

l'individualità, producono, come lavoratori a domicilio, beni di massa e, come fruitori a domicilio, consumano gli stessi beni di massa che altre solitudini hanno prodotto. A questo punto le considerazioni di Gustave Le Bon[7] sulle situazioni di massa che alterano l'individuo sono ampiamente superate perché, grazie al *personal computer*, oggi si procede a domicilio a questa degradazione dell'individualità e al livellamento della razionalità.

2. *Il capovolgimento del rapporto uomo-mondo*

Ciò comporta un ribaltamento tra interiorità ed esteriorità, e più in generale tra interno ed esterno. Se un tempo la famiglia era l'"interno" in cui si scambiavano quei tratti affettivi d'ira e d'amore e più in generale quella libertà espressiva che occorreva contenere fuori, all'"esterno", oggi, grazie alla capillare diffusione della televisione, del computer o del cellulare sempre accesi, la famiglia è il luogo in cui è di casa il mondo esterno, reale o fittizio che sia.

Come opportunamente fa notare Anders, la casa reale, con le sue quattro mura e i suoi quattro mobili, "è ridotta a un *container* per la ricezione del mondo esterno"[8] via cavo, via telefono, via etere, e quanto più il lontano si avvicina, tanto più il vicino, la realtà di casa, quella familiare, si allontana e impallidisce.

Né, a parere di Anders, la situazione migliora quando la famiglia è "raccolta" intorno alla televisione, perché, a differenza della tavola intorno a cui un tempo ci si sedeva – facendo scorrere, in un viavai continuo, sentimenti e risentimenti, interessi e gelosie, sguardi e conversazioni di cui si nutriva la trama della famiglia – davanti alla televisione la famiglia è "raccolta non più in direzione centripeta, ma centrifuga", solo perché ciascuno, che non è più *con* l'altro, ma solo *accanto* all'altro, prenda il volo verso una fuga solitaria che "non condivide con nessuno, o al massimo con un milione di solitari del consumo di massa, che *contemporaneamente* a lui, ma non *insieme* a lui, guardano lo schermo".[9]

Tutto ciò non dipende dall'uso che facciamo dei mezzi, ma dal fatto che ne facciamo semplicemente uso, per cui non gli sco-

[7] G. Le Bon, *Psychologie des foules* (1895); tr. it. *Psicologia delle folle*, Longanesi, Milano 1970.
[8] G. Anders, *L'uomo è antiquato*, Libro I: *Considerazioni sull'anima nell'epoca della seconda rivoluzione industriale*, cit., p. 128.
[9] Ivi, pp. 129-130.

pi a cui sono preposti i mezzi, ma i mezzi come tali trasformano l'immagine in realtà e la realtà in fantasma.

Come il gas, l'acqua, la luce, così i mezzi di comunicazione digitali, indipendentemente dall'uso che ne facciamo, ci portano gli avvenimenti in casa dispensandoci dall'andare verso di loro. Ciò trasforma il nostro modo di *fare esperienza*, perché chi vuol sapere cosa avviene fuori casa deve andare a casa, e solo allora, quando ciascuno di noi è ridotto a una monade leibniziana "senza porte e senza finestre" che si aprono sul pianerottolo del vicino o sulla strada sotto casa, solo allora l'universo si riflette per noi e si offre a portata di mano. Non più il viandante che esplora il mondo, ma il mondo che si offre al sedentario che è al mondo proprio perché non lo percorre, e al limite neppure lo abita.

La rivoluzione ha del copernicano, perché il mondo non è più ciò che sta, ma a stare (seduto) è l'uomo, e il mondo gli gira attorno, capovolgendo i termini con cui, dal giorno in cui è comparso sulla terra, l'uomo ha fatto esperienza. Le conseguenze non sono da poco perché, come avverte Anders,[10] buon rilevatore di queste trasformazioni: se il mondo viene a noi, noi non "siamo-nel-mondo" come vuole la famosa espressione di Heidegger,[11] ma semplici consumatori del mondo. Se poi viene a noi solo in forma di immagine, ciò che consumiamo è solo il fantasma del mondo. Se questo fantasma lo possiamo evocare in qualsiasi momento, siamo onnipotenti come Dio. Ma poi questa onnipotenza si riduce, perché, se possiamo vedere il mondo senza potergli parlare, siamo dei voyeur condannati all'afasia.

Tutto questo dal nostro punto di vista. Se poi ci mettiamo dal punto di vista del mondo, allora assistiamo a un'altra serie di strane trasformazioni. Se un fatto che accade in un luogo determinato può essere trasmesso in qualsiasi luogo della terra, quel fatto perde la sua *individuazione* che da sempre è il tratto caratteristico dei fatti. Se per vederlo bisogna pagarlo, allora quel fatto, insieme a tutta la serie dei fatti, cioè il mondo, diventa merce. Se la sua importanza dipende dalla sua diffusione attraverso i media, allora l'essere dovrà misurarsi sull'apparire.

[10] Ivi, § 5: "Gli avvenimenti vengono a noi, non siamo noi ad andare verso di loro", pp. 132-136.

[11] M. Heidegger, *Sein und Zeit* (1927); tr. it. *Essere e tempo*, Utet, Torino 1978, § 12.

3. *L'effetto codice*

Inutile dire che in questa condizione, contrariamente a quanto si potrebbe pensare, si riduce, fino ad annullarsi, lo spazio della libertà e il bisogno di interpretazione. Ma questa riduzione non può essere avvertita perché, per esserlo, occorrerebbe disporre di un altro mondo rispetto al mondo rappresentato, che invece è l'unico che il monologo collettivo dei mezzi di comunicazione ci concede di abitare. Ci veniamo così a trovare in una condizione analoga a quella descritta da Anders in quel "racconto per bambini" dove si narra questa storia:

> Il re non vedeva di buon occhio che suo figlio, abbandonando le strade controllate, si aggirasse per le campagne per formarsi un giudizio sul mondo; perciò gli regalò carrozza e cavalli:
> "Ora non hai più bisogno di andare a piedi," furono le sue parole.
> "Ora non ti è più consentito di farlo," era il loro significato.
> "Ora non puoi più farlo," fu il loro effetto.[12]

Che c'entra questa storia? C'entra. Perché i mezzi di comunicazione, se ci mettono in contatto non con il *mondo*, ma con la sua *rappresentazione*, se ci consegnano una presenza senza respiro spazio-temporale perché rattrappita nella simultaneità e nella puntualità dell'istante, se modificano il nostro modo di fare esperienza, avvicinandoci il lontano e allontanandoci il vicino, se ci familiarizzano l'estraneo e ci forniscono i codici virtuali per l'interpretazione del mondo reale, i mezzi di comunicazione ci *codificano* e producono delle modificazioni nell'uomo indipendentemente dall'uso che se ne fa.

Per questo neghiamo che i mezzi di comunicazione siano soltanto dei "mezzi". Se radio, televisione, computer, cellulare determinano un nuovo rapporto tra noi e i nostri simili, tra noi e le cose, tra le cose e noi, allora i mezzi di comunicazione ci plasmano, qualsiasi sia lo scopo per cui li impieghiamo, e ancora prima che assegniamo loro uno scopo.

Come si vede, essere esposti non al *mondo*, ma alla *visione del mondo*, o se si preferisce "essere digitali", come vuole Nicholas Negroponte, comporta qualche problema filosofico e soprattutto incide sul nostro modo di fare esperienza, che non è un fatto del tutto trascurabile. Il mondo può diventare illeggibile per

[12] G. ANDERS, *L'uomo è antiquato*, Libro I: *Considerazioni sull'anima nell'epoca della seconda rivoluzione industriale*, cit., p. 121.

overdose di informazioni e l'uomo può perdere il bene più prezioso che è la capacità di fare esperienza. Non siamo infatti onnipotenti come i mezzi di cui disponiamo, e non saranno certi mezzi onnipotenti capaci di mettere in comunicazione milioni di solitudini e fare di tutti i solitari, privati proprio dai mezzi di comunicazione della possibilità di fare un'esperienza condivisa, gli abitanti di un mondo comune.

4. *La trasformazione antropologica indotta dai nuovi mezzi di comunicazione*

Lo studio a mio parere più approfondito sulla trasformazione antropologica che i nuovi mezzi di comunicazione di massa stanno determinando è stato condotto da Raffaele Simone[13] secondo il quale: prima la televisione e poi il computer, questi "elettrodomestici gentili", come vuole la loro iniziale reputazione, oggi hanno gettato la maschera rivelandosi per quel che sono: i più formidabili condizionatori di pensiero, non nel senso che ci dicono cosa dobbiamo pensare, ma nel senso che modificano in modo radicale il nostro modo di pensare, trasformandolo da analitico, strutturato, sequenziale e referenziale, in generico, vago, globale, olistico.

Questa trasformazione non è necessariamente un inconveniente. Il pensiero analitico ha duemilacinquecento anni di storia, che coincide con la storia dell'Occidente. Prima non si pensava in modo analitico e sequenziale, ma olistico e globale, e oggi, grazie alla televisione e al computer, si torna a pensare in quel modo. Le conseguenze sono già visibili nella nostra scuola, che nessuna riforma può migliorare se prima non ci si rende conto di questa trasformazione che pone in conflitto la cultura della scuola con la cultura dei giovani.

Come osserva Raffaele Simone, la scuola educa all'analiticità, al controllo linguistico, all'esplicitazione verbale, alla consequenzialità proposizionale, allo spirito critico, alla necessità di tradurre in parole il proprio mondo interiore e la propria esperienza. Rispetto a questo modello, la cultura giovanile è quanto di più dissonante vi possa essere, perché all'esplicitazione ver-

[13] R. Simone, *La terza fase. Forme di sapere che stiamo perdendo*, Laterza, Bari 2000.

bale preferisce l'allusione, così come predilige l'esperienza vissuta all'analisi dell'esperienza e alla sua nominazione.

Per i giovani le esperienze è meglio averle, viverle, rievocarle piuttosto che raccontarle analiticamente e tradurle in strutture discorsive, per cui andare a scuola finisce con l'essere una finzione, quando non una penitenza, al termine della quale si può tornare alla realtà vera e autentica, che non si articola in proposizioni verbali, ma in emozioni totali, come la musica, ad esempio, che non è una materia scolastica, ma qualcosa di infinitamente più profondo e coinvolgente che accomuna una cultura all'altra, mettendo in secondo piano la differenza linguistica e la sua articolazione proposizionale.

Nel tragitto culturale percorso dall'umanità Raffaele Simone individua tre fasi. La *prima* coincise con l'invenzione della scrittura che permise di dare stabilità alle conoscenze che sono un patrimonio fragile, delicato, sempre esposto al rischio di andare perduto. La *seconda* si aprì venti secoli dopo con l'invenzione della stampa che fece del libro, fino ad allora costosissimo e non riproducibile, un bene a basso costo e alla portata di tutti, che consentì a milioni di persone di attingere a cose pensate da altri a immense distanze di tempo e di spazio.

Negli ultimi trent'anni siamo traghettati nella *terza fase*, dove le cose che sappiamo, dalle più elementari alle più complesse, non le dobbiamo necessariamente al fatto di averle lette da qualche parte, ma semplicemente al fatto di averle viste in televisione, al cinema, sullo schermo di un computer, oppure sentite dalla viva voce di qualcuno, dalla radio, o da un amplificatore inserito nelle nostre orecchie e collegato a un i-Pod.

A questo punto sorgono spontanee le domande che Raffaele Simone opportunamente si pone: come la trasformazione della strumentazione tecnica modifica il nostro modo di pensare? E ancora: quali forme di sapere stiamo perdendo per effetto di questo cambiamento?

A queste domande Raffaele Simone risponde osservando che con l'avvento della scrittura il *vedere* acquistò un primato rispetto all'*udire*, ma non lasciò senza cambiamenti la stessa vista che, da visione delle immagini del mondo, dovette imparare a tradurre in significati una sequenza lineare di simboli visivi. Se ad esempio leggo la parola "cane", la forma grafica della parola e quella fonica non hanno niente a che fare con il cane, e allora la visione dei codici alfabetici comporta un esercizio della mente che la visione per immagini non richiede.

Ciò ha comportato un passaggio da un tipo di intelligenza che

Raffaele Simone chiama *simultanea* all'altro tipo di intelligenza considerata più evoluta che è quella *sequenziale*. L'*intelligenza simultanea* è caratterizzata dalla capacità di trattare nello stesso tempo più informazioni, senza però essere in grado di stabilire una successione, una gerarchia e quindi un ordine. È l'intelligenza che usiamo ad esempio quando guardiamo un quadro, dove è impossibile dire che cosa in un quadro vada guardato prima e cosa dopo.

L'*intelligenza sequenziale*, invece, quella che usiamo per leggere, necessita di una successione rigorosa e rigida che articola e analizza i codici grafici disposti in linea. Sull'intelligenza sequenziale poggia quasi tutto il patrimonio di conoscenze dell'uomo occidentale. Ma questo tipo di intelligenza, che fino a qualche anno fa sembrava un progresso acquisito e definitivo, oggi sembra entrare in crisi a opera di un ritorno dell'intelligenza simultanea, più consona all'immagine che all'alfabeto.

Non a caso si assiste in tutto il mondo a un arresto dell'alfabetizzazione che da diversi anni non si schioda da quel 47 per cento di analfabeti, per cui sembra si rovesci quel processo, che sembrava irreversibile, che aveva portato l'uomo dall'intelligenza simultanea a quella sequenziale. Radio, telefono e televisione hanno riportato al primato l'udito rispetto alla vista, e ricondotto la vista dalla decodificazione dei segni grafici alla semplice percezione delle immagini che sugli schermi si susseguono, con conseguente modificazione dell'intelligenza che, da una forma evoluta, regredisce a una forma più elementare.

Naturalmente *guardare* è più facile che *leggere*, e quindi, cari amici del libro, apprestiamoci a essere sempre più rari e, in questo mondo mediatico, anche un po' strani. L'*homo sapiens*, capace di decodificare segni ed elaborare concetti astratti è, come dice Raffaele Simone, sul punto di essere soppiantato dall'*homo videns* che non è portatore di un pensiero, ma fruitore di immagini, con conseguente "impoverimento del capire" dovuto, secondo Giovanni Sartori,[14] all'incremento del consumo di televisione. E come è noto, una moltitudine che "non capisce" è il bene più prezioso di cui può disporre chi ha interesse a manipolare le folle.

"Non ho letto il libro, ma ho visto il film," così si giustifica la gente che non legge. Ma quali segni di mutamento profondo nell'uso della nostra mente nasconde questa semplice frasetta? Raf-

[14] G. SARTORI, *Homo videns. Televisione e post-pensiero*, Laterza, Bari 1998.

faele Simone ne elenca alcuni: innanzitutto il *ritmo mentale* che nella lettura è autotrainato, nella visione è eterotrainato dall'emittente, per cui chi guarda è costretto a seguire il ritmo imposto dallo spettacolo.

Ciò comporta una *riduzione della correggibilità*, con la conseguenza che chi guarda, a differenza di chi legge, non può fermarsi per verificare se ha ben capito quel che ha visto. La possibilità di fermarsi consente in ogni fase della lettura di richiamare la nostra enciclopedia di conoscenze precedenti, mentre la cosa non è consentita a chi vede, perché la successione delle immagini, non lasciandogli il tempo, non glielo permette.

La concentrazione, il silenzio, la solitudine sono essenziali a chi legge, mentre si può guardare collettivamente, convivialmente e addirittura facendo altre cose. Condizioni, queste, che non favoriscono per nulla la riflessione e l'approfondimento. In compenso la visione esercita la multisensorialità, per cui se si perde quel che trasmette il canale uditivo è possibile seguire quello visivo e viceversa, e alla fine qualcosa rimarrà, così l'utente si sente rassicurato.

Inoltre, a differenza della lettura, il carattere iconico della visione consente di afferrare a prima vista il proprio oggetto e quindi di coinvolgere immediatamente l'emozione, che però cattura l'anima senza il tempo di un'elaborazione. La *fatica di leggere* non può competere con la *facilità di guardare*, e allora, rispetto al libro, la televisione sarà il medium più amichevole perché è quello che "dà meno da fare".

Tra i problemi che affliggono la scuola forse il più significativo è l'avere a che fare sempre meno con l'*homo sapiens* e sempre più con l'*homo videns*, la cui mente finisce con l'essere diversamente conformata. Ancora buona per conoscenze iniziali complesse come la matematica, che si continua ad apprendere meglio a scuola che altrove, la scuola va perdendo terreno ogni giorno di più perché, invece di interagire con l'espansione esponenziale delle informazioni, superficiali finché si vuole ma comunque elementi di conoscenza messi a disposizione dai media, sembra un rifugio in cui ci si rinchiude per essere protetti dal fluire della conoscenza e dal suo accrescersi.

La scuola infatti, come osserva Raffaele Simone, è *cognitivamente lenta* finché si limita a trasmettere un pacchetto delimitato e statico di conoscenze selezionate, e *metodologicamente lenta* nella sua difficoltà ad accedere a quei luoghi di conoscenza che non sono solo le enciclopedie e i vocabolari, ma le banche dati e i repertori. La conseguenza è che non è più il luogo della movimentazione della conoscenza, ma quello in cui alcune conoscenze, dopo essere state trasmesse e classificate, si sedentarizzano, stagionano, e si staticizzano.

Che fare? Non lo so. Ma è già un passo avanti prender conoscenza di almeno due cose: innanzitutto che l'intelligenza sequenziale, che finora ha caratterizzato l'Occidente nella costruzione delle sue conoscenze, cede ogni giorno di più il passo all'intelligenza simultanea; e in secondo luogo che la scuola ha ormai a che fare con un universo giovanile che fatica enormemente di più che in passato a seguire il carattere sequenziale dell'intelligenza a cui la scuola affida quasi esclusivamente la trasmissione del suo sapere. E per i passaggi epocali non ci sono ricette pronte, ma sfide di pensiero e di paziente sperimentazione.

5. *Gli effetti negativi dell'informatica nella scuola*

Non ho nulla contro la tecnologia, i computer non mi spaventano, ma mi preoccupa quel programma che prevede un computer per ogni studente, condiviso sia dalla destra che dalla sinistra, con una coincidenza di vedute, questa volta davvero bipartisan, come se bastasse introdurre nuove tecnologie per risolvere i problemi drammatici che oggi affliggono la nostra scuola.

Questa preoccupazione è condivisa da Clifford Stoll, uno dei pionieri di internet, che dal 1975 ha aiutato la Rete a diventare un fenomeno planetario da quell'oscuro progetto di ricerca che era. Dopo trent'anni di completa dedizione al progetto, Stoll è diventato uno dei commentatori più critici, l'"avvocato del diavolo" come lo chiama Bill Gates. La sua tesi è che l'educazione è una cosa assai diversa e molto più seria dell'alfabetizzazione informatica e che la scuola, e quindi il futuro della società, sono troppo importanti per essere affidate ai fanatici delle neotecnologie, ai fabbricanti di computer e di software e agli esperti di marketing.

Quando si vede il mondo dell'istruzione lanciarsi entusiasticamente nell'onda di piena della tecnologia, quando i ministri che si succedono alla Pubblica istruzione, i presidi che vogliono promuoversi manager, i professori che vogliono essere in pari con i tempi si danno da fare per riempire di cavi le nostre scuole, con l'appoggio dei genitori che, senza esitazione, mettono mano alla carta di credito per acquistare macchine elettroniche per i figli, già immaginati come piccoli geni dell'informatica, il minimo che si possa chiedere è un momento di riflessione e l'assunzione di un atteggiamento critico che sappia dare una qualche risposta a domande difficilmente eludibili che Stoll pone in questa sequenza:

> Che cosa si perde quando si adotta una nuova tecnologia? Chi viene emarginato? Quali preziosi aspetti della realtà rischiano di venire calpestati? [...] Che differenza c'è tra l'avere accesso all'informazione e possedere il buonsenso e la saggezza necessari per interpretarla? Mancando loro senso critico, a cui l'informatizzazione non prepara, i ragazzi non rischiano di confondere la forma con il contenuto, la sensazione con la sensibilità, la massa dei dati disponibili con i pensieri di qualità? [...] Un computer non può sostituire un buon insegnante. Cinquanta minuti di lezione non possono venire liofilizzati in quindici minuti multimediali. [...] E allora dovremmo come minimo chiederci: quali problemi vengono risolti introducendo internet in ogni scuola? E quali problemi possono crearsi dedicando sempre più il nostro tempo a strumenti elettronici?[15]

A partire da queste domande Stoll traccia una linea di demarcazione assai netta. Compito della scuola non è quello di fornire dati e sempre più dati, né tantomeno quello di fornire risposte senza l'indicazione dei processi attraverso i quali a quelle risposte si giunge. Compito della scuola è fornire metodi di ricerca e capacità di giudizio, a partire dai quali i dati e le risposte sono facilmente ottenibili. Un esempio:

> Al costo di una ventina di computer si può attrezzare un magnifico laboratorio di fisica. Fra dieci anni, quando quei computer saranno da tempo nella spazzatura, i diapason potranno ancora insegnare la risonanza, un voltometro dimostrerà perfettamente la legge di Ohm e gli studenti potranno ancora utilizzare le attrezzature per capire il movimento angolare.[16]

In questo modo avranno imparato un metodo di ricerca e non solo i semplici risultati del sapere già acquisito che il computer può fornire in grande abbondanza, senza però impegnare la testa dello studente nella ricerca del *modo* con cui vi si perviene. E qui Stoll fornisce un altro esempio:

> È molto più facile mostrare simulazioni al computer della crescita delle piante, di rane sezionate e di ecosistemi affollati. Nessuna con-

[15] C. Stoll, *High-Tech Heretic* (1999); tr. it. *Confessioni di un eretico high-tech. Perché i computer nelle scuole non servono e altre considerazioni sulle nuove tecnologie*, Garzanti, Milano 2001, pp. 6-8.
[16] Ivi, p. 31.

fusione. Nessun animalista offeso. Ma gli effetti della sostituzione della biologia da laboratorio con la biologia virtuale sono di svuotare di significato la scienza e di eliminare il senso di esplorazione e scoperta che porta infine alla comprensione.
Ma i fisici, i chimici e i biologi professionisti non usano i computer? Certo che sì, ma non hanno acquisito le loro competenze professionali grazie a un qualche software, né nelle loro scuole si è mai insegnato attraverso simulazioni. Le simulazioni al computer sono potenti strumenti quando usate all'interno della ricerca scientifica, per trovare risposte a specifiche domande. Ma non forniscono comprensione, non possono mostrare che cosa significhi fare scienza, non sono in grado di ispirare quella curiosità che è così essenziale per diventare scienziati. Essi insegnano scienza simulata.[17]

Già oggi, osserva Stoll:

Grazie all'elettronica digitale, gli studenti sfornano risposte senza elaborare concetti: la soluzione di problemi diventa la pressione di tasti. Non è necessario capire come formulare quantità astratte, si va direttamente dai numeri alle risposte. Le calcolatrici sfornano risposte senza richiedere il minimo pensiero. Di fronte a un problema matematico gli studenti ovviamente scelgono l'elettronica piuttosto che l'esperienza. Lo strumento, in un primo tempo adottato per rafforzare la comprensione della matematica, è diventato la stampella che causa l'analfabetismo numerico. [...] A questo punto non può sorprendere che gli studenti svezzati dalla calcolatrice non sappiano fare a mente né una moltiplicazione né una divisione. Nel loro sistema cognitivo l'aritmetica è pressoché assente. Risolvono i problemi matematici con una calcolatrice. Pigiano sui tasti, guardano i risultati e accettano ciò che la macchina dice loro.[18]

Un tempo i bambini imparavano i fondamenti dell'aritmetica a partire dalla prima elementare. I numeri e il calcolo servivano per fare la spesa, per cambiare una banconota, per valutare le entrate e le uscite allo scopo di non spendere più di quanto si guadagna. Oggi queste cose non solo non sono scomparse, ma la nostra vita, rispetto a una volta, richiede molti più numeri e calcoli per pagare le imposte, i pedaggi autostradali, i mutui ipotecari. In una parola, come nei suoi scritti va ripetendo Piergiorgio Odifreddi,[19] la vita attuale richiede più numeri e più calcoli

[17] Ivi, pp. 31-32.
[18] Ivi, p. 66.
[19] P. Odifreddi, *Idee per diventare matematico*, Zanichelli, Bologna 2005.

di un tempo, ma abbiamo perso la consuetudine di trattarli perché li abbiamo affidati alle macchine digitali. Consegnandoci a quelle che Stoll chiama "protesi tecnologiche", siamo diventati meno autosufficienti.

Lo stesso è per la scrittura a mano: calligrafia e grammatica non vengono considerate degne di insegnamento, vengono messe da parte a favore del word processing. Risultato, pochissimi studenti universitari sanno scrivere in modo chiaro, con periodi che stiano in piedi e quindi in grado di rendere la consequenzialità dell'argomentazione, posto che questa ci sia.

Ma gli inconvenienti più gravi dell'informatizzazione generalizzata della scuola sono la marginalizzazione della realtà "fisica" a favore di quella "virtuale" e la riduzione drastica dei processi di socializzazione, con tutte le conseguenze etiche e psicologiche che la cosa comporta, per effetto dell'isolamento indotto dal rapporto del singolo individuo con il suo computer.

Per quanto concerne il primo inconveniente non c'è dubbio che la percezione della "realtà", la capacità di muoversi in essa con abilità e destrezza, la consapevolezza delle difficoltà che essa pone rispetto alle facilitazioni del virtuale sono le prime vittime dell'inondazione dei computer. E questo soprattutto a scuola, dove i ragazzi che la frequentano sono proprio in quell'età dove è assolutamente necessario acquisire la differenza che corre tra la realtà e il sogno, l'immaginazione, il desiderio. Non facilitare questo passaggio, che già Freud indicava, dal principio di piacere al principio di realtà,[20] significa ritardare l'adolescenza fino all'età della maturità e trovarsi disadattati quando questa arriva, senza che nulla si sia fatto per impratichirsi. Come scrive opportunamente Raffaele Simone nella sua Postfazione al libro di Stoll:

> Possiamo non accorgerci che la diffusione della conoscenza mediata dall'informatica è la più formidabile barriera che si sia mai presentata *nella storia* verso il contatto con la realtà? Con un software opportuno posso visitare Roma senza averci mai messo piede, navigare sotto l'oceano senza bagnarmi e perfino fingere un gioco violento senza neppure graffiarmi. È reale questo? O è adatto piuttosto a una situazione di emergenza e di penuria? A me pare che le tecnologie cognitive informatizzate siano una drastica forma di derealizzazione, una via per sostituire il "non vero" al "vero", il "non

[20] S. FREUD, *Jenseits des Lustprinzips* (1920); tr. it. *Al di là del principio di piacere*, in *Opere*, Bollati Boringhieri, Torino 1968-1993, vol. IX.

reale" (= il virtuale) al "reale", per *simulare* delle cose che non si possono o non si vogliono *fare*. Il nostro fare si ridurrà solo a una seduta in cui si smanetta su una tastiera e si occhieggia un monitor? Penso a questa eventualità con orrore, ma la vedo minacciosamente in marcia verso di noi.[21]

Ai processi di *de-realizzazione*, che l'uso incontrollato del computer in età scolare alimenta, si aggiungono i processi di *de-socializzazione*. Infatti solo una persona alla volta può interagire con un computer. Il che comporta meno relazione con gli amici, meno condivisione della propria vita con altri, declino del coinvolgimento sociale, perché è vero che con internet posso farmi amici in America o in Australia, ma che grado di profondità hanno queste amicizie? Come mi addestrano a incontrare gli altri faccia a faccia avendo qualcosa di interessante da dire? Quanto tempo sottraggono alla nostra vita reale e ai rapporti che potremmo avere con chi ci circonda? Con quali danni sostituiremo la comunità reale del vicino di casa, del compagno di scuola, dell'amico del bar con la comunità virtuale delle voci senza volto con cui pensiamo di comunicare via e-mail o con i telegrafici e inespressivi sms?

Che ne è a questo punto della nostra competenza sociale, e quali le conseguenze in termini di solitudine, di depressione, di timidezza, per essere ormai divenuti incapaci di quel faccia a faccia dove, oltre a sentire quel che dice l'altro, si percepiscono i suoi moti emozionali, la qualità del suo sentimento, e in generale tutto quel linguaggio che non passa attraverso la parola, ma attraverso il corpo, e che è indispensabile per la formazione di un'identità la quale, al pari della forza del carattere, della fiducia, della determinazione, della perseveranza, non si scarica da un sito web?

Ma se la realtà scompare dietro il computer, se la socializzazione finisce con l'impoverirsi, pensiamo davvero di formare uomini capaci di gestire la complessità che caratterizza le società occidentali, informatizzando la scuola e inondandola di computer che determinano una progressiva facilitazione e, come scrive Raffaele Simone, "cospirano tutti nella direzione di un graduale aumento della semplicità delle strutture interpretative con cui si ha a che fare"?[22]

[21] R. SIMONE, Postfazione a C. STOLL, *Confessioni di un eretico high-tech*, cit., p. 180.
[22] Ivi, p. 181.

Sarà per questo che i giovani di oggi sanno dire solo "sì" e "no", oppure, invitati a esprimere il loro parere su questioni importanti, senza alcuno sforzo di articolazione o problematizzazione, si limitano a dichiararsi "favorevoli" o "contrari", senza zone intermedie, senza perplessità, senza scorgere, al di là delle risposte dicotomiche a cui il codice binario del computer allena, scenari più complessi, paesaggi più articolati che, per essere attraversati e compresi, richiedono vie più intrecciate di quelle offerte dalle autostrade della Rete, che sembrano costruite apposta perché gli utenti vedano solo ciò che altri hanno deciso che vedano. E questo non in ordine ai contenuti che vengono offerti in gran quantità, ma in ordine alla capacità di discernere, quindi di giudicare e di decidere, a cui una scuola, inondata di computer, difficilmente sa allenare.

Che sia questo il nuovo modo con cui si promuove la gestione delle masse, dando a ciascuno l'illusione della libertà e creando di fatto individui già singolarmente massificati, perché a tutti, sia pure in modo individuato, è stato fornito lo stesso mondo da consumare, già interpretato e già codificato nel suo significato, senza che l'individuo possa disporre di un giudizio personale, perché la scuola informatizzata non gli ha dato gli strumenti per essere in grado di formarsene uno?

Queste domande non attendono una risposta, che neppure un computer con la sua capacità di calcolo e di simulazione potrebbe dare. Queste domande vogliono sopire quell'entusiasmo senza riserve che accompagna l'informatizzazione delle nostre scuole e aprire uno spazio di riflessione che non sia ridotto alle tre "i" (impresa, internet, inglese), perché per pensare, per ragionare, ma anche solo per parlare occorrono tutte le lettere dell'alfabeto.

6. *Le psicopatologie da internet*

Se ti svegli alle quattro di notte per andare in bagno e ti fermi a controllare la tua e-mail prima di tornare a letto, se spegni il tuo modem e provi un vuoto terribile perché per te il mondo reale non ha ormai più alcuna consistenza, se viaggi in treno o in aereo col tuo portatile sulle gambe, se deridi le persone che hanno un computer che non è di ultima generazione, allora è arrivato il momento di farsi curare, perché evidenti si sono fatti i segni di quella vera e propria patologia che ricerche americane hanno etichettato *Internet Addiction Disorder* (disturbo da dipendenza da internet), a proposito del quale, scrivono gli psicologi Giorgio Nardone e Federica Cagnoni:

> La dipendenza implica tre meccanismi: la tolleranza (che comporta la necessità di aumentare gradualmente le dosi di una sostanza per ottenere lo stesso effetto), [...] l'astinenza (con comparsa di sintomi specifici in seguito alla riduzione o alla sospensione di una particolare sostanza), il "craving" (o smania) che comporta un fortissimo e irresistibile desiderio di assumere una sostanza; desiderio che, se non soddisfatto, causa intensa sofferenza psichica e a volte fisica, con fissazione del pensiero, malessere, alterazione del senso della fame e della sete, irritabilità, ansia, insonnia, depressione dell'umore e, nelle condizioni più gravi, sensazioni di de-realizzazione e depersonalizzazione.[23]

Questi tratti, che sono tipici della tossicodipendenza, del tabagismo, dell'alcolismo, del gioco d'azzardo, dell'attività sessuale irrefrenabile, dell'assunzione di cibo seguita da vomito, oggi sono riconoscibili in quanti fanno un uso eccessivo di internet per soddisfare sul piano virtuale quel che non riescono a ottenere sul piano della realtà, fino al punto di percepire il mondo reale come un semplice ostacolo o impedimento all'esercizio della propria *onnipotenza* che sperimentano con immenso piacere nel mondo virtuale.

In riferimento alle patologie sopraelencate, la dipendenza da internet ha in comune il tratto ossessivo-compulsivo che tende ad aumentare la propria *capacità di controllo* della realtà. E non c'è dubbio che internet rappresenti in questo senso il mezzo tecnologico più avanzato, rispetto al quale le crudeli pratiche di controllo (del proprio peso) messe in atto dalle anoressiche appaiono rituali medievali. Con una differenza però, segnalata da Nardone e Cagnoni: "La compulsione da internet si basa sul *piacere* anziché su una *fobia*. E proprio perché il sintomo si basa sul piacere, anziché sul disagio e la sofferenza, eliminarlo risulta molto difficile".[24]

Si prenda ad esempio lo *shopping compulsivo online* che, a detta di Nardone e Cagnoni,[25] non è dettato tanto dal bisogno di eliminare una sensazione spiacevole, quanto dal piacere di cata-

[23] G. Nardone, F. Cagnoni, *Perversioni in rete. Le psicopatologie da internet e il loro trattamento*, Ponte alle Grazie, Firenze 2002, p. 47.
[24] Ivi, p. 49.
[25] Ivi, pp. 55-57.

pultarsi in qualsiasi centro commerciale del mondo, frugare incuriositi senza essere visti da nessuno, entrando e uscendo dal negozio in corrispondenza alle proprie esitazioni dettate dall'ansia e dal desiderio, senza suscitare il riso del commesso che, nella realtà, osserverebbe divertito lo svolgersi di questo rituale.

Lo stesso dicasi per il *trading online* a cui si applicano quanti giocano in Borsa attraverso internet. A parere di Nardone e Cagnoni[26] "il trader oscilla solitamente tra due estremi: la paura e l'avidità" che, quando entrano in cortocircuito, minano le capacità di controllo dell'investitore, "spinto da una sensazione di invincibilità a correre rischi sempre più grandi e a prendere decisioni più frettolose". Questo processo viene esaltato da internet, "perché la Rete aumenta la sensazione di poter tenere sotto controllo la situazione, poiché permette di conoscere l'andamento dei mercati a qualunque ora del giorno e della notte con la contemporanea possibilità di operare online".

Questa patologia ha un doppio profilo: "uno legato alla piacevole perversione angoscia-eccitazione", comune tanto ai giocatori d'azzardo che agli investitori in Borsa, l'altro, tipico degli investitori, "legato al bisogno di mantenere un controllo che, non essendo mai sufficiente, porta alla perdita dello stesso".

Rispetto al gioco d'azzardo, il gioco in Borsa online è molto più pericoloso perché, grazie alla legittimità che gli viene attribuita, non è attraversato dai sensi di colpa di chi in Rete si accosta ai numerosi casinò virtuali oggi esistenti, e quindi manca quel leggero freno che il senso di colpa può indurre in chi perde per aver "giocato", rispetto a chi perde per aver "investito".

E poi le *chat*, dove uno è catturato dal piacere di poter liberare la sua fantasia presentandosi agli altri con un'identità sessuale o con caratteristiche fisiche, di età, di occupazione, di stato civile diverse da quelle reali. Questa possibilità di mentire senza conseguenze, in mancanza di riscontri verificabili, riconduce a quel vissuto infantile dove si sono sperimentati sentimenti di onnipotenza e di libertà illimitata, a cui si aggiunge il piacere di essere affascinanti, almeno nel mondo virtuale, compensando in questo modo tutte le frustrazioni a cui si va incontro nel mondo reale.

In questo modo chi chatta ha la possibilità di realizzare, anche se solo in modo virtuale, l'ideale del proprio Io, e di sentirsi finalmente ciò che vorrebbe essere e non riesce a essere. Con que-

[26] Ivi, pp. 67-70.

ste sensazioni a portata di mano, come fa costui a spegnere il modem e tornare in famiglia o tra gli amici dove nessuno lo crede davvero ideale? Di qui il bisogno irrefrenabile di aumentare le ore davanti al computer che, come una scatola magica, realizza d'incanto e senza impedimenti o zone d'ombra, il sogno della nostra identità agognata.

Se poi scatta la tentazione di incontrarsi dopo diversi contatti online, spesso la realtà delude le aspettative, e allora il sogno si infrange e la delusione, se non addirittura la depressione, riconducono bruscamente alla realtà che non si sa come trattare. Eppure, nonostante la realtà smentisca il virtuale, non per questo ci si astiene, perché se solo il virtuale dà quello che il reale nega, allora si prende casa nel virtuale, riducendo i contatti reali, quelli a tu per tu, ormai divenuti fonte d'ansia e quindi da evitare il più possibile.

Resta da ultimo il *cybersesso*, vera e propria dipendenza da sesso virtuale, dove la masturbazione individuale si arricchisce di una rappresentazione condivisa. La possibilità di poter parlare senza censura, offerta dall'anonimato, consente di liberare tutte quelle fantasie, vissute fino ad allora in privato e talvolta con un senso di colpa, da cui la possibilità di condividerle ci libera. Accade, però, che giocando con la perversione e l'allucinazione del desiderio ci si allontana dai rapporti sessuali reali che, rispetto a quelli virtuali, appaiono troppo insignificanti o troppo limitati dall'opacità della materia.

Giorgio Nardone, che ha lavorato alla scuola di Palo Alto con Paul Watzlawick con il quale ha scritto anche un libro su *L'arte del cambiamento,*[27] ha fondato un Centro di terapia strategica ad Arezzo, dove si sono cominciate a curare anche le dipendenze da internet. Ma per accedervi penso sia necessario che chi è preso nella "rete" di questa dipendenza si renda conto di essere come un pesce nella rete del pescatore, dove non è possibile salvarsi muovendo le pinne. E allora la mia domanda è: come può chi accede alla rete per soddisfare il piacere della propria onnipotenza percepire la propria impotenza e decidere di farsi aiutare? Qui resta ancora qualcosa da pensare.

D'altra parte questo tipo di dipendenza è così recente che un po' di tempo ai ricercatori bisogna lasciarlo. L'invito è a non pregiudicare la scoperta della specificità di questa dipenden-

[27] G. NARDONE, P. WATZLAWICK, *L'arte del cambiamento*, Ponte alle Grazie, Firenze 1990.

za, appoggiandosi alle conoscenze che già si possiedono sulle sindromi ossessivo-compulsive. Qui qualcosa di nuovo, che non sappiamo ancora identificare con precisione, ci deve essere e, visto il numero crescente di persone imprigionate da questa dipendenza, bisogna far presto a trovarlo, anche a costo di andare oltre l'impalcatura teorica su cui oggi si basa la psicologia cognitivo-comportamentale a cui i nostri autori fanno riferimento.

7. *Le psicopatologie da cellulare*

I nuovi mezzi di comunicazione che velocizzano il tempo e riducono lo spazio forse non provocano nuove patologie, ma certamente amplificano quelle che uno già possiede, le evidenziano, le rendono pubbliche, le mostrano a tutti. Se fossimo buoni osservatori di noi stessi, forse, per conoscerci, potremmo risparmiarci le sedute psicoanalitiche e prestare attenzione all'uso che facciamo di internet, della posta elettronica, del cellulare, che sono grandi rivelatori del rapporto che abbiamo con la realtà e con gli altri. In particolare l'uso nevrotico del cellulare rivela, secondo lo psicologo Luciano Di Gregorio,[28] diversi aspetti della nostra personalità, quali ad esempio:

a) *L'intolleranza della distanza*. Non c'è dubbio che, da un punto di vista psicologico, il cellulare è un regolatore e un moderatore dell'angoscia di separazione, determinata non solo dalla lontananza fisica, ma soprattutto da quella più intollerabile di natura sentimentale che nasce dai vissuti di mancanza e di perdita del contatto con l'altro. È un sentimento, questo, che abbiamo provato più volte da bambini quando la mamma si assentava. La possibilità che il cellulare ci offre di superare questa distanza e sopperire a questa assenza dice quanto le sindromi infantili sono presenti e attive in noi, e quanto, incapaci di superarle, le tamponiamo con il mezzo tecnico.

Ma chi è un uomo che non sa tollerare la distanza e l'assenza, che non sa stare solo con sé, che traduce subito la solitudine in un vissuto d'abbandono, quando non addirittura in una perdita di identità? "Pur avendo il cellulare sempre acceso non mi chiama e non mi scrive nessuno, quindi sono nessuno." I sentimenti

[28] L. Di Gregorio, *Psicopatologia del cellulare. Dipendenza e possesso del telefonino*, Franco Angeli, Milano 2003.

non hanno mediazioni razionali, il loro modo di procedere è da cortocircuito. Le conclusioni arrivano presto.

E allora mettiamoci noi a telefonare, a chattare, a scrivere mail, non perché abbiamo davvero qualcosa da dire, ma per soddisfare un bisogno di sicurezza incrinato, da ricostruire con contatti continui, per non dire compulsivi. Non tolleriamo la distanza, non sopportiamo l'assenza, viviamo come dono degli altri, come loro concessione, in uno stato di dipendenza parziale o totale, che la dice lunga sul nostro stato infantile e sulla nostra mancanza di autonomia.

b) *L'illusione dell'onnipotenza*. Sappiamo però che l'infanzia non conosce solo la dipendenza, ma anche l'onnipotenza. Un'onnipotenza magica, che forse compensa la dipendenza reale del bambino nei confronti degli adulti che lo aiutano a crescere. Le nuove tecnologie al servizio della comunicazione soddisfano anche il bisogno infantile di onnipotenza, perché garantiscono illusoriamente il dominio e il controllo delle persone e degli eventi che ci interessano, con conseguente ridimensionamento dell'ansia a essi connessa. L'ansia non viene più elaborata, ma immediatamente agita e placata dalla risposta e dalla rassicurazione dell'altro. Ciò comporta che le nostre capacità interiori di gestire ansie e conflitti si indeboliscono progressivamente, e al loro posto subentra quella sorta di delirio di onnipotenza che ci dà l'illusione, ma non più che l'illusione, di poter controllare la realtà a distanza con la semplice attivazione di una tastiera o di un auricolare.

c) *Il controllo paranoico*. Con il cellulare trasformiamo una condizione di reale impotenza, che alimenta in noi una tensione emotiva, in un gioco illusorio di dominio sul mondo. Ma qui il rimedio è peggio del male perché, se per placare l'ansia abbiamo bisogno del controllo, il controllo a sua volta alimenta i nostri vissuti paranoici, per cui incontenibili diventano le nostre verifiche sulla vita delle persone che ci interessano, sui luoghi che frequentano, sugli spostamenti che effettuano nell'arco della giornata, sulle persone che incontrano e sulle cose che fanno in nostra assenza.

In nome dell'amore ci trasformiamo in investigatori privati che, in ogni momento, vogliono sapere dove si trova il compagno, la compagna, la moglie, il marito, la figlia, il figlio, sempre che essi ci raccontino la verità quando li raggiungiamo con il cellulare, e a condizione che noi si sia abbastanza abili a captare alcuni segnali, i rumori di fondo, le voci d'attorno, e ora anche le immagini, che ci possono fornire utili indizi per alimentare la nostra ansia o garantire la nostra quiete.

Questo bisogno di controllo sottintende un radicale sentimento di incertezza e di sfiducia, che noi tentiamo di limitare allo spazio esistenziale privato, per nasconderci che, forse, questo spazio è più ampio, perché investe il nostro presente e il nostro futuro, su cui non esercitiamo alcun controllo, e perciò riversiamo l'ansia che ne deriva sullo spazio personale e relazionale che ci riguarda da vicino. Quanta nostra radicale impotenza a governare la nostra vita scarichiamo sul controllo di quei malcapitati che sono i nostri familiari e i nostri amori?

La rassicurazione che nasce dell'avere un certo controllo sulla realtà personale porta l'individuo a immaginare di possedere strumenti di controllo anche sugli eventi sociali, sugli imprevisti della strada, sulle anomalie del clima, e quindi di non essere in balia degli eventi, e di tacitare quel sentimento, alla base dell'angoscia primitiva, che è il terrore dell'imprevedibile, vero motore delle ricerche tecnico-scientifiche, di cui il cellulare e il computer sono i mezzi più potenti nelle nostre mani.

d) *L'esibizionismo*. Ma l'onnipotenza non è vera onnipotenza se non è esibita, e l'esibizionismo è un'altra patologia che il cellulare ostenta, fino a giungere alla pubblicizzazione dell'intimo, del personale, del segreto, del riservato. Come osserva Di Gregorio: "Ci sono persone di ogni età che usano il cellulare per strada e danno visibilità ai propri sentimenti e ai propri rapporti affettivi. Aggiungono volentieri dettagli intimi e, senza mostrare vergogna, dicono in pubblico certe frasi volutamente a voce alta, come se fossero in preda a un bisogno, appunto, esibizionistico. Le espressioni del loro viso, dopo la telefonata, non ci fanno pensare a un senso di vergogna, nato dall'essere state colte inopportunamente in un momento delicato della conversazione. Noi siamo stati solo dei testimoni, quasi necessari, del loro bisogno di rendersi visibili. Alla fine esse sembrano molto soddisfatte di essere state colte nella loro intimità da un pubblico ignaro, chiamato a raccolta per l'occasione".[29] In fondo, "non hanno nulla da nascondere, nulla di cui vergognarsi", che, tradotto, significa scambiare la spudoratezza per sincerità, e guadagnare visibilità a buon mercato, solo con il costo di una telefonata.

e) *L'angoscia dell'anonimato*. Il bisogno di visibilità la dice lunga sul terrore dell'anonimato in cui gli individui, nella nostra società, temono di affogare. "Anonimato" qui ha una duplice e tragica valenza: da un lato sembra la condizione indi-

[29] Ivi, p. 13.

spensabile perché uno possa mettere a nudo, per via telefonica o per via telematica, i propri sentimenti, i propri bisogni, i propri desideri profondi, le proprie (per)versioni sessuali; dall'altro, come osserva Di Gregorio,[30] è la denuncia dell'"isolamento dell'individuo", che ciascuno cerca a suo modo di colmare attraverso contatti telefonici o telematici dove, senza esporre la propria faccia, si soddisfa "il bisogno di essere al centro dell'interesse di qualcuno, di non sentirsi soli al mondo e del tutto isolati" in un solipsistico rapporto privato tra sé e quel vuoto di sé che ciascuno di noi avverte quando può vivere solo se un altro lo contatta.

Come i bambini possono cominciare ad abitare il mondo, a padroneggiare la realtà e a instaurare relazioni affettive tramite gli orsacchiotti e i giocattoli preferiti, così sembra che noi adulti non siamo più capaci di abitare il mondo e di garantirci le relazioni affettive senza quel tramite che è il cellulare o il computer portatile, in nulla dissimili dall'orsacchiotto o dal giocattolo preferito dal bambino. Che dire a questo punto? Che le nuove tecnologie, di cui andiamo tanto fieri, portano a una progressiva infantilizzazione di tutti noi e, in generale, della società in cui viviamo? Pare di sì.

f) *La perdita del mondo circostante e del mondo interiore*. Luciano Di Gregorio fa notare ironicamente che, per uno strano scherzo lessicale, il "cellulare" ha lo stesso nome del mezzo che si usa per il trasferimento dei detenuti.[31] Andiamo allora a scoprire che cosa perdiamo con l'uso disinvolto di questo mezzo. Un'infinità di cose a cui hanno rinunciato tutti quei nevrotici che per strada, al ristorante, in treno, al cinema, a teatro, e in generale ovunque arriva prepotente il trillo, girano ansiosamente su se stessi per cercare il "campo", congedandosi immediatamente dalla conversazione in attesa che la telefonata finisca. Naturalmente si scusano prima e dopo la telefonata. In entrambi i casi vi fanno comunque sapere che voi venite dopo, e molto dopo, la loro ansia, che non riesce ad astenersi dal flusso di parole scandite dai minuti che costano.

Un tempo chi parlava da solo ad alta voce in strada era considerato un pazzo. Oggi quanti si comportano in questo modo sono considerati persone molto impegnate. Per loro il cellulare è la spina che li tiene legati al mondo, e così perdono il mondo cir-

[30] Ivi, p. 33.
[31] Ivi, p. 173.

costante e soprattutto il loro mondo interiore. Infatti non sanno più cos'è il *silenzio* che è poi l'unica via di cui disponiamo per entrare in comunicazione con noi stessi e quindi in qualche modo per conoscerci. Non sanno più cos'è l'*attesa* con il carico di emozioni che comporta, e quel tanto di imprevisto che colora di sorpresa la nostra quotidianità. Non hanno più rispetto dell'atmosfera che si crea nella *comunicazione d'amore*, quando il mondo deve essere messo tra parentesi perché un altro mondo possa prender quota. Il loro presenzialismo al mondo esterno non concede all'interlocutore alcun privilegio. Un cellulare acceso è un mondo in mezzo ai due.

g) *La perdita della libertà*. Ma i telefonini si possono spegnere, talvolta non prendono, oppure il credito è finito. E allora ecco tutta quella cascata di bugie e di giustificazioni a cui sono costretti quanti sono raggiungibili in qualsiasi punto della terra, senza potersi sottrarre a quella sorveglianza continua a cui si sono sottoposti per sentirsi al mondo. Acceso o spento che sia, il cellulare non ci dà scampo. Se chiamiamo vuol dire che non sappiamo più attendere e, nell'attesa, pensare ed elaborare, se rispondiamo siamo in ogni momento alla mercé degli altri, se spegniamo il cellulare dobbiamo prima o poi giustificarci.

Come ognuno può constatare non siamo più liberi, non abbiamo più chance. Non disponiamo più del nostro tempo per pensare le nostre risposte perché dobbiamo darle subito e di corsa, non abbiamo più la possibilità di interiorizzare i nostri amori perché, se non chiamano, è già subito abbandono. Non sappiamo più stare soli con noi per più di un'ora, e così la nostra interiorità si impoverisce.

E tutto ciò per sapere subito e sul momento che la mamma sta bene, che la fidanzata ci ama, che l'amico ci aspetta, che il commercialista è riuscito ad aggiustare le cose, che l'avvocato ha trovato un buco per riceverci, insomma che il mondo esterno c'è e funziona, e noi siamo in mezzo, e in ogni istante lo possiamo controllare. Così sappiamo di esistere.

Forse abbiamo perso il soliloquio dell'anima, ma in compenso il cellulare, anche se con qualche interferenza, con qualche galleria, con qualche vuoto di campo, ci ha dato il mondo, e se non proprio il mondo, senz'altro il rumore del mondo. Un buon baratto tutto sommato. In cambio ha voluto solo una grossa fetta della nostra libertà.

8. *Sorvegliare il futuro*

"Se non siamo in grado di guidare il nostro destino, non per questo dobbiamo rinunciare a sorvegliarlo." E all'esercizio della sorveglianza Furio Colombo ha dedicato un importante libro[32] dove, con una mossa decisiva che ai più può sembrare inessenziale e passare inosservata, lascia la sponda sicura delle considerazioni sul computer, inteso come mezzo di comunicazione, per addentrarsi nel territorio della rete o, come ormai si dice, del cyberspazio, da tutti considerato un utilissimo "mezzo", mentre in realtà è un "mondo".

Cosa significa tutto questo? Significa che il mezzo esiste in funzione di un fine liberamente scelto, rispetto al quale il mezzo serve appunto a "mediare". Il computer che sta sul mio tavolo è allora un "mezzo" come lo è il martello che serve a piantar chiodi o la tenaglia che serve per estrarli? No, risponderebbe Günther Anders, perché:

> Non esistono apparecchi singoli. La totalità è il vero apparecchio. Ogni singolo apparecchio è, dal canto suo, solo una *parte* di apparecchio, solo una vite, un pezzo del sistema degli apparecchi. Un pezzo che in parte soddisfa i bisogni di altri apparecchi e in parte impone a sua volta, con la sua esistenza, ad altri apparecchi il bisogno di nuovi apparecchi. Non avrebbe assolutamente senso affermare che questo sistema di apparecchi, questo *macroapparecchio*, è un "mezzo" che è a nostra disposizione per una libera scelta di fini. Il sistema di apparecchi è il nostro "mondo". E "mondo" è qualcosa di diverso da "mezzo". Appartiene a una categoria diversa.[33]

Questo "mondo", che oggi siamo soliti chiamare *rete* o *cyberspazio*, proprio perché non è un "mezzo" ma un "mondo", non mi lascia altra scelta se non quella di parteciparvi o starmene fuori. Il mio ipotetico sciopero privato non cambia nulla al fatto che, se tutta la vita, da quella occupazionale a quella privata, scorre sulla Rete, non disporre di un apparecchio che alla Rete mi collega, mi esclude dal mondo, sia esso quello lavorativo sia esso privato. La mia libertà di acquistare o meno un computer è già stata soppressa.

[32] F. Colombo, *Confucio nel computer. Memoria accidentale del futuro*, Rizzoli, Milano 1995.

[33] G. Anders, *L'uomo è antiquato*, Libro I: *Considerazioni sull'anima nell'epoca della seconda rivoluzione industriale*, cit., p. 38.

Ma il mondo che la rete diffonde non è la *realtà* del mondo e tantomeno l'esperienza che se ne può fare, ma solo il *fantasma* del mondo, quando non la sua alterazione dovuta al fatto che il mondo reale si svolge ormai in funzione della sua "trasmissione". Se infatti non c'è mondo al di là della sua descrizione, la telecomunicazione non è un "mezzo" che rende pubblici dei fatti, ma la pubblicità che concede diventa il "fine" per cui i fatti sono compiuti.

L'informazione qui perde la sua innocenza, perché cessa di essere un *resoconto* per tradursi in vera e propria *costruzione* di fatti. E questo non solo nel senso che molti fatti non avrebbero rilevanza se la telecomunicazione non ne desse notizia, ma perché un enorme numero di azioni vengono compiute all'unico scopo di venire teletrasmesse. Oggi il mondo accade perché lo si comunica, e il mondo comunicato è l'unico che abitiamo.

A questo punto la mia libertà consiste nella costrizione a partecipare a questo mondo, che non è un mondo di fatti *poi* comunicati, ma un mondo di fatti *per* essere comunicati. Tutto ciò che i sacerdoti del cyberspazio vendono sul registro innocente dell'informazione è in realtà il luogo eminente della costruzione del vero e del falso, non perché la telecomunicazione mente, ma perché nulla viene fatto se non per essere telecomunicato.

Se le nuove tecnologie, lungi dall'essere un indice di libertà come sostengono gli entusiasti fautori della rete, sono una "merce d'obbligo" o, come dicono gli americani, un "must", la loro mancanza mette a repentaglio la partecipazione a quell'unico mondo a cui ormai abbiamo accesso, che è poi il mondo della comunicazione. Se poi in questo mondo le azioni, le parole, i fatti accadono per nessun'altra finalità che non sia quella della loro diffusione per via digitale, allora non ci resta che tuffarci in questo spazio creato dalla tecnica riproduttiva che ci costringe a essere partecipi del mondo intero, o di ciò che deve passare per "mondo intero", dove, come scrive Anders, "ci è dato tanto più da vedere quanto meno ci è consentito di metterci bocca", in quella penosa condizione di voyeur dove, scandito dal ritmo frenetico della nostra bramosia di sapere, "brandelli di mondo si susseguono sul nostro schermo nella più assoluta ignoranza dei nessi",[34] che soli possono concedere una lettura comprensibile del mondo.

Promuovendo questa critica, che non è altro che una presa

[34] Ivi, p. 39.

di coscienza dei possibili effetti degradanti della telecomunicazione universale, Furio Colombo certamente non ignora di entrare in quella schiera di persone sospettate di atteggiamento reazionario, perché chi mette espressamente in luce che non tutto nella rete, in internet, nel cyberspazio è disinteressato, chi sospetta qualche inganno in quello scarto che comunque esiste tra "reale" e "virtuale", chi è persuaso di trovarsi di fronte alla prima macchina della civiltà industriale che interferisce direttamente con la nostra mente, chi per giunta racconta tutto questo non solo in stile brillante, ma costringendo il lettore, tutto intento a bearsi tra le immense possibilità dischiuse da questi fenomeni attualissimi, a fare i conti con problemi che, essendo filosofici, sembrano non avere alcun rapporto immediato con le opportunità telematiche che si vanno descrivendo, ebbene Furio Colombo ovviamente sa che chi mette in luce i possibili rischi, di fatto, *critica*.

Ma in un mondo in cui da New York a Pechino, da Londra a Città del Capo non c'è persona più sospettabile di chi si permette critiche o anche semplici osservazioni nei confronti di questa rivoluzione tecnologica, allora, come è stato obiettato a Günther Anders:

> Chi critica deve sapere che disturba tutto il corso evolutivo dell'industria, quanto lo smercio del prodotto, o per lo meno ha l'ingenua intenzione di tentare una tale azione di disturbo. Ma poiché il corso dell'industria e lo smercio devono progredire in ogni caso (non è forse così?), la critica è *eo ipso* sabotaggio del progresso e quindi appunto reazionaria.[35]

E così l'idea illuministica di "progresso" che ha in vista un fine da realizzare (e che i fautori entusiasti delle nuove tecnologie confondono con lo "sviluppo", che non ha in vista un fine ma solo l'autopotenziamento tecnonologico) risorge, con questo fraintendimento, nei paludamenti più modesti, ma non meno insidiosi, che vanno sotto il nome di "nuovo", mettendo così in scena un teatro da cui sono esclusi i "critici" che, per il solo fatto di volersi sottrarre al successo dell'applausometro che misura i consensi al "nuovo", per ciò stesso sono "reazionari". In realtà la loro critica non ha il sapore reazionario del rifiuto, se è vero, co-

[35] Ivi, p. 40.

me scrive Furio Colombo, che "il progresso tecnico non sempre è il meglio, anche se è inevitabile".[36]

E, di fronte all'inevitabile, rifiutare è patetico, ma sorvegliare è necessario, se non altro per capire, oltre a ciò che noi possiamo fare con la tecnica, ciò che la tecnica ha fatto, fa e farà di noi ancor prima che noi possiamo fare qualcosa grazie a lei. In questo strano gioco dove, come allude il sottotitolo del libro di Furio Colombo (*Memoria accidentale del futuro*), la *memoria*, per la prima volta nella storia dell'umanità, ha a che fare non con il passato ma con il *futuro*, non dobbiamo, come sempre abbiamo fatto, dividerci tra fautori e denigratori delle nuove tecnologie, ma tutti insieme divenire attenti osservatori, almeno per evitare che la storia, che noi uomini abbiamo inventato, d'ora innanzi accada a nostra insaputa.

[36] F. Colombo, *Confucio nel computer. Memoria accidentale del futuro*, cit., p. 127.

12.
Il mito del mercato

> Le persone esistono qui l'una per l'altra soltanto come possessori di merci o come rappresentanti di merci. E quindi solo come maschere economiche, come personificazioni di rapporti economici, esse si trovano l'una di fronte all'altra.
>
> K. MARX, *Il capitale* (1867-1883), pp. 117-118.

1. *La razionalità del mercato: dallo scambio simbolico al valore di scambio*

Il mercato, nella sua accezione moderna, ha rappresentato quel passaggio cruciale e decisivo che ha consentito agli uomini di regolare i loro rapporti non più in termini di violenza e sudditanza, ma in termini di *razionalità*. Ciò è stato possibile visualizzando gli uomini non più come *persone*, ma come puri e semplici *titolari di interessi*. Questo processo di progressiva *de-personalizzazione* delle relazioni sociali è stato compensato da un aumento significativo delle *libertà* individuali, quindi attraverso una perdita e un guadagno.

Prima dell'avvento del mercato, che instaura tra gli uomini relazioni regolate dal *valore di scambio*, reso possibile da quell'elemento oggettivo e impersonale che è il denaro, gli uomini regolavano i loro rapporti attraverso quella figura che gli antropologi chiamano *scambio simbolico* che si esprimeva nella rapina e nel dono, in cui il vantaggio sta tutto da una parte e la perdita tutta dall'altra.

A regolare lo scambio simbolico erano i rapporti di forza: la forza *munifica* di chi nel dono celebrava la sua potenza e insieme la sudditanza del beneficiario, oppure la forza *difensiva* di chi era in grado di mantenere i suoi beni respingendo i rapinatori. Nella rapina e nel dono, che sono le forme più primitive di cambiamento di proprietà, in gioco non sono tanto gli oggetti, quanto le soggettività che si confrontano, i loro sentimenti, le loro passioni, la loro volontà.[1]

[1] Sullo scambio simbolico e sulla sua differenza rispetto al valore di scambio si veda, oltre a M. MAUSS, *Essai sur le don* (1923-1924); tr. it. *Saggio sul dono*,

Con l'introduzione del denaro, la *soggettività* si assenta, e nello scambio entrano in gioco solo gli *oggetti* e il loro valore espresso in denaro. Una quantità sempre maggiore di contenuti di vita si spersonalizza e viene *oggettivata*, non solo perché detti contenuti si spogliano di valori soggettivi e vissuti psicologici, ma perché, nella forma oggettivata che assumono e nella relazione di scambio in cui si immettono, diventano *trans-individuali*, ed entrano in un mondo dove è possibile appropriarsene senza lotta e reciproca oppressione.

Nello scambio, l'avere e il voler-avere personali si traducono in un'azione oggettiva che va al di là dell'interazione dei soggetti, prescinde dai rispettivi impulsi e prevaricazioni, perché chi riceve nello stesso tempo dà, secondo il modulo di quel *reddere rationem* in cui, come ci ricorda Heidegger,[2] è l'origine prima di quella *ratio* o "ragione", che mette a tacere il desiderio immediatamente soggettivo, obbligando a una valutazione oggettiva, quindi a una riflessione, e infine a un reciproco riconoscimento.

Naturalmente questo riconoscimento non riguarda gli individui in quanto persone, ma in quanto titolari di interessi, per cui il rapporto non è più tra gli uomini, ma tra le cose di cui gli uomini sono i semplici rappresentanti. In questo modo il mercato diventa *autonomo* rispetto al sociale, innanzitutto perché riflette il puro valore mercantile delle cose e non più il rapporto degli uomini fra loro, e in secondo luogo perché esprime la forma più alta di *razionalità*, in quanto spoglia i beni dei loro significati simbolici e adotta come indice di valore non l'attribuzione di *appartenenza*, ma la loro pura e semplice *scambiabilità*.

Questo capovolgimento, che autonomizza il mercato dal sociale per erigerlo a forma più elevata di razionalità, è indicato da Marx come il tratto rivoluzionario della borghesia, ossia della classe che tramuta tutta la ricchezza in ricchezza mobile, risolvendo il rapporto tra uomini in rapporto tra cose:

in *Teoria generale della magia e altri saggi*, Einaudi, Torino 1965, anche G. Bataille, *La notion de dépense* (1933); tr. it. *La nozione di dépense*, in *La parte maledetta*, Bertani, Verona 1972, pp. 41-57; J. Baudrillard, *L'échange symbolique et la mort* (1976); tr. it. *Lo scambio simbolico e la morte*, Feltrinelli, Milano 1979; U. Galimberti, *Il corpo* (1983), Feltrinelli, Milano 2002, capitoli 37-39.

[2] M. Heidegger, *Der Satz vom Grund* (1957); tr. it. *Il principio di ragione*, Adelphi, Milano 1991, Lezione XIII, p. 176. Sul significato della ragione (*ratio*) come "conto" Heidegger si era già espresso in *Was heisst Denken?* (1954); tr. it. *Che cosa significa pensare?*, Sugarco, Milano 1971, vol. II, Lezione IX, pp. 81-82.

La borghesia ha avuto nella storia una funzione sommamente rivoluzionaria. Dove è giunta al potere, essa ha distrutto tutte le condizioni di vita feudali, patriarcali, idilliache. Essa ha lacerato senza pietà i variopinti legami che nella società feudale avvicinavano l'uomo ai suoi superiori naturali, e non ha lasciato tra uomo e uomo altro vincolo che il nudo interesse, lo spietato "pagamento in contanti". Essa ha affogato nell'acqua gelida del calcolo egoistico i santi fremiti dell'esaltazione religiosa, dell'entusiasmo cavalleresco, della sentimentalità filistea. Ha fatto della dignità personale un semplice valore di scambio; e in luogo delle innumerevoli libertà faticosamente acquisite e patentate, ha posto la *sola* libertà di commercio senza scrupoli. In una parola, al posto dello sfruttamento velato da illusioni religiose e politiche, ha messo lo sfruttamento aperto, senza pudori, diretto e arido. La borghesia ha spogliato della loro aureola tutte quelle attività che fino ad allora erano considerate degne di venerazione e di rispetto. Ha trasformato il medico, il giurista, il prete, il poeta, lo scienziato in salariati al suo stipendio. La borghesia ha strappato il velo di tenero sentimento che avvolgeva i rapporti di famiglia, e li ha ridotti a un semplice rapporto di denaro.[3]

Al di là della venatura polemica, Marx coglie con estrema lucidità il passaggio che l'introduzione del mercato determina nel rapporto tra gli uomini, regolati prima dalla loro *soggettività* e in seguito dalla loro *oggettività*. Quest'ultima, come osserva opportunamente Georg Simmel,[4] è stata guadagnata a un primo stadio quando il diritto dell'uomo libero che impone l'obbligo non investe più l'*intera personalità* di chi compie la prestazione (come nel caso dello schiavo o del servo della gleba, che appartengono per intero al signore, il quale può chieder loro servizi illimitati), ma investe solo il *prodotto del suo lavoro*, come può essere un'aliquota dei prodotti del suolo o una quantità fissata una volta per tutte di cereali e di bestiame.

In questo secondo caso, prosegue Simmel,[5] chi è investito dall'obbligo gode di una maggior *libertà personale* rispetto allo schiavo o al servo della gleba perché, una volta che il signore riceve il tributo pattuito, diventa indifferente al tipo di conduzione eco-

[3] K. Marx, F. Engels, *Manifest der kommunistischen Partei* (1848); tr. it. *Manifesto del partito comunista*, in *Marx Engels Opere Complete*, Editori Riuniti, Roma 1973, vol. VI, pp. 488-489.

[4] G. Simmel, *Philosophie des Geldes* (1900); tr. it. *Filosofia del denaro*, Utet, Torino 1984, capitolo V: "L'equivalente in denaro dei valori personali", pp. 507-606.

[5] Ivi, capitolo IV: "La libertà individuale", pp. 409-506.

nomica del contadino, e perciò dimette quella sorveglianza, quei sistemi coercitivi e quell'oppressione che prima regolavano la vita del servo della gleba. In questo stadio si assiste a una prima separazione della personalità come tale dal rapporto di obbligazione, con conseguente ampliamento dello spazio di libertà, perché il rapporto di dipendenza non è più *personale e soggettivo*, ma *materiale e oggettivo*.

Lo stadio ulteriore è quello in cui chi è investito dall'obbligo non deve, a chi ne detiene il diritto, il *risultato del suo lavoro*, ma semplicemente il *prodotto in sé e per sé*, senza dover render conto attraverso quale lavoro il prodotto è stato ottenuto, e soprattutto se chi adempie l'obbligo vi sia giunto con il proprio lavoro. Se poi il tributo non viene più pagato *in natura* ma *in denaro*, l'attività di chi è investito dall'obbligo non è più vincolata in una determinata direzione, ma può muoversi in tutti i settori produttivi capaci di garantire quel tributo in denaro sancito dall'obbligo.

Il denaro, con la sua *oggettività* e *impersonalità*, è la prima macchina di liberazione dai vincoli dell'obbligazione perché, con l'introduzione di questo strumento tecnico, il rapporto di dipendenza non riguarda più la *persona* di chi è investito dall'obbligo, e neppure il *risultato del suo lavoro*, né il *prodotto in sé e per sé*, ma solo quella rappresentazione dei valori produttivi che lascia la persona libera di muoversi come vuole, con l'unico vincolo di attenersi a quei patti che trovano la loro attuazione nello *scambio*. Lo scambio attraverso il denaro rappresenta, come ci ricorda Simmel, il più grande "progresso funzionale della civiltà",[6] perché fa sì che l'appagamento di un bisogno non si colleghi necessariamente a una rapina o a un furto.

Attraverso questa progressiva oggettivazione dei rapporti, il mercato ha liberato gli uomini dalla sudditanza personale, anche se ha fatto pagare il conto della loro *de-personalizzazione*. Nelle relazioni umane, infatti, siamo diventati più liberi, ma insieme anche più impersonali, perché entriamo in relazione con i nostri simili non come *persone*, ma come *titolari di interessi*.

Viene così in luce che, con il progressivo autonomizzarsi dell'economia dai valori simbolici che regolavano le relazioni sociali, ai rapporti di *interdipendenza* tra uomini si sostituiscono i rapporti di *concorrenza* mediati dallo scambio delle merci, alla *gerarchia* sociale espressa da valori qualitativi succede la *stratifi-*

[6] Ivi, p. 419.

cazione sociale misurata, in termini quantitativi, dalla ricchezza disponibile, all'*universo dei simboli*, da cui ciascun individuo era circondato dalla nascita alla morte, subentra quel *processo di codificazione* che riconduce tutto al codice monetario, che meglio risponde alle esigenze di calcolo proprie della razionalità del mercato. In questo modo il mercato non solo si rende autonomo dal sociale, ma imprime al sociale la sua forma, che è poi quella della ragione calcolante, in cui anche l'individuo ha cittadinanza, ma solo come fattore di calcolo.

2. *La personificazione dell'individuo e il principio di uniformità*

Risolvendo il *mondo* nel *mondo del denaro*, l'economia spoglia la nozione di società e la nozione di individuo di ogni valenza qualitativa e, visualizzando l'una e l'altro da un punto di vista puramente quantitativo, riduce la società a *mercato*, e l'individuo a *sintesi dei suoi interessi materiali*. Con questa duplice riduzione, la società diventa il luogo della libera competizione degli interessi individuali, mentre l'individuo conserva la propria qualità di essere sociale solo in quanto persegue i propri interessi materiali, in quel luogo di interazione automatica di interessi contrastanti che è il libero mercato.

Ma là dove la società è ridotta a mercato, nonostante l'ideologia celebri, come mai era avvenuto, il trionfo dell'individuo (*individualismo*) e della sua libera iniziativa (*liberismo*), in realtà ciò a cui si assiste è il declino dell'individuo e la sua progressiva estinzione. Nel mercato, infatti, sono gli interessi a porre in relazione gli individui, i quali interagiscono non in quanto individui con le loro specificità e peculiarità, ma in quanto *titolari di interessi*, in quanto *personificazioni* (nell'accezione latina di "persona", che designava la "maschera da teatro"), per cui il volto dell'individuo scompare sotto la maschera del rappresentante di interessi.

Paradossalmente è proprio l'economia liberista, nella sua ostentata celebrazione dell'individuo e dei suoi valori, a preparare le esequie dell'individuo e la sua sostituzione con quella maschera, la *persona*, che rappresenta solo la sua valenza economica. Perciò Marx può dire:

> Le persone esistono qui l'una per l'altra soltanto come possessori di merci o come rappresentanti di merci. E quindi solo come masche-

re economiche, come personificazioni di rapporti economici, esse si trovano l'una di fronte all'altra.[7]

Là infatti dove il capitalista è "capitale pianificato" che entra in relazione con il proprietario fondiario in quanto "personificazione della terra", o con l'operaio in quanto "personificazione della forza lavoro", l'incontro non è tra individui, ma tra *fattori economici* di cui gli individui sono semplici personificazioni.

Ma là dove si assiste, come vuole l'espressione di Marx, a "rapporti di cose fra persone e rapporti sociali fra cose",[8] gli individui perdono la loro specificità e, in quanto meri rappresentanti delle cose che possiedono o delle funzioni che svolgono, tendono a diventare sempre più *simili* gli uni agli altri, come le monadi di Leibniz,[9] simbolo settecentesco dell'individuo economico atomistico, che la società, visualizzata a partire dai valori economici, eleva a tipo sociale. Il perseguimento dell'interesse individuale isola le monadi l'una dall'altra, ma, instaurandole come semplici rappresentanti degli interessi che entrano in relazione fra loro, tende a renderle sempre più *simili* l'una all'altra.

Il *principio di uniformità* si stende così sugli individui, il cui volto non solo resta nascosto dietro la maschera del "titolare di interessi", ma finisce col non aver più alcuna rilevanza perché, per lo sguardo economico, ciò che conta non è più l'individuo, ma la sua titolarità. E così, dietro la persona, dietro la maschera non c'è nessuno, ma "nessuno", come sappiamo da Omero, e come ci ricorda Madera, "è il nome di qualcuno",[10] che entra in relazione sociale non come individuo, come se stesso, ma solo come titolare di interessi, come loro rappresentante. In questo modo "nessuno" diventa il vero nome di ogni individuo a cui il mercato ha tolto la specificità del volto sotto la maschera della personificazione.

Come insieme di "persone", cioè di rappresentanti di inte-

[7] K. MARX, *Das Kapital. Kritik der politischen Oekonomie* (1867-1883); tr. it. *Il capitale. Critica dell'economia politica*, Editori Riuniti, Roma 1964, Libro I, Sezione I, capitolo II, pp. 117-118.

[8] Ivi, Libro I, Sezione I, capitolo I, p. 105.

[9] G.W. LEIBNIZ, *Principes de philosophie ou Monadologie* (1714); tr. it. *Monadologia*, in *Saggi filosofici e lettere*, Laterza, Bari 1963.

[10] R. MADERA, *Identità e feticismo. Forma di valore e critica del soggetto. Marx e Nietzsche*, Moizzi, Milano 1977, p. 103. Essenziali sono, in questo libro, le pagine che Madera dedica al tema della "personificazione", e in particolare, nella Parte I, il capitolo IV che ha per titolo: "Reificazione e personificazione: il circolo vizioso e implacabile del nichilismo", pp. 89-154.

ressi, la società diventa meglio leggibile di quanto non lo sia come insieme di individui, e a quel residuo di individualità che recalcitra alla maschera si concede quella riserva, ritagliata nel sociale e inincidente nel sociale, che è la *sfera privata*. La distinzione tra pubblico e privato, che l'economia sembrava ancora tutelare, verrà progressivamente ridotta nell'età della tecnica, perché la tecnica farà del privato il semplice ricettacolo del pubblico, il luogo più intimo del suo assorbimento.[11]

3. *La riduzione della libertà personale a libertà di ruolo*

A questo punto diventa interessante considerare da vicino la natura della nostra libertà, nel regime ormai consolidato dell'economia di scambio che ha spostato il concetto di libertà dal semplice "diritto di obbedire o disobbedire", tipico delle società antiche, feudali e signorili, al "diritto di scegliere", dove però la scelta non riguarda ovviamente il tipo di *personalità* da esprimere, ma il tipo di *prestazione* a cui vincolarsi. Infatti, se l'identità personale è data dalle prestazioni svolte all'interno del mondo risolto in mercato non si dà libertà se non come *libertà di ruolo*.

"Ruolo" si chiamava un tempo il rotolo di pergamena sul quale l'attore del teatro leggeva la sua parte. Nella rappresentazione teatrale interessante non era l'attore in quanto persona privata, ma il "carattere" che l'attore, in virtù del suo ruolo, rappresentava nel contesto drammatico. Da quando la situazione teatrale divenne schema interpretativo del sistema sociale, la nozione di ruolo servì per definire l'*identità sociale o pubblica* distinta dall'*identità personale o privata*.

Oggi, nello scenario dischiuso dal mercato, che ha risolto l'identità di ciascuno di noi nella "funzione" o "prestazione" che svolgiamo nell'apparato economico, questa distinzione tende ad annullarsi, perché se l'identità è il frutto del riconoscimento, e il riconoscimento avviene solo a livello di funzioni e prestazioni, il ruolo, che definisce l'identità sociale, definisce anche l'identità personale, la quale, se volesse distinguersi da quella sociale, non avrebbe altra via se non quella di astenersi dal ruolo, e quindi dalla socializzazione che passa solo attraverso gli scenari dischiusi dai ruoli.

[11] Si veda in proposito U. Galimberti, *Psiche e techne. L'uomo nell'età della tecnica*, Feltrinelli, Milano 1999, capitolo 49, § 2: "La scissione dell'identità personale in 'pubblica' e 'privata'", pp. 548-551.

In questo modo il ruolo, che garantisce l'*identità sociale* soddisfacendo l'esigenza di coerenza fra ruoli reciprocamente attesi e assunti, garantisce anche l'*identità personale*, nella coerenza fra i ruoli rivestiti nei diversi stadi della propria biografia, di cui il *curriculum* traccia il profilo. Nel mondo dischiuso dal mercato, infatti, noi siamo dei *curricula*, in cui sono descritte in successione le nostre risposte funzionali all'apparato economico che, opportunamente interiorizzate, costituiscono la trama profonda della nostra identità e lo spazio dischiuso alla nostra libertà, che è dunque *libertà di ruolo* vasta quanto l'articolazione curricolare.

Nelle società primitive l'assunzione di ruolo veniva decisa a un primo livello in modo binario contrapponendo il proprio gruppo al gruppo estraneo. Risolto il problema dell'appartenenza, la successiva determinazione di ruolo avveniva sulla base di quei fattori naturali quali il sesso, l'età, la capacità generazionale, che definivano chiaramente la collocazione di ciascuno nel ciclo vitale, che era poi il regime fondativo dell'organizzazione sociale.

Nelle culture più avanzate, come osserva Simmel,[12] la relazione di appartenenza non è più decisa dalla carne e dal sangue, ma da quell'insieme di norme convenute e, in quanto convenute, già artificiali, che fanno dei membri di una comunità dei *cittadini di uno Stato*. L'identità familiare e tribale viene superata dall'identità statale, che non è un semplice allargamento della famiglia o della tribù, perché quando l'individuo, in quanto cittadino, attribuisce priorità al sistema normativo statale, decisivo non è più il rapporto di interiorità o esteriorità rispetto allo Stato, ma la differenziazione interna dei soggetti giuridici tra loro.

Rispetto a quella tribale, l'appartenenza statale, pur essendo caratterizzata da un più alto livello di artificialità, ha però ancora pesanti tratti di naturalità, quali il territorio, la lingua, la razza, la religione, che la razionalità economica si incarica di eliminare perché limitativi della sua azione. In questo modo il mercato porta a compimento quell'istanza illuminista che, privilegiando le esigenze della razionalità, pensa all'umanità come a un tutto al di là delle barriere razziali, nazionali, statali e confessionali.

Ma quando l'umanità, come oggi avviene con la globalizzazione, diventa idealmente un solo gruppo, funzionale alla *logica del mercato*, ma non alla *logica dello Stato*, i processi di identificazione e di autoidentificazione non possono più riferirsi ai ruo-

[12] G. Simmel, *Filosofia del denaro*, cit., pp. 459-467.

li primari del sesso, dell'età e della capacità generazionale come nello stadio dell'identità familiare o tribale, e neppure al ruolo di cittadino come nella logica statale, ma, in concorrenza con tutti questi ruoli, che comunque non vengono eliminati, i processi di identificazione e di autoidentificazione avvengono nella forma di una rappresentazione di sé nella molteplicità dei *ruoli funzionali* dell'apparato economico, che supera le vecchie identità non più referenziali a favore di identità sempre più *astratte* e, in quanto astratte, *artificiali*.

Nell'epoca dischiusa dal mercato globalizzato l'*identità* trova espressione nella capacità dell'individuo di prendere nelle proprie mani l'*organizzazione dei ruoli che esercita*, mentre la sua *libertà* risulta proporzionale alle *possibilità di accesso ai diversi ruoli*. Qui ciascuno, non essendo costretto a legare la propria identità a determinati ruoli che contraddistinguono un'identità di gruppo (sia esso familiare, tribale o statale), vede aprirsi uno spazio di *libertà di ruolo* che l'umanità nella sua storia non ha mai conosciuto.

Questa libertà non è solo *libertà di movimento fra i ruoli*, ma anche *distanza dai ruoli*, che si esercita non solo nei confronti dell'identità sociale, ma anche nei confronti di quella personale. Né l'una né l'altra, infatti, possono avere pretese di assolutezza, perché l'*identità sociale*, in quanto funzionale, flessibile e mutevole, ha un carattere fittizio, ma non meno fittizio dell'*identità personale* che, ridotta a pura e semplice organizzazione dei ruoli che si esercitano, deve rimanere subordinata all'identità sociale e, in questa subordinazione, esprimere non una piena individualità, ma quella *pseudo-individualità* che fa da correlato alla *pseudo-normalità* espressa dall'identità sociale.

Come ci ricorda Salvatore Natoli, già Aristotele avvertiva che l'individuo, preso singolarmente, non è riconoscibile direttamente e in se stesso, perché la sua leggibilità passa attraverso quella relazione sociale in cui si evidenzia la natura originariamente politica dell'uomo (*zôon politikón*).[13] Nell'età dell'economia globalizzata l'assunto aristotelico non solo rimane valido, ma l'aumento della complessità delle relazioni e dei criteri di leggibilità lo rende ancora più valido, perché se l'individuo dovesse proporre la sua identità personale al di là di quella sociale in cui si esprime

[13] S. Natoli, *Vita buona, vita felice. L'idea di politica nell'età classica* (1980). Questo motivo ritorna anche in *Soggettivazione e oggettività. Appunti per un'interpretazione dell'antropologia occidentale* (1986). Entrambi i saggi sono oggi raccolti in *Vita buona vita felice. Scritti di etica e politica*, Feltrinelli, Milano 1990.

la normalità apparirebbe "folle", e se invece dovesse risolvere la sua identità personale nella normalità di quella sociale apparirebbe "insignificante".

Per evitare follia e insignificanza l'individuo deve giocare quel precario equilibrio che gli consente di render visibile la sua identità sociale e il suo carattere fittizio, e insieme la sua identità personale e il suo carattere fittizio. In questo gioco tra la *pseudo-normalità* e la *pseudo-individualità* sta l'esercizio della sua libertà che, lo ripetiamo, non è solo libertà di movimento tra i ruoli, ma anche e soprattutto *distanza dai ruoli*, sia sociali sia individuali.

Solo esercitando la libertà come distanza e quindi come non-identificazione, l'individuo evita da un lato la *follia* sottesa alla pretesa assolutezza della propria individualità, e dall'altro l'*anonimato* conseguente all'appiattimento della propria individualità nella funzionalità del ruolo.

Ma è possibile conservare un'identità e una libertà individuale là dove si è costretti a sostenere una pseudo-individualità e a recitare (ma solo "recitare") il ruolo dell'individuo, il "rotolo di pergamena" su cui è scritta la parte che l'attore deve interpretare? Forse dovremo cominciare a esercitarci dal momento che, al di là del mondo che il mercato globale ha risolto in "mondo economico", non pare si dia altro mondo da abitare.

4. *La reificazione dell'uomo e la definitiva impraticabilità della rivoluzione*

Una volta ridotto l'uomo alla sua *funzione* "mercantile", l'individuo è costretto a presentarsi con quella maschera (*Charakter Maske*, dice Marx) in cui sono scolpiti i tratti del suo impiego o, come dice Heidegger, del suo essere "im-piegato (*be-stellt*) al fine di assicurare l'impiegabilità (*Bestellbarkheit*)",[14] a cui l'economia regolata dalle leggi di mercato destina tutte le cose. Con la maschera in volto, l'uomo *si dà* come rappresentante dell'apparato mercantile che lo *genera* come esecutore di un'attività che non lo esprime, perché le fasi del suo svolgimento sono già descritte e prescritte dalle leggi dell'apparato che sono autonome, indipendenti ed estranee all'individuo.

Ciò significa: *dal punto di vista oggettivo* che il mercato crea

[14] M. Heidegger, *Die Frage nach der Technik* (1954); tr. it. *La questione della tecnica*, in *Saggi e discorsi*, Mursia, Milano 1976, p. 13.

un universo di cose e di rapporti tra cose regolato da leggi che esercitano in modo autonomo la propria azione, determinando il valore delle merci e il loro movimento sul mercato. Si tratta di leggi che l'individuo può conoscere e anche utilizzare, ma su cui non può influire mediante la propria azione e tantomeno modificare. Ciò comporta, *dal punto di vista soggettivo*, che l'attività umana, dovendo modellarsi sulle leggi del sistema mercantile, diventa azione del sistema e quindi sottoposta a un'oggettività estranea all'uomo che la compie e che, compiendola, esprime se stesso come puro funzionario del sistema.

La *personificazione*, che Marx chiama talora *Personifikation*, talora *Charakter Maske*, con riferimento alla maschera funzionale che l'individuo è costretto ad assumere nel momento in cui entra in un sistema retto da leggi autonome, e la *reificazione*, che Marx chiama talora *Reifikation* (dal latino: *res*, cosa), talora *Verdinglikung* (dal tedesco *Ding*, cosa), con riferimento all'azione dell'uomo, a cui le leggi autonome del sistema attribuiscono lo stesso valore delle cose su cui l'azione si esercita, non sono gli esiti negativi di un *sistema oppressivo* che una rivoluzione potrebbe modificare, ma sono l'esito inevitabile di un *sistema formalizzato* che conosce solo il mondo che costruisce con i suoi calcoli, le sue previsioni e le sue produzioni, i suoi profitti.

In questo mondo l'*azione* di ogni singolo individuo diventa *esecuzione* di un'attività che non scaturisce tanto da lui quanto dalla razionalità dell'apparato, rispetto al quale l'azione dell'individuo è solo un parziale riflesso delle leggi che lo presiedono. Ciò significa che l'uomo non è più in rapporto con il mondo, ma esclusivamente con le leggi che governano il sistema mercantile in cui il singolo si trova a operare. Il suo agire non lo esprime, ma esprime la razionalità dell'apparato economico che istituisce non solo la sua azione, ma anche la relazione con i suoi simili, mediata dalle leggi che connettono la produzione, lo scambio e il consumo delle merci.

Tutto ciò non è *oppressione*, ma *sistema*. Di oppressione si poteva parlare prima dell'avvento dell'economia di mercato oggi globalizzata dove, fin dai tempi più antichi, singoli individui o intere masse erano sottoposti alle forme più estreme di sfruttamento nell'assoluto misconoscimento della dignità umana. Per quanto drammatiche fossero le loro condizioni d'esistenza, queste non erano la conseguenza di un *processo di razionalizzazione*, ma l'espressione dell'*esercizio arbitrario di una volontà*.

Gli schiavi, e dopo di loro gli sfruttati, testimoniavano con la loro esistenza l'arbitrio della sovranità o l'esercizio incontrollato del potere, e tuttavia la loro condizione non appariva come *destino umano*, come sorte ineluttabile dell'uomo. Con l'economia di mercato globalizzata le condizioni d'esistenza dei singoli individui, che come atomi isolati riproducono la razionalità del sistema economico in cui si trovano inseriti attraverso il loro fare produttivo, appaiono come il *destino generale* dell'intera società, anzi l'universalità di questo destino appare come la *premessa indispensabile* perché l'economia di mercato possa realizzarsi e funzionare.

Ne consegue che, per la prima volta nella storia, l'intera società, almeno tendenzialmente, è sottoposta alla razionalità del calcolo economico, le cui leggi descrivono e prescrivono le azioni dei singoli individui, ai quali la legalità del calcolo appare come un dato invalicabile, quasi una "legge di natura" che investe tutte le manifestazioni di vita della società, perché da essa dipendono le condizioni *generali* d'esistenza.

Parliamo di "condizioni *generali* d'esistenza" perché, prima della globalizzazione del mercato, la reificazione dell'uomo, la sua riduzione a cosa, avveniva per la *volontà* di un altro uomo, sia che questi si esprimesse come individuo o come classe, per cui era possibile da parte dei "reificati" individuare, nell'abbattimento di quella "volontà", la condizione della loro liberazione.

E tutte le rivoluzioni che scandiscono i passaggi d'epoca nelle età precedenti la globalizzazione erano praticabili, perché accadevano, *all'interno dell'umano*, tra una volontà opprimente e una volontà oppressa, o come dice Hegel tra un *servo* e un *signore*.[15] Perché le rivoluzioni esplodessero era sufficiente quella "presa di coscienza", secondo l'espressione di Marx, capace di segnalare la base *irrazionale* dell'oppressione e la conseguente *razionalità* della successiva liberazione.

Ma quando la reificazione, la riduzione dell'uomo a cosa, non è più l'effetto di una volontà, quindi di un evento irrazionale, ma l'effetto della *razionalità del calcolo* che prevede come unico mutamento della storia quello conseguente a un ulteriore perfezionamento della razionalità, allora non avremo più, come nelle età che hanno preceduto la globalizzazione del mercato, *il dominio dell'uomo sull'uomo*, ma *il dominio della razionalità del mercato su tutti gli uomini*, servi o signori che siano, i quali non si trovano più contrapposti l'uno all'altro, ma entrambi dalla stessa par-

[15] G.W.F. HEGEL, *Phänomenologie des Geistes* (1807); tr. it. *Fenomenologia dello spirito*, La Nuova Italia, Firenze 1963, vol. I, capitolo IV, A: "Indipendenza e dipendenza dell'autocoscienza: signoria e servitù", pp. 153-164.

te, avendo come controparte la razionalità che regola le leggi di mercato, contro la quale ogni rivoluzione è impraticabile.

5. *Ai margini del mercato: la povertà*

Il mercato si regge sull'intreccio fra *produzione* e *consumo*, due aspetti di un medesimo processo, dove decisivo è il carattere circolare del processo, nel senso che non solo si producono merci per soddisfare bisogni, ma si producono anche bisogni per garantire la continuità della produzione delle merci.

All'inizio e alla fine di queste catene di produzione (di merci e di bisogni) si trovano gli esseri umani, instaurati come produttori e come consumatori, con l'avvertenza che il consumo non deve essere più considerato, come avveniva per le generazioni precedenti, esclusivamente come soddisfazione di un bisogno, ma anche, e oggi soprattutto, come mezzo di produzione. Come ci ricorda Günther Anders,[16] là dove la produzione non tollera interruzioni, le merci "hanno bisogno" di essere consumate, e se il bisogno non è spontaneo, se di queste merci non si sente il bisogno, occorrerà che questo bisogno sia "prodotto".

A ciò provvede la pubblicità, che ha il compito di pareggiare il nostro bisogno di merci con il bisogno delle merci di essere consumate. I suoi inviti sono esplicite richieste a rinunciare agli oggetti che già possediamo, e che magari ancora svolgono un buon servizio, perché altri nel frattempo ne sono sopraggiunti, altri che "non si può non avere". In una società consumista come quella che impone il mercato, dove l'identità di ciascuno è sempre più consegnata agli oggetti che possiede, i quali non solo sono sostituibili, ma "devono" essere sostituiti, non si può dar torto ad Anders là dove scrive: "Ogni pubblicità è un appello alla distruzione".[17]

Si tratta di una distruzione che, ci ricorda sempre Anders, "non è *la fine* naturale di ogni prodotto, ma *il suo fine*".[18] E questo non solo perché altrimenti si interromperebbe la catena produttiva, ma perché il progresso tecnico, sopravanzando le sue

[16] G. Anders, *Die Antiquiertheit des Menschen*, Band II: *Über die Zerstörung des Lebens im Zeitalter der dritten industriellen Revolution* (1980); tr. it. *L'uomo è antiquato*, Libro II: *Sulla distruzione della vita nell'epoca della terza rivoluzione industriale*, Bollati Boringhieri, Torino 2003, pp. 31-49.
[17] Ivi, p. 34.
[18] Ivi, p. 32.

produzioni, rende obsoleti i prodotti, la cui fine non segna la conclusione di un'esistenza, ma fin dall'inizio ne costituisce lo scopo. In questo processo, il mercato usa i consumatori come suoi alleati "per garantire la mortalità dei suoi prodotti, che è poi la garanzia della sua immortalità".[19]

Si conferma così il tratto *nichilista* della nostra cultura economica dove il consumo, costretto a diventare "consumo forzato", eleva il non-essere di tutte le cose a condizione della sua esistenza, il loro non permanere a condizione del suo avanzare e progredire.

Ma una società che si rivolge ai suoi membri solo in quanto consumatori, capaci di rispondere positivamente alle tentazioni del mercato per mantenerlo attivo e scongiurare la minaccia della recessione, crea, secondo Zygmunt Bauman, una nuova classe di poveri che – a differenza di quelli di un tempo, che tali erano perché non riuscivano a inserirsi nei processi di produzione – sono colpevoli di non contribuire al consumo e, "in quanto non consumatori o consumatori inadeguati e difettosi, sono un peso morto, una presenza totalmente improduttiva".[20]

Configurandosi come una pura perdita, un buco nero che inghiotte servizi senza nulla restituire, con i poveri, per la loro inutilità e perché nessuno ha bisogno di loro, si può praticare la "tolleranza zero". Si può bruciar loro le tende se vivono accampati, come spesso ci riferiscono le cronache, non per ragioni razziali come è facile credere e propagandare, ma perché, ci ricorda Bauman:

> Nella società dei consumi, la povertà è inutile e indesiderabile. L'unica via attraverso la quale i poveri potrebbero riscattarsi è quella che conduce al centro commerciale, [...] dove potrebbero ottenere, se non la riabilitazione, almeno quella "libertà condizionata" dal loro accettabile consumo.[21]

Se poi passiamo dalla povertà di casa nostra all'immensa povertà del resto del mondo, che sussulto provoca questo spettacolo al nostro senso morale? Nessuno. Anche se sappiamo che la povertà non è solo mancanza di cibo, non è solo un incontro quo-

[19] *Ibidem.*
[20] Z. Bauman, *Homo consumens* (2006); tr. it. *Homo consumens. Lo sciame inquieto dei consumatori e la miseria degli esclusi*, Erickson, Gardolo (Trento) 2007, p. 57.
[21] *Ibidem.*

tidiano con la malattia e con la morte. L'estrema povertà è la *fuoriuscita dalla condizione umana* e insieme la sua riapparizione come "incidente della storia", che fa la sua comparsa televisiva quando i conduttori della storia passano da quelle lande disperate che un giorno chiamavamo "Terzo mondo" e che ora, visti i tenori di vita raggiunti dal Primo mondo, potremmo chiamare "non-mondo", puro incidente antropologico, non dissimile da quegli incidenti geologici o atmosferici che, sotto il nome di terremoto o alluvione, chiedono soccorso.

Ma cos'è un "soccorso umanitario" se non la latitanza del nostro sentimento morale che si accontenta di un gesto di carità, senza avere la forza di sollecitare la politica? E qui non penso alla politica che fa gli affari con la fame nel mondo, penso alla politica come al *non-luogo* della decisione, perché la decisione avviene altrove, in quell'altro teatro, il *mercato*, che ha ridotto la politica a un siparietto di quinta, dove ha luogo la rappresentazione democratica di interessi che operano dietro la scena e lontano dagli schermi.

E allora che cosa resta dell'immensa e sconfinata povertà del mondo? Null'altro che la singola e isolata *testimonianza* che, gettando per un giorno un fascio di luce sul continente buio della miseria, vorrebbe sollecitare la coscienza e la sensibilità di quanti non hanno come problema quotidiano quello di non morire di fame.

Quando, senza scomporci, veniamo a sapere dalla stampa e dalla televisione che nella regione dei Grandi Laghi africani, nel Sudan e nel Darfur, due milioni di uomini, donne e bambini sono stati ammazzati a colpi di machete e un altro milione manca all'appello, che non si fa a nominativo, ma per cifre che oscillano, a seconda dei diversi calcoli delle organizzazioni locali e internazionali, nell'ordine di decine di migliaia, davvero consideriamo questi esseri umani nostri "simili", simili a noi europei o americani, o non piuttosto simili a un gregge di cui non ci interessa la sorte?

E perché non ci interessa? Perché non muove il nostro sentimento morale? Perché forse sappiamo, anche se poi rimuoviamo il pensiero, che il nostro benessere dipende dalla loro disperazione? E allora nessun sussulto morale. Anzi, prendere in considerazione e fermare la nostra attenzione su questi eventi oggi sembra non sia neppure politicamente corretto, in nome del "sano realismo" a cui si ispira la politica. Sano realismo che, tradotto, significa lasciare libero gioco alla "volontà di potenza", deprecabile quando Nietzsche la indicava come anima della storia, e incondizionatamente accettata quando passa sotto il nome di "Realpolitik".

Del resto la povertà non attrae. È il rimosso di tutti. Nessuno la va a cercare. La carità che si fa con una mano è raramente accompagnata da uno sguardo capace di incontrare lo sguardo di un miserabile, perché la sua vista inquieta. Per giunta è la stessa povertà che tende a nascondersi, per vergogna, per pudore. Tentativi non necessari, tanto nessuno la vede, e meno ancora la guarda. Fondamentalmente nessuno se ne occupa. Al massimo qualche gesto senza neppure guardare in faccia il destinatario. A volte persino una catena di gesti che però non entrano in contatto con la povertà, ma solo con l'organizzazione deputata a soccorrerla. Così la povertà non si vede, se non in qualche flash televisivo tra una forchettata e l'altra.

Ciò che non si vede *non esiste*, o esiste come sentito dire, come statistica, dove i numeri hanno il solo compito di cancellare i volti di quei poveri a cui la miseria ha già tolto se non il pane, come accade nel resto del mondo, certo quasi tutte le possibilità che il vivere in Occidente concede ai suoi abitanti.

Nascosta allo spettacolo quotidiano, espulsa dal linguaggio, la povertà sembra vivere solo nel gesto distratto di una mano che allunga qualcosa che non cambia di un grammo la nostra esistenza. E così, non toccata, anche la nostra esistenza si rende immune alla presenza anche massiccia della povertà. Una povertà silenziosa, densa come la nebbia che in modo impercettibile ci tocca da ogni parte e che può passare inosservata solo a colpi di rimozione percettiva, visiva, linguistica.

Ma il rimosso ritorna. E non ritorna come senso di colpa, da cui è facile lavarsi con un gesto di carità. Ritorna come atrofizzazione della nostra esistenza che, per non percepire, non vedere, non sentire quel che inevitabilmente la tocca, deve procedere a tali colpi di amputazione in ordine alla sua percezione del mondo da diventare alla fine una povera esistenza. E qui la povertà materiale di coloro che, invisibili, si muovono nei bassifondi delle condizioni impossibili d'esistenza compie la sua vendetta mutilando la sensibilità della nostra esistenza, per consentirle di non percepire che il nostro stato di benessere dipende direttamente dallo stato di povertà del mondo.

Attraversati da questa sensazione, conscia o inconscia che sia, resistiamo a entrare in contatto non solo con la povertà del mondo, ma anche con la sua percezione, e perciò siamo costretti a raccontarci un mondo diverso da quello che è, e a prender dimora in uno spazio di falsificazione, dove la nostra esistenza, per non vedere, è costretta a mutilare la sua sensibilità e a divenire apatica a se stessa e povera di autopercezione.

Per questo non sappiamo più chi siamo, perché la rimozione che abbiamo fatto delle condizioni di povertà del mondo è stata possibile solo con l'amputazione della sensibilità e della percezione della nostra esistenza. E allora, se i poveri non hanno pane, noi, che per non vederli abbiamo mutilato le nostre facoltà percettive, finiamo con il non disporre più neppure di noi. La condizione umana infatti è comune. E il privilegio di chi vuol difendersi non solo dalla povertà, ma anche dalla sua percezione, è l'inganno di un giorno.

Ciò non significa che l'Occidente è insensibile e cinico. La sua colpa non consiste tanto nella sua accresciuta insensibilità e indifferenza per le sorti del mondo (questa casomai è la conseguenza, non la causa), quanto nell'aver consentito che la povertà del mondo divenisse "smisurata", perché, come ci ricorda Günther Anders: "Di fronte allo smisurato, la nostra sensibilità si inceppa. Il 'troppo grande' ci lascia indifferenti",[22] non freddi, perché la freddezza sarebbe già un sentimento.

E quando ci dicono che nel mondo ogni otto secondi muore di fame un bambino, il nostro sentimento si trova di fronte non a una tragedia, ma a una statistica, e piomba in una sorta di analfabetismo emotivo. Questo analfabetismo, divenuto ormai nostra cultura, è peggiore di tutte le peggiori cose che accadono nel "non-mondo", perché, scrive sempre Anders: "È ciò che rende possibile l'eterna ripetizione di queste terribili cose, il loro accrescersi e il loro divenire inevitabili, perché il nostro meccanismo di reazione si arresta quando il fenomeno supera una certa grandezza".[23]

E siccome un bambino che muore di fame ogni otto secondi è già oltre questa grandezza, per effetto di questa che Anders chiama "la regola infernale",[24] ogni sorta di catastrofe ha via libera, non solo in quel "non-mondo" un tempo chiamato "Terzo mondo", ma anche da noi. E già se ne vedono le tracce. Eppure, anche in questo caso possiamo sempre chiudere gli occhi e mettere a tacere quel che resta del nostro asfittico sentimento morale.

[22] G. Anders, *Wir Eichmannsöhne* (1964); tr. it. *Noi figli di Eichmann*, Giuntina, Firenze 1995, pp. 33-34.
[23] *Ibidem.*
[24] *Ibidem.*

Man mano che la legge del mercato rende sempre più profonda la divisione tra i ricchi sempre più ricchi e i poveri sempre più esclusi dal banchetto del consumismo, assistiamo a una progressiva limitazione della nostra sicurezza e della nostra libertà per effetto della "degradazione" del povero, che ha come inevitabile conseguenza la sua "medicalizzazione" quando non la sua "criminalizzazione", come avveniva nel secolo XIX, prima dell'avvento dello "stato sociale".

Tagliare le spese per lo stato sociale significa infatti aumentare quelle per la polizia, per le prigioni, per i servizi di sicurezza, per le guardie armate, per i sistemi di allarme, e ridefinire la povertà come problema medico-legale o come problema di ordine pubblico. A ciò si deve aggiungere che chi è escluso o si trova sulla soglia dell'esclusione viene sospinto a forza e saldamente rinchiuso all'interno di muri invisibili, ma del tutto tangibili, che dominano i territori dell'emarginazione, aumentando considerevolmente la sensazione dell'insicurezza e dell'incertezza.

Se restringere la libertà degli esclusi non aggiunge nulla alla libertà di chi è libero, la strada dei tagli allo stato sociale può condurre ovunque tranne che a una società di individui liberi, perché, stravolgendo l'equilibrio tra i due versanti della libertà, fa sì che in qualche luogo, in qualche strada, in qualche rione, in qualche città, in qualche ora del giorno e soprattutto della notte, il piacere della libertà si dissolve nella paura e nell'angoscia. Una conferma tangibile che la libertà di chi è libero richiede, per il suo esercizio, la libertà di tutti.

Se appena ci emancipiamo dalla concezione rozza della libertà, non possiamo non renderci conto che la libertà è possibile solo nel contesto di una significativa *relazione sociale*, perché, se cresce a dismisura il numero dei senzadimora disagiati, anche le dimore dei più agiati non sono più tanto sicure. Se ne deduce che la libertà individuale – che oggi appare come il valore supremo e il metro in base al quale ogni virtù e ogni vizio della società intera vanno valutati – non si raggiunge con gli sforzi individuali, ma solo creando le condizioni che estendono tali possibilità a tutti.

Un compito, questo, che non è possibile perseguire individualmente, magari con la beneficenza organizzata o la carità all'angolo della strada, ma unendo le energie di tutti in quell'impresa comune che si chiama *solidarietà*, la sola che può garantire non solo i diritti di libertà, ma soprattutto la perpetuazione delle condizioni per l'esercizio di questi diritti.

La *società dell'incertezza*, che a parere di Zygmunt Bauman[25] abbiamo preferito alla *società protetta* perché sembra più idonea a garantire i diritti di libertà e quindi di felicità, è in grado di produrre da sé deregulation e privatizzazione sulla spinta esercitata dal mercato globale, ma non è in grado di generare da sola, cioè senza intervento politico, la solidarietà che, come abbiamo visto, è condizione essenziale per l'esercizio della libertà.

E qui Bauman cita Albert Camus là dove scrive: "C'è la bellezza e ci sono gli oppressi. Per quanto difficile possa essere, io vorrei essere fedele a entrambi".[26] Non leggiamo questa espressione come un pio desiderio, o un bisogno del cuore. La "fedeltà selettiva" alla sola bellezza, alla sola libertà, alla sola felicità individuale, per il nesso strutturale che lega la fruizione di questi valori alla solidarietà, da sola non è in grado neppure di difendere ciò che vorrebbe garantire.

6. *Oltre il mercato: l'utopia del futuro*

Quale sogno è ancora possibile all'alba di questo millennio che sembra aver dimenticato l'utopia? Che fine hanno fatto i grandi progetti che l'umanità ha sempre immaginato e che il secolo scorso, pur nelle sue tragedie, ha cercato di realizzare? C'è ancora la possibilità di sperare in una casa promessa per l'uomo senza terra?

Sono le domande che Romano Madera si pone nel suo bellissimo saggio *L'animale visionario*,[27] dove l'immagine-guida è quella di Abramo che lascia la sua casa, la sua terra, il suo popolo, le sue origini e diventa senza-luogo o, come vuole la parola greca coniata nel Rinascimento, diventa *u-topico*. Abramo è il padre di una popolazione utopica. Il suo dio non è il dio di un popolo già esistente con una sua terra. Il suo dio, il suo popolo, la sua terra chiamano da un luogo non ancora presente, chiamano dal futuro.

E proprio guardando al futuro Madera si chiede se il modello occidentale, che ha trionfato ovunque, sia davvero così soddisfacente da non richiedere alcun confronto critico, magari pro-

[25] Z. Bauman, *La società dell'incertezza* (raccolta di brevi saggi composti tra il 1995 e il 1997), il Mulino, Bologna 1999, pp. 7-26.

[26] Ivi, p. 24. La citazione di A. Camus, si trova in *Retour à Tipasa* del 1953.

[27] R. Madera, *L'animale visionario. Elogio del radicalismo*, il Saggiatore, Milano 1999.

prio a partire dai movimenti organizzati di lotta e di protesta del secolo scorso, che oggi tutti tendono a considerare come cascami della storia, dimenticando che senza i loro sogni oggi non ci sarebbe la nostra realtà.

Infatti, non è certo stato per una graziosa concessione da parte delle élite e delle classi dirigenti che oggi noi occidentali godiamo del suffragio universale, della libertà di costituire partiti e sindacati, di una legislazione che regolamenti prestazioni e compensi del lavoro, del diritto e dell'obbligo all'istruzione, della garanzia di un minimo di assistenza e di cura per i malati e i vecchi, di una tutela per i bambini. Queste e altre conquiste, che fanno della nostra convivenza una convivenza civile, sarebbero impensabili senza il contributo determinante e senza le lotte dei lavoratori di questi ultimi centocinquant'anni, nonostante "il gran vocio che accompagna con giubilo sgangherato o sommesso il funerale ancora in corso del movimento operaio".[28]

A questo proposito Madera riporta a guisa di "promemoria"[29] qualche numeretto che qualsiasi lettore di giornali può venire a conoscere se ancora ha la forza d'animo di voler sapere in che mondo vive. Già nel 1997 il Programma delle Nazioni Unite per lo sviluppo (Pnud) riferiva ad esempio che il 18 per cento della popolazione mondiale, più o meno 800 milioni di persone, dispone dell'83 per cento del reddito mondiale, mentre l'82 per cento della popolazione mondiale, più o meno 5 miliardi di persone, si spartisce il restante 17 per cento.

Quanto all'uso, all'abuso e alla distruzione delle risorse della terra, i paesi più ricchi consumano il 70 per cento di energia, il 75 per cento del metallo e l'85 per cento del legno. "L'estrema povertà," riferiva il rapporto Pnud, "potrebbe essere sradicata all'inizio del prossimo secolo con una spesa di 80 miliardi di dollari l'anno, cioè meno del patrimonio netto accumulato dalle sette persone più ricche del mondo." E in effetti, sempre nel 1997, le dieci persone più facoltose del mondo possedevano patrimoni per 133 miliardi di dollari, che equivalgono a una volta e mezzo il reddito nazionale dei 48 paesi meno fortunati.

Osserva Madera: "Che non tutto, in questo bollettino di disfatta del capitalismo storico, a qualche secolo dai suoi inizi, sia addebitabile ai maledetti comunisti e alla loro funzione di freno

[28] Ivi, p. 14.
[29] Ivi, pp. 31-34.

delle magnifiche sorti progressiste, lo dice anche qualche cifra che riguarda il cortile di casa degli Usa dove, come è noto, non ci sono comunisti".[30]

Ebbene, riferisce il Pnud, negli Stati Uniti l'1 per cento della popolazione possiede il 40 per cento della ricchezza, il 20 per cento un altro 40 per cento, e il 79 per cento il restante 20 per cento. Secondo i dati del ministero del Lavoro, dal 1979 al 1993 il solito quinto più povero ha perso il 17 per cento del reddito che aveva, mentre il quinto più ricco l'ha aumentato del 18 per cento. Di questo passo, scriveva l'"International Herald Tribune" (16 febbraio del 1995), si prevede che nei paradisi californiani un bambino su quattro nel 2020 sarà affamato, mentre stime attendibili valutano il 50 per cento del territorio Usa come "ecosistema in pericolo".

Ora che il capitalismo, dopo l'omologazione e l'assimilazione delle regioni socialiste, è diventato globale, vediamo confermate le previsioni di Marx che oggi sembrano sbagliate solo per difetto. Infatti, a livello di nazioni, la mondializzazione del mercato dei capitali, oggi dispiegata in ogni parte della terra a partire dalla deregulation iniziata negli anni novanta, ha portato il colpo decisivo al già tramontante potere degli Stati e alla loro possibilità di influenzare con gli strumenti della politica il corso degli avvenimenti. Ciò significa, osserva Madera:

> La fine dell'indipendenza degli Stati nazionali la cui politica economica diventa pura esecuzione di ricatti finanziari, mascherati da consigli-condizioni per ottenere crediti, a loro volta necessari per restituire debiti al Fondo monetario internazionale e alla Banca mondiale, nel loro ruolo di agenzie del capitale transnazionale. [...] Questa situazione non riguarda solo i paesi poveri, riguarda anche noi, se appena prestiamo un po' più di attenzione a quelle agenzie specializzate (Moody's, Standard & Poor) che danno i voti al debito pubblico dei vari Stati, mettendo in riga governi e amministrazioni che si vedono tagliati ulteriori fonti di credito se a loro volta non tagliano le spese per programmi sociali, se non aumentano le tasse ai cittadini, se non trasformano i debiti delle banche private e delle imprese in debito a garanzia pubblica, incentivando i capitali ad affluire. [...] È evidente che in una condizione del genere la democrazia non può andare oltre le scelte degli esecutori tecnicamente più capaci nell'applicare i comandi del capitale finanziario che si

[30] Ivi, p. 32.

> muove a livello transnazionale, [...] per cui quando Marx diceva che i governi erano comitati d'affari della grande borghesia, aveva torto, ma solo per difetto.[31]

Quello che allora era un cattivo costume, oggi è un sistema, anzi è il sistema. Per cui se nel mondo antico i debitori insolventi finivano schiavi, nel mondo del capitalismo globale interi Stati vengono costretti a lavorare per conto delle grandi finanziarie e delle grandi imprese.

Se questo accade a livello degli Stati-nazione, a livello individuale, i rapporti reciproci, come già aveva previsto Marx, avvengono principalmente, anche se non esclusivamente, in termini di merce che, a livello di circolazione mondiale, conosce una libertà di movimento ancora sconosciuta a miliardi di uomini.

In questo processo di totale mercificazione del lavoro, la specializzazione accelerata imposta dal mercato porta alla frammentazione dei processi lavorativi, alla loro parcellizzazione e quindi al loro inserimento nel sistema di divisione del lavoro delle macchine a cui, secondo i criteri dell'organizzazione tecnico-scientifica, è delegato il controllo delle funzioni.

Tutto ciò comporta, da un lato, che l'uomo diventa sempre più un'appendice della macchina, deprivato di ogni possibilità di invenzione, modificazione e decisione, e, dall'altro, per effetto della frammentazione dei processi lavorativi, si ha un obnubilamento delle finalità ultime della produzione, con esonero di responsabilità dei singoli lavoratori, a cui non può che risultare del tutto indifferente prestare la loro opera in una produzione di armi o in una produzione di generi alimentari. Di fronte a questo scenario Madera scrive che:

> Dopo aver vinto la guerra dei settant'anni contro il comunismo, il capitalismo comincia così a mostrare il suo vero volto, che non è proprio quello del progresso che aveva scritto sulle sue bandiere.[32]

Infatti, se questi dati e queste considerazioni hanno un loro senso e una loro plausibilità, non sembra remoto "lo spettro di un'ingloriosa soluzione finale dell'esperimento umano",[33] sia per quanti non hanno di che vivere, sia per i ben pasciuti a cui non

[31] Ivi, pp. 36-38.
[32] Ivi, p. 25.
[33] Ivi, p. 17.

si riconosce altra dignità se non quella di funzionari a diversi livelli del capitale. Per cui è difficile non concordare con Madera là dove scrive che:

> I cataclismi umani che il Novecento ha metabolizzato nelle guerre mondiali fra le potenze, e nelle guerre coloniali contro le potenze, alla fine del secolo ancora ribollono nelle falde sommerse di una terra regolata dai soli criteri dell'accumulazione infinita e della competizione sfrenata, il cui limite è solo artificio e tregua di guerra, nella più totale assenza di rispetto per uomini e natura.[34]

Essendo il mercato diventato globale, e avendo occupato tutti i luoghi della terra, a contrastarlo, secondo Romano Madera, non resta che *u-topia*, ossia quel non-luogo dove si sono rifugiati o sono stati confinati, spinti sia da destra sia da sinistra, personaggi, progetti, idee, proposte, finiti nell'unico posto al mondo che accetta tutti i detriti della storia. Da questo non-luogo non possono nascere, oggi, organizzazioni di contrasto, strategie di riscatto o rivoluzioni liberatorie, ma solo una chiamata che viene dal futuro, dalle sorti future della terra e dell'uomo, simile alla chiamata che un giorno mosse Abramo a lasciare la sua casa, la sua terra, il suo popolo, per diventare il padre di una popolazione utopica, all'epoca senza luogo, come senza luogo è già il nostro abitare sulla terra.

Infatti l'unica civiltà che si va diffondendo, a scapito di tutte le altre possibili espressioni tradizionali e non, è la civiltà del profitto, che oggi appare come l'unico generatore simbolico dell'ordine che deve regnare sulla terra e della partizione dei ruoli che gli uomini, sia quelli affamati sia quelli sazi, devono rigorosamente assumere per avere diritto di cittadinanza.

[34] Ivi, p. 22.

13.
Il mito della crescita

> Non si può non provare commozione nel considerare come l'uomo, attivamente impegnato a temprare in acciaio armi e cuori nel bel mezzo del caos che lo circonda, sappia rinunciare alla via d'uscita che può dargli felicità.
>
> E. JÜNGER, *L'operaio* (1932), p. 269.

1. *La crescita come processo infinito*

Che cosa prova la gente a diventare collettivamente più povera? Non parlo dei poveri che il fisco risparmia e neppure di quelli per i quali 200 milioni di euro equivalgono ai nostri 200 euro, ma di quella classe media che, essendo diventata negli ultimi decenni la classe di tutti, ha finito per dissolvere perfino le rivendicazioni di classe, sostituendole con le rivendicazioni di categoria.

Si può sempre dire che un po' di povertà non fa male: contiene i costumi che abbiamo spinto un po' all'eccesso, spopola i ristoranti dove per la troppa gente non si riesce più a scambiar parola, riduce il traffico che ha trasformato le vie delle nostre città in un unico grande parcheggio, allenta la morsa dei weekend forzati, assottiglia, nelle agenzie di viaggio, le folle di quanti pensano che basti cambiar cielo per cambiar animo.

Le discoteche chiuderanno qualche ora prima, alcuni giovani vedranno ridotte le loro chance di finire direttamente al cimitero, chance che purtroppo aumenteranno per quanti non riusciranno a stare al passo del costo dei farmaci, o più semplicemente della qualità degli alimenti, a cui è da addebitare quel prolungamento della vecchiaia che in Occidente siamo soliti chiamare allungamento della vita.

Eppure, nonostante questi vantaggi secondari, un senso di inquietudine pervade sia i singoli individui sia le imprese che si sentono impotenti a modificare l'andamento dell'*economia*, la quale, per effetto della globalizzazione e forse della supremazia dell'aspetto finanziario (e virtuale) su quello produttivo (e reale), sembra sia divenuta qualcosa di trascendente, qualcosa di governato da un dio ignoto, i cui disegni nessuno davvero conosce.

Tutto ciò comporta, come dicono gli economisti, un rallentamento della crescita, quando non addirittura una crescita zero o addirittura sotto zero. E qui siamo a quella parola subdola, "crescita", che gli economisti applicano sia ai paesi diseredati, che raccolgono tra l'altro i quattro quinti dell'umanità, sia ai paesi già sviluppati che, ciononostante "devono crescere". Fin dove? E a spese di chi? E a quali costi ambientali? Qui l'economia tace perché il problema non è di sua competenza, e con l'economia tacciono anche le voci degli uomini che alle leggi dell'economia si devono piegare.

Quando dico "economia" non dico solo agricoltura, commercio, industria e finanza, ma dico soprattutto mentalità diffusa, modo di sentire, categoria dello spirito del nostro tempo, perché questo è diventato, nel modo di pensare e di sentire di tutti, l'imperativo categorico della crescita.

Figli come siamo di padri, che a loro volta sono cresciuti sul lavoro dei nonni, siamo ormai alla terza o quarta generazione che cresce con un ritmo che la storia non ha mai conosciuto. La categoria della crescita è così diventata una *forma mentis*, uno stato d'animo, un rimedio all'angoscia, una garanzia per sé e per i propri figli, una caparra per il futuro, per cui, se per effetto di Maastricht, se per mettere in ordine i conti, se per una finanziaria dura, se per i giochi spericolati della finanza internazionale questa speranza nella crescita si affievolisce accade una paralisi del pensiero, una confusione del sentimento, un'ansia per il futuro, un senso di inquietudine, come quando sugli aerei si infila un vuoto d'aria e, tutti composti, ostentiamo quella tranquillità smentita dai brividi del nostro ventre, che però avvertiamo solo noi.

E così ciascuno per sé sente il brivido della "crescita zero" o addirittura della "decrescita" e non sa con che strumenti reagire perché, avendo affidato ormai da tempo la comunicazione personale ai "mezzi di comunicazione", avendo scambiato l'amore per i figli con le cose da garantire ai figli, il riposo dal lavoro con il traffico furioso delle ferie, cosa accade quando bisogna imparare di nuovo a parlare tra noi con qualche televisore in meno, quando bisogna riuscire a far arrivare il nostro amore senza quel veicolo sbrigativo che sono le cose, quando bisogna imparare a cambiare il cielo della nostra anima senza l'aiuto di un'agenzia di viaggio?

E queste cose bisogna impararle subito, perché la "crescita

zero" sarà sempre più il nostro futuro, non solo perché non possiamo continuare a pensare che i quattro quinti dell'umanità continuino a sacrificarsi per la nostra crescita, ma perché, quando la crescita non ha altro scopo che continuare a crescere, è l'uomo stesso del mondo privilegiato a divenire semplice funzionario di questa idea fissa che, se diventa lo scopo collettivo della vita di tutti, affossa e seppellisce il senso della vita, il suo sapore, il suo significato per noi.

L'impoverimento collettivo ha almeno un'implicazione positiva: cominciamo a riflettere sul senso che va assumendo la nostra esistenza sulla spinta di quell'idea folle che è la crescita all'infinito, magari recuperando qualche frammento dell'antica saggezza greca che recita: "Chi non conosce il suo limite tema il destino".

Se, in cambio dei soldi che toglie alle nostre tasche, la crescita zero ci desse l'opportunità concreta di cominciare a riflettere sull'assurdo ritmo che ha assunto la nostra esistenza, sulla qualità della nostra comunicazione ormai troppo mediata, sulla natura un po' ambigua del nostro amore fatto ormai di sole cose, e soprattutto sul fatto che regolare tutto sul modello di una crescita all'infinito ha parentela con l'assurdo, allora anche la crescita zero, che finora tocca solo i nostri soldi e non la nostra pelle o la dignità dell'uomo, come ancora accade in troppe parti del mondo, può essere accettata come una buona occasione per raddrizzare non solo il nostro costume, ma anche la qualità del nostro sguardo sulla vita e sul mondo.

Ciò può avvenire cominciando magari a rinunciare all'individualismo sfrenato e aggressivo degli ultimi decenni, per privilegiare il "noi" rispetto all'"io". Il noi del volontariato, della reciproca assistenza, della familiarità del borgo rispetto all'anonimato della metropoli, il noi della convivialità, dei comportamenti virtuosi in ordine alla circolazione stradale, alla scelta e al consumo dei cibi, alle condotte a rischio, agli stili di vita.

Valori non economici, che non sono dettati dalla rassegnazione di chi è consapevole di non poter controllare o modificare l'andamento dell'economia, ma dal rifiuto a sacrificare la propria esistenza al mito della crescita, che visualizza gli uomini solo come *produttori* e *consumatori* di merci. Tale è infatti l'invito martellante della pubblicità che ogni giorno ci sollecita a una sorta di "consumo forzato", sotteso al quale possiamo leggere un appello alla distruzione, una forma radicale di nichilismo che non ci mette al riparo dal monito di Günther Anders, secondo il quale:

L'umanità che tratta il mondo come un mondo da buttar via, tratta anche se stessa come un'umanità da buttar via.[1]

2. *L'autolimitazione della crescita e la trasformazione del concetto di lavoro*

Se nel sottosuolo della nostra anima collettiva si fa strada la sensazione che forse è necessario mutare la gerarchia dei nostri pensieri e la forma dei nostri comportamenti, anche il profilo del lavoro potrebbe mutare. Oggi, infatti, sotto l'imperativo della crescita, il lavoro è visualizzato nel solo ambito dell'economia, che però, in una società che si fa sempre più tecnologica, comporta un'inevitabile riduzione dei posti di lavoro. E così, paradossalmente, quello che è sempre stato il sogno più antico dell'uomo, la liberazione dal lavoro, si sta trasformando in un incubo.

Siccome il processo è irreversibile, nonostante i correttivi, i finanziamenti mirati, i contratti d'area, i lavori a progetto, i lavori precari e quelli socialmente utili, nonché altre soluzioni che la politica tenta di escogitare per scongiurare l'incubo, forse, come ci ricorda Franco Totaro,[2] non c'è altra via d'uscita se non quella di *ripensare il concetto di lavoro*, che l'economia globalizzata da un lato e l'apparato tecnico dall'altro hanno a tal punto identificato con l'esistenza da rendere a tutti evidente l'equazione secondo la quale, dal punto di vista sociale, *chi non lavora non esiste*. Ma è davvero così? O questa equazione si legittima solo a partire dalla nozione di lavoro che l'economia globale da un lato e l'apparato tecnico dall'altro hanno messo in circolazione, senza prendere minimamente in considerazione il fatto che, dietro ogni lavoro, c'è un uomo che lavora?

Se già un secolo e mezzo orsono Marx segnalava l'alienazione dovuta al fatto che, nel sistema capitalistico, la forza lavoro non ritorna al lavoratore nella misura in cui da questi è stata profusa, oggi, come opportunamente fa osservare Totaro,[3] accanto all'alienazione *nel* lavoro, di cui il nostro tempo sconta le conse-

[1] G. Anders, *Die Antiquiertheit des Menschen*, Band II: *Über die Zerstörung des Lebens im Zeitalter der dritten industriellen Revolution* (1980); tr. it. *L'uomo è antiquato*, Libro II: *Sulla distruzione della vita nell'epoca della terza rivoluzione industriale*, Bollati Boringhieri, Torino 2003, p. 35.

[2] F. Totaro, *Non di solo lavoro. Ontologia della persona ed etica del lavoro nel passaggio di civiltà*, Vita e Pensiero, Milano 1998.

[3] Ivi, pp. 11-14.

guenze ideologiche, fa la sua comparsa l'alienazione *da* lavoro, che consiste nel completo appiattimento dell'uomo sulla sua attività lavorativa, come se questa fosse divenuta l'unico indicatore della riconoscibilità dell'uomo.

In questa direzione già si muovevano le considerazioni di Ernst Jünger, secondo il quale il lavoratore non deve essere considerato per la sua appartenenza a una classe, ma piuttosto come:

> Il "tipo umano" che si avvia a occupare la scena della storia, imponendo una nuova unità di tempo, di luogo e di azione, un'unità drammatica, il cui avvento si può già presentire dietro le macerie della cultura e sotto la maschera mortuaria della civiltà.[4]

E in effetti, in un mondo sempre più regolato dalla tecnica che tende al dominio della terra, ogni azione, anche quella apparentemente di svago, assume le sembianze del lavoro che copre l'intero arco delle ventiquattro ore, e non ha più nel riposo e nell'ozio il suo contrario, perché anche lo sport, anche il divertimento, anche il tempo libero, anche il fine settimana sono, come dice Jünger, "un contrappeso dalle tinte giocose all'interno del lavoro, ma in nessun caso il contrario del lavoro".[5]

Ciò spiega perché i nostri calendari hanno perso significato con la loro distinzione tra giorni feriali e giorni festivi. Questa distinzione, infatti, è sempre meno corrispondente ai ritmi della nostra vita, che la tecnica visualizza ogni giorno di più come vita di lavoro, fino a far coincidere l'uomo con "il lavoratore" e a trasformare l'intera società in una società di lavoro. Questa equazione è così vincolante che oggi il disoccupato è un non-esistente, e ciò di cui soffre non è l'assenza di lavoro, ma l'assenza di vita, essendo la vita qualcosa di accessibile solo attraverso il lavoro.

E così "lavoro" diventa anche l'attività di sovrani, presidenti, primi ministri che considerano "lavoro" le loro funzioni, come lavoro è diventata l'attività dei medici, dei giudici, degli intellettuali che sempre meno rispondono ai valori della salute, della giustizia, della cultura, perché anche la salute, anche la giustizia, anche la cultura sono diventate puri e semplici campi di applicazione del lavoro. Luoghi di esecuzione di compiti, non attività

[4] E. Jünger, *Der Arbeiter. Herrschaft und Gestalt* (1932); tr. it. *L'operaio. Dominio e forma*, Guanda, Parma 1991, pp. 86-87.
[5] Ivi, p. 83.

che hanno in vista dei fini che trascendono il puro e semplice *fare*, in cui, nell'età della tecnica e dell'economia globalizzata sembra completamente risolversi ogni percorso dell'*agire*.[6]

Ma allora fulminea rimbalza la domanda che Totaro si pone e che esige un'immediata rivisualizzazione del problema. Essa chiede: *i fini dell'economia che punta solo sulla crescita sono anche i nostri fini*?[7] O siamo noi diventati semplici *strumenti* dell'ideologia della crescita, la quale ci impiegherebbe come momenti della sua organizzazione, semplici anelli insignificanti della sua catena, o, se preferiamo, mezzi imprescindibili, ma anche fra i più intercambiabili di qualsiasi altro mezzo, all'interno di un apparato economico diventato fine a se stesso?

Sì, perché questa è l'ideologia della crescita che non ha in vista alcuna finalità che non sia il suo semplice autopotenziamento, e dove il lavoro e l'uomo che lavora non hanno altro fine se non quello di concorrere alla crescita infinita della produzione di mezzi, senz'altro scopo che non sia la loro moltiplicazione e il loro perfezionamento come l'età della tecnica prescrive.

Platone riteneva che le competenze tecniche (*polymathía*) non fossero in grado di garantire la sopravvivenza dell'uomo se non fossero state coordinate e governate dall'etica e dalla politica, quest'ultima definita:

> Tecnica regia (*basiliké téchne*) in quanto conosce ciò che è meglio, e perciò è capace di far trionfare la giusta causa attraverso il coordinamento e il governo delle singole tecniche.[8]

Oggi, di fronte alla tecnica e all'economia globalizzata, la politica, come scrive Giacomo Marramao,[9] appare come un sovrano spodestato che si aggira tra le mappe dello Stato e della società civile rese inservibili, perché più non rimandano alla legittimazione della sovranità. Rispetto all'età di Platone, infatti, l'incremento quantitativo delle tecniche di produzione al servizio di un'economia che ha in vista solo la crescita infinita ha pro-

[6] Sul risolvimento dell'*agire* nel puro e semplice *fare* si veda U. GALIMBERTI, *Psiche e techne. L'uomo nell'età della tecnica*, Feltrinelli, Milano 1999, capitolo 44: "La tecnica e l'impotenza dell'etica".

[7] F. TOTARO, *Non di solo lavoro*, cit., p. 17.

[8] PLATONE, *Politico*, 304 a. Su questo argomento si veda U. GALIMBERTI, *Psiche e techne*, cit., capitolo 30: "Platone: tecnica e politica. La gerarchia delle tecniche e la politica come tecnica regia".

[9] G. MARRAMAO, *Dopo il Leviatano. Individuo e comunità* (1995), Bollati Boringhieri, Torino 2000, p. 28.

dotto quel capovolgimento per cui sono l'economia, e il lavoro che la alimenta, a decidere quali spazi concedere alla politica, e se concederli.

Ne consegue che la regia della storia oggi non è più nelle mani della politica, che nella città ideale di Platone è interprete dell'etica e, in vista del bene comune, determina gli scopi a cui deve subordinarsi il lavoro degli uomini, ma è nelle mani dell'economia il cui *fare*, regolato dalla ragione strumentale che prevede il minimo impiego di mezzi per il massimo conseguimento di risultati, ha subordinato a sé l'*agire,* ossia la scelta dei fini a cui da sempre sono deputate l'etica e la politica, a cui spetta decidere quale orientamento dare al "fare", e quali delle azioni politiche sono da "fare".

Se tutto ciò ci persuade, è allora evidente che il problema del lavoro, in cui trova espressione il fare produttivo, non può essere considerato limitatamente all'ambito dell'economia, perché ciò vorrebbe dire che solo l'economia è in grado di dare espressione all'uomo, il quale, a sua volta, non avrebbe come suo riferimento altro orizzonte di senso se non quello determinato dal fare produttivo.

Dal canto suo il lavoro, non avendo altra finalità se non quella di concorrere all'incremento infinito della produzione, non sarebbe più il luogo in cui l'uomo, realizzandosi, incontra se stesso, le sue capacità, le sue ideazioni, l'attuazione della sua progettualità, ma solo il luogo in cui l'uomo tocca con mano la sua *strumentalità*, il suo essere semplice appendice delle macchine, che nel loro insieme compongono l'apparato tecnico-economico, interessato soltanto al proprio potenziamento e non alle sorti dell'uomo.

Se oggi il lavoro è la condizione di ogni diritto, se è stato possibile raggiungere questo risultato solo grazie a quella lunga e sanguinosa storia che ha portato al superamento della dicotomia tra uomini ritenuti tali a pieno titolo perché liberi dal lavoro e uomini-schiavi, oggi il rischio è di cadere nella condizione opposta che porta all'identificazione esclusiva dell'uomo con il suo lavoro.

Nasce da qui la proposta di Totaro[10] che invita a passare gradatamente dal *lavoro come produzione* (protesa solo alla sua crescita esponenziale senza ragione e senza perché) al *lavoro come servizio,* dove la produzione non ha in vista solo beni e merci (di

[10] F. Totaro, *Non di solo lavoro*, cit., pp. 305-314.

cui al limite non sappiamo neanche cosa farcene, se non fosse per i bisogni e i desideri "indotti", cioè a loro volta "prodotti"), ma anche erogazione di tempo, di cura, di relazione.

I profili lavorativi che potrebbero nascere da questa nuova visualizzazione del lavoro (di cui la società già sente a livello massiccio l'esigenza, se dobbiamo giudicare dal gran numero di persone che si dedicano al volontariato) potrebbero trovare non solo una reale e significativa domanda, ma anche un apprezzabile riconoscimento economico, se l'economia, che pensa sempre e solo alla produzione e alla crescita, sapesse diversificare i suoi prodotti e cominciare a produrre non solo merci, ma anche, e in misura crescente, servizi per la persona e per la relazione tra le persone.

Nel mondo dell'opulenza compriamo, in modo maniacale e compulsivo, merci e sempre più merci per compensare la depressione che ci deriva dalla mancanza di relazioni, che siano vere e non solo funzionali come esige la logica del lavoro. Forse è giunto il momento di invertire la tendenza, perché la felicità, nonostante la pubblicità vi alluda, non ci viene dall'ultima generazione di detersivi, di telefonini o di computer, e più in generale di *prodotti*, ma da uno straccio di *relazione* in più che il lavoro come servizio (e non solo come produzione) potrebbe cominciare a garantire.

3. *Il mercato dell'intimità*

Il modello di sviluppo senza limiti che sempre più caratterizza il nostro modo di vivere ci ha portati a commercializzare persino la nostra vita intima, come è evidente tutte le volte che affidiamo i nostri bambini alle baby-sitter, i nostri vecchi alle badanti, la cura della casa alle colf, la preparazione del cibo alle rosticcerie, le feste dei bambini alle agenzie, le cene con gli amici al catering, la nostra solitudine o la nostra rappresentanza alle accompagnatrici, le nostre emozioni o sollecitazioni sessuali a chi, a pagamento, è disposto a offrircele.

E, guardando le cose dall'altro versante, non è che il sentimento, l'attenzione per l'altro, l'atteggiamento di cura siano messi alla prova in una cultura dove l'unico generatore simbolico è la crescita in vista della sua traduzione in denaro, che conferisce un valore mercantile e una quantificazione monetaria anche al sentimento umano?

Sono, queste, alcune domande che si pone Arlie Russell Hochschild,[11] sociologa all'Università di Berkeley, in California, secondo la quale negli Stati Uniti si registra che l'indebolimento della famiglia e dell'appartenenza a una comunità ha creato un vuoto culturale che è stato riempito dal mercato, il quale oggi offre servizi che si incaricano di trovarci l'anima gemella, di organizzarci nozze perfette, feste di compleanno, visite agli anziani, e altro ancora a cui più o meno siamo soliti ricorrere, per cui vien da dire che tutto ciò che il mercato ci toglie con l'allungamento degli orari di lavoro o con l'impiego di entrambi i componenti la coppia genitoriale, poi ce lo offre in vendita sotto forma di servizi a pagamento.

E noi accettiamo, anzi desideriamo, perché la *dipendenza* degli individui dal mercato è mascherata dall'*ideologia dell'indipendenza*. Potendo pagare, recita l'ideologia dell'indipendenza, uno può realizzare se stesso, affidando al mercato la cura della famiglia. Ma la domanda è: quante parti della nostra vita intima, familiare ed emotiva vengono vissute da altri? E qui il pensiero corre all'educazione dei bambini, affidati a quelle strutture, nidi e asili, scelte non in base a criteri educativi, ma quasi esclusivamente in base al tempo in cui trattengono i nostri piccini, agli adolescenti affidati alla scuola di cui ci si interessa solo in ordine ai risultati, ai genitori che non si occupano dei problemi di crescita dei loro figli perché per questo ci sono gli psicologi, alle coppie genitoriali dove l'assenza di comunicazione, la scarsa dialogicità, il reciproco disinteressamento vengono suppliti con regali all'occorrenza, con l'offerta di qualche cena al ristorante, o con sette giorni di vacanza in paesi esotici comprati last minute in un'agenzia di viaggi.

Il denaro, infatti, guadagnato nel tempo sottratto alla cura (ma nella cura c'è anche il vissuto emotivo da cui ci dispensiamo, diventando apatici quando non analfabeti emotivi), il denaro, dicevamo, può tutto, può restituirci a pagamento tutto quello che non abbiamo acquisito vivendo. Queste cose le diceva già Marx:

> Ciò che mediante il denaro è a mia disposizione, ciò che io posso pagare, ciò che il denaro può comprare, quello sono io stesso. Ciò che io sono e posso non è quindi affatto determinato dalla mia in-

[11] A. Russell Hochschild, *The Commercialization of Intimate Life. Notes from Home and Work* (2003); tr. it. *Per amore o per denaro. La commercializzazione della vita intima*, il Mulino, Bologna 2006.

dividualità. Io sono brutto, ma posso comprarmi la più bella tra le donne. E quindi io non sono brutto, perché l'effetto della bruttezza, la sua forza repulsiva è annullata dal denaro. Io sono un uomo malvagio, disonesto, senza scrupoli, stupido, ma il denaro è onorato, e quindi anche il suo possessore. Io sono uno stupido, ma il denaro è la vera intelligenza di tutte le cose; e allora come potrebbe essere stupido chi lo possiede? Inoltre costui potrà sempre comprarsi le persone intelligenti, e chi ha potere sulle persone intelligenti non è più intelligente delle persone intelligenti? Io che con il denaro ho la facoltà di procurarmi tutto quello a cui il cuore umano aspira, non possiedo forse tutte le umane facoltà? Forse che il mio denaro non trasforma tutte le mie deficienze nel loro contrario?[12]

A dissolvere la famiglia non è stato il comunismo come un tempo si diceva, ma il capitalismo, sottraendo ai padri e alle madri quell'unica cosa necessaria alla cura e alla crescita emotiva che è il *tempo*. Il mito dell'efficienza, che all'inizio del secolo scorso Frederick Taylor aveva applicato alla catena di montaggio per eliminare i "tempi morti",[13] oggi si è trasferito dalla fabbrica alla famiglia, dove gli adulti "non hanno tempo".

E allora viene in soccorso il mercato che, con i suoi prodotti "già pronti", evita alla madre di combattere con il suo bambino la scarsità di tempo. Basta guardare la pubblicità dove la lentezza dei bambini viene attribuita al loro carattere e non al fatto che possano sentirsi assediati dal ritmo accelerato della vita lavorativa degli adulti, o che stiano protestando contro la fretta dei grandi, proprio attraverso la messa in scena della lentezza.

Con l'intento di evitare alla madre e al figlio la battaglia sul tempo, il mercato individua immediatamente il problema e propone una merce come soluzione. Quando non c'è la merce, il mercato vende quella che Arlie Russell Hochschild chiama l'ideologia del "tempo qualità",[14] per cui non è necessario che, in occasione del compleanno del suo bambino, la madre prepari la torta, gonfi i palloncini, inviti gli amichetti, è sufficiente che si affidi a un'agenzia di servizi che, oltre a farle guadagnare tempo, le regala quel "tempo qualità" che consiste nel godersi la festa insieme al

[12] K. Marx, *Oekonomisch-philosophische Manuskripte aus dem Jahre 1844* (1844); tr. it. *Manoscritti economico-filosofici del 1844*, in *Marx Engels Opere Complete*, Editori Riuniti, Roma 1976, vol. III, pp. 351-352.

[13] F.W. Taylor, *The Principles of Scientific Management* (1911); tr. it. *L'organizzazione scientifica del lavoro*, Mondadori, Milano 1967.

[14] A. Russell Hochschild, *Per amore o per denaro. La commercializzazione della vita intima*, cit., p. 152.

suo bambino e ai suoi amichetti, mescolando i suoi gridolini agli strepiti dei bambini.

Ma purtroppo il tempo non è *qualità*, è *quantità* necessaria per far le cose insieme, per seguire i processi di crescita, per scoprire i problemi, per creare quella base di fiducia per cui i genitori "ci sono", non solo quando si compiono gli anni. Se il tempo qualità, a scapito della quantità, non è sufficiente a togliere ai genitori il senso di colpa, l'ideologia del mercato moltiplica le sue proposte e tende a vendere come indipendenza e autonomia dei bambini quello che in un passato non troppo lontano si chiamava "incuria". A questi bambini che la Hochschild definisce in "autogestione",[15] a questi bambini con le chiavi di casa, come si farà, quando saranno adolescenti, a dir loro di non rincasare alle sei del mattino?

Spesso sentiamo parlare di famiglia, di difesa della famiglia, di aiuti per la famiglia e nessuno ci avverte che la famiglia è incompatibile con il modello capitalista, costretto a diventare turbo-capitalista per effetto della concorrenza globale. Oggi una famiglia media non ha abbastanza risorse economiche se non lavorano entrambi i genitori, e per giunta a quel ritmo che va tutto a scapito della cura.

Cura dei figli, cura degli anziani, cura delle relazioni reciproche familiari e di vicinato, cura della propria vita emotiva. E se il mercato ci soccorre per tutto quello che non riusciamo più a "curare", non dimentichiamo che il denaro non vale uno sguardo accogliente, una carezza tranquilla, un sentimento gravido di storia, un tratto umano inscritto nel "prendersi cura (*Fürsorge*)" che, come ci ricorda Heidegger, è altra cosa dal "pro-curare (*Besorgen*)" qualcosa a qualcuno.[16]

4. *Il mondo del lavoro e il mondo della vita*

Il lavoro, anche il più forsennato, anzi forse proprio il più forsennato, sembra sia diventato un *rimedio all'angoscia*. L'angoscia di incontrare quello sconosciuto che ciascuno di noi è divenuto per se stesso, e al quale non si sa che parola rivolgere, perché, al

[15] Ivi, p. 161.
[16] M. Heidegger, *Sein und Zeit* (1927); tr. it. *Essere e tempo*, Utet, Torino 1978, §§ 39-44, pp. 286-357.

di fuori dell'attività lavorativa, la nostra identità non ha più contorni ben delineati.

Il nostro volto non sempre è riconoscibile, i nostri sentimenti sono confusi, le nostre passioni flebili e imprecise, le nostre aspirazioni (che non coincidano con l'aumento di stipendio e l'avanzamento in carriera) del tutto indeterminate. La nostra *interiorità*, dove propriamente dovremmo riconoscerci, più non risuona e non sa rispondere a quelle domande che chiedono: che rapporti abbiamo con i nostri familiari, chi siamo per loro, che cosa davvero ci stanno chiedendo o addirittura implorando, e che cosa noi chiediamo a loro affinché, almeno nell'ambito ristretto della famiglia, ciascuno non segua per suo conto la propria via che mai si incrocia con quella dell'altro?

Nel silenzio della nostra interiorità, la nostra vita si affaccenda senza più rispettare il settimo giorno, che tutte le religioni precettano perché l'uomo non smarrisca se stesso e la conoscenza di sé. Perché anche nel settimo giorno le azioni apparentemente di svago assumono le sembianze del lavoro che copre l'intero arco della settimana, e più non hanno nel riposo, nell'ozio, nella lettura, nell'ascolto della musica o delle parole di chi ci circonda, nella riflessione, nel contatto con sé, il loro contrappunto e la loro segreta intenzione.

E questo perché, nella nostra cultura, il lavoro sembra sia diventato l'unico indicatore della riconoscibilità dell'uomo. Il quale prende a delineare la sua identità a partire dalle sue capacità in termini di funzionalità ed efficienza, a misurare la sua libertà a partire dalle possibilità che gli offre la sua competenza tecnica, ad acquisire stima di sé a partire dal riconoscimento che gli proviene dall'apparato di appartenenza, fino ad annullare quel che in lui vi è di più specifico, la sua interiorità, nell'omologazione richiesta dalla cultura dell'efficienza e della produttività. E questo soprattutto in un regime di economia globalizzata, dove si vince solo se si è tecnicamente più avanzati e dove la concorrenza esasperata chiede ogni anno un'accelerazione dei ritmi di prestazione.

E di questo la nostra anima soffre e forse anche il nostro sistema nervoso. Non si spiegherebbe altrimenti l'uso spropositato che in Occidente si fa degli psicofarmaci per tacitare quella depressione che, prima di essere una malattia dell'anima, è il modo con cui il nostro cuore, prima di indurirsi e tacere per sempre, chiede quello spazio e quel tempo d'ascolto senza il quale ciascuno di noi perde la conoscenza di sé e, come dicevano gli antichi Greci, la "giusta misura".

Ma forse qualcosa sta cambiando, se è vero che recenti ricerche americane e italiane hanno rilevato che, da dieci anni a questa parte, tra quanti lavorano, c'è la tendenza a mettere al primo posto, tra le richieste, non più il denaro o i benefit di varia natura, ma il *tempo libero*, quasi ci si fosse resi conto che, se è vero che per vivere occorre lavorare, non è più vita quella totalmente assorbita dal lavoro.

Forse oggi lo stakanovismo nel lavoro per procurarsi denaro con cui realizzare la propria indipendenza sta svelando il rovescio della sua medaglia, che è poi la perdita della propria vita emotiva, per cui tutto diventa indifferente e nulla più stimolante. Neppure il weekend, perché non si può negli ultimi due giorni della settimana recuperare un mondo relazionale trascurato negli altri cinque dove, da mane a sera, si reperisce la propria identità nella funzione che si svolge nell'apparato, che ci prevede produttori di denaro nei giorni feriali per il suo consumo in quelli festivi.

Lo spostamento dell'*auto-realizzazione* nel mondo del lavoro, con conseguente *de-realizzazione* nel mondo della famiglia e più in generale degli affetti, ha fatto crollare anche l'ideologia del "tempo qualità", che poi non è altro che il modo con cui, ingannandoci, si chiama il tempo che si dedica agli affetti quando è "poco", quando non si ha tempo di ascoltare i figli se non per i risultati scolastici, quando non si ha tempo di vedere sulla faccia del nostro compagno o compagna di vita i segni del disagio, quando non si ha neppure il tempo di prendere contatto con quello sconosciuto che, per l'eccesso di lavoro, ciascuno diventa a se stesso.

Dal mondo della politica e non solo sentiamo spesso parlare di famiglia, ma sempre e ancora in termini di *denaro* (riduzione delle tasse sulla casa, bonus per i nuovi nati, sostegno per le famiglie in difficoltà), mai in termini di *tempo*. Come se il mondo emotivo, affettivo e relazionale, sempre più sacrificato, potesse essere compensato dal denaro con cui affidare al mercato tutta la cura che sottraiamo ai figli, agli anziani, alle relazioni reciproche, familiari e di vicinato, cura della propria vita emotiva, senza la quale risulta difficile distinguerci dalle macchine industriali, informatiche, burocratiche, con cui quotidianamente interagiamo.

Eppure sembra che i giovani, carenti come sono stati di cure genitoriali, di tempo a loro dedicato, di affetto continuativo e non saltuario mescolato con ansia, siano più sensibili al valore del *tempo libero* (dal lavoro) che è poi il tempo per sé, anche se questo loro desiderio confligge con il nostro modello produttivo, costretto a diventare iper-produttivo per effetto della concorrenza globale.

E allora una scelta si impone, se vogliamo evitare quell'alienazione, quella lontananza di sé da sé, che già Marx a suo tempo denunciava, con la sola differenza che nell'Ottocento avveniva per *costrizione* e oggi per *auto-costrizione*, perché ognuno tende a consegnare la propria identità alla propria disponibilità economica e il proprio riconoscimento non più allo sguardo di un uomo, di una donna, di un figlio, ma all'avanzamento di carriera, che conferisce prestigio in una società fatta più di relazioni formali che affettive.

Chiedere tempo libero e non più solo denaro e benefit è un modo per recuperare l'umano e non soccombere a quell'atrofia emotiva in cui uno non solo non è più in grado di riconoscere l'altro, ma alla fine neppure se stesso. Le nuove generazioni sembra l'abbiano intuito. Se riusciranno a rivendicare tempo libero faranno la più significativa delle rivoluzioni, perché riconsegneranno una speranza all'uomo nell'età della tecnica che, con il suo sguardo guidato solo dalla più fredda razionalità, fatica a distinguere un uomo da una macchina.

5. *Da un'economia per la crescita a un'economia per l'uomo*

Un modo per emancipare l'uomo dai condizionamenti economici, e riconsegnargli la sua dignità, è stato pensato e attuato nei paesi sottosviluppati da Muhammad Yunus, economista insignito nel 2006 dell'onorificenza del Nobel per aver fondato la Grameen Bank, un istituto di credito che pratica alle donne del Terzo e del Quarto mondo un prestito senza garanzie, oggi diffuso in ottanta paesi di ogni parte del mondo e in quarantamila villaggi del Bangladesh (paese natale di Yunus) a tutti noto per la sua povertà così radicata e senza speranza, che nemmeno i trenta miliardi di dollari che affluiscono in quel paese nel quadro degli aiuti internazionali sono riusciti minimamente a intaccare.

Calamità naturali, cicloni, inondazioni e carestie, per quanto disastrosi e causa di centinaia di migliaia di vittime, non sono paragonabili al livello di malnutrizione e di povertà strutturale del Bangladesh, dove una popolazione pari a quella dell'Inghilterra, dell'Irlanda e della Francia è stipata in una regione grande come la Lombardia, e dove il 40 per cento della popolazione vive per le strade scalza, priva di acqua potabile e di riparo, senza poter soddisfare i bisogni alimentari minimi giornalieri.

A causa della malnutrizione, peso e statura si mantengono sotto la media. Fatto insolito, le donne del Bangladesh vivono meno degli uomini e l'analfabetismo raggiunge il 90 per cento. In queste condizioni è difficile pensare che il Bangladesh possa concorrere all'*economia della crescita* in vigore nei paesi avanzati e industrializzati in Occidente.

La banca fondata da Muhammad Yunus nel 1977, e che oggi è in grado di raggiungere cento milioni di famiglie poverissime, presta denaro solo ai più poveri tra i poveri, a coloro che non hanno nulla da offrire in garanzia, e quindi sono respinti dagli istituti di credito tradizionali. La sua politica è il *microcredito a tassi bonificati* che consente a centinaia di migliaia di persone, in maggioranza donne, di affrancarsi dall'usura e di allargare gradualmente la propria base economica, fino a raggiungere quel che la carità nega al povero: la sua *dignità*.

Da noi, infatti, non c'è automobilista che, fermo a un semaforo, non abbia fatto esperienza della povertà. E allora, un po' per tacitare la coscienza, un po' per toglierci il fastidio, apriamo il finestrino e facciamo l'elemosina, ben sapendo che l'elargizione di denaro non risolve il problema né a breve né a lungo termine. Per affrontare davvero il problema, ammonisce Yunus: "Dovremmo aprire la portiera dell'auto e chiedere al mendicante come si chiama, quanti anni ha, che cosa sa fare, se ha bisogno di assistenza medica, qual è il suo problema. Allungare semplicemente una moneta significa solo invitare il mendicante a sparire"[17] o a passare a un'altra auto, e poi a un'altra ancora, affidandolo, per sopravvivere, a questo meccanismo senza via d'uscita. Con ciò Yunus non sta dicendo che si deve ignorare il dovere morale di aiutare e soccorrere i bisognosi, ma semplicemente avverte che:

> La carità può avere effetti devastanti. Infatti, chi raccoglie denaro mendicando non è motivato a migliorarsi, il malato non vorrà farsi curare temendo di perdere la propria fonte di guadagno, togliendogli l'incentivo a provvedere alle proprie necessità lo si rende passivo e incline a una mentalità parassitaria, perché non c'è ragione di faticare quando basta tendere la mano per guadagnarsi la vita.[18]

[17] M. Yunus, *Vers un monde sans pauvreté* (1997); tr. it. *Il banchiere dei poveri*, Feltrinelli, Milano 1998, p. 32.

[18] Ivi, pp. 32-33.

Il meccanismo che opera sul piano individuale è lo stesso che interviene su più vasta scala nel campo degli aiuti internazionali, perché, scrive Yunus:

> La dipendenza dal soccorso internazionale favorisce quei governi che più si dimostrano capaci nell'attrarre nel proprio paese ingenti contributi. Ma accettare gli aiuti alimentari significa per esempio perpetuare la carenza di quei beni che vengono elargiti. In secondo luogo gli importatori e gli esportatori di beni, i trasportatori, i funzionari addetti al reperimento o alla distribuzione delle scorte avranno tutti qualcosa da perdere nell'eventualità che quel paese raggiunga l'autosufficienza alimentare. E così, invece di applicarsi a ricercare soluzioni locali, si creano le condizioni per l'instaurarsi di un'economia distorta e di un clima politico che favorisce i governi abili a compiacere i donatori e gli imprenditori, con relativo proliferare di postulanti e funzionari corrotti.[19]

Queste sono solo alcune delle considerazioni che periodicamente Muhammad Yunus va ripetendo nelle sue conferenze alla Banca mondiale e che ora si possono leggere, oltre che ne *Il banchiere dei poveri*, nel suo ultimo libro, *Un mondo senza povertà*,[20] dove, senza pietismo e commiserazione, i problemi della miseria vengono esposti con quella severa dignità che induce la speranza concreta, e non utopica, che dunque la miseria, quella più disperata del Terzo mondo, forse può essere sconfitta.

Tutto cominciò nel 1974 con una serie reiterata di visite alle case più povere dei villaggi del Bangladesh per verificare se si poteva portare direttamente qualche beneficio alle donne investendo sulla loro operosità:

> È suo il bambù che usa per lavorare?
> No, lo compro per 5 taka (equivalente di 22 centesimi di dollaro) dal rivenditore a cui rivendo gli sgabelli a fine giornata, e così ripago il debito e quel che rimane è il mio profitto.
> A quanto rivende gli sgabelli?
> Cinque taka e 5 paisa.
> Così il suo guadagno è di 5 paisa?[21]

La donna confermò con un cenno del capo. Il guadagno della giornata ammontava in tutto a 2 centesimi di dollaro. Farsi

[19] Ivi, p. 33.
[20] M. YUNUS, *Vers un nouveau capitalisme* (2008); tr. it. *Un mondo senza povertà*, Feltrinelli, Milano 2008.
[21] M. YUNUS, *Il banchiere dei poveri*, cit., pp. 17-18.

prestare il denaro per comprare il materiale è impossibile, perché quelli che lo prestano vogliono il 10 per cento di interesse a settimana. Se poi si usa la terra come garanzia, questa viene messa a disposizione del creditore che ne gode il diritto di proprietà, sancito da documenti ufficiali, fino alla restituzione totale della somma. Per rendere più difficile la restituzione del debito, il creditore rifiuta pagamenti parziali. Alla fine la terra è sua.

Il professor Yunus e i suoi studenti, abituati nelle lezioni all'Università di Chittagong a ragionare in termini di miliardi, toccarono con mano che lì, sotto i loro occhi, la vita e la morte si giocavano sui centesimi. Certo, si poteva mettere mano al portafoglio e dare alla donna la somma irrisoria di cui necessitava, ma il professor Yunus respinse la tentazione, e preferì ipotizzare un microcredito di cinque taka che consentisse alla donna di lavorare con profitto e non gratis.

Incaricò una sua studentessa di compilare un elenco delle donne che ricorrevano ai prestiti dei commercianti, che in questo modo le espropriavano del frutto del loro lavoro, e dopo una settimana era pronto l'elenco di 42 nomi di persone per un prestito totale di 856 taka equivalente a 27 dollari. Dunque 42 famiglie erano ridotte alla fame per la misera cifra di 27 dollari.

Nacque così la Banca del microcredito concesso senza garanzie a donne che disponevano solo della loro capacità di lavorare e della loro parola di restituire, a un basso tasso di interesse, quando avessero avuto un buon margine di profitto. La strada è stata lunga e tortuosa, ma oggi la Banca dei poveri è presente, oltre che nei più sperduti villaggi del Bangladesh, tra le capanne d'argilla della Tanzania, nei ghetti di Chicago, nelle isole povere delle Filippine, nelle Lofoten al Circolo polare artico, tra le remote comunità montane dell'Ecuador e del Nepal, e in molte altre parti del mondo.

La Banca dei poveri rifiuta il denaro della Banca mondiale e del Fondo internazionale per lo sviluppo agricolo perché, scrive Yunus,[22] a causa della tortuosità delle procedure, dopo anni di ricognizioni e di indagini da parte degli esperti, la somma destinata ad esempio alle Filippine si volatilizzò in biglietti aerei, ricevimenti alle ambasciate, costi alberghieri, e non un centesimo giunse alle famiglie povere del luogo. Dopo una serie di ri-

[22] Ivi, p. 25.

fiuti ad accettare i prestiti della Banca mondiale, il professor Yunus fu invitato dalla Banca stessa a rendere pubbliche le ragioni. La spiegazione fu:

> Impiegare brillanti professionisti non necessariamente si traduce in politiche e programmi che aiutano la gente, in particolare che aiutano i poveri. Può accadere che i grandi cervelli si mantengano al livello della stratosfera, senza avere percezione della vita che si svolge sulla terra. La Banca mondiale dovrebbe raggiungere persone che capiscono i poveri e il tipo di vita che conducono. Se così fosse diventerebbe un'istituzione molto più utile, anche senza disporre dei tecnici migliori provenienti dalle più illustri accademie del mondo. [...] Inoltre, se obiettivo primario della Banca mondiale è quello di combattere la povertà nel mondo, sarebbe meglio che la Banca avesse sede dove regna la miseria, a Dhaka per esempio, cuore della povertà e delle sofferenze umane. Una volta che la Banca si fosse trasferita a Dhaka, che non è certo il posto ideale dove far crescere i figli o condurre una brillante vita sociale, molti dei cinquemila impiegati rifiuterebbero di andarci, mentre altri andrebbero volontariamente in pensione o cambierebbero lavoro. Ne seguirebbe un duplice vantaggio: liberarsi in modo indolore di quelli a cui non importa nulla dei poveri, e poterli sostituire con altri che hanno davvero a cuore il problema. Sarebbe così possibile ridurre drasticamente le spese assumendo persone il cui stile di vita non richiede stipendi elevati. A Dhaka la vita è molto meno cara che a Washington.[23]

Così nacque Grameen, la Banca dei poveri, a partire dalla persuasione che:

> I poveri sono solvibili e si può prestare loro del denaro in un'ottica commerciale, cioè ricavandone un profitto. Le banche potrebbero e dovrebbero servire i diseredati, non solo per altruismo, ma per interesse commerciale. Trattare i poveri come intoccabili e fuoricasta non è soltanto ingiustificabile dal punto di vista morale, è anche segno di incompetenza sul piano finanziario.[24]

Questa è la filosofia di Muhammad Yunus che, senza elargizioni finanziarie, presiede la Banca dei poveri che oggi ha un organico di dodicimila persone distribuite in milleseicento filiali. La clientela è composta al 94 per cento da donne, che nel loro re-

[23] Ivi, pp. 24, 29.
[24] Ivi, p. 31.

gime familiare hanno migliorato l'alimentazione, ridotto la mortalità infantile, impiegato i contraccettivi, migliorato le condizioni igieniche e costruito un tetto. Questo è un esempio di economia che, alla *crescita infinita* e finalizzata del profitto, preferisce la *promozione dell'uomo* e della sua dignità, evitando quei rimedi poco dignitosi che sono l'elemosina e la carità, che tanta fama hanno procurato ad esempio a suor Teresa di Calcutta.

14.
Il mito della globalizzazione

> La globalizzazione degli scambi pone fine all'universalità dei valori. È il trionfo del pensiero unico sul pensiero universale. [...] Alla fine del processo non si ha più differenza tra il globale e l'universale. Anche l'universale viene globalizzato, la democrazia e i diritti dell'uomo circolano esattamente come qualsiasi prodotto globale, come il petrolio o come i capitali.
>
> J. BAUDRILLARD, *Power Inferno* (2002), p. 57.

1. *Ricchezza economica e potenza tecnica a fondamento dei valori dell'Occidente*

Dopo il crollo delle due Torri di Manhattan l'Occidente ha improvvisamente riscoperto i suoi valori. Li ha riconosciuti nella libertà e nella democrazia, che ha faticosamente guadagnato nel corso della sua storia e, compatto, si sta disponendo a combattere il terrorismo islamico, il fondamentalismo e il fanatismo, individuati come minaccia per il futuro della propria civiltà. Così ridisegnato il quadro, si sa chi è il nemico e presumibilmente quali sono le cose da fare, che sono poi quelle che si sono sempre fatte, quando il nemico è stato individuato.

Questa logica è vecchia quanto il mondo, ma forse oggi non è più utilizzabile, se vale l'ipotesi che forse il "nemico" non è l'espressione di una cultura altra che si contrappone all'Occidente, ma può essere generato dalla cultura e dalla pratica stessa dell'Occidente, i cui valori sono sì la *libertà* e la *democrazia*, ma solo come "derivati" di altri valori ben più fondanti che sono la *ricchezza economica* e la *potenza tecnica*. Se questi crollano anche libertà e democrazia vanno alla deriva, come noi europei abbiamo visto negli anni tenebrosi dell'esperienza nazista.

Colpendo i simboli della ricchezza economica e dell'apparato tecnico-militare, i terroristi hanno messo in evidenza quali sono i veri fondamenti dei nostri valori, incrinati i quali, inevitabilmente si ridurranno anche per noi gli spazi di libertà, i margini di sicurezza e speriamo non anche gli spazi di democrazia.

A questo punto dobbiamo cominciare a pensare non tanto a come individuare il nemico che, fuori dall'Occidente, ci minaccia, quanto a quel nesso che rende la nostra libertà e la nostra democrazia *dipendenti* dal benessere economico, la cui crescita, che sembra debba essere senza limiti, non importa a spese di chi, genera inevitabilmente il nemico.

E come si fa a combattere un nemico generato dalle *stesse pratiche economiche* che sono a fondamento della nostra libertà e della nostra democrazia, ossia dei valori in cui l'Occidente si riconosce? Qui il circolo vizioso si fa stringente, ma anche tragico, perché là dove il nemico è generato da noi la contrapposizione amico/nemico, su cui finora ha marciato la storia, è azzerata. E riprendere questo schema nella lotta al terrorismo vuol dire non aver capito che le pratiche economiche, che consentono a noi libertà e democrazia, sono le stesse che altrove generano, quando non la fame, la malattia e la morte, senz'altro schiavitù e ribellione.

Qui l'Occidente deve cominciare a pensare se davvero può reggere un sistema dove, come abbiamo già segnalato, 800 milioni di occidentali dispongono dell'83 per cento del reddito mondiale, mentre l'82 per cento della popolazione mondiale, più o meno cinque miliardi di persone, si spartisce il restante 17 per cento. Occorre pensare se davvero non crea alcun problema il fatto che l'Occidente consuma il 70 per cento di energia, il 75 per cento di metallo, l'85 per cento di legno, e considerare se non è un po' sproporzionato che le dieci persone più facoltose del mondo possiedono patrimoni che equivalgono a una volta e mezzo il reddito dei 48 paesi meno fortunati del mondo.

Di fronte a questi dati, forniti nel 1997 dal Programma delle Nazioni Unite per lo sviluppo, si obietterà che non c'è alcuna relazione causale tra la povertà nel mondo e il gesto terroristico, perché chi non ha neppure i soldi per mangiare non ha la possibilità di compiere atti che richiedano molto denaro, assiduo addestramento e una notevole competenza tecnica. Certo non c'è nessun rapporto causale. Ma solo perché la storia, a differenza dei congegni meccanici, non ha mai proceduto per cause ed effetti, ma per speranze di vita e margini di futuro.

All'epoca in cui Usa e Urss si spartivano l'influenza sui popoli della terra, per questi popoli c'era un margine di speranza da giocare sfruttando la conflittualità tra americani e sovietici. Ora che l'Unione Sovietica non c'è più, a tutti i popoli che non appartengono al Primo mondo non resta altro futuro se non quello di subire le condizioni poste dal Primo mondo, che è "primo" solo perché e finché persegue la sua *crescita economica* senza porsi alcun limite.

Qui i margini di futuro si fanno esigui e togliere il futuro a una quantità immane di umanità che abita l'America Latina, l'Africa e l'Asia, senza prevedere una risposta disperata e tragica per tutti, come può essere quella dei popoli senza speranza, è davvero da ingenui o da supponenti.

I popoli senza futuro, se non quello previsto per loro dalla logica economica del Primo mondo, non hanno la possibilità di scatenare una guerra al Primo mondo. E allora, se non scelgono la via della rassegnazione, frange e movimenti possono purtroppo pensare all'arma esecrabile del terrorismo, che non è "nobile" come una guerra dove due eserciti si fronteggiano, ma è l'unica praticabile per chi non può mettere in campo una forza militare e al tempo stesso trova insignificante e indegna una vita che altri decidono per lui, in condizioni di povertà, malattia e morte, come le storie quotidiane del Terzo e del Quarto mondo sono lì ogni giorno a documentare.

Proviamo a indagare il progetto omicida dei kamikaze. Sanno che devono morire, sanno che non vedranno il futuro che con il loro gesto sperano di inaugurare, e allora se vanno volontariamente contro la morte è perché considerano che la loro vita è una non-vita, è già una morte. E qui non si segua lo schema semplicistico secondo cui i kamikaze sono fanatici cui si è fatto credere un paradiso che non c'è, perché, se questo discorso può essere in parte valido per il giovane palestinese che si fa saltare in aria in territorio israeliano, è molto improbabile per piloti addestrati, con un'alta competenza tecnica come la si trova solo da noi in Occidente.

No. Non è fanatismo. È disperazione. È la logica violenta dell'*impotenza* che risponde alla logica violenta della *potenza*. Perché se è solo l'interesse economico a decidere quali azioni sono giuste o ingiuste, quali popoli, e dico "popoli" e non "nazioni", sono da punire e quali da proteggere, crediamo davvero di disporre di un criterio giusto e soprattutto tale da non scatenare la reazione terroristica di chi non rientra in questo criterio e insieme non ha i mezzi per mettere in campo un esercito e affrontare il "nemico" a viso aperto?

La violenza può essere *elegante* come quella occidentale che si esprime con la sua ferrea logica economica e, quando è il caso, con le bombe intelligenti che sbagliano di frequente i loro bersagli, o può essere *rozza* e *proditoria* come quella terroristica che fa vittime innocenti, ma non meno innocenti dei bambini che per dieci anni sono morti in massa in Iraq per via dell'embargo occidentale.

Ma la differenza tra *eleganza* e *rozzezza* è una vera differenza? O non è più giusto considerare che quando si regolano i rapporti con il resto del mondo meno fortunato di noi, e in parte per causa nostra, in termini di *violenza* (sia pure elegante come può essere un rigido condizionamento economico o una guerra a viso aperto, e per una causa che, a partire dagli interessi che la promuovono, viene percepita dagli occidentali come "giusta"), possiamo davvero pensare che la risposta non sia altrettanto violenta con i mezzi che i poveri hanno a disposizione?

La globalizzazione attuata solo a partire dagli interessi economici dell'Occidente rischia di generare il terrorismo. E il nostro secolo sarà il secolo del terrorismo se non introdurremo nel processo di globalizzazione, oltre a quello economico, altri criteri quali l'emancipazione dei popoli, il loro acculturamento, l'acqua, il cibo e le medicine per la loro sete, la loro fame, le loro malattie e, insomma, un po' di futuro per chi non ne vede alle condizioni poste da noi occidentali.

Perché chi è senza futuro è capace di suicidarsi non per depressione come noi occidentali, ma per un progetto, per quanto esecrabile e omicida, che neppure vedrà realizzato. Questa differenza antropologica così radicale va tenuta in massimo conto, perché ci dice che gli uomini e le culture non sono tutti uguali, e l'uniformità antropologica cui tende il *processo di globalizzazione*, se mai dovesse essere un valore funzionale alla tecnica e all'economia dell'Occidente, non è cosa che si realizza dall'oggi al domani. Anzi io spero che non si realizzi mai.

Dopo la tragedia di Manhattan il Senato americano ha intonato il canto "Dio salvi l'America". Ma il Dio che gli americani invocavano a loro protezione è lo stesso Dio che i musulmani invocano. E allora, se sono tutti figli dello stesso Dio, non sono certo la religione, o il fanatismo che la religione può innescare, a contrapporre così tragicamente l'uno all'altro. Ci deve essere qualche altra ragione, non religiosa, non fanatica, non folle, quindi *razionale*, alla base di questa contrapposizione.

E allora tocca a noi occidentali, che abbiamo fatto della conquista della razionalità la nostra prerogativa, andare a cercare la *ragione*, e magari prendere in considerazione l'ipotesi se non sia proprio la nostra pratica economica, che a noi garantisce i valori di libertà e democrazia, a generare i nostri "nemici", innescando così quel circolo vizioso che annulla, per la prima volta nella storia, l'antica logica amico/nemico, perché, per la prima volta nella storia, il nemico non è fuori di noi, di fronte a noi, altro da noi, ma nasce come *effetto* delle condizioni di vita che siamo stati in grado di garantire solo per noi.

2. *L'esportazione dei valori occidentali e il mercato dell'odio*

Durante una visita in Italia, il presidente egiziano Mubarak ha dichiarato che:

> Non si può imporre agli arabi la democrazia a tutti i costi, perché questo può spalancare le porte dell'inferno e farci piombare in un vortice di violenza e di anarchia che non risucchierà soltanto noi, ma anche chi ci è vicino. E allora addio a ogni barlume di democrazia nel mondo arabo. E questo perché da un lato il Medio Oriente allargato è un mosaico di popoli, di tradizioni, di modi di vita, di economie, dove non si può imporre un'unica soluzione preconfezionata in un'area sconfinata che va dalla Mesopotamia al Pakistan, e dall'altro lato perché l'introduzione della democrazia non si fa con la bacchetta magica. Servono tempo e il rispetto delle tradizioni e della cultura che si modificano gradualmente. Altrimenti si finisce per rafforzare gli elementi più radicali, come è successo in Algeria e come può succedere ovunque se al Parlamento vincesse una maggioranza estremista.[1]

La tesi di Mubarak, secondo cui esportare democrazia, magari in compagnia del libero mercato, non può che generare spaventosi disordini e conflitti, è condivisa anche dalla cinese Amy Chua, professoressa alla Law School della Yale University, la quale si chiede: "Esportare democrazia e libero mercato genera conflitti etnici?". La risposta è sì, perché:

> Il mercato concentra la ricchezza, – una ricchezza spesso stratosferica – nelle mani di una minoranza economicamente dominante, mentre la democrazia accresce il potere politico della maggioranza impoverita. In queste circostanze l'introduzione della democrazia liberista innesca un etno-nazionalismo dalle potenzialità catastrofiche scagliando la maggioranza "autoctona", facilmente istigata da politici opportunisti in cerca di voti, contro una minoranza etnica facoltosa e detestata. Scontri di questo genere si stanno verificando in tutta una serie di paesi, dall'Indonesia alla Sierra Leone, dallo Zimbabwe al Venezuela, dalla Russia al Medio Oriente. [...] Negli ul-

[1] H.M. Mubarak, Dichiarazione rilasciata in occasione della sua visita in Italia nel marzo 2004.

timi vent'anni, gli americani hanno promosso con energia nel mondo intero sia l'apertura al mercato che la democratizzazione. Così facendo, ci siamo attirati addosso l'ira dei dannati.[2]

Ma perché *democrazia* e *libero mercato*, che sono l'ossatura della cultura europea e americana, creano negli altri paesi una miscela esplosiva? La ragione, secondo Amy Chua,[3] va cercata nel fatto che, tra una maggioranza democratica povera e una minoranza economicamente dominante, non sempre la prima ha la meglio. Al contrario, in alcune circostanze, anziché una reazione contro il mercato si verifica una reazione contro la democrazia. Di frequente, infatti, le ripercussioni antidemocratiche si manifestano nella forma di un "capitalismo clientelare", che è poi un'alleanza corrotta e simbiotica fra i leader locali e la minoranza economicamente dominante.

Per il mercato globale questa soluzione risulta molto comoda perché il regime locale protegge il patrimonio e le aziende della minoranza dominante, e in cambio la Banca mondiale e il Fondo monetario internazionale forniscono prestiti al paese. Nel breve periodo il risultato di tale fenomeno consiste in un aumento vertiginoso degli investimenti esterni, nello sviluppo economico e nell'arricchimento dei governanti e dei loro accoliti. Al contempo, tuttavia, la collera intestina del paese comincia a ribollire e prima o poi – in genere prima – la situazione si fa esplosiva.

La democrazia, purtroppo, non lenisce il risentimento, anzi: accentuando la voce politica e il potere della maggioranza autoctona, la democrazia favorisce l'ascesa di demagoghi che, per motivi opportunistici, fomentano l'odio delle masse contro la minoranza disprezzata, rivendicando la restituzione del patrimonio nazionale ai "veri proprietari del paese". La conseguenza è che, fuori dell'Occidente, l'aspirazione alla democrazia liberista, nella sua forma più cruda *d'esportazione*, non genera pace e prosperità diffuse, ma confische a sfondo etnico, ripercussioni di stampo autoritario ed eccidi.

Queste cose noi europei dovremmo saperle, dal momento che per secoli abbiamo pensato che il conflitto di classe rende il suffragio universale, e quindi la democrazia, inconciliabili con un'economia di mercato. Già nel Settecento, nell'*Indagine sulla natura e le cause della ricchezza delle nazioni*, che possiamo considerare

[2] A. Chua, *World on Fire* (2002); tr. it. *L'età dell'odio. Esportare democrazia e mercato genera conflitti etnici?*, Carocci, Roma 2004, pp. 18-19.
[3] Ivi, pp. 19-29.

il testo fondativo dell'economia politica, Adam Smith teorizzava che il mercato avrebbe determinato una concentrazione della ricchezza nelle mani di pochi, mentre la democrazia, conferendo potere anche alla maggioranza povera, avrebbe inevitabilmente generato sollevazioni, ribellioni, espropriazioni e confische. E proprio a partire da queste premesse, Adam Smith scriveva:

> Per un solo uomo ricchissimo ci devono essere perlomeno cinquecento poveri, anche se poi l'abbondanza del ricco suscita l'indignazione dei poveri, che sono spinti dal bisogno e sollecitati dall'invidia a invadere le sue proprietà.[4]

In termini analoghi si esprimeva James Madison, che avvertiva il pericolo rappresentato da "un'uguaglianza e universalità del suffragio, che pone il pieno potere sulla proprietà in mani che non vi partecipano".[5] David Ricardo, dal canto suo, sosteneva "l'accesso al suffragio solo per quella parte della popolazione che non si possa reputare interessata a sovvertire i diritti di proprietà".[6] Mentre lo statista britannico Thomas Babington Macaulay si è spinto anche oltre, presentando il suffragio universale come "incompatibile con la proprietà e pertanto incompatibile con la civiltà stessa".[7]

In Italia il suffragio universale, limitato ai possessori di beni, fu elevato da tre milioni a otto milioni all'inizio del secolo scorso da Giolitti, e solo nel 1945 fu esteso a tutta la popolazione, donne comprese. Come è stato possibile in Occidente rendere compatibile il *potere elettorale dei numeri*, quindi la democrazia, con il *potere di proprietà*, fondamento del capitalismo? In un solo modo: attraverso consistenti piani di tassazione, che consentissero una redistribuzione della ricchezza in quelle forme che siamo soliti riconoscere nell'istruzione gratuita, nell'assistenza sanitaria, nel sistema pensionistico, nei sussidi alla disoccupazione e in generale in tutte quelle forme che si lasciano riassumere nell'espressione *welfare* o *stato sociale*.

A partire dai primi decenni del Novecento, l'espansione ca-

[4] A. Smith, *An Inquiry into the Nature and Causes of the Wealth of Nations* (1776); tr. it. *La ricchezza delle nazioni*, Utet, Torino 1975, pp. 874-875.

[5] J. Madison, *Note to his Speech on the Right of Suffrage* (1821), in M. Farrand (a cura di), *The Records of the Federal Convention of 1787*, Yale University Press, New Haven 1966, vol. III, p. 450.

[6] D. Ricardo, *Principles of Political Economy and Taxation* (1817); tr. it. *Principi di economia politica e dell'imposta*, Mondadori, Milano 2009, p. 397.

[7] T. Babington Macaulay, *The People's Charter* (1842), in *Miscellanies*, Houghton, Mifflin & Company, Boston-New York 1900, vol. I, p. 263.

pitalistica si è associata, in Occidente, alla nascita di istituzioni deputate alla redistribuzione che potevano vantare un raggio d'azione senza precedenti e stemperare gli effetti più disumani del capitalismo. Il risultato benefico è stato che nell'Occidente industrializzato le istituzioni preposte alla redistribuzione hanno contribuito ad attenuare il conflitto tra le disparità di reddito generate dal mercato e la politica democratica. Per contro, osserva Amy Chua:

> La versione del capitalismo promossa nell'odierno mondo non-occidentale presenta una natura sostanzialmente liberista e solo di rado contempla l'esistenza di meccanismi di redistribuzione. In altri termini, gli Stati Uniti stanno esportando con ostinazione un modello di capitalismo che gli stessi paesi occidentali abbandonarono un secolo fa. Più in generale, è fondamentale riconoscere che la formula di democrazia liberista imposta al momento all'esterno dell'Occidente – l'aspirazione simultanea al capitalismo liberista e al suffragio universale – non è mai stata adottata nel corso della storia da alcun paese occidentale. Si tratta di un atteggiamento sensato? Quasi per definizione, nei paesi in via di sviluppo, i poveri sono molto più numerosi, la povertà è molto più estrema e l'ineguaglianza molto più evidente che nelle società occidentali, oggi come in qualsiasi altra epoca storica. Il boom demografico che si sta registrando attualmente al di fuori dell'Occidente non fa che peggiorare le cose.[8]

Se le recenti previsioni della Banca mondiale corrispondono a realtà, la popolazione dei paesi al momento considerati in via di sviluppo aumenterà dai quasi quattro miliardi di persone attuali a circa otto miliardi nel 2050. Al contempo, nei paesi poveri di tutto il mondo manca la tradizione dello stato di diritto invalsa da lungo tempo in Occidente. Di conseguenza, la transizione politica dei paesi in via di sviluppo si contraddistingue non tanto per la continuità e il compromesso, quanto per improvvisi sollevamenti, interventi militari, violenze e carneficine. Ciononostante, scrive Amy Chua:

> La ricetta universale oggi impiegata per curare il "sottosviluppo", elaborata e promulgata in misura considerevole dagli Stati Uniti, consiste fondamentalmente nelle seguenti indicazioni: si prenda la forma più cruda di capitalismo, la si mescoli a casaccio con la forma più grezza di democrazia e si esporti la miscela precotta nei pae-

[8] A. Chua, *L'età dell'odio*, cit., p. 215.

si più poveri, frustrati, instabili e disperati del mondo. Si aggiunga al quadro qualche minoranza economicamente dominante, e l'instabilità insita in questa versione primitiva della democrazia sarà aggravata all'ennesima potenza dalle forze manipolabili dell'odio etnico.[9]

Che fare? Se libero mercato e democrazia, senza redistribuzione della ricchezza o, come noi siamo soliti dire, senza "stato sociale", sono incompatibili perché, come diceva Adam Smith, il *potere dei numeri* (la democrazia) mal si concilia con il *potere della proprietà* (il capitalismo), sarà necessario esportare, insieme alla democrazia e al capitalismo, anche la redistribuzione della ricchezza e lo stato sociale. Ma sembra che la tendenza del nostro tempo cammini in senso inverso, e preveda non solo la non esportazione dello stato sociale nel mondo non occidentale, ma addirittura la sua erosione, quando non il suo smantellamento, anche qui da noi, in Occidente. Attendiamone gli effetti.

3. *La globalizzazione dei valori occidentali e la risposta terroristica*

Che rapporto c'è tra globalizzazione e terrorismo? La risposta più facile è quella che vede nel terrorismo una forma di contestazione politica dell'ordine mondiale promossa dall'unica superpotenza rimasta sul pianeta. Ancora più facile è la risposta che vede nei terroristi dei folli suicidi, dei fanatici di una causa perversa, manipolati da chi sfrutta il risentimento e l'odio dei popoli oppressi.

Queste ipotesi non convincono Jean Baudrillard e quanti, come me, rifiutano di leggere la storia come una successione di cause ed effetti, secondo quella *logica causale* a cui si attiene la ragione quando vuole interpretare qualcosa in modo convincente. In realtà prima della logica causale e sotto la logica causale lavora in modo ben più efficace e più profondo la *logica simbolica*, per cui nessuna epoca storica sarebbe in grado di giustificare i suoi eventi prescindendo dalla *simbolica* che governa l'epoca stessa, quale potrebbe essere, a titolo di esempio, l'idea di *destino* per l'antica Grecia, l'idea di *Dio* per il Medioevo, l'idea di *uomo*

[9] Ivi, pp. 215-216.

per l'Umanesimo, l'idea di *ragione* per l'Illuminismo e, proviamo a dire, l'idea di *globalizzazione* per l'età contemporanea.

Ma che cos'è veramente la globalizzazione? La globalizzazione è il degrado, quando non l'estinzione, di quello che gli illuministi chiamavano *universalizzazione dei diritti umani*, della libertà, della cultura, della democrazia. La globalizzazione, infatti, riguarda solo l'economia, la tecnica, il mercato, il turismo, l'informazione. La sua espansione sembra irreversibile, mentre i valori universali sembrano in via di estinzione. Per cui, scrive Baudrillard: "La globalizzazione degli scambi pone fine all'universalità dei valori".[10]

Per effetto di questo decorso, il *pensiero unico* finisce con il trionfare sul *pensiero universale*, con la conseguenza che non si riescono più a integrare le singolarità e le particolarità in una *cultura universale della differenza*, perché, prosegue Baudrillard:

> La globalizzazione trionfante fa tabula rasa di tutte le differenze e di tutti i valori, inaugurando una cultura (o un'incultura) perfettamente indifferente [...]. Non avendo più nemici, la globalizzazione li genera dall'interno e secerne metastasi disumane di ogni genere.[11]

Sopprimendo ogni forma di singolarità, particolarità, individualità, identità e differenza, la globalizzazione genera il rigetto non solo della tecnocrazia occidentale che abolisce tutte le differenze, ma anche della persuasione mentale, tipica della tecnica perché a essa funzionale, secondo la quale tutte le culture sono equivalenti. A questo punto, si domanda Baudrillard:

> Chi può dare scacco al sistema globale? Certo non il movimento no global che ha come unico obiettivo quello di frenare la deregulation. L'impatto politico può essere considerevole, ma l'impatto simbolico nullo. Quel tipo di violenza è una sorta di peripezia interna che il sistema può superare restando padrone del gioco.[12]

Sappiamo bene che a dare scacco a un *pensiero unico* dominante non può essere un *contro-pensiero unico* (come quello dei no global) perché, per la logica simbolica, quando ci si mantiene sul medesimo terreno di opposizione, ogni conflitto, così co-

[10] J. Baudrillard, *Power Inferno* (2002); tr. it. *Power Inferno*, Raffaello Cortina, Milano 2003, p. 57.
[11] Ivi, pp. 58-60.
[12] Ivi, p. 62.

me si genera, si riassorbe. A dare scacco a un pensiero unico possono essere solo le singole particolarità, di cui il terrorismo è una forma, la più violenta, che vendica tutte le culture particolari che hanno pagato, con la loro scomparsa, l'instaurazione di una potenza mondiale unica. Se ciò è vero, scrive Baudrillard:

> Non si tratta quindi di un *conflitto di civiltà*, ma di uno scontro quasi antropologico tra una cultura universale indifferenziata e tutto ciò che, in qualsiasi campo, conserva qualche tratto di alterità irriducibile. Per la potenza globale, non meno integralista dell'ortodossia religiosa, tutte le forme differenti e particolari sono eresie. In questo senso sono votate a rientrare per amore o per forza nell'ordine globale, o scomparire. La missione dell'Occidente (o piuttosto dell'ex Occidente, perché da gran tempo non ha più valori propri) consiste nel sottomettere con tutti i mezzi le culture multiple alla legge feroce dell'equivalenza. Una cultura che ha perduto i suoi valori non può che vendicarsi su quelli degli altri.[13]

Anche le guerre, quella del Kosovo, quella dell'Afghanistan, quella dell'Iraq, hanno come obiettivo primario, al di là delle strategie politiche o economiche, quello di ridurre ogni zona refrattaria, di colonizzare e addomesticare tutti quelli che per la globalizzazione sono territori selvaggi, in quello spazio che, più che geografico, è *spazio mentale*. Perché, continua Baudrillard:

> È inaccettabile, per l'Occidente, che la modernità possa essere rinnegata nella sua pretesa universale. Che non appaia come l'evidenza del Bene e come l'ideale naturale della specie, che sia messa in dubbio l'universalità dei nostri costumi e dei nostri valori – sia pure da certi personaggi immediatamente bollati come fanatici –, tutto questo è un crimine contro il pensiero unico e contro l'orizzonte consensuale dell'Occidente.[14]

Ma all'interno di questa consensualità c'è anche, sotto traccia, la sofferenza dei privilegiati nella globalizzazione, costretti a sottomettersi alle regole ferree della tecnologia, alla tirannia della realtà virtuale, al dominio delle reti e dei programmi che, a parere di Baudrillard, "delinea forse il profilo involutivo dell'intera specie, della specie umana divenuta globale".[15]

A questo punto il terrorismo, "oltre che sulla disperazione

[13] Ivi, pp. 63-64.
[14] Ivi, p. 66.
[15] Ivi, pp. 69-70.

visibile degli umili e degli offesi, poggia anche sulla disperazione invisibile dei privilegiati nella globalizzazione",[16] i quali, anche se inconsapevolmente e involontariamente, vengono in qualche modo incontro alla destabilizzazione violenta dell'atto terroristico. E in effetti, senza questa complicità interna, che non ha nulla a che fare con una complicità oggettiva, "senza l'ipotesi di questa coalizione segreta, di questa predisposizione complice, non si capisce nulla del terrorismo e dell'impossibilità di venirne a capo".[17]

Se il progetto terroristico "è quello di destabilizzare l'ordine mondiale con le sue sole forze, in uno scontro frontale, l'obiettivo del terrorismo è assurdo",[18] perché il rapporto di forze è troppo diseguale. Ma proprio questo "assurdo", questo "non-senso" fa da specchio al non-senso che si annida all'interno del sistema, e che più o meno inconsciamente tutti noi avvertiamo quando ci percepiamo sempre meno come *persone* e sempre più come *funzionari* di un apparato tecnico-economico che nulla ha in vista se non il proprio autopotenziamento.

Più che delle armi tecnologiche dell'Occidente, la cosa essenziale di cui i terroristi si appropriano, facendone un'arma decisiva, è esattamente questo "non-senso" che ciascuno di noi percepisce come negazione della propria individualità e specificità nella globalizzazione tecnico-economica del mondo.

Altro che il Bene contro il Male, altro che Occidente contro Islam. È nello stesso Occidente che si è creata una sorta di *insicurezza mentale* circa il senso della propria esistenza, in un mondo economicamente e tecnicamente globalizzato che non ammette singolarità, individualità, particolarità, differenze. Questa nostra insicurezza mentale, da cui nulla ci può difendere, è la migliore arma di cui dispone il terrorismo che, con i suoi attentati, "precipita l'Occidente nell'ossessione della sicurezza, che è una forma velata di terrore perpetuo"[19] che si inscrive nei corpi, nei costumi, nelle abitudini, nelle pratiche di vita.

Baudrillard ci invita a non metterci fuori strada dicendo: "Noi siamo il Bene, può essere solo il Male ad averci colpito".[20] La logica dell'opposizione, con cui di solito lavora la ragione (bene/male, vero/falso, giusto/ingiusto), non capisce niente delle *sfi-*

[16] Ivi, p. 69.
[17] Ivi, p. 28.
[18] Ivi, pp. 28-29.
[19] Ivi, p. 51
[20] Ivi, p. 33.

de simboliche, che possono anche nascere all'esterno del sistema, ma sono efficaci solo se si alleano con la negatività che il sistema produce al suo interno.

Il terrorismo è una *sfida simbolica*. Non ci fronteggia come un nemico che ci sta di fronte sul campo, come noi ingenuamente pensiamo quando facciamo le guerre, ma, a parere di Baudrillard:

> È l'emergenza di un *antagonismo radicale* nel cuore stesso del processo di globalizzazione, di una forza irriducibile a questa realizzazione integrale, tecnica e mentale, del mondo, a questa evoluzione inesorabile verso un ordine mondiale compiuto.[21]

Se il progetto della modernità era nell'*universalizzazione dei suoi valori*, la riduzione di questo progetto alla semplice *globalizzazione della tecnica e del mercato* avvia inesorabilmente la modernità verso la sua fine. E in questa lettura *simbolica*, meno ingenua di quella *razionale* che legge tutto in termini di opposizioni e antagonismi, il terrorismo, proprio nella sua assurdità e insensatezza, è, come scrive Baudrillard: "Il verdetto e la condanna che la nostra società pronuncia su se stessa".[22]

4. *L'implosione dei valori occidentali nella passività e nell'inerzia di massa*

Non ci sono più idee. Non ci sono più valori. Non se ne producono più. La passività e l'inerzia sembrano caratterizzare l'atmosfera del nostro tempo, dove l'impressione è che nessuno abbia una storia da scrivere né passata né futura, ma solo energia da liberare in una sorta di spontaneità selvaggia, dove non circola alcun senso, ma tutto si esaurisce nella fascinazione dello spettacolare.

Viene allora da chiedersi come mai dopo tante rivoluzioni e un secolo o due di apprendistato politico, nonostante i giornali, i sindacati, i partiti, gli intellettuali e tutte le energie preposte a sensibilizzare gli uomini alla loro storia, si trovano solo mille persone che reagiscono, e milioni di persone che rimangono passive e preferiscono, in perfetta buona fede, con gioia e senza neppure chiedersi il motivo, un incontro di calcio a un dramma umano o sociale.

[21] Ivi, p. 31.
[22] Ivi, p. 70.

La risposta va forse cercata nel fatto che, bombardati come siamo da stimoli, messaggi, test e sondaggi, le nostre teste sono diventate il luogo dove circolano idee e valori che noi non abbiamo *prodotto*, ma semplicemente *assorbito*. Teste e cuori, quindi, che non si *esprimono*, ma si *sondano*, non per conoscere le loro idee o i loro valori, ma per verificare il grado di efficacia dei media nell'inculcare in loro un'idea o un presunto valore, e poi appurarne l'indice di gradimento.

Ridotte in questo modo a schermi di lettura, le nostre teste non sono più un luogo di ideazione e di invenzione, ma un luogo di assorbimento e di implosione, dove ogni senso propulsivo si inabissa e ogni significato acquisito si allinea a quell'ideale di uniformità che è l'inerzia del conformismo.

Come smuovere questa inerzia, questa passività? Temo che per le idee e per i valori stia avvenendo quel che è già avvenuto per le merci. Per molto tempo bastava produrre le merci e il consumo andava da sé. Oggi bisogna produrre i consumatori, bisogna produrre la stessa domanda, e questa produzione è infinitamente più complicata di quella delle merci.[23]

Allo stesso modo, osserva Baudrillard, fino a trent'anni fa "bastava produrre senso (politico, ideologico, culturale, sessuale) e la domanda seguiva naturalmente, assorbiva l'offerta e la superava".[24] Oggi è la domanda di idee e di valori a essere venuta meno, e la produzione di questa domanda mi pare il problema cruciale che la civiltà occidentale, se ancora riesce e vuole restare all'altezza della sua storia, deve saper affrontare.

Senza questa domanda, senza una curiosità ideativa, senza una partecipazione anche minima al mondo delle idee e dei valori, la *società* diventa *massa* che, come un buco nero, "risucchia energia sociale e non la rifrange più". La massa, infatti, assorbe tutte le idee e non ne elabora alcuna, accoglie tutti i valori e semplicemente li digerisce, "dà a tutti gli interrogativi che le sono posti una risposta tautologica",[25] che è poi quella appresa dallo schermo televisivo. Non essendo sua, questa risposta non coinvolge la sua partecipazione, ma in un certo senso, scrive Baudrillard, "fa massa",[26] e dove si fa massa tutta l'energia sociale implode.

[23] Si veda a questo proposito U. GALIMBERTI, *I vizi capitali e i nuovi vizi*, Feltrinelli, Milano 2003, capitolo 8: "Consumismo", pp. 67-74.

[24] J. BAUDRILLARD, *À l'ombre des majorités silencieuses ou la fin du social* (1978); tr. it. *All'ombra delle maggioranze silenziose, ovvero la morte del sociale*, Cappelli, Bologna 1978, p. 32.

[25] Ivi, pp. 33-34.

[26] Ivi, p. 34.

A questo punto gli aspetti banali della vita, le abitudini della quotidianità, tutto ciò che un tempo era stigmatizzato come piccoloborghese, come abietto e apolitico, compreso il sesso, diventano temi forti, mentre la storia e la politica svolgono in televisione la loro rappresentazione "per un *popolo* che nel frattempo è diventato *pubblico*",[27] il quale vi assiste come si assiste a una partita di calcio, a un film, a un varietà.

Ma se la mancanza di idee e di valori è il primo fattore che traduce una società in una massa "implosiva e satura, che procede per inerzia, mossa da una negatività che non produce una reazione vivace e gioiosa, ma silenziosa e involutiva, e per giunta contraria non solo a ogni presa di coscienza per mancanza di idee e di valori, ma anche a ogni presa di parola",[28] per un'estrema peripezia del sociale e della sua implosione, che cosa c'è di più affine alle *masse implosive* del *terrorismo esplosivo*? Si dirà, scrive Baudrillard, che:

> Non c'è niente di più avulso dalle masse del terrorismo. E il potere ha buon gioco nell'aizzarli l'uno contro l'altro. Ma è altrettanto vero che non c'è niente di più strano e di più familiare della loro convergenza nella negazione del sociale e nel rifiuto del senso.[29]

Il terrorismo, infatti, "non mira a far parlare, a suscitare o a mobilitare idee o valori; non ha continuità rivoluzionaria".[30] Il terrorismo dice di mirare al capitalismo e all'imperialismo, mentre il suo vero obiettivo è il silenzio del sociale magnetizzato dall'informazione. Per questo il terrorismo agisce con atti votati immediatamente alle onde concentriche dei media, dove ciò che si produce non è una riflessione, una ricerca logica delle cause e degli effetti, ma solo fascinazione e panico, in una reazione a catena per contagio. E tutto ciò è funzionale al terrorismo perché, scrive Baudrillard:

> Il terrorismo è vuoto di senso e indeterminato come il sistema che combatte, o in cui si installa come un punto di implosione massimale e infinitesimale – terrorismo non esplosivo, non storico, non politico: implosivo, cristallizzante, agghiacciante – e proprio per questo omologo in profondità al silenzio e all'inerzia delle masse.[31]

[27] Ivi, p. 44.
[28] Ivi, p. 56.
[29] Ivi, pp. 56-57.
[30] Ivi, p. 58.
[31] Ivi, pp. 57-58.

Per questo il terrorismo colpisce "chiunque", ossia la condizione a cui ciascuno di noi si riduce quando, rinunciando all'animazione del sociale attraverso la produzione di idee e di valori, diventa inevitabilmente "massa". Per sottrarci a questa condizione dobbiamo tutti, ma proprio tutti, ricominciare a pensare e ravvivare idee e valori, invece di lasciarli languire come se altro non fossero che un obsoleto reperto della nostra storia trascorsa.

15.
Il mito del terrorismo

> Sono loro che l'hanno fatto, ma siamo noi che l'abbiamo voluto. Se non si tiene conto di questo, l'evento perde ogni dimensione simbolica, rimane un puro accidente, un atto totalmente arbitrario, la fantasmagoria omicida di qualche fanatico, che basterebbe a questo punto sopprimere. Ma sappiamo benissimo che così non è. E ciò spiega tutto il delirio controfobico di esorcismo del male: perché il male è qui, è dappertutto, come un oscuro oggetto del desiderio. Senza questa complicità profonda, l'evento non avrebbe la risonanza che ha avuto, e nella loro strategia simbolica i terroristi sanno molto probabilmente che possono contare su questa nostra complicità inconfessabile.
>
> J. BAUDRILLARD, *Lo spirito del terrorismo* (2002), pp. 9-10.

1. *La mondializzazione*

Due mesi dopo l'11 settembre Jean Baudrillard scriveva su "Le Monde" un lungo saggio, poi pubblicato in forma di libro, sull'attentato alle Torri gemelle, che ha come sua chiave di lettura: "Sono loro che l'hanno fatto, ma siamo noi che l'abbiamo voluto".[1]

L'abbiamo voluto, scrive Baudrillard, "perché tutti senza eccezione quell'evento l'abbiamo sognato, perché nessuno può non sognare la distruzione di una potenza, qualunque essa sia, quando questa diventa troppo egemonica".[2] Ma non solo l'abbiamo sognato, l'abbiamo anche immaginato e ci abbiamo fatto dei film, dove il fantasma che si agitava era l'Occidente onnipotente e suicidario. Questa immaginazione ci ha dunque affascinati e ha risvegliato il terrorista che sonnecchia in ciascuno di noi e che si

[1] J. BAUDRILLARD, *L'esprit du terrorisme* (2002); tr. it. *Lo spirito del terrorismo*, Raffaello Cortina, Milano 2002, p. 9.
[2] Ivi, p. 9.

rende visibile nell'accanimento patetico di tutti i discorsi che vorrebbero negarlo. Infatti, scrive Baudrillard:

> Senza questa complicità profonda l'evento non avrebbe la risonanza che ha avuto, e nella loro strategia simbolica i terroristi sanno molto probabilmente di poter contare su questa nostra complicità inconfessabile. Tutto questo supera di molto l'odio che la potenza mondiale dominante ispira ai diseredati e agli sfruttati, a coloro che sono caduti dalla parte sbagliata dell'ordine mondiale. Perché l'allergia a ogni ordine definitivo, a ogni potenza definitiva è fortunatamente universale e alberga nel cuore stesso di coloro che ne condividono i benefici.[3]

Commentando il saggio di Baudrillard, Adriano Sofri definiva le considerazioni del filosofo francese "acutezze sprecate".[4] Oggi questo giudizio forse può essere rivisto alla luce di due concetti che a me sembrano degni di grande attenzione: la *mondializzazione* trionfante ormai alle prese con se stessa e la *potenza della violenza simbolica* che da sempre è superiore alla potenza della violenza reale. Secondo Baudrillard, infatti, dopo l'11 settembre ha preso avvio la Quarta guerra mondiale:

> L'unica veramente mondiale, poiché a essere in gioco è la mondializzazione stessa. Le due prime guerre mondiali corrispondevano all'immagine classica della guerra. La prima ha posto fine alla supremazia dell'Europa e all'era coloniale. La seconda al nazismo. La Terza, che ha già avuto luogo sotto forma di Guerra fredda e di dissuasione nucleare, ha posto fine al comunismo. Dall'una all'altra, si è andati ogni volta più avanti, verso un ordine mondiale unico. Oggi, quell'ordine, virtualmente giunto al termine, si trova alle prese con le forze antagonistiche diffuse ovunque nel cuore stesso del mondiale, in tutte le convulsioni attuali. Guerra frattale di tutte le cellule, di tutte le singolarità che si ribellano sotto forma di anticorpi. Scontro talmente inafferrabile che diventa necessario di tanto in tanto salvare l'idea della guerra con messe in scena spettacolari, come la guerra del Golfo o quella dell'Afghanistan. Ma la Quarta guerra mondiale è altrove. È ciò che incombe su ogni ordine mondiale, su ogni dominio egemonico. Se a dominare il mondo fosse l'Islam, il terrorismo prenderebbe l'Islam a bersaglio. *Perché è il mondo stesso che resiste alla mondializzazione.*[5]

[3] Ivi, p. 10.
[4] A. Sofri, *Il crollo delle Torri gemelle e la sindrome di Stoccolma*, in "la Repubblica", 9 gennaio 2002.
[5] J. Baudrillard, *Lo spirito del terrorismo*, cit., pp. 17-18.

Partendo da questa premessa, Baudrillard ritiene che, se il terrorismo è immorale, l'evento del World Trade Center, questa sfida simbolica, è immorale come risposta a una mondializzazione anch'essa immorale. Questo concetto era già presente nelle considerazioni del consigliere di Clinton, Benjamin Barber,[6] che prevedeva un possibile conflitto tra globalizzazione economica e fondamentalismo religioso, nel senso che la *jihad* potrebbe crescere a dismisura e riflettere una metastasi patologica di giustificato malcontento circa gli effetti di un arrogante materialismo laico che minaccia l'integrità delle tradizioni culturali indigene, mal equipaggiate a difendersi dall'aggressività dei mercati in un mondo di libero commercio. Scrive in proposito Barber:

> Riuscirà il tè asiatico e la cultura religiosa e familiare che ne accompagna il rito a sopravvivere all'assalto della commercializzazione globale della Coca-Cola? Il pranzo in famiglia sopravvivrà al fast food, pensato per il consumatore singolo, con abitudini alimentari da rifornimento di carburante, che si nutre a spuntini? Riusciranno le culture cinematografiche nazionali dei paesi più poveri a sopravvivere ai kolossal di Hollywood tarati sui gusti universali dei teenager, radicati nella violenza e nel facile sentimentalismo? Dov'è lo spazio per la preghiera, per i riti religiosi comuni, per i beni spirituali e culturali in un mondo in cui l'economia globale gira grazie alla commercializzazione di beni materiali? [...] Se l'unica scelta che abbiamo è quella tra i mullah e i centri commerciali, tra l'egemonia dell'assolutismo religioso e quella del determinismo del mercato, né la libertà né lo spirito umano possono prosperare.[7]

A questo punto, conclude Barber, non dovremmo forse chiederci come mai quando vediamo che la religione colonizza qualunque altro campo della vita umana la chiamiamo *teocrazia* e sentiamo puzza di tirannia, e quando vediamo che la politica colonizza ogni altro campo della vita umana la chiamiamo *assolutismo* e tremiamo alla prospettiva del totalitarismo, mentre se vediamo che le relazioni di mercato e il consumismo commerciale tentano di colonizzare ogni altro campo della vita umana li chiamiamo *libertà* e ne celebriamo il trionfo?

[6] B. Barber, *Jihad vs. McWorld*, Times Books, New York 1995.
[7] B. Barber, *Il McMondo e i no global dopo l'attacco dell'11 settembre*, in "la Repubblica", 29 gennaio 2002.

2. *La sfida simbolica*

Qui non si tratta di distinguere il bene dal male, il giusto dall'ingiusto, l'amico dal nemico, ma di rendersi conto che, quando un potere diventa spaventosamente asimmetrico, la sua stessa onnipotenza si trova completamente disarmata di fronte alla sfida che i terroristi portano non sul piano della *realtà,* dove in gioco sono i rapporti di forza, ma sul piano *simbolico* dove la posta in gioco è la loro morte, un'arma assoluta contro "un sistema che vive dell'esclusione della morte".[8] Infatti, già ne *Lo scambio simbolico e la morte,* del 1976, Baudrillard scriveva:

> Qualsiasi morte è facilmente computabile nel sistema, anche le carneficine della guerra, ma non la *morte-sfida,* la morte simbolica, perché questa non ha più un equivalente contabile: essa dà accesso a un rilancio inespiabile se non con un'altra morte. Nessun'altra risposta alla morte che la morte. Ed è ciò che accade in questo caso: il sistema è chiamato a suicidarsi a sua volta. Cosa che esso fa manifestamente con il suo smarrimento e il suo fallimento.[9]

L'apparato colossale del potere si liquefà in questa situazione, in cui tutto lo scherno e la sua stessa dismisura si ritorce contro di lui. Per questo, conclude Baudrillard: "La potenza visibile non può nulla contro la morte infima ma simbolica di pochi individui", perché questi mettono in scena l'unica violenza che l'Occidente non può esercitare, "quella della *propria morte*".[10]

Ma non basta, insiste Baudrillard, perché "il vecchio terrorismo suicida era un terrorismo di poveri, mentre il nuovo è un terrorismo di ricchi. Ed è questo che ci fa particolarmente paura. Loro sono diventati ricchi (e ne hanno tutti i mezzi) senza cessare di volerci distruggere. Certo, secondo il nostro sistema di valori i terroristi barano",[11] perché, dopo essersi "appropriati di tutte le armi della potenza dominante: il denaro e la speculazione in Borsa, le tecnologie informatiche e aeronautiche, la dimensione spettacolare e le reti mediatiche, assimilando tutto sia della modernità sia della mondialità",[12] hanno messo in gioco la pro-

[8] J. Baudrillard, *Lo spirito del terrorismo*, cit., pp. 22-23.
[9] J. Baudrillard, *L'échange symbolique et la mort* (1976); tr. it. *Lo scambio simbolico e la morte*, Feltrinelli, Milano 1979, p. 53. Questo concetto ritorna ne *Lo spirito del terrorismo*, cit., pp. 22-26.
[10] J. Baudrillard, *Lo spirito del terrorismo*, cit., pp. 25-26.
[11] Ivi, p. 31.
[12] Ivi, p. 26.

pria morte, impiegando così un'arma che noi non possiamo o non siamo capaci di impiegare. Questa è la sfida simbolica, a cui non si può rispondere se non con la propria morte. E, prosegue Baudrillard:

> Colmo dell'astuzia i terroristi hanno utilizzato la banalità della nostra vita quotidiana come maschera a doppio inganno. Hanno dormito nelle loro casette di periferia, letto e studiato in famiglia, per svegliarsi da un giorno all'altro come bombe a scoppio ritardato. Il controllo perfetto di questa clandestinità è quasi altrettanto terroristico dell'atto spettacolare dell'11 settembre. Perché fa cadere l'ombra del sospetto su qualsiasi individuo: qualsiasi essere inoffensivo non sarà un terrorista in potenza? Se i terroristi hanno potuto passare inosservati, allora ciascuno di noi è un criminale in incognito.[13]

Illustrazione perfetta della teoria del caos, dove uno shock iniziale provoca conseguenze incalcolabili, mentre il gigantesco dispiegamento di forze degli americani ottiene solo effetti prevedibili, quando non addirittura già visti. Oppure, scrive Baudrillard:

> L'atto repressivo percorre la stessa spirale imprevedibile dell'atto terroristico, nessuno sa dove si fermerà né i rivolgimenti che ne seguiranno. [...] Non soltanto la recessione diretta, economica, politica, borsistica e finanziaria dell'insieme del sistema, ma anche la recessione morale e psicologica che ne risulta, recessione del sistema di valori, di tutta l'ideologia della libertà e della libera circolazione, che faceva la fierezza del mondo occidentale, e di cui esso si valeva per esercitare il suo dominio sul resto del mondo.
> Al punto che l'idea di *libertà*, idea nuova e recente, sta già scomparendo dai costumi e dalle coscienze, e la mondializzazione liberale sta per realizzarsi in forma esattamente inversa: quella di una *mondializzazione poliziesca*, di un controllo totale, di un terrore indotto dal bisogno di sicurezza. Persino la deregulation finisce in un massimo di vincoli e restrizioni, equivalente a quello di una società fondamentalista.[14]

Appartiene, infatti, alla sfida simbolica portare lo sfidato sullo stesso piano dello sfidante, facendogli assumere tutte quelle forme che fino al giorno prima aveva aborrito, ivi compresa la sospensione dei diritti umani, come è accaduto agli uomini cat-

[13] Ivi, pp. 26-27.
[14] Ivi, pp. 41-42.

turati e imprigionati nella base militare americana di Guantánamo a Cuba o nella prigione di Abu Grahib a Baghdad.

Ma siccome noi tutti, educati al *realismo* tipico della cultura americana, non capiamo nulla della *dimensione simbolica*, sarà bene evitare di prender partito per le ragioni del terrorismo o per le ragioni della risposta occidentale, per tentare piuttosto di portarci all'altezza di quell'evento nuovo, perché mai avvenuto, che è la *mondializzazione* a cui forse il mondo recalcitra, come è da sempre noto al *pensiero simbolico* e come sembra invece del tutto ignoto al *pensiero realistico* che, a un evento unico e imprevedibile, risponde con quello pseudo-evento ripetitivo che è la guerra, come se, dopo la mondializzazione, il mondo fosse ancora diviso in due.

3. *L'angoscia dell'imprevedibile*

L'azione terroristica ha distrutto qualcosa di più delle due Torri di Manhattan e della base del Pentagono, ha determinato qualcosa di più dei tremila morti. L'azione terroristica ha incrinato in noi occidentali quella condizione base della vita quotidiana che è la *prevedibilità del domani*, senza la quale non prende avvio alcuna iniziativa, e le azioni che abitualmente ci impegnano ricadono su se stesse, perché perdono importanza, spessore, investimento, valore. Al loro posto subentra, sottile e pervasiva come condizione dell'anima, quell'angoscia primitiva per difendersi dalla quale l'uomo occidentale ha inventato la sua storia. Quest'angoscia si chiama: *angoscia dell'imprevedibile*.

La chiamiamo "angoscia" e non "paura", perché la paura è un ottimo meccanismo di difesa di fronte a un pericolo *visibile* e *determinato*. Le sue strategie sono l'attacco o la fuga, per cui, ad esempio, in caso di un incendio, "per paura" scappo. L'angoscia è invece un sentimento paralizzante di fronte a un pericolo *invisibile* e *indeterminato*, da cui l'attacco o la fuga non ci difendono, perché il pericolo è ovunque e in nessun luogo, può essere in questo momento o in qualsiasi momento, per cui il meccanismo che si attiva non è quello *difensivo* della paura, ma quello *paralizzante* dell'angoscia.

E questo perché l'11 settembre non ha determinato solo il crollo delle due Torri, ma la *possibilità* che due torri in qualsiasi momento e in qualsiasi luogo della terra d'Occidente possano di nuovo crollare. Non dunque il pericolo determinato, ma la *pericolosità* come minaccia non identificabile, ma ovunque incombente, è ciò che ci attanaglia in quel non-luogo che sono tutti i luoghi, in quell'ora che sono tutte le possibili ore. Questo è l'effetto dell'11 settembre: non un *fatto*, che come tutti i fatti la storia si incarica di seppellire, ma la *possibilità* che questo fatto abbia una sua ripetibilità e sia il nostro incombente futuro.

Dagli aerei che pilotavano, i terroristi non hanno fatto piovere solo distruzione e morte, ma hanno seminato anche la *paralisi dell'angoscia* che svela la vulnerabilità della nostra tecnologia, arresta lo sviluppo della nostra economia, intimorisce il mondo della vita che si fa più prudente, più cauto, più riparato, meno espansivo, più contratto. Siamo indifesi di fronte all'imprevedibile e, come i primitivi, torniamo ad assaporare quel sentimento da cui, sempre grazie alla nostra tecnica e alla nostra economia, ci pensavamo emancipati.

Così l'umanità è tornata ai suoi primordi, quando un tuono spaventava la tribù e un lampo la terrorizzava. Per uscire dall'angoscia dell'imprevedibile gli uomini hanno inventato prima le *religioni*, per poter attribuire gli eventi agli dèi, onde poterseli propiziare con preghiere e sacrifici. Poi, quando il cielo si è fatto vuoto, la *filosofia* ha fornito all'umanità occidentale quello strumento che consente di attribuire a ogni evento una causa.

Il "principio di causalità", che tutti noi conosciamo come un *principio logico*, è in realtà una *difesa dall'angoscia dell'imprevedibile*, perché quando posso leggere un evento come l'effetto di una causa, conoscendo la causa non mi inquieto di fronte all'evento. La *scienza* moderna ha perfezionato questo principio, l'ha diffuso, l'ha reso mentalità comune, l'ha trasformato nel fondamento della nostra sicurezza.

Il terrorismo, in una piccola frazione di tempo, ha fatto capire all'Occidente quanto precari siano i pilastri della sua fiducia nel domani. Per raggiungere questo obiettivo i terroristi hanno impiegato contro se stesse, come in un boomerang, le due forze su cui l'Occidente fonda la propria fiducia e la propria sicurezza. Queste due forze sono la *tecnologia* e l'*economia*.

Sono bastati un modesto investimento economico e quattro aerei nelle mani dei terroristi perché tutto l'Occidente sapesse, in una piccola frazione di tempo, che la sua tecnologia, espansa fino alla zona più remota della terra, è un apparato potentissimo ma anche fragilissimo, e che la sua economia, espansa anch'essa fino alla zona più remota della terra, può crollare non per ragioni economiche, ma per quel sentimento primitivo che è l'*angoscia dell'imprevedibile*.

Creando uno scenario imprevedibile, il terrorismo ha fatto

crollare la nostra sicurezza. E noi siamo rimasti destabilizzati, non impauriti, ma angosciati. E tali resteremo finché eviteremo di riprendere tra le mani il *principio di causalità*, che è stato finora la miglior difesa che la razionalità dell'Occidente ha escogitato per rassicurare se stessa.

E allora le domande: perché il terrorismo? Perché in America? Perché ha attaccato i simboli dell'economia e della tecnologia occidentali? Perché d'ora innanzi può propagarsi anche nelle altre regioni dell'Occidente, come è già successo in Spagna e in Inghilterra, nei modi più imprevedibili e meno sospettati?

Finché non risponderemo a queste domande, guardando dentro il principio di causalità con il coraggio di scoprire anche le nostre *colpe* (non dimentichiamo che la parola greca *aitía* vuol dire a un tempo "causa" e "colpa"), allora non ci resta che naufragare in quell'orizzonte senza confine che è l'imprevedibile, che ha come sua risultante psichica la paralisi dell'angoscia, da cui la razionalità occidentale si è difesa facendo lavorare il principio di causalità.

Rimuovere questo principio e utilizzare altri strumenti di difesa, come il controllo generalizzato del nostro mondo della vita o l'attacco a imprecisi centri o reti antioccidentali, è vincere la battaglia di un giorno, che però non impedisce di continuare a respirare l'imprevedibilità del giorno successivo.

Tutto, infatti, può accadere senza regole di previsione e di leggibilità. Perfino le antiche malattie del passato, da cui l'Occidente si è liberato grazie al lavoro della scienza, rientrano fra le possibilità del futuro, come se il *tempo*, potentissima categoria antropologica che scandisce in successione il passato, il presente e il futuro, subisse un'inversione di rotta, e offrisse come futuro quel che pensavamo di esserci lasciati per sempre alle spalle come passato remoto definitivamente congedato.

Ma ad aggravare lo scenario dell'imprevedibile non è solo l'*illeggibilità del futuro* e la possibile regressione del tempo che cade su una condizione psichica, quella occidentale, che ormai si era abituata a considerare il tempo solo sotto le categorie dello "sviluppo" e del "progresso", quindi come assoluto futuro che, senza viverlo, brucia il presente, e senza esitazione liquida il passato nello scenario del "sorpassato". Ad aggravare lo scenario dell'imprevedibile, vera fonte dell'angoscia, è il venir meno di quello schema di lettura che, dall'alba della vicenda umana, consentiva di prevedere le mosse del nemico, ipotizzando che chi vuol uccidere si muove cercando di salvare la propria vita.

Questo schema, che poggiando su quella solida base che è

l'istinto biologico di conservazione, consentiva ai belligeranti di prevedere le rispettive mosse. Nel caso dell'azione terroristica questo schema non vale. Qui, infatti, l'idea, il progetto, la fede, l'utopia, la follia, comunque si vogliano chiamare queste espressioni *culturali* perché *ideali*, hanno il sopravvento sulla *base biologico-istintiva* che si suppone comune a tutti gli uomini, e che di solito svolge un ruolo di ridimensionamento dell'idea, del progetto, della fede, dell'utopia, della follia.

Il terrorista sa di dover morire e compie comunque il suo atto. Così facendo abbatte d'un colpo tutte le difese dell'avversario, perché queste sono preordinate fino a quel limite che è segnato dalla convinzione che anche il nemico vuole far salva la sua vita. La dimensione suicidaria toglie anche quest'ultimo criterio di leggibilità, quello finora considerato il più sicuro, perché ancorato alla base biologica della vita umana.

E allora l'angoscia – questo sentimento primordiale per difendersi dal quale l'umanità ha inventato l'intera sua storia – non può che espandersi e dilagare ossessivamente in uno scenario dove gli oggetti più innocui possono assumere le sembianze del pericolo, mentre i volti meno familiari quelle inquietanti del sospetto.

La condizione d'assedio, più che territoriale, è psichica. E quando è imprigionata l'anima, come si fa a produrre cultura, arte, scienza, musica? E quale linguaggio hanno a disposizione gli affetti, gli amori, le speranze, i progetti, i dolori? Ma, soprattutto, di quali strumenti dispone la nostra psiche per trattare la dimensione dell'imprevedibile con cui noi occidentali non abbiamo più consuetudine dall'alba della nostra storia?

La forma che il tempo ha assunto a partire dall'11 settembre obbliga noi occidentali a familiarizzare con l'imprevedibile e a prenderci cura di un sentimento che pensavamo d'aver da tempo liquidato. E questo è possibile solo con il lavoro della ragione che dobbiamo richiamare dalla sua distrazione e dalla sua dissipazione in cui da tempo la lasciavamo vagare, fino al suo smarrimento nel rumore del mondo che moltiplicavamo, per non affogare in quella che fino a ieri percepivamo come sua monotonia. Non è un lavoro da poco, sappiamo però che è un lavoro urgente.

Il *lavoro della ragione*, e non l'*attacco* che aumenta il pericolo e riattiva la sfida, chiede di capire perché il mondo si è fatto per noi così minaccioso, chiede di andare alla radice dell'angoscia per scoprire se talvolta non è la nostra stessa potenza, la nostra di noi occidentali, così sproporzionata rispetto a quella del resto del mondo, ad angosciarci segretamente.

Lanciati nel nostro sviluppo che non avviene a spese di nessuno, perché, già ce lo ricordava Omero, "Nessuno" nasconde sempre il nome di qualcuno,[15] forse abbiamo dimenticato la *misura* e siamo diventati *s-misurati*. E magari con qualche colpa, se è vero che il nostro stile di vita richiede di raccogliere energia viva dai quattro angoli della terra per restituirla degradata.

Questa è la riflessione che dobbiamo avviare se vogliamo fare i conti con la nostra angoscia, che è lì a dirci, prima del cecchino dietro l'angolo, prima dell'attacco batteriologico, prima di quello atomico, prima dell'attentato terrorista, che forse abbiamo oltrepassato la misura e dobbiamo rientrare nel limite.

Rimuovere questo avvertimento dell'angoscia collettiva, non volerlo riconoscere, ci obbligherà a convivere con l'inquietudine che, come un tarlo, roderà dall'interno il nostro benessere, ormai divaricato dalla quiete dell'animo e dalla sua serenità. A questo punto non ci resta che tornare alla sapienza greca che aveva fatto della misura (*katà métron*) il fondamento della propria etica, e perciò avvertiva: "Chi non conosce il suo limite tema il destino".[16]

[15] Si veda a questo proposito R. MADERA, *Identità e feticismo. Forma di valore e critica del soggetto. Marx e Nietzsche*, Moizzi, Milano 1977, p. 103.

[16] Per un approfondimento di questa tematica si veda U. GALIMBERTI, *La casa di psiche. Dalla psicoanalisi alla pratica filosofica*, Feltrinelli, Milano 2005, capitolo 23: "La giusta misura".

16.
Il mito della guerra

Solo i morti hanno visto la fine della guerra.

PLATONE, *Menesseno*, 236 d.

1. *L'estetica della guerra*

Il mito della guerra non ha mai cessato di trovare cantori che ne hanno esaltato l'eroismo, la forza, il coraggio, la bellezza, coprendo, sotto questo manto estetico, quanto di più atroce l'uomo, e solo l'uomo, ha ideato perché, ci ricorda Hegel,[1] a differenza dell'animale l'uomo non uccide per mangiare, ma per ottenere dal vinto il *riconoscimento* della sua superiorità.

Ultimo cantore del mito della guerra è Alessandro Baricco, che parla della "bellezza della guerra" accusando il pacifismo di non saper cogliere questo lato estetico. Scrive Baricco:

> Quel che forse suggerisce l'*Iliade* è che nessun pacifismo, oggi, deve dimenticare o negare quella bellezza: come se non fosse mai esistita. Dire o insegnare che la guerra è un inferno e basta è una dannosa menzogna. Per quanto suoni atroce, è necessario ricordarsi che la guerra è un inferno, *ma bello*.[2]

Siccome non è corretto estrapolare una frase e farla diventare il senso di un testo, è opportuno segnalare che Baricco articola questa nota estetica connettendola alla pietà che i vincitori non di rado nutrono per i vinti, al richiamo femminile alla pace, all'indugiare degli stessi alla nostalgia di questo richiamo, alla partecipazione dell'intera natura a questo momento di realizzazio-

[1] G.W.F. HEGEL, *Phänomenologie des Geistes* (1807); tr. it. *Fenomenologia dello spirito*, La Nuova Italia, Firenze 1963, vol. I, pp. 153-164: "Indipendenza e dipendenza dell'autocoscienza: signoria e servitù".
[2] A. BARICCO, *Omero, Iliade*, Feltrinelli, Milano 2004, p. 162.

ne estetica, per concludere che la guerra sarà superata non quando gli uomini decideranno di deporre le armi, ma quando troveranno qualcosa di più bello della guerra, dove esprimere i toni alti ed eroici della vita. Ma in cosa consiste questa bellezza e il fascino che la guerra ha sempre suscitato e ancora suscita? Consiste, scrive Baricco, nel fatto che:

> La guerra è stata, per gli uomini, la circostanza in cui l'intensità – la bellezza – della vita si sprigiona in tutta la sua potenza e verità. Era quasi l'unica possibilità per cambiare il proprio destino, per trovare la verità di se stessi, per assurgere a un'altra consapevolezza etica [...] l'unico riscatto possibile dalla penombra della vita.[3]

Diagnosi perfetta. Solo che va riferita non alla *guerra*, ma al *mito della guerra* creato dai poeti, dai romanzieri, dagli storici, dai cineasti, dalle nazioni. Come ci ricorda Chris Hedges, corrispondente di guerra per il "New York Times" (giornale per il quale ha seguito i conflitti in Salvador, Nicaragua, Colombia, Gaza, Sudan, Yemen, Algeria, Bosnia, Kosovo, Iraq), con la sua capacità di eccitare, con il gusto dell'esotismo, con l'allucinazione del potere che conferisce, con la possibilità di migliorare il proprio rango sociale, con l'animazione delle perversioni più sinistre, da quelle sessuali a quelle necrofile, non la guerra, ma il mito della guerra può dare a quanti attribuiscono scarso significato alla loro esistenza, ai dannati della terra, ai profughi emarginati, ai senza diritti che emigrano, perfino ai giovani che vivono nella splendida indolenza e sicurezza del mondo opulento, uno scopo, un senso, una nobile ragione per vivere.[4]

Il mito della guerra, e non la guerra, affascina con il richiamo al coraggio e all'eroismo, ma perché la fascinazione sia efficace il mito deve nascondere un elemento essenziale della guerra: il *terrore*, che i combattenti non possono confessare per non apparire vili. I media, con i loro reportage e con i loro effetti video, celebrano eroismo e compassione, a cui noi partecipiamo con la tranquillità di chi sa di essere al sicuro. E in effetti, scrive Hedges:

> Non sentiamo odore di carne putrefatta, non ascoltiamo i lamenti dell'agonia e non vediamo davanti a noi il sangue e le viscere che

[3] Ivi, p. 161.
[4] CH. HEDGES, *War is Force that Gives us Meaning* (2002); tr. it. *Il fascino oscuro della guerra*, Laterza, Bari 2004, p. 5.

erompono dai corpi. Osserviamo – a distanza – l'ardore e l'eccitazione, ma non viviamo l'ansia che torce le budella e l'umiliazione che accompagna un pericolo mortale. Ci vuole l'esperienza della paura e del caos del campo di battaglia, ci vuole il suo rumore assordante e spaventoso per risvegliarci, per farci capire che non siamo come credevamo di essere, che la guerra ricostruita dall'industria dello spettacolo in molti casi ha il realismo di un balletto.[5]

"Il *patriottismo*, che spesso è solo una forma appena velata di autovenerazione collettiva, esalta la nostra bontà, i nostri ideali, la nostra clemenza e lamenta la perfidia di chi ci odia." Creando un quadro in bianco e nero, "la guerra sospende il pensiero, soprattutto il pensiero autocritico" e, così mitizzata, "diventa una divinità che, come sapevano gli antichi Greci e Romani, per adorarla esige sacrifici umani". Si mandano in guerra i giovani, soprattutto i più diseredati, trasformando le stragi che devono compiere in atti di eroismo, coraggio, lealtà e spirito di abnegazione. Con queste parole "i creatori del mito della guerra mettono a tacere i testimoni di guerra".[6]

Ma oltre all'autovenerazione per noi stessi, il mito della guerra ci impone di *svilire il nemico*. La nozione di "nemico" abbraccia ovviamente anche i civili, che magari hanno ben poca simpatia per i tiranni che li opprimono o per i signori della guerra. E per effetto di questa logica e del mito che la sorregge, "se da una parte veneriamo e piangiamo i nostri morti, dall'altra siamo stranamente indifferenti a quelli che ammazziamo noi. [...] I nostri morti e i loro morti non sono uguali. I nostri morti contano, i loro no".[7]

Il patriottismo, al pari di una religione, assicura agli uni la benedizione, agli altri la maledizione e, come in ogni religione, il dissenso, la critica, la denuncia delle stragi, anche le più esecrande, vengono rigorosamente tacitati o ignorati perché minano le certezze. Come ci ricorda Hedges, "l'obiettivo è mostrare alla comunità che quanto essa ha di più sacro è minacciato": la sua religione, la sua cultura, persino la sua identità. E così si cancella ogni atteggiamento critico, ogni discorso dissonante, ogni rilievo che si discosta dalla retorica diffusa, perché, come ogni totalitarismo insegna, "creano troppa confusione tra le masse".[8]

[5] Ivi, p. 81.
[6] Ivi, pp. 12-13.
[7] Ivi, pp. 15-16.
[8] Ivi, p. 17.

L'*Iliade* stessa è un poema che non parla della guerra, ma del mito della guerra. I suoi eroi sono coraggiosi, audaci, inebriati dalle atrocità che commettono e commossi fino alle lacrime davanti ai loro lutti. Primo fra tutti Achille, che affronta il campo di battaglia con tutto l'ardore necessario per conquistare *kléos*, quella fama imperitura che solo una morte eroica è in grado di garantirgli.[9]

2. *L'atrocità della guerra*

In realtà, annota Hedges, "la guerra è *necrofila*" non solo perché ammazza, ma perché richiede a ciascun combattente una certa familiarità con la propria morte. "La necrofilia è fondamentale per il mestiere delle armi, così come lo è per la formazione dei kamikaze." Quando si ha l'impressione di non aver più scopi nella vita, quando la violenza della guerra raggiunge certi livelli di intossicazione, la necrofilia getta in quello stato di "frenesia in cui tutte le vite umane, compresa la nostra, sembrano secondarie". Gli antichi Greci chiamavano questa pulsione *ekpýrosis*, che significa "essere consumati da una palla di fuoco". Usavano questo termine per descrivere gli eroi.[10]

Oltre alla necrofilia, la guerra scatena la *lussuria* più sfrenata, carica di un'energia sessuale cruda e intensa che ha il sapore della voluttà autodistruttiva della guerra stessa, dove le uniche scelte sembrano la morte o lo scatenamento della sessualità. *Eros* e *Thanatos,* diceva Freud[11] a proposito delle pulsioni primarie che in tempo di guerra esplodono sfrenate. Perché in guerra, ricorda Hedges:

> Gli esseri umani diventano oggetti, oggetti da distruggere o da usare per gratificazioni carnali. Il sesso casuale e frenetico, assai frequente in tempo di guerra, spesso passa il segno e si trasforma in perversione e violenza, rivelando un grande vuoto morale. Quando la vita non vale niente, quando non si è sicuri di sopravvivere, quando a governare gli uomini è la paura, spesso si ha la sensazione che rimangano solo la morte o un fugace piacere carnale.[12]

[9] Omero, *Iliade,* Libro IV, v. 157.
[10] Ch. Hedges, *Il fascino oscuro della guerra*, cit., pp. 160-161.
[11] S. Freud, *Das Unbehagen in der Kultur* (1929); tr. it. *Il disagio della civiltà*, in *Opere* (1967-1993), Bollati Boringhieri, Torino, vol. X, pp. 590-610.
[12] Ch. Hedges, *Il fascino oscuro della guerra*, cit., pp. 160-161.

Gli antichi Greci avevano capito che la violenza della guerra e la violenza sessuale sono intimamente connesse. Afrodite, dea dell'amore e moglie di Efesto che forgiava le armi, divenne amante di Ares, il dio della guerra, per il quale nutriva una passione sfrenata.

Baricco lascia fuori dal campo di battaglia gli dèi, e perciò non coglie questi legami, così come, per poter cantare il mito della guerra, non segue, a differenza di Omero, i reduci. Quando la guerra finisce sul campo, infatti, non finisce nell'animo di quelli che l'hanno combattuta. Come ci ricorda Hedges: "Ulisse trova difficile ritornare alla vita domestica che aveva lasciato vent'anni prima. Le stesse virtù che gli erano servite in battaglia lo sconfiggono in tempo di pace".[13]

Dopo la guerra c'è l'immane fatica per guarire le ferite che non sono solo quelle fisiche. E c'è chi non ce la fa, perché tutto ciò che era familiare diventa assurdamente estraneo, e il mondo, a cui si sognava di tornare, appare alieno, insignificante, al di là di ogni possibile comprensione. L'accumulo di distruttività, vista e seminata, diventa autodistruttività che non conosce limite. E ciò, a parere di Hedges, è dovuto al fatto che la guerra genera una sorta di *tossicodipendenza*:

> La furia della battaglia provoca una dipendenza fortissima e spesso letale, perché anche la guerra è una droga, un tipo di droga che ho mandato giù per molti anni. A spacciarla sono coloro che ne creano il mito. [...] Quando assumiamo la droga della guerra proviamo esattamente quel che provano i nostri nemici, quei fondamentalisti islamici che definiamo alieni, barbari, incivili. È lo stesso narcotico che anch'io ho consumato per anni. E come per ogni tossicodipendente in fase di recupero, una parte di me continua ad avere nostalgia della semplicità e dell'euforia della guerra, anche se mi tormento per la ferocia che avrei fatto meglio a non vedere di persona. In certi momenti avrei preferito morire così, che tornare al tran tran della vita quotidiana. [...] La pace aveva fatto riemergere in me e in tanti di quelli che ho visto combattere quel vuoto che era stato riempito dalla furia della guerra. Ancora una volta eravamo soli, come forse lo siamo tutti, senza più il legame di un comune senso di lotta, senza essere più sicuri di che cosa sia la vita e di quale senso abbia. [...] Come la droga, infatti, anche la guerra dà l'illusione di eliminare i problemi più spinosi della vita.[14]

[13] Ivi, p. 14.
[14] Ivi, pp. 5-9.

E invece ai reduci i problemi li crea, e anche di irrimediabili, se è vero, come riferisce sempre Chris Hedges che, "durante la guerra arabo-israeliana del 1973, quasi un terzo di tutte le vittime israeliane fu dovuto a problemi psichiatrici, e il conflitto durò solo qualche settimana. Uno studio sulla Seconda guerra mondiale ha stabilito che dopo sessanta giorni di combattimenti continui il 98 per cento di tutti i soldati sopravvissuti hanno subìto danni psichiatrici"[15] che condussero alcuni al suicidio, altri a interminabili cure o a permanenti disadattamenti sociali. Per costoro la guerra non è finita mai, perché, come ci ricorda Platone: "Solo i morti hanno visto la fine della guerra",[16] Per gli altri, ma forse per noi tutti, vale il monito del poeta Wilfred Owen che, in una delle sue *Poesie di guerra*, scrive:

> Se in qualche orribile sogno anche tu potessi metterti al passo
> dietro al furgone in cui lo scaraventammo,
> e guardare i bianchi occhi contorcersi sul suo volto,
> il suo volto a penzoloni, come un demonio sazio di peccato;
> se potessi sentire il sangue, ad ogni sobbalzo,
> fuoriuscire gorgogliante dai polmoni guasti di bava,
> osceni come il cancro, amari come il rigurgito
> di disgustose, incurabili piaghe su lingue innocenti –
> amico mio, non ripeteresti con tanto compiaciuto fervore
> a fanciulli ansiosi di farsi raccontare gesta disperate
> la vecchia menzogna: "*Dulce et decorum est pro patria mori*".[17]

3. *La sacralità della guerra*

Per apparire "giusta" spesso la guerra viene caricata di *sacralità*, e in questo modo espande senza misura il suo potenziale distruttivo, perché il conflitto finisce con il coinvolgere non solo gli *interessi* dei belligeranti, ma la loro *identità*, la loro cultura, la loro fede, in una parola quelle figure irrinunciabili che, quando sono messe in gioco, non prevedono alternative se non l'annientamento dell'avversario o la propria morte.

In questi casi l'umanità retrocede dall'*uso della ragione*, che può fare il suo lavoro, diplomatico o anche militare, finché il con-

[15] Ivi, pp. 158-159.
[16] PLATONE, *Menesseno*, 236 d.
[17] W. OWEN, *Dulce et decorum est* (1917); tr. it. *Dulce et decorum est. Poesie di guerra*, Einaudi, Torino 1985, p. 81.

flitto resta circoscritto al contrasto degli interessi, allo *scatenamento dei simboli*, di fronte ai quali la ragione è impotente, perché il suo operare prende avvio solo dopo che si è usciti dall'area del sacro,[18] e si è stati in grado di mettere tra parentesi la differenza delle rispettive visioni del mondo o, se si preferisce, dei rispettivi sfondi simbolici in cui si radicano tutte quelle dimensioni pre-razionali che costituiscono lo zoccolo duro dell'identità di un individuo, di un popolo, di una cultura, di una razza, di una fede.

Da sempre e ovunque gli uomini hanno trascinato nei loro conflitti Dio e gli dèi perché, identificandosi con le potenze ritenute superiori, gli uomini hanno sempre avuto l'impressione di aumentare la loro potenza e di legittimare la loro violenza. Combattere, infatti, per un interesse terreno che divide non scatena mai tanta forza e tanta violenza quanta ne sprigiona la lotta per la propria identità di popolo che il dio suggella e, con la sua protezione, garantisce.

Nelle religioni politeiste, dove gli dèi sono molti e quindi, proprio per questo, limitati nella loro potenza, ricorrere agli dèi significa solo proiettare nel cielo il conflitto tra gli uomini. Ma la divisione degli dèi, come ci racconta Omero nell'*Iliade*, non consente a nessuno dei belligeranti intorno alle mura di Troia di godere del favore dell'onnipotenza di Dio.

Di questo favore ritengono invece di godere quanti credono in un solo Dio, e perciò nella guerra portano fino alle estreme conseguenze il *principio dell'intolleranza*, il tratto tipico di ogni religione monoteista. Se infatti c'è un unico Dio e io sono figlio di Dio, se il mio popolo è eletto, perché la sua fede è l'unica che indica la via della verità e della salvezza, chi sono mai gli altri? Gente da convertire o da combattere, perché non ci sono alternative quando in gioco è l'*unica via* alla verità e alla salvezza.

La tolleranza di alcune religioni monoteiste, come ad esempio quella cristiana, è una tolleranza *di fatto* e non *di principio*, nel senso che chi crede nell'unico Dio non può ritenere la propria condizione di fede equivalente alla condizione di chi non la condivide, perché in questo caso dovrebbe a un tempo credere e non credere.

Per questo le guerre dove i contendenti si sentono assistiti dall'unico Dio onnipotente sono tutte *guerre sante*, sono tutte

[18] Si veda a questo proposito U. GALIMBERTI, *Orme del sacro. Il cristianesimo e la desacralizzazione del sacro*, Feltrinelli, Milano 2000.

jihad, mentre non si può dire la stessa cosa, ad esempio, per la guerra di Troia o per le guerre a cui l'Impero romano affidava la sua espansione perché, a differenza del monoteismo, il politeismo assicurava ospitalità nell'Olimpo anche agli dèi dei popoli sconfitti, garantendo così la valenza simbolica che è alla base di ogni identità culturale. Pur prevedendo l'attiva partecipazione degli dèi, le guerre greco-romane erano in fondo guerre che oggi potremmo definire "laiche", perché in primo piano e in bella vista c'erano gli *interessi*, non la *fede*.

Dopo millecinquecento anni di guerre sante combattute in Occidente contro i barbari, gli arabi e gli indiani d'America, nel 1700, con l'Illuminismo e la Rivoluzione francese, si torna a desacralizzare la guerra, non attraverso il politeismo come nel mondo antico, ma attraverso una progressiva laicizzazione del mondo, che comporta quel benefico assentarsi di Dio dalle vicende umane, che a questo punto possono essere affrontate e risolte con gli strumenti che gli uomini hanno a disposizione: la ragione e la forza, che fanno piazza pulita di quel minaccioso potenziale simbolico a sfondo religioso che ottunde la ragione e acceca la forza.

Guerre desacralizzate, guerre "laiche", potremmo dire per intenderci, sono stati i conflitti che in Occidente hanno caratterizzato i secoli XIX e XX, con una sola variante simbolico-sacrale, che ha fatto la sua comparsa nella Seconda guerra mondiale con l'ideologia della superiorità razziale e con il conseguente sterminio degli ebrei. Qui il sacro, con il corredo dei suoi simboli devastanti, ha fatto la sua riapparizione e, a tragedia consumata, l'Occidente si è fatto carico della memoria, non tanto per prevenire un'altra possibile guerra, quanto per esorcizzare quel tipo di guerra dove gli *interessi*, che scatenano gli eserciti quando la politica fallisce, vengono nascosti e occultati dalla potenza nefasta dei *simboli*.

Oggi questa memoria sembra abbia ceduto. E il conflitto, non più arginato dalla logica "ragionevole" degli interessi, si è rivestito di simboli. Tali sono: l'Occidente contro il mondo islamico, la Bibbia contro il Corano, il Dio cristiano contro il Dio di Maometto, per non parlare di quelle espressioni e di quelle metafore tratte dal più arcaico linguaggio religioso, da cui non rifuggono neanche i media nei loro servizi e taluni politici nei loro discorsi.

Che altro significato ha questo richiamo a Dio, che così di frequente ricorreva nei discorsi di Bush e nei messaggi di Bin Laden, se non quello di eccitare gli animi dei rispettivi popoli con il fuoco pericolosissimo che la sacralità scatena, quando con la sua simbolica evoca identità, appartenenze, radici culturali, fedi?

Di questo sovrappiù simbolico non potremmo fare a meno? Non potremmo ricondurre il conflitto a quel contrasto d'interessi, che pure esiste tra queste due aree che siamo soliti chiamare mondo occidentale e mondo islamico, e che hanno per nome: mercato del petrolio, controllo delle aree d'influenza, ostacolare l'accesso alle risorse ad altre potenze, temi questi tutti umanamente trattabili con la politica e al limite anche con la guerra, senza far scendere in terra, anzi nel conflitto, Iddio, perché quando Dio scende in terra è subito apocalisse.

Già Platone parlava del "grande capovolgimento (*megíste metabolé*)"[19] che avvenne quando Dio abbandonò il timone del mondo e gli uomini dovettero darsi da fare con le tecniche e soprattutto con quella tecnica regia (*basiliké téchne*) che tutte le coordina e che ha per nome "politica", per poter giungere al governo della comunità.

Pur tra mille difficoltà la lezione di Platone è stata almeno in parte assimilata dall'Occidente, che ha desacralizzato gli interessi umani e i conflitti che essi inevitabilmente generano, chiamandoli con il loro nome. Sarebbe estremamente utile continuare a chiamare questi interessi con il loro nome e non confonderli con il nome di Dio, innanzitutto per non mettere Dio in contraddizione con se stesso, dal momento che sia gli islamici sia i cristiani si rifanno allo stesso Dio, che è poi il Dio di Abramo, di Isacco e di Giacobbe, e in secondo luogo perché una guerra desacralizzata e quindi limitata ai veri interessi, sia pure contrastanti, dei contendenti, ha più possibilità di comporsi e di concludersi di quante non ne abbia una guerra santa, dove in gioco sono identità di popoli, appartenenze, culture, razze, fedi.

4. *La guerra santa*

È noto a tutti quanto gli strumenti della ragione siano deboli contro la potenza dei simboli che annullano le differenze, infiammano i cuori, dopo avere assopito o addirittura ottenebrato le menti. La storia umana è uscita dalla dimensione simbolica solo da due secoli e limitatamente all'Occidente, che con l'Illuminismo ha promosso il primato della ragione e quel suo corollario che è l'ateismo, essendo Dio il fondamento di ogni dimensione simbolica.

[19] PLATONE, *Politico*, 272-273 a.

Prima di allora la *guerra santa* o, come dicono i musulmani la *jihad*, era comune tanto al mondo islamico quanto all'Occidente cristiano, e affondava le sue radici nell'antica cultura ebraica, il cui Dio era un Dio di guerra, capace di scatenare venti e tempeste, tuoni e fulmini, calamità di ogni genere in aiuto alle genti poste sotto la sua protezione, aggiungendo alla confusione del campo di battaglia quella delle potenze naturali, controllate dalla sua soprannaturale potenza.

La "guerra santa" ebraica finì nel 70 dopo Cristo con la distruzione del tempio di Gerusalemme, ma a raccoglierne l'eredità fu il Cristianesimo, che già con l'*Apocalisse* di Giovanni riesuma l'iconografia della guerra santa per la raffigurazione di Cristo, cinto di una corona d'oro, nella mano una falce affilata, con un angelo ai suoi ordini, per fare vendemmia della terra e depositarla nel torchio dell'ira divina.[20]

Il Cristianesimo diverrà religione dell'Occidente sotto il segno della guerra quando Costantino vedrà nel sole di mezzogiorno qualcosa che assomiglia al segno della croce: "*In hoc signo vinces*". Con quel segno si convertirono in seguito i popoli del Nord, denominati "barbari", che invasero l'Impero romano, sotto quel segno si riunirono le truppe di Carlo Magno che diedero origine al Sacro Romano Impero separato dall'Impero d'Oriente di fede ortodossa e dall'Islam che aveva fatto la sua comparsa nel VII secolo in Arabia Saudita con Maometto.

Maometto non ripudiava né la rivelazione ebraica né quella cristiana, rivendicava tra i suoi predecessori il patriarca Abramo, distruttore di idoli e adoratore dell'unico Dio; solo insisteva sul carattere definitivo della sua rivelazione rispetto a quella ebraica e cristiana, negando la proclamata divinità di Gesù Cristo.

L'allora mondo conosciuto si divise in tre parti: l'ortodossia occupò, a partire da Costantinopoli, il mondo slavo, mentre nel Mediterraneo rimasero a contendersi le terre l'Islam e il Cristianesimo, entrambi a colpi di "guerre sante" o "crociate", come da noi si diceva, dove gli arabi distinguevano la terra della pace (*dar alislam*) dalla terra della guerra (*dar alharb*), a cui corrispondeva da parte cristiana la terra dei fedeli (*partes fidelium*) da quella degli infedeli (*partes infidelium*).

Questa mentalità nel mondo cristiano non si estingue con il Medioevo, ma inaugura l'età moderna con Cristoforo Colombo che nel suo *Giornale di bordo* precisa gli obiettivi della sua av-

[20] GIOVANNI EVANGELISTA, *Apocalisse*, 19.

ventura. Il primo è quello di un figlio devoto della cristianità che vuol salvare il mondo portando il battesimo ai pagani. Il secondo è quello in cui il mondo moderno si riconoscerà, ossia riportare in patria tanto oro: "Il Signore nella sua bontà mi faccia trovare questo oro".[21]

Costo dell'operazione: quella "moltitudine di ignudi e indifesi", come li chiama Colombo nel suo *Giornale di bordo*, erano sette milioni al suo arrivo e saranno appena quindicimila sedici anni dopo. A parere di Ernesto Balducci: esportare battesimi e importare ricchezza è stato il senso di questa guerra santa cristiana, e insieme, pur nel mutar dei nomi e delle forme, il senso della "modernità", avanzata a colpi di colonialismo prima territoriale e oggi economico.[22]

Da questo breve excursus storico appare evidente che la *guerra santa* o *jihad* non è una prerogativa del mondo islamico e neppure un'arretratezza medievale, dal momento che percorre l'intero arco della storia moderna, ma è un tratto tipico delle religioni monoteiste che, in buona fede, trovano in Dio la giustificazione dei delitti più esecrabili compiuti in suo nome.

Nulla allora di più benefico della "morte di Dio" proclamata da Nietzsche[23] e anticipata un secolo prima dall'ateismo illuminista. Una morte – e qui bisogna che si presti una grande attenzione – che non lascia solo orfani ma anche eredi. E tra gli eredi non fatichiamo ad annoverare quanti, lasciata alle spalle la "guerra santa", oggi approdano alla "guerra giusta". Dove la nozione di *giustizia*, tra due contendenti senza un arbitro, difficilmente si scosta dalla nozione di *vendetta*, che attorciglia la storia in una spirale i cui risvolti tragici nessuno fatica a immaginare.

Israeliani e palestinesi, nel loro piccolo, ci hanno già raccontato il futuro. Un esercito tra i più attrezzati del mondo e una povertà tra le più disperate del mondo da cinquant'anni sono l'uno nelle mani dell'altro. Se questo decidiamo sia il nostro futuro, non abbiamo che da seguire passivamente la storia.

L'Islam è ancora immerso nella dimensione simbolica, la più terribile, perché i simboli lavorano con la legge del tutto o nulla,

[21] C. Colombo, *Annotazione del 23 dicembre 1492*, in *Giornale di bordo di Cristoforo Colombo (1492-1493)* e *Relazioni di viaggio e lettere di Cristoforo Colombo (1493-1500)*, Milano 1939.

[22] Su questo argomento si veda E. Balducci, *La terra del tramonto. Saggio sulla transizione*, Edizioni Cultura della Pace, San Domenico di Fiesole 1992, capitolo 1: "La modernità", pp. 13-41.

[23] F. Nietzsche, *Die fröhliche Wissenschaft* (1882); tr. it. *La gaia scienza*, in *Opere*, Adelphi, Milano 1965, vol. V, 2, § 125.

categoria religiosa che prevede solo salvezza o dannazione. L'Occidente è appena uscito dalla dimensione simbolica ed è approdato all'uso illuministico della ragione, non grazie al Cristianesimo che parla di pace senza avere le carte in regola, ma grazie alla scristianizzazione dell'Occidente che, lasciate alle spalle le figure apocalittiche della fede, ha cominciato a frequentare i percorsi più angusti, più modesti se si vuole, ma più efficaci della ragione che, senza una verità precostituita alle spalle, non dimette il lavoro duro della ricerca e della comprensione.

Ora è necessario che l'Occidente non rinneghi se stesso e gli strumenti razionali che ha faticosamente guadagnato nel corso della sua storia, e non ripiombi nel simbolico, e nella violenza che sempre accompagna questa dimensione, per la quale il bene sta tutto da una parte e il male dall'altra: "O con noi o contro di noi," come inopportunamente ha detto l'ex presidente degli Stati Uniti Bush jr. con chiaro riferimento alla lettera e allo spirito biblico, madre e padre di tutte le *jihad*.

La cristianità teocratica del Medioevo da un lato e la teocrazia islamica dall'altro avevano trasmesso alla modernità il loro paradigma universalistico. In forza di un privilegio stabilito da Dio toccava all'Islam su un versante e alla Cristianità sull'altro difendere le proprie forme culturali fino ai confini della terra. L'Islam è rimasto prigioniero di questa vocazione. Sarebbe estremamente pericoloso se l'Occidente, che ritiene di essersene liberato, grazie al processo di secolarizzazione che nel suo seno è in corso da due secoli, oggi negasse la sua storia e riprendesse, sotto nuove forme e nuovi metodi, la vocazione messianica in cui è cresciuto per diciotto secoli. E con la forza delle armi e del denaro scegliesse la via della distruzione e dell'occupazione, proponendo se stesso come *totalità*, invece di cogliere la possibilità di crescita umana implicita nel confronto con la *diversità*.

Ogni tanto la storia si incarica di rendere la soluzione dei problemi non più rinviabile. E chiede una scelta. Per quanto riguarda noi occidentali la scelta è se proseguire, sia pure in forme laicizzate, la vocazione messianica che fa coincidere l'Occidente con la totalità umana, o se invece non è meglio percorrere l'altra via che visualizza l'Occidente come una *parte* nell'orizzonte più ampio della totalità umana.

Nel primo caso quel che seguirà alla politica della "guerra preventiva" già attuata in Iraq, anche se non sarà chiamata "guerra santa", in nulla si distinguerà da una vera e propria *jihad*, perché quando il bene è tutto da una parte e il male tutto dall'altra il simbolico ha già fatto il suo lavoro più importante e sconvolgente, e l'Occidente avrà rinunciato alla sua prerogativa, che è poi quella dell'uso costante della ragione, da salvaguardare ogni giorno dalla potenza devastante dei simboli che, sotto la protezione delle religioni, ancora regola gran parte dell'umanità. E gli effetti, non da oggi, sono sotto gli occhi di tutti.

5. *Il silenzio di Dio*

A questo punto è davvero auspicabile il "silenzio di Dio" che Giovanni Paolo II lamentò nella sua udienza generale del 2 aprile 2003. Citando Isaia, il papa espresse tutto il suo timore per questo silenzio che, di fronte alle atrocità della storia, può generare "perplessità" e, per l'uomo giusto, perfino "scandalo".

Ma poi il pontefice ha aggiunto: "Il silenzio di Dio non sta a indicare la sua assenza, quasi che la storia sia lasciata in mano ai perversi, nell'indifferenza e nell'impassibilità del Signore". Quel tacere, ha proseguito il papa citando un passo del *Libro di Giobbe*, "sfocia in una reazione simile al travaglio di una partoriente che s'affanna, sbuffa e urla". Anche nel dolore, quindi, anche nel dolore più atroce, non c'è il buio della cieca insensatezza che talvolta sembra colpire la storia individuale e quella collettiva, ma la trama nascosta di un senso che il silenzio di Dio non indica, ma la sua presenza silente custodisce.

Questo discorso, per sé, non è propriamente cristiano, perché il Dio che il papa indica non è il Padre misericordioso e disposto al perdono a cui i Vangeli fanno continuo richiamo, ma è il Dio biblico che si chiude nel silenzio, perché le azioni degli uomini non sono buone per sollecitare la sua benedizione, e neppure cattive per provocare la sua maledizione, ma "perverse".

Il bene e il male rientrano in un quadro di ordine e disordine, dove il senso della storia resta comunque segnalato dalla benedizione o dalla maledizione di Dio, ma la *perversione* abolisce il senso, ne fa perdere le tracce, inabissa la storia nel caos dell'insensatezza, ammutolisce Dio che resta presente come testimone dello spettacolo del male.

Non il male che è il contrario del bene e per il quale è previsto anche il perdono di Dio, ma il *Male radicale*, quello che antecede la stessa distinzione tra il bene e il male, perché lo spettacolo che dischiude non è quello dell'ordine o del disordine, ma quello dell'*insensatezza* che inabissa la storia nella luce nera dell'assenza di senso, dove la parola di Dio non solo non è ascoltata, ma neppure udita. E allora Dio tace. E nel suo silenzio accade il pianto del giusto e la ferocia dell'ingiusto, la morte dell'innocente e la parola vana di chi vuol riordinare la storia dopo aver ammutolito Dio.

Proprio perché non "cristiane" ma "veterotestamentarie", queste parole del papa non sono di parte, non difendono il Cristianesimo contro l'Islam, perché i cristiani e i musulmani, così come gli ortodossi e i protestanti, si riconoscono nel *Vecchio Testamento*, da cui il papa trae le immagini e le parole che restano, dopo che Dio si è chiuso in quel silenzio che non è assenza, ci ricorda il papa, ma impietrita presenza che vigila sull'accadere fragoroso del Male.

Il papa parla un linguaggio simbolico. Ma cosa significano le sue parole per un laico, o in generale per chi non crede che la storia sia governata da Dio, lo stesso Dio invocato a giusto titolo dal papa, ma senza titolo, e quindi con effetti tragici, sia da Bush sia da Saddam? Dico "tragici" perché quando il conflitto tra gli uomini si ammanta di sacralità, la ragione collassa, sommersa dalla dimensione simbolica la cui potenza infiamma i cuori e ottenebra le menti.

La storia umana è uscita dalla dimensione simbolica, che ha in Dio il suo fondamento, solo da due secoli e limitatamente all'Occidente, che con l'Illuminismo ha promosso il primato della ragione e quel suo corollario che è il *laicismo*. A questo punto il "silenzio di Dio", così drammaticamente segnalato dal papa, per un laico può voler dire un *benevolo tacere* della dimensione simbolica, affinché i deboli strumenti della ragione, che il simbolico sopprime, possano di nuovo riapparire per diffondere quella luce che, anche se non è sfolgorante come quella di Dio, può consentire a uomini finora distanti, perché provenienti da culture diverse, di guardarsi in volto e riconoscersi.

17.
Il mito della sicurezza

> L'uomo primordiale stava meglio perché ignorava qualsiasi restrizione pulsionale. In compenso la sua sicurezza di godere a lungo di tale felicità era molto esigua. L'uomo civile ha barattato una parte della sua felicità per un po' di sicurezza.
>
> S. FREUD, *Il disagio della civiltà* (1929), p. 602.

1. *L'instabilità della condizione umana e le misure di stabilizzazione*

Secondo Nietzsche, "l'uomo è un animale non ancora stabilizzato".[1] E la ragione va cercata nel fatto che l'uomo è privo di istinti, ossia di quelle risposte *rigide* agli stimoli, per cui, giusto per fare un esempio, l'erbivoro, che reagisce di fronte a un covone di fieno, non reagisce di fronte a un pezzo di carne.[2] Anche l'"istinto sessuale", come ci ricorda Freud, è così poco "istintivo" che, di fronte a una sollecitazione sessuale, l'uomo, a differenza dell'animale, può concedersi a tutte le perversioni, oppure, nella forma della sublimazione, consegnarsi a una meta non sessuale, come può essere una composizione poetica, musicale o artistica. A partire da queste considerazioni Freud, nei suoi scritti, abbandonerà presto la parola "istinto (*Instinkt*)" per sostituirla con la più generica "pulsione (*Trieb*)".

Privo della rigida stabilità garantita dalla codificazione istintuale, l'uomo è libero. La *libertà*, infatti, non scende dal cielo e

[1] F. NIETZSCHE, *Jenseits von Gut und Böse. Vorspiel einer Philosophie der Zukunft* (1886); tr. it. *Al di là del bene e del male. Preludio di una filosofia dell'avvenire*, in *Opere*, Adelphi, Milano 1972, vol. VI, 2, § 62, p. 68.

[2] Questa tesi trova la sua adeguata documentazione in A. GEHLEN, *Der Mensch. Seine Natur und seine Stellung in der Welt* (1940); tr. it. *L'uomo. La sua natura e il suo posto nel mondo*, Feltrinelli, Milano 1983, pp. 371-376: "Rifiuto della teoria degli istinti". Su questo argomento si veda anche U. GALIMBERTI, *Psiche e techne. L'uomo nell'età della tecnica*, Feltrinelli, Milano 1999, Parte II: "Genealogia della tecnica: l'incompiutezza umana".

tantomeno è una prerogativa dell'anima o della volontà o del discernimento. Essa scaturisce da quella mancanza di codici istintuali che vincolano gli animali dalla loro nascita alla loro morte, e lasciano libero l'uomo nella costruzione e nella conduzione della propria vita, che nessun codice biologico governa.

Ma l'instabilità che ne deriva è inquietante, perché non concede la prevedibilità dei comportamenti, la consequenzialità delle azioni, e quindi la creazione di un mondo comune e condiviso. Per questo gli uomini, per difendersi dall'instabilità dovuta alla mancanza di codici istintuali, si sono dati codici prima *religiosi*, per poter attribuire gli eventi agli dèi, che con le preghiere e i sacrifici si credeva di poter condizionare, poi, quando il cielo si è fatto vuoto, la filosofia ha fornito codici *logici* e codici *etici*.

Logici sono quei codici regolati dal principio di non contraddizione, che sottrae ogni cosa all'ambivalenza di significato di cui è carica, per de-terminarla in una significazione univoca e da chiunque condivisa, e dal principio di causalità, per cui gli eventi non appaiono più come accadimenti imprevedibili e perciò angoscianti, ma come effetti previsti una volta che se ne conosce la causa. La logica, ideata in ambito filosofico e applicata in ambito scientifico, è stata la prima forma di stabilizzazione del *pensiero* e del *linguaggio* che ha consentito agli uomini di intendersi e di comunicare tra loro.[3]

Ma oltre al pensiero e al linguaggio andava stabilizzato anche il *comportamento*. E la cosa avvenne con quei codici *etici* rappresentati prima dai tabù che segnalavano le azioni proibite, poi dai precetti e dai comandamenti di cui si nutrono tutte le morali, siano esse ancorate al volere di Dio o convenute tra gli uomini, per ridurre gli spazi di conflittualità e garantire la pace, che è la condizione preliminare di ogni progresso e avanzamento di civiltà.

La *logica* da un lato e l'*etica* dall'altro sono state le due grandi macchine di stabilizzazione della vicenda umana che l'instabilità biologica, dovuta alla mancanza di un rigido codice istintuale, non era in grado di garantire, mettendo a rischio l'esperimento umano che, senza regole, poteva naufragare miseramente fin dall'alba della sua comparsa. Così hanno pensato Platone, Tommaso d'Aquino, Hobbes, Kant, Herder, Nietzsche e nel secolo scorso Bergson e Gehlen.

[3] Si veda in proposito U. GALIMBERTI, *Gli equivoci dell'anima* (1987), Feltrinelli, Milano 2001, capitolo 15: "Gli strumenti del sapere".

Platone, infatti, racconta che un giorno Zeus incaricò Epimeteo di rifornire tutti i viventi di una qualche capacità, in modo che potessero provvedere alla loro vita. Giunto all'uomo, Epimeteo si trovò a mani vuote perché, da improvvido (il suo nome infatti significa "colui che pensa dopo"), aveva distribuito a tutti i viventi le virtù di cui disponeva, e non gliene rimaneva più alcuna per l'uomo.

Allora Zeus, impietositosi, chiamò il fratello di Epimeteo, Prometeo (che significa "colui che pensa in anticipo") e lo incaricò di dare agli uomini la sua virtù, che è poi quella di "prevedere" e "provvedere" al proprio futuro.[4] Per questo, come ci ricorda Hobbes, mentre gli animali mangiano quando hanno fame, "gli uomini sono affamati anche della fame futura".[5]

Ed è per questa "fame futura" che gli uomini presero a coltivare la terra, ad allevare gli animali, a raccogliersi in piccole comunità, a stipulare amicizie, in modo che ciascuno potesse fidarsi dell'altro e insieme difendere meglio i beni acquisiti, per poter garantire una certa sicurezza alla propria vita. Una sicurezza nei confronti della natura che, oltre a essere benefica, non risparmia cataclismi, e una sicurezza nei confronti dei propri simili che non sono solo amici, ma anche ostili. Per questo gli uomini costruirono città difese da alte mura, stipularono all'interno delle città degli accordi che chiamarono "leggi", capaci di regolare i rapporti tra i vari abitanti, in modo che ciascuno fosse garantito nella disponibilità dei suoi beni e nel futuro della sua prole.

Fu un processo lungo, durante il quale l'umanità apprese che, se voleva evitare la guerra di tutti contro tutti in una sequenza infinita di vendette, era meglio che ciascun individuo consegnasse una parte della sua libertà a quell'entità superiore che poi venne chiamata "Stato", il quale, senza amore e senza odio, fosse in grado di fissare per ciascuno i limiti all'esercizio della sua libertà, in modo che tutti fossero un po' meno liberi, ma più sicuri.[6]

La sicurezza, infatti, ha un costo in termini di libertà indivi-

[4] PLATONE, *Protagora*, 320 d-322 d.

[5] TH. HOBBES, *Elementorum philosophiæ, Sectio secunda: De homine* (1958); tr. it. *Elementi di filosofia: Il corpo – L'uomo*, Utet, Torino 1972, capitolo X, § 3, p. 588: "*Etiam famis futuræ famelicus*".

[6] TH. HOBBES, *Elementorum philosophiæ, Sectio tertia: De cive* (1942); tr. it. *Elementi filosofici sul cittadino*, Utet, Torino 1971, e in particolare il capitolo I: "Lo stato degli uomini fuori dalla società civile" e il capitolo II: "La legge di natura relativa ai contratti".

duale e quindi anche in termini di felicità, se è vero che ogni restrizione comporta un sacrificio, una limitazione. Fu proprio a partire da queste considerazioni che Freud un giorno ebbe a dire: "L'uomo civile ha barattato una parte della sua felicità per un po' di sicurezza".[7]

Il problema oggi è di vedere se questo baratto è proporzionato. Se la ricchezza e la potenza di noi occidentali non abbiano attratto su di noi il risentimento del mondo e l'odio dei disperati della terra che ci costringono, per ragioni di sicurezza, a fare dell'Occidente una società assediata, con tanti di quei dispositivi di controllo e di difesa da limitare la nostra libertà in una misura che, se non i nostri padri, certo i nostri nonni non avrebbero neppure sospettato.

Si è venuto così a creare quel cortocircuito per cui la ricchezza chiede sempre maggiore sicurezza e la sicurezza una sempre maggiore limitazione di libertà. Non è un caso che nel declino generale dell'economia europea le industrie più fiorenti sono quelle che costruiscono dispositivi di sicurezza. Meglio assediati ma sempre più sicuri? Era proprio questa la meta a cui tendeva il progresso della nostra civiltà? Qui qualche riflessione bisognerà pur farla, per non finire prigionieri delle nostre gabbie, che non cessano di essere gabbie per il fatto di essere dorate.

2. *L'insicurezza generata dal terrorismo*

All'instabilità, come tratto tipico della condizione umana, il terrorismo ha aggiunto non un *pericolo determinato* ma *la pericolosità come minaccia non identificabile*, e quindi ovunque incombente, che ci attanaglia in quel non-luogo che sono tutti i luoghi, in quell'ora che sono tutte le possibili ore. Non un *fatto*, che come tutti i fatti la storia si incarica di seppellire, ma la *possibilità* che questo fatto abbia una sua ripetibilità e sia il nostro incombente futuro.

Siamo soliti chiamare questa condizione "paura", in realtà è "angoscia". La paura, infatti, è un ottimo meccanismo di difesa che, di fronte a un pericolo determinato, adotta strategie di attacco o di fuga. L'angoscia, invece, è un sentimento che insorge di fronte all'indeterminatezza di una minaccia non identificabi-

[7] S. FREUD, *Das Unbehagen in der Kultur* (1929); tr. it. *Il disagio della civiltà*, in *Opere*, Bollati Boringhieri, Torino 1967-1993, vol. X, p. 602.

le, non localizzabile, non prevedibile, ma vissuta come certa, come qualcosa che, prima o poi, capiterà. Dall'angoscia non ci si può difendere.

L'arma del terrorismo, che è poi l'arma di chi non ha eserciti per combattere ad armi pari, è la distribuzione dell'angoscia. Fatte le debite proporzioni, è la stessa arma dei giovani che, non potendo competere con gli adulti (i genitori) ad armi pari, li ricattano seminando angoscia con i loro comportamenti imprevedibili, le loro nottate senza ritorno, le loro trasgressioni nascoste, i loro discorsi al limite di un'improbabile o probabile devianza.

Dopo la guerra in Iraq, e non dopo l'11 settembre, anche molti italiani hanno iniziato a vivere nell'angoscia. Non l'hanno dichiarata, perché nella nostra cultura non bisogna ostentare paura o debolezza, ma l'hanno rivelata i loro comportamenti, che lasciavano trasparire una certa inquietudine nello scendere in metropolitana o salire sugli aerei, fino a indurre a disertare i luoghi affollati e gli assembramenti di massa. Una mano alla diffusione dell'angoscia l'hanno data anche i nostri politici che, nel propagandare i successi delle operazioni di polizia, finivano con l'insinuare il sospetto che il terrorista potesse abitare la tua città, e da lì mettere in atto i suoi disegni di distruzione. Un po' di segretezza in questo scenario non sarebbe stata inopportuna. Ma che volete? Un "ve l'avevamo detto" dopo una strage accredita sempre chi governa.

Ma, notizia dopo notizia, avvertimento dopo avvertimento, l'angoscia dilaga e, come nei deliri paranoici, si dissemina su tutte le cose che diventano terribilmente sospette. Si eleva in ciascuno di noi la soglia di vigilanza, diventiamo più guardinghi, più sospettosi. Il luogo pubblico, che è poi il luogo della socializzazione, diventa il luogo del pericolo, mentre il privato – la famiglia – diventa il luogo della sicurezza. Dentro casa ci si fida. Fuori si diffida.

E così il sociale collassa e, con il sociale, parte dell'essenza umana che gli antichi Greci avevano individuato quando definivano l'uomo "animale sociale". Svilupperemo egoismi, solitudini, diffidenze, sospetti. Prima del disastro terroristico avremo creato una società così poco fiduciaria e solidale che, alla lunga, finirà con l'essere il vero disastro senza vittime di sangue.

Convivremo comunque abbastanza decentemente anche con il terrorismo, perché, siccome l'angoscia è costitutiva della nostra struttura psichica, basterà trasferirla dal piano psichico a quello "presunto reale". Quindi non più angoscia del futuro, della mancanza di lavoro, dell'amore che non c'è, dei figli che chissà come crescono, ma angoscia del terrorismo. Un evento esterno ai nostri angoscianti vissuti psichici. Qualcosa di preciso che fa pulizia dei fantasmi della nostra mente. Il nemico è *là* e non chissà dove.

In questo modo finiremo per liberarci dall'*angoscia* e avere semplicemente *paura*. Impoverimento psichico, senz'altro. Ma forse anche la nostra anima aveva bisogno di semplificazione. E la paura del terrorismo è stato un ottimo espediente e per giunta funzionale al sistema, a differenza, ad esempio, dei disastri climatici che, non essendo funzionali al sistema, non terrorizzano nessuno.

3. *L'insicurezza generata dalla globalizzazione*

Nelle nostre città, dove non manca giorno dove qualcuno non venga assassinato, qualche donna stuprata, qualche banca rapinata, qualche casa svaligiata, circola la paura. La paura che non fa prendere la metropolitana dopo le nove di sera, quella che non fa uscire di notte se non per il breve tragitto da una casa all'altra, su automobili con la sicura interna bloccata. La paura che rifornisce i figli di telefonini per la loro reperibilità, quella che riduce il prelievo agli sportelli bancomat per non avere sorprese, quella che ti fa passare vicino al prossimo tuo come si passa vicino ai muri, con l'occhio circospetto e il passo veloce, per cui se non conosci la via, neanche puoi chiedere un'informazione.

Di fronte a questi comportamenti innescati dalla sensazione imprecisa ma diffusa di sentirsi minacciati, nonostante le stime reali dicano di una diminuzione effettiva di questa minaccia rispetto agli anni che ci hanno preceduto, Giuseppe De Rita parla di un'"emozione che supera la realtà", e, per spiegare questa bella immagine, fa riferimento alla "molecolarizzazione della società"[8] che, tradotto, significa: siamo più emotivi perché più soli, più liberi e più ricchi. Ne è prova il fatto che l'angoscia per la criminalità è più grande nel Nord-est del benessere che nel Meridione che non ha gli stessi livelli di ricchezza.

A questa interpretazione, che ha una sua plausibilità, ne vorrei affiancare un'altra a mio parere ben più determinante. Alla

[8] G. De Rita (a cura di), *34° Rapporto sulla situazione sociale del paese*, Fondazione Censis, Roma 2000, p. 18.

base c'è sempre il denaro, ma non nel senso che i ricchi hanno più paura dei poveri di perderlo, ma nel senso che là dove vige solo la legge del denaro, il territorio, che è poi il deposito di quegli usi, costumi e tradizioni che rendono fiduciario il rapporto fra gli uomini, rischia di sfaldarsi e, nonostante il controllo delle forze dell'ordine, i sindaci-sceriffo, il porto d'armi, si teme che tale rapporto non tenga più.

E questo non perché sono arrivati gli albanesi, i kosovari, gli slavi, i curdi, i nigeriani, ma perché il risvolto negativo della *globalizzazione economica* è la *de-territorializzazione umana*. Di questo abbiamo paura. E anche se a livello conscio non sempre sappiamo individuarne la ragione, inconsciamente avvertiamo che questa è la vera causa della criminalità, perché la de-territorializzazione, richiesta dai processi di globalizzazione, rende il territorio incerto, e non fiduciario il rapporto umano.

E siccome la globalizzazione concepisce le città come semplici *luoghi di scambi*, più che come *luoghi di abitazione e di radicamento*, nasce la percezione diffusa che siamo solo all'inizio di quel processo irreversibile che traduce le grandi città in agglomerati di sconosciuti, senza più quel tessuto sociale che creava quel rapporto fiduciario fra gli abitanti del territorio i quali, se anche non si conoscevano, sapevano di sottostare a quella legge non scritta che era l'uso e il costume degli abitanti di quella città.

Già da vent'anni i demografi – che al pari dei geologi nessuno ascolta, perché gli uni e gli altri parlano di tempi che non sono l'oggi e il domani – avevano annunciato che nel 2030 i quattro quinti dell'umanità si sarebbero raccolti in trenta città. E questo cosa significa? Significa che le città avrebbero perso i loro connotati e sarebbero diventate pure estensioni di uomini, concentrati l'uno a fianco dell'altro, con l'unico vincolo che è il procacciamento del denaro. Non più un denaro prodotto dalle arti e dai mestieri del territorio, ma un denaro da tutto sradicato, che ha nei confini del territorio il suo maggior ostacolo.

Già oggi merci e denaro percorrono le vie del mondo più liberi dell'uomo e, rispetto a essi, l'uomo trova il proprio riconoscimento solo come funzionario delle merci e funzionario del denaro. Funzionari legali come tutti quelli che vanno in fabbrica o in ufficio, funzionari illegali come quelli che, ai margini della città, premono con le loro pratiche di capitalizzazione selvaggia che da sempre sono la prostituzione, l'usura, il traffico di droga e delle armi.

Ma quando il denaro, legale o illegale che sia, diventa l'unico vincolo di convivenza di quegli agglomerati di varia umanità che, senza più usi, costumi e tradizioni comuni, solo per pigrizia mentale continuiamo a chiamare "città", allora è prevedibile che l'azione criminale, se non gesto quotidiano, rischi di diventare gesto frequente. E, più che nei quotidiani episodi di violenza, è in questo sospetto, che diffuso si affaccia alla soglia della nostra coscienza, che si radica la paura della città.

Dopo episodi particolarmente efferati di violenza, accade sempre che il ministro degli Interni, i procuratori della città, i sindaci, i presidenti delle regioni si riuniscano per coordinare le forze dell'ordine, in modo da garantire meglio il controllo del territorio. Ben vengano le misure di volta in volta concordate, ma il problema è, e resta, altrove. E precisamente nel fatto che il territorio non lo si garantisce tanto con il controllo delle forze dell'ordine, ma rinsaldando quel tessuto sociale, depositario di usi, costumi e tradizioni, che rendono fiduciario e non diffidente il rapporto con il prossimo.

E allora bisogna lavorare sui processi d'immigrazione da rendere compatibili con i processi di inserimento, sui processi di emarginazione da ridurre con le pratiche di recupero, bisogna lavorare sulla scuola, che in termini di educazione soffre molto più di quanto non si creda quando si riduce il problema alla diatriba tra pubblico e privato, bisogna lavorare sulla vita delle carceri per evitare di coltivare un'umanità che, quando sarà libera, lo sarà solo per delinquere, bisogna meglio curare i programmi televisivi che, dicono le statistiche, distribuiscono sui vari canali venti delitti all'ora.

E infine bisogna lavorare sulla formazione della rappresentanza politica affinché la sequenza dei delitti e delle rapine nelle nostre città, nonché l'ira dei cittadini, non diventino una semplice occasione di propaganda per i politici più demagogici, più interessati a soddisfare l'emotività della gente che a risolvere i problemi. Perché, per risolvere i problemi, bisogna averne individuato le vere cause, che sono più complesse di quelle elementari che la gente invoca quando chiede di chiudere le carceri con dieci mandate e blindare i confini all'insegna del "fuori l'immigrato!".

Ma credono davvero, costoro, che gli affamati della terra, affamati un po' per la loro arretratezza e un po' per colpa nostra, accettino tranquillamente di morire nelle loro terre di fame e di guerra per rendere più tranquilla la nostra sicurezza? Riescono davvero a pensare queste cose i rappresentanti politici delle diverse formazioni, o si limitano a urlarle nelle loro manifestazioni che avvengono in giorni diversi per non confondere le bandiere e i voti?

Le nostre città hanno paura. Ma è una paura che va oltre i quotidiani delitti e gli incerti rimedi. Non è possibile, infatti, trovare vere soluzioni se non si individuano le vere cause, che non sono certo da cercare nella libertà provvisoria concessa ai microcriminali, nel mancato coordinamento delle forze dell'ordine, o nell'afflusso dei disperati senza pace e senza cibo. Queste, se mai, sono solo conseguenze di quella vera causa che è la *globalizzazione economica*, la quale detta le leggi del mondo a partire da quell'unico valore che è il *denaro*. Questo, avendo una libertà di circolazione trans-territoriale, misconosce territori, confini e frontiere che, insieme alla legge, sono stati fino a oggi le maggiori garanzie di sicurezza.

L'impressione è che siamo entrati nell'epoca che segna la fine dell'uomo giuridico, a cui la legge fornisce gli argini della sua intrinseca debolezza, e la nascita dell'uomo sempre meno soggetto alle leggi del paese e sempre più costretto a fare appello a valori che trascendono la garanzia del legalismo. Il *prossimo*, sempre meno specchio di me, e sempre più *altro*, obbligherà tutti a fare i conti con la differenza, come un giorno, ormai lontano nel tempo, siamo stati costretti a farli con il territorio e la proprietà. La *diversità* sarà il terreno su cui far crescere le decisioni etiche, mentre le leggi del territorio si attorciglieranno come i rami secchi di un albero inaridito.

Fine del legalismo e quindi dell'uomo come l'abbiamo conosciuto sotto il rivestimento della proprietà, del confine e della legge, e nascita di quell'uomo più difficile da identificare se non si inventa un'etica più alta di quella giuridica, da cui finora gli "uomini del territorio" erano stati governati. Alla radice, il problema è questo. E siccome mi pare un problema molto serio, evitiamo di trattarlo come un'emergenza da cui, con un po' di propaganda e con qualche sporadico intervento, si può anche rientrare.

4. *Il mondo della vita e il mondo della legalità*

Se siamo persuasi che la sicurezza non è delegabile a una sola istituzione dello Stato, come può essere la polizia, se poi tutte le altre non si fanno carico di insegnare, diffondere e difendere tutte quelle forme di legalità che costituiscono il terreno naturale della nostra sicurezza, che senso ha chiedersi se "la legalità è un valore di destra o di sinistra"?[9] Non è forse meglio prendere in considerazione l'evoluzione dei problemi che spesso non appare alle nostre coscienze beate, use ad assopirsi nelle visioni del mondo che le ideologie offrono con generosità, impedendoci di vedere come è davvero il mondo, come cambia, e che posizione dobbiamo assumere di fronte ai suoi radicali mutamenti?

Una prima contraddizione in cui tutti ci veniamo a trovare è quella tra il *mondo della vita* e il *mondo della legge*. Tutti stiamo dalla parte del mondo della vita perché è bello, perché a regolarlo è l'anarchia del desiderio che conosce solo il principio del piacere, dove basta desiderare per avere. Memoria infantile. Fissazione a un'età da cui, se non ci fossimo evoluti, non saremmo divenuti adulti.

È bello bere tutti insieme la birra in piazza facendo tutto il rumore che ci piace, lasciando le lattine e quant'altro sul selciato. È bello. Non si può negare. Così come non si può negare che è bello e anche facile occupare una casa abusiva semplicemente perché se ne ha bisogno, trascurando in pari tempo chi, come noi, ne ha altrettanto bisogno, ma non ne ha la forza. È bello vivere tutti assieme tra occupanti, tra gente che si sente dalla stessa parte, come i bambini quando fanno banda o gruppo. È bello. Ma non è adulto.

Il mondo della vita ti porta anche gli immigrati in casa. E siccome gli immigrati valgono meno della merce che producono, e comunque hanno minor possibilità di circolazione di quanta non ne abbiano i beni da loro prodotti, con loro si può fare ciò che si vuole. Li si può impiegare regolarmente, oppure in nero, li si può cooptare nelle forme del caporalato che li assolda a giornata, oppure per altri "mestieri" che vanno dal racket allo spaccio. Il mondo della vita è anche questo, ed è per vivere che gli immigrati si adattano a questo. Dietro le loro facce, che sembrano icone della sofferenza, c'è chi nell'illegalità li usa per fare gli affari suoi, sporchi o puliti che siano.

Il mondo della vita è variopinto e ricco, ospita tutte le forme d'esistenza che riescono a trovare espressione, ma senza regole è possibile la loro convivenza? Non dimentichiamo che la regola è l'unico argine al sopruso, che tale rimane anche quando si presenta sotto le forme del bisogno, della necessità o addirittura

[9] È un tema, questo, che ha suscitato molte discussioni nell'autunno del 2005 quando Sergio Cofferati, sindaco di Bologna, ha emesso ordinanze di legalità per la città che in quegli anni governava.

della carità. Anche la mafia, fuori dalla legalità, dà lavoro ai figli della sua terra, viene incontro al bisogno, alla necessità e, se volete, anche alla carità.

Oltre alla contraddizione fra il mondo della vita e il mondo della legge, c'è un'altra stridente contraddizione che la nostra coscienza assopita fatica ad avvertire. Si tratta della contraddizione tra il *mondo delle idee* e le nostre *pratiche di vita*. Davvero riusciamo a sopportare tutto quello che le nostre idee predicano?

La loro predica la conosciamo: dobbiamo assistere con piacere ai giovani che bevono la birra in piazza fino a tarda ora perché è segno di socializzazione, dobbiamo capire quelli che occupano le case perché gli affitti sono troppo elevati, dobbiamo accogliere gli immigrati, trovar loro un lavoro e una sistemazione, e tollerare che nel frattempo ci lavino i vetri puliti delle nostre automobili per consentir loro di sbarcare il lunario. Tutto giusto, tutto bello, tutto vero. Ma ce la facciamo?

Davvero le nostre *forze di sopportazione* sono all'altezza delle nostre *idee*, o abbiamo posto l'asticella delle nostre idee troppo in alto per sentirci nobili, elevati e soprattutto giusti, ma assolutamente inadeguati per quanto riguarda i margini di tolleranza che la nostra vita vissuta ci concede? Certo, è bello sentir parlare per strada l'arabo, il cinese, il bengalese mescolati all'italiano come si mescolano i colori differenti della pelle e degli occhi che si incrociano. Si ha la sensazione tangibile di essere entrati davvero nella modernità, nella società complessa, nella globalizzazione, che non è solo internet o movimento di capitali, ma incrocio di lingue, mescolanze di odori, facce diverse da quelle patinate della pubblicità.

Ma poi quando ci capita di storcere il naso perché nauseati dall'aroma che proviene dal ristorante cinese sotto casa, quando esitiamo a salire in ascensore con due nigeriani peraltro gentili, quando imprechiamo per la scarsa igiene e il degrado delle nostre vie lastricate di lattine di birra e mozziconi di sigarette, con espressioni più vicine al razzismo che al semplice disagio, non ci viene il sospetto che le nostre idee siano troppo accoglienti e filantropiche rispetto alla nostra capacità di sopportazione, quasi che il nostro corpo si rifiutasse alla generosità delle nostre idee?

Non abbiamo a volte concepito idee troppo grandi rispetto alle nostre capacità? E queste idee non ci piombano addosso per sconfiggerci intimamente? Non è meglio che un po' di legalità abbassi l'asticella dove abbiamo collocato le nostre idee filantropiche, per renderle compatibili con il grado di tolleranza di cui siamo di fatto capaci, ma non oltre?

Questi interrogativi mettono in evidenza due contraddizioni rimosse dalle nostre coscienze beate e assopite, due limiti che il mondo della legge pone opportunamente al mondo della vita per renderla praticabile, e che le pratiche di vita pongono al mondo delle nostre idee, che sono tanto più filantropiche e generose quanto più siamo certi che nessuno ce ne chiede l'attuazione.

Più delle misure di sicurezza, che inevitabilmente limitano la nostra libertà, non è forse meglio praticare, attraverso la legalità, la difesa del territorio con la specificità dei suoi usi, costumi e rapporti fiduciari, contro il processo di de-territorializzazione che diventa irreversibile quando il denaro, e solo il denaro, assurge a unico generatore simbolico di comportamenti, mentalità, relazione fra gli uomini?

E tutto ciò nel tentativo, non si sa quanto utopico o realistico, di consentire a chi viene dopo di noi di riconoscersi ancora nella specificità di una città, e non nell'anonimato di un amorfo agglomerato umano, dove non solo gli immigrati, ma gli stessi abitanti della città faticheranno a reperire la loro identità e la loro appartenenza.

5. *Il mondo della vita e il mondo della tecnica*

Oggi, noi occidentali viviamo in un'epoca che siamo soliti chiamare *età della tecnica*, dove l'uomo sembra sempre più identificato come *funzionario* dell'apparato a cui appartiene o, per dirla con Heidegger, sempre più "im-piegato".[10]

L'efficienza e la produttività, nonché l'egemonia della ragione strumentale che si cura solo del rapporto ottimale tra mezzi e fini (unica forma di pensiero vigente nell'età della tecnica), visualizzano le persone alla stregua di qualsiasi mezzo utile a raggiungere gli scopi prefissati, e perciò se ne parla come di risorse: "risorse umane".

Siccome in ogni apparato tecnico tutti i settori devono funzionare in perfetto coordinamento in un regime di continuità senza interruzione, non importa se l'apparato è una catena di montaggio, un'organizzazione aziendale, un assetto amministrativo, una rete telematica, a ciascuno verrà assegnato il proprio "mansionario", cioè una serie di azioni descritte e prescritte da ese-

[10] M. HEIDEGGER, *Die Frage nach der Technik* (1954); tr. it. *La questione della tecnica*, in *Saggi e discorsi*, Mursia, Milano 1976, p. 13.

guire, dove gli unici valori riconosciuti sono la *funzionalità* e l'*efficienza*, per garantire i quali è prevista la sostituibilità della persona, come si sostituisce l'ingranaggio di una macchina, perché, ce lo ricorda Günther Anders, è ormai la macchina il modello a cui deve adeguarsi l'uomo.[11]

Per garantirsi funzionalità ed efficienza, qualsiasi apparato tecnico mal sopporta quegli "inconvenienti umani" che sono la stanchezza, la depressione, gli amori con il loro corredo di esaltazione e disperazione, la malattia, la maternità e in generale tutti quegli aspetti del mondo della vita che confliggono con la regolarità, l'impersonalità e l'efficienza di un perfetto funzionamento cui è stata assegnata quella deprecabile denominazione che è "professionalità", sotto la quale ciò che si nasconde è la radicale riduzione dell'uomo alla sua "funzione", di cui il "biglietto da visita", che indica il nostro apparato di appartenenza, ci identifica meglio del nostro nome.

La stabilizzazione realizzata dall'età della tecnica fa impallidire tutte le morali e i loro strenui tentativi di dare una stabilità ai comportamenti umani. E questa è la ragione per cui, almeno in Occidente, i comportamenti morali vengono disattesi, perché una regola più ferrea della regola morale è subentrata a stabilizzare le umane condotte.

Ad annullare le differenze residue, in cui gli uomini possono reperire un briciolo della loro individualità, provvede la tecnica della comunicazione che, con la radio, la televisione, internet, produce quel mondo omogeneo e quei comportamenti all'insegna del conformismo per cui, come già avvertiva Nietzsche, "quando tutti vogliono le stesse cose, tutti sono uguali, chi pensa diversamente va da sé in manicomio".[12]

Oggi "instabilità" è una parola che fa paura, ma visti i massicci e inavvertiti processi di stabilizzazione in atto in Occidente, un po' di instabilità è forse auspicabile, se non altro per salvare qualcosa dell'uomo come l'abbiamo conosciuto, posto che in Occidente sia ancora vera la persuasione di Nietzsche che "l'uomo è un animale non ancora stabilizzato".

[11] G. ANDERS, *Die Antiquiertheit des Menschen*, Band II: *Über die Zerstörung des Lebens im Zeitalter der dritten industriellen Revolution* (1980); tr. it. *L'uomo è antiquato*, Libro II: *Sulla distruzione della vita nell'epoca della terza rivoluzione industriale*, Bollati Boringhieri, Torino 2003, pp. 99-115.

[12] F. NIETZSCHE, *Also Sprach Zarathustra. Ein Buch für Alle und Keinen* (1883-1885); tr. it. *Così parlò Zarathustra. Un libro per tutti e per nessuno*, in *Opere*, cit., 1968, vol. VI, 1, p. 12.

Questa riserva ci viene spontanea se consideriamo che le forme di controllo oggi stanno invadendo anche il nostro cervello, perché, se è vero che tutta la fisiologia e la patologia del nostro corpo sono controllate dal cervello, perché non controllare anche il controllore? Sembra, infatti, che ci stiamo arrivando, in omaggio all'assunto che Bacone aveva intuito quattro secoli fa, quando, agli albori della scienza moderna, disse: "Il sapere è potere".[13]

E l'idea di poter controllare tutto: vita e morte, salute e malattia, vulnerabilità e invulnerabilità, l'idea di poter anticipare gli eventi, sondare le preferenze, scomporre la vita emotiva nelle sue componenti elementari, onde poterle meglio manipolare, è un puro piacere di potere, di cui la tecno-scienza pare si sia innamorata e, nella sua euforia vertiginosa, non abbia timore di utilizzare anche l'uomo come materia prima, anzi, come dice Heidegger, "come la più importante materia prima".[14]

Eppure la sapienza greca ci ricorda: "Chi non conosce il suo limite tema il destino". Un avvertimento, questo, che risuona in perfetta sintonia con il messaggio giudaico-cristiano, dove Iddio mette in guardia dall'aver troppa confidenza con l'albero della conoscenza. L'Occidente, che è nato da queste due matrici, ha dimenticato il monito e si avventura in quell'esercizio di potere che spoetizza l'anima.

Ma cosa teme il pensiero occidentale per sviluppare queste strategie di controllo? Nietzsche prova a rispondere in un suo frammento del 1885: "La paura dell'incalcolabile come istinto segreto della scienza".[15] Ciò vuol dire che più il nostro pensiero è ridotto a *calcolo*, più non si appassiona al sorprendente, all'imprevisto, all'emozionante. È un pensiero che ama la *previsione*, che vuole esercitare quel *controllo* di cui la regolarità della macchina è il modello che guarda all'imprevedibilità umana, vera anima della storia, come a un'archeologia.

"L'uomo è antiquato," recita Günther Anders, e considera la distanza che ancora lo separa dalla macchina con una certa "ver-

[13] F. BACONE, *Instauratio Magna, Pars secunda: Novum Organum* (1620); tr. it. *La grande instaurazione,* Parte seconda: *Nuovo organo*, in *Scritti filosofici*, Utet, Torino 1986, I, 3, p. 552.

[14] M. HEIDEGGER, *Überwindung der Metaphysik* (1936-1946, 1951); tr. it. *Oltrepassamento della metafisica*, in *Saggi e discorsi*, Mursia, Milano 1976, p. 62: "*Der Mensch der wichtigste Rohstoff ist*".

[15] F. NIETZSCHE, *Nachgelassene Fragmente 1885-1887*; tr. it. *Frammenti postumi 1885-1887*, in *Opere*, cit., 1975, vol. VIII,1, fr. 5 (10), p. 177.

gogna".[16] Prometeo, che aveva donato agli uomini la tecnica e che per questa ragione era stato "incatenato" per ordine di Zeus sulle rocce del Caucaso, oggi, come scrive Hans Jonas, "è scatenato".[17] Ma da questa euforia del sogno faustiano l'uomo rischia di risvegliarsi in un mondo freddo e assediato, dove non è più la natura, ma il potere conseguito per dominarla a minacciare l'individuo e la specie.

In questa condizione, in cui la conoscenza della natura è diventata più pericolosa di quanto un tempo la natura non lo fosse per l'uomo, sorge inquietante la domanda se all'uomo è riservata ancora una storia che porti dentro di sé qualcosa di imprevedibile, o se ciò che il futuro ci riserva è solo la regolarità della previsione, dove il "non ancora" si inabissa in un terribile "non più". Se così fosse ci verremmo a trovare in una condizione analoga a quella descritta da Günther Anders in quel "racconto per bambini" che già abbiamo citato:

> Il re non vedeva di buon occhio che suo figlio, abbandonando le strade controllate, si aggirasse per le campagne per formarsi un giudizio sul mondo; perciò gli regalò carrozza e cavalli:
> "Ora non hai più bisogno di andare a piedi," furono le sue parole.
> "Ora non ti è più consentito di farlo," era il loro significato.
> "Ora non puoi più farlo," fu il loro effetto.[18]

Se questo dovesse essere l'esito ultimo del nostro sapere, dovremmo cominciare a chiederci se l'eccesso di conoscenza alla fine non costituisca un limite alla nostra libertà, che forse non è mai scesa dal cielo per conferire dignità all'uomo, ma è scaturita dall'anarchia del nostro cervello, finché questo saprà sottrarsi alle sonde (e ai sondaggi) che vogliono omologarlo.

[16] G. ANDERS, *Die Antiquiertheit des Menschen*, Band I: *Über die Seele in Zeitalter der zweiten industriellen Revolution* (1956); tr. it. *L'uomo è antiquato*, Libro I: *Considerazioni sull'anima nell'epoca della seconda rivoluzione industriale*, Bollati Boringhieri, Torino 2003, Parte I: "Della vergogna prometeica", pp. 55-120.

[17] H. JONAS, *Das Prinzip Verantwortung* (1979); tr. it. *Il principio responsabilità. Un'etica per la civiltà tecnologica*, Einaudi, Torino 1990, p. XXVII. Su questo tema si veda anche U. GALIMBERTI, *Psiche e techne. L'uomo nell'età della tecnica*, Feltrinelli, Milano 1999, Parte prima: "Simbologia della tecnica: la scena del Caucaso".

[18] G. ANDERS, *L'uomo è antiquato*, Libro I: *Considerazioni sull'anima nell'epoca della seconda rivoluzione industriale*, cit., p. 121.

6. *Il prezzo della civiltà e l'assedio dell'anima*

Nella *Colonia penale*, Kafka racconta di un ufficiale che minuziosamente spiega "la macchina per scrivere la legge". E all'interlocutore che chiede se il condannato conosce la sentenza che lo riguarda, l'ufficiale risponde: "È inutile comunicargliela, tanto la conoscerà sul proprio corpo".[19]

Da sempre il corpo è superficie di scrittura atta a ricevere il testo visibile della legge che la società detta ai suoi membri. Ogni suo tratto è una traccia indelebile, un ostacolo all'oblio, un segno che fa del corpo una "memoria".

Ma dire "memoria" oggi vuol dire consegnare il corpo alla tecnica informatica che, oltre alle impronte digitali, può rilevare quelle retiniche, quelle vocali e persino quelle olfattive. Può misurare la distanza che intercorre fra le nostre dita divaricate, nonché la cadenza della nostra andatura. Il corpo ci rivela. E la tecnica può rapirci quanto di più intimo, di più nostro, di più segreto custodiamo come riferimento ultimo della nostra identità.

Potremo avere passaporti che raccolgono in un microchip tutti questi dati. Finiremo con l'essere, come da sempre siamo, sconosciuti a noi stessi ma trasparenti a chiunque voglia saper tutto di noi. La nostra identità dovrà piegarsi alle esigenze di identificazione e il nostro corpo dovrà ridursi a una password che rende accessibili a tutti i nostri connotati, catturati in quell'unico recesso che non possiamo nascondere: la nostra fisicità.

Tra corpo e tecnica c'è sempre stata una tresca segreta. L'uomo si è distinto dall'animale proprio per la capacità di accrescere le possibilità del suo corpo con la strumentazione tecnica, a cui ha conferito prima il potenziamento della vista, dell'udito, della deambulazione, poi la riduzione dell'estensione dello spazio e del tempo, quindi il potenziamento della memoria.

Oggi, con le possibilità messe a disposizione dall'informatica, il corpo sta consegnando alla tecnica anche il potere di controllo che riduce la nostra fisicità a superficie di scrittura, dove è possibile leggere la nostra identità ormai indifesa. Non solo gli stili di vita, non solo il nostro modo di lavorare e di vivere sono rigorosamente condizionati dalla tecnica, ma anche la nostra identità è ispezionata in quell'ultima frontiera che ci era rimasta: il segreto del nostro corpo, oggi visualizzabile fin laggiù dove cu-

[19] F. KAFKA, *In der Strafkolonie* (1914); tr. it. *Nella colonia penale*, in *Racconti*, Mondadori, Milano 1979, pp. 290-291.

stodiamo quell'ultima riserva di libertà, garantita dalla barriera tra il dentro e il fuori, tra il pubblico e il privato, tra l'intimo e l'esteriorizzato.

In questo radicale capovolgimento del rapporto tra corpo e tecnica, il pericolo non sta solo nella completa pubblicizzazione della nostra intimità più segreta, ma nell'interrogativo, difficilmente eludibile, che Günther Anders si pone là dove si chiede se, a volte, "il problema non è più: che cosa possiamo fare noi con la tecnica, ma che cosa la tecnica può fare di noi".[20]

Se nei primi anni del Novecento Freud poteva dire: "L'uomo civile ha barattato una parte della sua felicità per un po' di sicurezza", un secolo dopo, di felicità se ne vede in giro davvero poca, mentre le leggi, le norme e i sistemi di sicurezza sono aumentati a dismisura. Risultato: *la nostra libertà decresce*.

Ma nessuno si lamenta eccessivamente, perché per la sicurezza siamo disposti a rinunciare anche ai nostri margini di libertà. E questo perché siamo la popolazione più debole della terra, per la semplice ragione che siamo la più ricca e la più tecnicamente assistita. La ricchezza non è solo il possesso e la disponibilità dei beni, ma anche la capacità di mantenere questo possesso e questa disponibilità.

Per farlo occorrono leggi, norme e sistemi di sicurezza che ci garantiscano la ricchezza, che non è fatta solo di denaro in banca, ma di tutte quelle infrastrutture di servizi che si chiamano luce, acqua, gas, elettricità, viabilità, trasporti, supermercati, mezzi di comunicazione, in assenza dei quali la nostra vita quotidiana si interromperebbe e in un attimo noi saremmo smarriti.

Per garantirci queste, che sono le condizioni minime d'esistenza in Occidente, dobbiamo lavorare ad alti costi che entrano in collisione con i bassi costi con cui si produce fuori dall'Occidente. Il pericolo di essere spiazzati incombe. E la minaccia che preme ai nostri confini, in termini di concorrenza o in termini di belligeranza, cresce al punto che siamo disposti a pagare qualsiasi prezzo di libertà personale pur di garantirci la sicurezza collettiva.

Una solida rassicurazione ce la offre il nostro apparato tecnico, che è la difesa più potente che abbiamo nei confronti della crescente ostilità del resto del mondo. Ma la potenza della tecnica è proporzionale alla sua capacità di controllo che, per essere

[20] G. Anders, *L'uomo è antiquato*, Libro I: *Considerazioni sull'anima nell'epoca della seconda rivoluzione industriale*, cit., p. 123.

un controllo serio, deve essere generalizzato. Le prime vittime siamo noi con le nostre telefonate registrate, le nostre immagini riprese dalle telecamere all'angolo di ogni strada, i nostri movimenti controllati a ogni pagamento con carta di credito, che utilizziamo per evitare di portare contanti con noi, i nostri pensieri ben allineati dalla nostra pigrizia che si accontenta dell'informazione allestita in televisione, i nostri sentimenti atrofizzati dal timore che ogni eccesso possa essere frainteso.

E così la bandiera della libertà, che l'Occidente sventola ai quattro venti, ha come suo contraltare un sistema così rigoroso e minuzioso di controlli che assedia l'anima. Più l'assedio si fa stringente, più i nostri comportamenti si fanno guardinghi e ossessivi. E se riusciamo a evitare la depressione, che sembra interessi il 40 per cento della popolazione occidentale, non riusciamo a evitare lo stress da lavoro, perché in Occidente bisogna essere benestanti, le fatiche delle diete e delle palestre perché bisogna essere magri, i sonniferi perché bisogna dormire, i weekend fuori casa perché bisogna riposare, la rigida sequenza delle nostre collaudate abitudini perché ci rassicurano.

Tra i sistemi generalizzati di controllo, a cui ci sottoponiamo per garantirci la sicurezza collettiva, e i sistemi individuali di condotte che ci imponiamo per raggiungere i livelli standard di benessere e di presentabilità, abbiamo non solo drasticamente ridotto gli *spazi di libertà*, sia collettivi sia individuali, ma anche incrementato il *tasso d'ansia* che, per essere placata, invoca regole più certe, norme più restrittive, condotte ancor più regolate.

E così la spirale si attorciglia su se stessa, e le mura dell'assedio intorno a noi e dentro di noi si fanno sempre più spesse. E non c'è via d'uscita, perché, piaccia o non piaccia, questo è il costo della nostra civiltà a cui nessuno di noi è disposto a rinunciare. Circolo vizioso? No, spirale assurda.

18.
Il mito della razza

> Nell'età moderna l'uomo incontrò l'uomo e non lo riconobbe, come dire: l'uomo incontrò se stesso e non si riconobbe, avviando così una tragica alienazione che solo in un'autentica età planetaria potrà essere pienamente risanata. [...]
> La fine della modernità implica infatti anche la fine di quel monologo culturale che ha impedito finora all'uomo occidentale di percepire l'altro come tale e di stabilire con lui un rapporto di autentica reciprocità.
>
> E. BALDUCCI, *La terra del tramonto* (1992), pp. 68, 70.

1. *Il falso mito dell'etnia e dell'identità culturale*

Ma esistono davvero le etnie, le identità culturali con le loro inconfondibili radici, lo scontro fra culture dai valori inconciliabili che con tanta frequenza ricorrono nei discorsi della gente, nella propaganda dei politici, sulle colonne dei giornali, nei dibattiti televisivi? C'è qualcosa di vero in queste espressioni, o non si tratta piuttosto di vere e proprie invenzioni senza alcun fondamento, enfatizzate per coprire, sotto la maschera della cultura, ben altre spinte e inconfessabili interessi?

A sollecitare il dubbio, per paradossale che possa sembrare, è proprio un antropologo, Marco Aime, che, in *Eccessi di culture*, sostiene che a incontrarsi e a scontrarsi non sono mai le culture ma le persone, e che insistere sull'identità locale, nazionale o addirittura sovranazionale significa creare recinti invalicabili che alimentano nuove forme di razzismo.

Si prenda l'esempio italiano della Lega Nord, che inventa le origini celtiche degli abitanti della Pianura padana definita "una nazione con una propria identità". Di fatto, ci dimostra Aime,[1] la popolazione denominata "celtica", che non aveva alcuna organizzazione politica che la riunisse, alcun regno, alcuno Stato, al-

[1] M. AIME, *Eccessi di culture*, Einaudi, Torino 2004, pp. 35-40.

cun culto comune, fu inventata di sana pianta nel Settecento da intellettuali scozzesi, irlandesi, gallesi e bretoni per tentare di costruire le rispettive identità nazionali in contrapposizione alla popolazione dominante in Inghilterra e in Francia. E allora vien da dire, con Gerard Lenclud, che "non sono i padri a generare i figli, ma i figli che generano i propri padri. Non è il passato a produrre il presente, ma il presente che modella il suo passato".[2]

Di fatto l'etnia padana è stata di tutto punto inventata dalla volontà di autodeterminazione economica delle popolazioni del Nord, contro un'immagine del Sud che a loro parere le penalizza nella gestione della propria ricchezza. Ma siccome queste possono apparire motivazioni poco nobili, allora si scomodano i fattori culturali che, opportunamente strumentalizzati, si prestano a mascherare interessi anche legittimi ma, tutto sommato, come scrive Attilio Giordano, "di bassa Lega".[3]

Che dire poi della Regione Veneto che ha istituito un assessorato alle "Politiche per la cultura e l'identità veneta"? Come osserva opportunamente Aime,[4] provate anche solo a immaginare che identità culturale può esserci tra gli abitanti di Cortina d'Ampezzo, dolomitici a un passo dal Tirolo, e gli abitanti di Chioggia affacciati sull'Oriente? Che dire poi dei trevigiani, dalla cui città partono settimanalmente voli per Kiev, in Ucraina, o per Timisoara, in Romania, dove imprenditori veneti aprono imprese di produzione esportando un modello di globalizzazione che parte dal "locale", che la Lega vorrebbe difendere proprio dalla globalizzazione? Non parliamo poi di Venezia che, in tutta la sua storia, è stata un coacervo di popolazioni, esempio per secoli di un multiculturalismo *ante litteram*. Dove sono rintracciabili qui le radici identitarie di una comunità culturalmente omogenea?

Se dal *locale* passiamo al *nazionale*, qual è l'identità dell'Italia, che ha raggiunto la sua unificazione solo da un secolo e mezzo, dopo quattordici secoli di divisioni e di dominazioni tra le più disparate, con conseguente contaminazione genetica delle popolazioni? Dove è rintracciabile quella "razza italiana" così mitizzata dal fascismo, che si rifaceva ai fasti dell'Impero romano,

[2] G. Lenclud, *La tradizione non è più quella di un tempo*, in P. Clemente e F. Mugnaini, *Oltre il folclore. Tradizioni popolari e antropologia nella società contemporanea*, Carocci, Roma 2001, p. 131.

[3] A. Giordano, *I celti? Un'invenzione (e non di bassa Lega)*, in "Il Venerdì di Repubblica", 30 agosto 2002.

[4] M. Aime, *Eccessi di culture*, cit., pp. 26-30.

dimenticando, per inciso, che non c'è mai stato un impero tanto composito come quello romano, dove circolavano persone che provenivano da ogni parte del mondo allora conosciuto? Quando si smetterà di millantare identità culturali che non esistono e che, se proprio vogliamo, sono state costruite più da una ricerca spasmodica di identità, che non si sa dove altro reperire se non in fantomatiche radici storiche?

Forse in questo senso va anche letta la campagna, che periodicamente ritorna, volta a rimuovere o a ripristinare il crocefisso nelle aule scolastiche, a testimonianza delle profonde radici cristiane del nostro paese? A questo proposito vale forse la pena ricordare che la religione cristiana, per il suo universalismo, è di fatto incompatibile con un'identificazione nazionale, e poi, come ha scritto Umberto Eco ricordando la sua infanzia:

> Almeno due generazioni di italiani hanno passato l'infanzia in aule in cui c'era il crocefisso in mezzo ai ritratti del re e del duce, e sui trenta alunni di ciascuna classe, parte sono diventati atei, altri hanno fatto la Resistenza, altri ancora, credo la maggioranza, hanno votato per la Repubblica. Sono tutti aneddoti, se volete, ma di portata storica, e ci dicono che l'esibizione di simboli sacri nelle scuole non determina l'evoluzione spirituale degli alunni.[5]

Se dalla dimensione nazionale passiamo a quella *sovranazionale,* sarebbe interessante che chi sostiene che gli immigrati, e in particolare, dopo l'11 settembre, quelli di fede islamica, sono portatori di valori diversi da quelli europei, dicesse anche quali sono i valori europei. Nella prima bozza della Costituzione europea redatta da Giscard d'Estaing si dice che:

> L'Unione si fonda sui valori del rispetto della dignità umana, di libertà e democrazia, dello stato di diritto e del rispetto dei diritti dell'uomo. Essa mira a essere una società pacifica che pratica la tolleranza, la giustizia, la solidarietà.[6]

In quell'occasione il Vaticano e i principali giornali cattolici hanno denunciato l'assenza di riferimenti ai valori cristiani. Ma, come scrive Guido Rampoldi:

[5] U. Eco, *Essere laici in un mondo interculturale*, in "la Repubblica", 29 ottobre 2003.
[6] Citazione riportata da M. Aime, *Eccessi di culture*, cit., p. 21.

Se il cristianesimo è lo Spirito che si fa storia, allora dovremmo attribuire "radici cristiane" tanto all'Europa di oggi quanto all'Europa del 1939, dunque anche a regimi che erano all'opposto dello stato di diritto, come la cristianissima Spagna di Franco o l'Italia di Mussolini. In altre parole quella "cristianità" che avrebbe formato l'Europa è, come il "confucianesimo" o l'"islam", una categoria storica che contiene tutto e il contrario di tutto, e cioè non è una categoria utilizzabile per definire le identità europee.[7]

Molto meglio i princìpi di libertà, uguaglianza e fraternità che, come ci ricorda Claudio Rinaldi, in Europa "si sono affermati con la Rivoluzione francese, non grazie alle chiese, dunque, bensì fuori e contro di loro".[8] Un conto, infatti, è rifarsi ai "valori" cristiani, un altro alle "radici", perché non sempre i primi traggono alimento dalle seconde. Che dire poi se nell'Europa "cristiana" dovesse entrare uno Stato islamico come ad esempio l'Albania o la Turchia? In Turchia il Bosforo assurge a simbolo di spartiacque tra due civiltà. Di qui l'Occidente cristiano, di là l'Oriente islamico. Eppure Istanbul, già Costantinopoli, già Bisanzio, esiste uguale a se stessa sulle due sponde.

Come osserva Marco Aime: "Nessuno deve aver detto ai suoi abitanti che essi vivono a cavallo di un orizzonte generato dagli occidentali, specialisti a creare confini artificiali",[9] come tragicamente testimonia l'Africa, dove guerre scatenate da élite politico-economiche vengono sciaguratamente descritte dai mezzi di comunicazione come guerre culturali, etniche, razziali.

Proprio a Istanbul, ci ricorda sempre Aime, c'è uno splendido edificio che si può chiamare indifferentemente Santa Sofia o Aya Sofya che, costruito da Giustiniano nel 537 in onore della Divina Sapienza, nel 1453 passò sotto gli Ottomani che non lo distrussero. Anzi furono proprio i fedeli di Allah a costruire i rinforzi che ne hanno impedito il crollo. Oggi è un museo dove mosaici cristiani e versetti del Corano sembrano inseguirsi. Perché, si chiede Aime:

Anche a noi non è consueto pensare alla cultura come a quell'edificio: un sovrapporsi e un intrecciarsi di storie, idee, gusti, identità, sogni, scienze. È più facile pensare a linee nette che segnano confi-

[7] G. Rampoldi, *Il "nemico" musulmano e il finto patriottismo*, in "la Repubblica", 5 giugno 2002.
[8] C. Rinaldi, *La UE, il cristianesimo e le radici dell'Europa*, in "la Repubblica", 9 settembre 2003.
[9] M. Aime, *Eccessi di culture*, cit., p. 5.

ni precisi, frontiere che ci piace credere come naturali e pertanto difficili da cancellare. "Le frontiere?" ha affermato il viaggiatore norvegese Thor Heyerdhal. "Esistono eccome. Nei miei viaggi ne ho incontrate molte e stanno tutte nella mente degli uomini."[10]

Viviamo in mezzo a flussi di persone, idee, merci che si muovono in contesti sempre più svincolati dal territorio, e noi continuiamo a pensare ai territori come agli unici contenitori delle culture, quando non solo il presente, ma anche il passato è stato attraversato da una miriade di persone in movimento. Queste hanno a tal punto mescolato usi, costumi e credenze, che parlare ancora di "etnie" o "identità culturali" ha tanto di arcaico, se non addirittura di artificialmente ideato per marcare il territorio o per giustificare i conflitti scatenati da ragioni difficilmente confessabili come gli interessi economici, o da cose che non vogliamo vedere come la disperazione degli uomini.

2. *La sfida del multiculturalismo*

Dopo il crollo del Muro di Berlino, l'Europa è diventata l'epicentro amato e odiato di una vasta migrazione di popoli che, dall'Est e dal Sud del mondo, cerca una via d'uscita alla fame, alla persecuzione politica, al tempo senza progetto e senza futuro.

Come nel secolo scorso è accaduto per gli Stati Uniti, ora anche per gli europei si pone il problema di reperire un codice comune di convivenza un po' più evoluto di quanto non siano le proposte estemporanee dei vagoni separati per extracomunitari e cittadini della Comunità europea, o peggio le impronte digitali per i bambini rom.

Come ci ricorda Carmelo Vigna, curatore insieme a Stefano Zamagni di un bel libro collettivo che ha per titolo *Multiculturalismo e identità,*[11] le ipotesi finora praticate sono una di matrice illuminista che prospetta una soluzione per *sottrazione*, dove alle differenze "si taglia la testa", come vuole l'espressione di Robespierre, per reperire quel minimo comune denominatore dell'umano che da tutti dovrebbe essere riconosciuto, salvaguardato e tutelato dai cosiddetti "diritti dell'uomo". In questa ipotesi le dif-

[10] Ivi, p. 6.
[11] C. Vigna, S. Zamagni, *Multiculturalismo e identità*, Vita e Pensiero, Milano 2003, p. VII.

ferenze sono misconosciute, perché si guarda all'uomo per ciò che ha di comune con l'altro uomo.

L'altra ipotesi è quella praticata dalla tradizione americana che, più pragmatica, prospetta una soluzione per *addizione*, dove le differenze sono riconosciute, registrate di fatto e tra loro sommate a partire da regole procedurali di convivenza, che hanno il loro epicentro nel vantaggio economico, per cui ogni esistenza è giustificata e, pur nella sua differenza, ammessa se concorre al profitto.

A parere dei due studiosi le due soluzioni appaiono entrambe insufficienti, perché la soluzione illuminista per *sottrazione* misconosce le differenze che sono per ciascuno il fondamento della propria identità, in nome di una "ragione universale" che odora troppo di "ragione occidentale". E qui viene in mente il monito di Rousseau ai filosofi illuministi del suo tempo:

> Essi confondono l'uomo di natura con gli uomini che hanno sotto gli occhi. Sanno assai bene cos'è un borghese di Londra e di Parigi, ma non sapranno mai che cos'è un uomo.[12]

L'altra soluzione, quella americana che procede per *addizione*, riconosce le differenze, ma solo come un dato di fatto al limite irrilevante, da circoscrivere nell'ambito privato senza alcuna significatività pubblica, dove per tutti vige il codice economico della produttività e del profitto.

Sia la soluzione illuminista sia quella americana soffrono di *etnocentrismo*, perché la prima propone il tipo di razionalità che gli occidentali hanno raggiunto come "ragione universale", la seconda propone la razionalità economica, che vige nella cultura occidentale, come ciò in cui tutti devono convenire.

Queste due vie, che per tutta l'età moderna sono state le più praticate dall'Occidente nelle sue relazioni con il mondo non-occidentale, oggi si rivelano impraticabili, perché l'Occidente, il cui stile di vita è caratterizzato da un alto livello di consumi, porta dentro di sé, da tutti inosservato e rimosso, un alto "coefficiente entropico" dovuto alla sua struttura, che è dissipativa, perché assorbe da ogni angolo del pianeta energia viva per restituirla degradata quando non del tutto consumata.

Il sogno dei pionieri dell'industrialismo di poter sollevare tut-

[12] J.-J. Rousseau, *Projet de paix perpétuelle* (1762); tr. it. *Progetto di pace perpetua*, in *Opere*, Sansoni, Firenze 1972, pp. 166-167.

ti i popoli della terra ai valori civili e ai vantaggi pratici raggiunti dai paesi occidentali si è rivelato illusorio e ha restituito con cruda evidenza quanto Thomas Malthus scriveva nel suo *Saggio sul principio di popolazione*:

> Chi nasce in questo mondo senza mezzi di sussistenza non ha alcun diritto di essere mantenuto. In realtà egli è inutile in questo mondo. Alla grande mensa della natura non c'è alcun piatto che lo attende. La natura gli comanda di andarsene e non tarda a mettere in esecuzione il suo ordine.[13]

Dopo duecento anni da quando queste parole sono state scritte siamo testimoni che la spietata esecuzione è ancora in corso. Solo che è venuta meno in noi e nelle stesse vittime la convinzione che a impartire l'ordine sia la natura. E allora gli uomini e le donne delle altre culture vengono da noi, perché sia loro che noi, anche se non lo ammettiamo, siamo tutti persuasi che il nostro modello di vita non può essere condiviso da tutti, perché il pianeta non dispone delle risorse energetiche necessarie. Come opportunamente osservava Ernesto Balducci:

> Gli esclusi dal banchetto delle nazioni fanno ressa alla porta e c'è chi riesce a penetrare nella sala sfarzosa suscitando nei commensali sgomento e irritazione. La buona coscienza è finita per sempre, e l'opulenza non può durare senza crimine. L'uomo europeo sa oggi quanto i suoi padri non sapevano: l'emancipazione dei popoli e la permanenza del modello di vita occidentale non possono conciliarsi.[14]

Questa inconciliabilità è la ragione vera di tutte le guerre, soprattutto delle "guerre preventive". Ma oltre a questa c'è un'altra sfida che si profila e che chiede un ripensamento generale della concezione occidentale dell'uomo come "uomo economico", essendo ormai a tutti evidente che l'esistenza umana, sia la nostra sia quella degli immigrati, si giustifica solo se concorre all'incremento della produzione e del profitto.

Questa sfida è rappresentata dallo sviluppo tecnologico che, riducendo sempre più la quota dei lavoratori necessari, fino a

[13] Th.R. Malthus, *An Essay on the Principle of Population as it Affects the Future Improvement of Society* (1798). Il passo citato si trova nella seconda edizione uscita nel 1803, p. 531; tr. it. *Saggio sul principio di popolazione*, Einaudi, Torino 1977, p. 492.

[14] E. Balducci, *La terra del tramonto*, Edizioni Cultura della Pace, S. Domenico di Fiesole 1992, p. 63.

raggiungere, come confermano le statistiche in una proiezione globale, il 20 per cento degli abitanti del pianeta, costringerà l'uomo occidentale e non ad aumentare i tempi non produttivi e a recuperare il tempo esistenziale, che non è il tempo del produttore e del mercante.

Che l'essenza dell'uomo si realizzi nel lavoro è un dogma della civiltà industriale occidentale che però sta "falsificandosi" all'interno del proprio esercizio.[15] Il mito dell'*homo faber*, infatti, deperisce in virtù dello stesso sviluppo tecnologico, a tutto vantaggio dei modelli di vita non diversi da quelli che le culture premoderne hanno custodito e che ora tornano a galla nel radicamento della loro memoria, mettendo in crisi la pretesa occidentale di estendere a tutti i popoli la propria memoria.

La lievitazione delle memorie sommerse è ormai un fenomeno planetario. Da qui il caos antropologico a cui oggi assistiamo, refrattario a farsi ordinare sotto il segno dell'Occidente. Questa è la radice profonda sia del terrorismo, che rifiuta tanto l'*assimilazione* quanto l'*integrazione*, che sono i modi morbidi con cui l'Occidente ha attuato in casa propria la sua vocazione colonialista, sia la guerra con cui gli occidentali, che ancora non si sono accorti di queste sfide epocali, pensano, in modo preistorico anche se tecnologicamente avanzato, di difendere il proprio privilegio.

I saggi raccolti in *Multiculturalismo e identità* convengono che, stanti queste sfide sconosciute nelle epoche pretecnologiche, oggi non c'è altra modalità di convivenza se non quella del *reciproco riconoscimento*, che non è l'*assimilazione* che dice: "Tu sei un uomo come noi, dunque non ti resta che elevarti al nostro modo di essere", né l'*integrazione* che priva l'altro della sua alterità e quindi del costitutivo della sua identità, ma il *sostegno dell'alterità*, che evita alle relazioni multiculturali di precipitare nella somma indifferente delle identità puramente accostate e rese esangui nel loro potenziale creativo.

È evidente che, come agli albori dell'età moderna gli individui hanno deciso di rinunciare a una parte della loro libertà per garantire una più pacifica convivenza, così oggi sia gli occidentali sia i non-occidentali sono forse chiamati a rinunciare a una parte della loro *identità originaria* per una *identità utopica*, da intendersi non come un sogno, ma come un lavoro che impegna

[15] Si veda a questo proposito F. TOTARO, *Non di solo lavoro. Ontologia della persona ed etica del lavoro nel passaggio di civiltà*, Vita e Pensiero, Milano 1998.

l'uomo a scoprire, al di sotto della sua identità elaborata all'interno della sua particolare cultura, le possibilità che, in quell'identità, ancora non hanno trovato espressione.[16]

"Noi siamo doppi, doppi in noi stessi," scriveva Montaigne.[17] Siamo quel che siamo, ma anche quel che possiamo essere. Del resto, già lo ricordava Nietzsche: "L'uomo è l'animale non ancora stabilizzato".[18] Perché non fidarsi di questa "non ancora raggiunta stabilizzazione" che è l'unica condizione che può aprire un futuro diverso, invece che continuare ad armare le mura delle nostre città? Lungo questa via non ci stiamo irrimediabilmente assediando da soli?

3. *L'appello dello straniero*

Sarebbe utile che quanti hanno divorato i libri di Oriana Fallaci[19] oggi, per ordinare le idee e magari anche i sentimenti, leggessero il libro di Barbara Spinelli, *Ricordati che eri straniero*. È una lettura da consigliare anche a quanti (e siamo quasi tutti) quando parlano dello straniero esigono la sua *integrazione* nella nostra cultura, nei nostri usi e costumi, perché se vuole abitare con noi, lo straniero deve essere il più possibile come noi.

Rapportandoci in questo modo allo straniero noi non ci mettiamo mai in questione, non sottoponiamo a esame le nostre leggi, non discutiamo i nostri valori, ribadiamo semplicemente la nostra identità, che lo straniero, con la sua estraneità, concorre a rafforzare. In realtà il primo incontro con lo straniero avviene al di fuori dell'ordine a cui sono abituato e al di fuori dell'ordine a cui egli è abituato. E la prima richiesta che lo straniero mi rivolge, se l'incontro avviene, è: "Non uccidermi".

Se decidiamo di non sopprimere l'alterità, gli rispondiamo sapendo, come ci ricorda Levinas, che "rispondere a qualcuno è già rispondere di qualcuno",[20] è farsi carico della sua sorte. Co-

[16] C. Vigna, S. Zamagni, *Multiculturalismo e identità*, cit., pp. VIII-X.

[17] M.E. Montaigne, *Essais* (1580); tr. it. *Saggi*, Mondadori, Milano 1983, vol. III, p. 1291.

[18] F. Nietzsche, *Jenseits von Gut und Böse. Vorspiel einer Philosophie der Zukunft* (1886); tr. it. *Al di là del bene e del male. Preludio di una filosofia dell'avvenire*, in *Opere*, Adelphi, Milano 1972, vol. VI, 2, § 62, p. 68.

[19] O. Fallaci, *La rabbia e l'orgoglio*, Rizzoli, Milano 2001; *La forza della ragione*, Rizzoli, Milano 2004.

[20] E. Levinas, *Éthique et Infini* (1972); tr. it. *Etica e infinito*, Città Nuova, Roma 1984, p. 103.

me? Guardando le nostre leggi, i nostri tribunali, la nostra Costituzione, il nostro Stato, la nostra patria dal di fuori, come stranieri a nostra volta, possiamo capire in che senso i nostri valori possono essere per lo straniero una prigionia e i suoi possono essere per noi inaccettabili. In questo modo io rispondo di ciascuno dei due: di chi difende i valori e di chi ne patisce. Se questa operazione riesce, scrive Barbara Spinelli:

> Grazie allo straniero siamo portati a chiederci, forse per la prima volta, chi siamo, che cosa vogliamo, da dove veniamo. E per effetto di questa domanda siamo portati a trasformarci.[21]

Non più solo figli dei nostri genitori, della nostra terra, della nostra patria, ma, spossessandoci di tutte queste proprietà, andiamo incontro all'altro in cui consiste l'opera di civiltà. Perché non è civiltà, né operazione di giustizia, chiedere all'altro

> di compiere tutto intero il cammino che lo porta a me, da solo, in una logica che non è di cooperazione, ma sottomissione, fino a divenire mio possesso, perché [...] la civiltà non comincia con un: "vienimi incontro", ma con un "veniamoci incontro". Il che vuol dire: facciamo un po' di passi tutti e due, uno verso l'altro; stringiamo un patto, stabiliamo un terreno di intesa, magari minimo, però comune.[22]

Come ci hanno insegnato gli antichi Greci, ce lo ricorda Isocrate:

> Atene ha fatto sì che il nome di elleni designi non più una stirpe (*ghénos*), ma un modo di pensare (*diánoia*). [...] Per cui siano chiamati elleni non quelli che hanno in comune con noi il sangue, ma quelli che hanno in comune con noi una *paideía*.[23]

Paideía è la capacità di apprendere che non si eredita con il sangue, ma si impara crescendo insieme. Lo strumento migliore, scrive Barbara Spinelli, che, meglio delle armi, "permette di presidiare le mura della città democratica e le libertà politiche che la caratterizzano".[24]

[21] B. Spinelli, *Ricordati che eri straniero*, Edizioni Qiqajon, Comunità di Bose 2005, p. 14.
[22] Ivi, pp. 20-21.
[23] Isocrate, *Panegirico*, § 50, in *Orazioni di Isocrate*, Utet, Torino 1965.
[24] B. Spinelli, *Ricordati che eri straniero*, cit., p. 28.

Undici settembre 2001. La figura dello straniero ha preso la forma del terrorista suicida, che è poi colui che non ha nulla da perdere, tranne la propria vita. E questo per la sua fede o per il suo odio o per tutte e due le cose insieme. Qui, secondo Barbara Spinelli, avevamo due modi di reagire. Il primo era di dichiarargli guerra riconoscendo allo straniero lo statuto di belligerante, di nemico, dall'estensione territoriale non circoscritta a una patria, ma estesa fino ai confini della terra. Così facendo ci siamo assediati e non abbiamo fatto opera di civiltà perché alla morte inflitta dallo straniero abbiamo risposto infliggendo morte. Lo straniero è diventato il nemico.

Si poteva percorrere un'altra strada. Io riconosco la differenza tra la mia e la tua cultura, ma riconosco anche le vittime della mia e della tua cultura, del mio e del tuo sistema di valori. Per Barbara Spinelli queste vittime sono "il 'terzo' che scuote le certezze che sono alla base del rapporto bilaterale tra me e te, e fa di tutti noi dei pellegrini, degli stranieri alla ricerca del vero e del giusto, alla ricerca di ciò che ci divide e di ciò che può unire".[25]

Questa ricerca non può avvenire tramite la guerra, ma tramite quell'incontro che trova la sua espressione istituzionale nella politica, dove per "politica" non si deve intendere l'accordo tra me e te, che può avvenire su qualsiasi base, fatti salvi i nostri interessi, ma quell'accordo tra me e te che si fa carico di quel "terzo" che sono le vittime del tuo e del mio sistema.

Ci fossimo comportati così saremmo stati all'altezza di quella civiltà che, nata in Grecia, abbiamo chiamato "occidentale". Invece, rinunciandovi, ci siamo comportati come quelli che hanno ucciso, fallendo, al pari di loro, il primo incontro con lo straniero, mentre ci ricorda Barbara Spinelli commentando Levinas: "Il volto estraneo ha inscritta un'implorazione sulla propria fronte che è anche un comandamento: 'Tu non ucciderai'."[26]

È una strada difficile, lo sappiamo. Ma è quella che abbiamo inventato all'origine della nostra cultura e che, dopo mille devianze e smarrimenti, oggi dobbiamo recuperare per essere all'altezza della nostra civiltà, che non possiamo dichiarare "superiore" solo per la superiorità della nostra potenza militare. Perché se questa è la nostra superiorità, allora siamo tornati all'o-

[25] Ivi, p. 31.
[26] Ivi, p. 10.

rigine della storia, quando un uomo, incontrando un altro uomo diverso da lui, non riteneva di avere altra scelta che la sua soppressione.

4. *La paura della diversità*

Pier Aldo Rovatti, in un corso tenuto ai suoi studenti e ora pubblicato, ci dice che "la follia è la *diversità* e la *paura della diversità*".[27] È questa una definizione che ci interessa perché, dopo aver neutralizzato il folle "attraverso la medicalizzazione che ha ridotto la follia a una malattia, con questo stratagemma non abbiamo certo neutralizzato la diversità".[28] E qui vien da pensare alla diversità dell'omosessuale, dell'immigrato, dello "straniero", che a quelli del luogo appare "strano", ma anche alla diversità di ciascuno di noi quale ci appare di notte nei sogni, e anche di giorno quando allentiamo gli ormeggi dell'Io.

In gioco, infatti, non è solo la diversità degli altri che abbiamo la possibilità di confinare e neutralizzare, delegando i folli ai medici, gli stranieri alle forze dell'ordine, ma la nostra diversità che non ammette deleghe, anzi si rinforza proprio nel processo di soppressione e delega.

Ogni volta che allontaniamo il problema della diversità, confermiamo la nostra paura del diverso, che è poi la paura di quel diverso che ciascuno di noi è per se stesso, e da cui ogni giorno strenuamente ci difendiamo per mantenere la nostra identità. Per questo parallelismo che esiste tra il diverso che ci abita e il diverso che incontriamo per strada, potremmo chiedere a ciascuno di noi: "Dimmi chi sono per te i diversi e come li escludi, e ti dirò chi sei".[29]

In un suo racconto, *La tana,*[30] Kafka ci mostra come una casa può diventare una prigione. Lo strano animale che la costruisce e la abita è ossessionato da un'unica idea, che qualcuno dall'esterno possa penetrare nella tana. Escogita ogni sorta di sistemi di sicurezza, trasforma la tana in un labirinto che solo lui conosce, ma poi, siccome un'entrata ci deve pur essere, è là che lui si colloca a spiare i pericoli esterni. Anzi, a un certo punto, con

[27] P.A. Rovatti, *La follia, in poche parole*, Bompiani, Milano 2000, p. 35.
[28] *Ibidem.*
[29] Ivi, p. 36.
[30] F. Kafka, *La tana* (1923-1924), in *Racconti*, Mondadori, Milano 1975, pp. 509-547.

un gesto assurdo, decide di uscire dalla tana e nascondersi nei pressi dell'imbocco, per poter meglio controllare le mosse di chi dovesse arrivare. La morale che ne trae Rovatti è questa: "Più impazziamo a blindare il nostro Io (tana o casa che sia) più ci esponiamo all'invasione dell'altro, ottenendo dunque l'esatto contrario".[31]

Nel *Libro dell'ospitalità*,[32] Edmond Jabès racconta che un giorno, persa la strada in un viaggio nel deserto, ricevette da un beduino un'accoglienza ospitale e un opportuno orientamento. Qualche tempo dopo, Jabès tornò a cercare il beduino per un tangibile atto di riconoscenza, ma il beduino si comportò con gentile distacco come se lo incontrasse per la prima volta. "Che strana ospitalità," pensò Jabès, ma poi si accorse che la vera ospitalità è quella in cui l'ospite arriva sempre la prima volta. Commentando queste due storie Pier Aldo Rovatti osserva che:

> L'episodio di Jabès è come se fosse scritto su una faccia di quella stessa medaglia che porta scritto, sull'altra faccia, il racconto di Kafka. Fino a che non saremo diventati stranieri a noi stessi, e non avremo imparato a stare nell'oscillazione della follia dell'altro, l'altro avrà per noi solo il sembiante più pauroso e ossessivo, quello descritto da Kafka. E la follia dell'altro, così bloccata in se stessa, ci renderà folli.[33]

Ma come si fa a incontrare davvero l'altro? Sartre nega decisamente la praticabilità di questo incontro, non per le ragioni di quanti temono per l'identità della loro micro-cultura, ma perché, a suo dire, gli altri sono il nostro "inferno",[34] ci limitano perché ci trascendono, ci tengono in pugno perché ci guardano e ci vedono come siamo, posseggono quello che a noi sfugge e quindi hanno un potere terribile su di noi.

Quel che dice Sartre è vero: la coscienza di ciascuno di noi è sopraffatta dall'incombere dello sguardo dell'altro, ma è anche vero che, se togliamo questa dipendenza, la coscienza si accartoccia su se stessa in un'impotenza radicale. Il nostro comune e diffuso sentire, la nostra cultura, e forse anche le nostre leggi tendono all'"integrazione del diverso", cioè alla "negazione della diversità".

[31] P.A. Rovatti, *La follia, in poche parole*, cit., p. 39.
[32] E. Jabès, *Le livre de l'hospitalité* (1991); tr. it. *Il libro dell'ospitalità*, Raffaello Cortina, Milano 1991.
[33] P.A. Rovatti, *La follia, in poche parole*, cit., p. 40.
[34] J.-P. Sartre, *L'être et le néant* (1943); tr. it. *L'essere e il nulla*, il Saggiatore, Milano 1968, p. 336.

Le opere assistenziali, messe in atto dal mondo religioso e dal mondo del volontariato, tendono a ridurre la sofferenza dei diversi che, nel sommo disagio, giungono da noi. È molto difficile dar loro torto, ma Rovatti ha il sospetto che se si affronta il problema della diversità, mettendo a fuoco solo la sofferenza, si finisce con il ridurre il mondo della diversità a un problema assistenziale.

E così facendo si entra in un tunnel che ha una sola via d'uscita, perché la liberazione dalla sofferenza, che di solito si raggiunge con l'*integrazione* del diverso, finisce con il fare del diverso *uno di noi*. In questo modo perdiamo il confronto con la diversità, con la nostra e con quella altrui, per entrare spediti "nella gabbia in cui inesorabilmente ciascuno di noi tende a rinchiudersi, credendo di essere il più normale dei normali".[35] A costui, che è poi ciascuno di noi, viene da chiedere se siamo davvero estranei alla diversità, e se sì, "come ci siamo costruiti questa rassicurante terraferma".[36]

Il discorso di Rovatti sulla follia e sulla diversità non è rivolto né ai folli né ai diversi, "che non saprebbero proprio cosa farsene, ma se mai a quelli che vi si dedicano, alle loro sicurezze culturali, e soprattutto è rivolto a noialtri, qualsiasi lavoro facciamo".[37]

5. *La vera ragione del razzismo*

Chi l'avrebbe mai detto che un pigmento nero o giallo della pelle, o un taglio differente dell'angolatura degli occhi, sarebbero diventati un pretesto per una discriminazione razziale? Eppure, essere neri o gialli in una società di bianchi, così come essere ebrei in un passato recente o musulmani oggi, genera sospetto e diffidenza. Se cominciassimo a pensare che queste differenze somatiche o religiose non sono solo frutto di casuali evoluzioni fisiche o culturali, ma qualcosa che mette alla prova la nostra capacità di percepirci come uomini in grado di apprezzare le differenze, sospinti da quella curiosità che non manca ai bambini, ma troppo spesso agli adulti che preferiscono stare "tra loro" piuttosto che con gli altri?

[35] P.A. Rovatti, *La follia, in poche parole*, cit., p. 81.
[36] Ivi, p. 82.
[37] *Ibidem*.

Io non penso che il razzismo scaturisca dal colore della pelle o dalle differenze culturali o religiose, ma sia piuttosto un sintomo che caratterizza le società sviluppate, attraversate da processi interni di *disgregazione* che minacciano l'identità collettiva e le condizioni di benessere che, a causa della disgregazione, della mancanza d'iniziativa e della corruzione dei costumi non si sa come difendere. E perciò, prima di identificare la propria patologia, si preferisce accusare lo straniero di essere causa della propria dissolvenza.

Per ragioni economiche, dovute al fatto che nessuno di noi svolge più i lavori che affidiamo agli stranieri (primo sintomo della disgregazione della società), accogliamo gli immigrati purché non si integrino (nonostante le chiacchiere che a questo proposito si fanno), perché la loro integrazione cancellerebbe le differenze socialmente percepibili tra Noi (che per difendere la nostra identità ci consideriamo superiori) e Loro (che accogliamo solo se si mantengono a un livello inferiore e subordinato).

A ostacolare l'integrazione non sono tanto Loro, quanto Noi che ci sentiamo minacciati di declassamento se anche loro hanno diritto a una casa, a un'assistenza medica, a una pensione, ai vantaggi di uno stato sociale che Noi, a differenza di Loro, abbiamo conquistato.

Come opportunamente sostiene il politologo francese Pierre-André Taguieff,[38] lo straniero è ritenuto "inferiore" per il timore che un innalzamento del suo livello di vita comporti per noi un precipitare al suo livello, fino a esserne sommersi, inglobati e risucchiati. L'ostilità verso lo straniero nasce allora dal terrore del nostro *declassamento*, le cui cause vanno invece ricercate nell'indolenza e nella scarsa capacità di sacrificio tipica delle società opulente.

Prendiamo ad esempio la concorrenza cinese, oggi a livello di prodotti a bassa tecnologia, domani a livello di competenze e capacità intellettuali. Ma non è colpa dei cinesi se noi lavoriamo meno di loro, così come non è colpa loro se i nostri livelli di istruzione e preparazione professionale già oggi, come ci informa Federico Rampini,[39] sono decisamente inferiori ai loro.

Per non riconoscere la nostra indolenza lavorativa e ideativa,

[38] P.-A. TAGUIEFF, *Le racisme* (1997); tr. it. *Il razzismo. Pregiudizi, teorie, comportamenti*, Raffaello Cortina, Milano 1999, capitolo 4: "Verso un modello di intelligibilità", pp. 55-69.

[39] F. RAMPINI, *Cindia. Cina, India e dintorni: la superpotenza asiatica da tre miliardi e mezzo di persone*, Mondadori, Milano 2007.

che è alla base dei processi di disgregazione delle nostre società opulente, preferiamo adagiarci sul pregiudizio razzista secondo il quale nascere superiori o inferiori significa essere e rimanere tali senza nessuno sforzo.

Il timore del declassamento e della perdita della nostra identità non vale solo nei confronti dello straniero, ma anche nei confronti dell'universo femminile, la cui emancipazione è vissuta dall'universo maschile come una minaccia. Di qui gli ostacoli che si pongono alle donne quando vogliono fare il loro ingresso ai livelli alti della società, mentre sono bene accolte quando si propongono in termini di "servizio": o come angelo del focolare, o come appetizione sessuale.

Alla base del razzismo c'è, dunque, sempre il timore di perdere i propri privilegi, guadagnati magari anche con grandi sacrifici nel corso della storia, e che oggi si vogliono mantenere senza sacrifici, per il semplice diritto che ci deriva dall'essere stati i primi ad averli conquistati.

Il pregiudizio razzista e l'ostilità per lo straniero che esso diffonde hanno forse come unica motivazione quella di eliminare la concorrenza di coloro che nella storia sopraggiungono dopo di noi e minacciano il nostro declassamento, siano essi gli stranieri o le donne. Non dunque il pigmento della pelle o le differenze culturali o religiose, ma il terrore di perdere la nostra ricchezza, perché tutti sappiamo che una ricchezza è tale non quando la si possiede, ma quando si è in grado di mantenerla.

6. *La tolleranza imposta dal mercato e dalla tecnica*

Siamo tutti persuasi che la coesistenza pacifica è meglio dell'intolleranza e naturalmente anche della persecuzione. Ne sono convinti persino gli intolleranti che, perlopiù, si giustificano non difendendo ciò che fanno, ma negando di farlo. Eppure, il concetto di tolleranza che noi abbiamo è ancora molto modesto e ricalca gli schemi dei secoli passati dove l'alternativa era: o lasciarsi assimilare o andarsene via, che, tradotto, significa accogliere gli immigrati senza accogliere la loro differenza.

L'*assimilazione*, infatti, libera gli individui nella misura in cui essi abbandonano i loro gruppi. E ciò comporta questa strana condizione per cui, se lo straniero mantiene la sua identità e il radicamento nel proprio gruppo, non familiarizza con quelli del luogo a cui appare strano, non familiare, al limite incomprensibile, se invece familiarizza fino a confondersi con quelli del luogo, perde la propria identità e il proprio originario radicamento.[40] La sofferenza dello straniero, infatti, non è tanto la distanza dalla sua patria, ma la *rinuncia alla propria identità* come costo da pagare per l'assimilazione, che non diventa qualcosa di più morbido anche se la si chiama *integrazione*.

A ospitare gli stranieri è l'Occidente, e la ragione è la sua ricchezza che, risolvendo il mondo nel mondo del denaro, spoglia la società e l'individuo di ogni valenza qualitativa, riducendo la società a mercato e l'individuo a semplice titolare di interessi. Ma là dove la società è ridotta a mercato, nonostante l'ideologia celebri, come mai era avvenuto, il trionfo dell'individuo (individualismo) e della sua libera iniziativa (liberismo), ciò cui si assiste è il declino dell'individuo e la sua progressiva estinzione.

Nel mercato, infatti, sono gli interessi a porre in relazione gli individui, e perciò questi ultimi interagiscono non in quanto individui con le loro specificità e peculiarità, ma in quanto titolari di interessi, in quanto "personificazioni" (nell'accezione latina di *persona*, che è poi il termine che designava la *maschera da teatro*), per cui il volto dell'individuo scompare sotto la maschera del rappresentante di interessi. Di ciò si era già ben reso conto Marx in quel passo che già abbiamo citato e che ora vale la pena di rileggere:

> La borghesia ha avuto nella storia una funzione sommamente rivoluzionaria. Dove è giunta al potere, essa ha distrutto tutte le condizioni di vita feudali, patriarcali, idilliache. Essa ha lacerato senza pietà i variopinti legami che nella società feudale avvicinavano l'uomo ai suoi superiori naturali, e non ha lasciato tra uomo e uomo altro vincolo che il nudo interesse, lo spietato "pagamento in contanti". Essa ha affogato nell'acqua gelida del calcolo egoistico i santi fremiti dell'esaltazione religiosa, dell'entusiasmo cavalleresco, della sentimentalità filistea. Ha fatto della dignità personale un semplice valore di scambio; e in luogo delle innumerevoli libertà faticosamente acquisite e patentate, ha posto la sola libertà di commercio senza scrupoli. In una parola, al posto dello sfruttamento velato da illusioni religiose e politiche, ha messo lo sfruttamento aperto, senza pudori, diretto e arido. La borghesia ha spogliato della loro aureola tutte quelle attività che fino ad allora erano considerate degne di venerazione e di rispetto. Ha trasformato il me-

[40] Si veda a questo proposito U. GALIMBERTI, *La terra senza il male. Jung dall'inconscio al simbolo* (1984), Feltrinelli, Milano 2001, capitolo 12: "L'anima straniera".

dico, il giurista, il prete, il poeta, lo scienziato in salariati al suo stipendio. La borghesia ha strappato il velo di tenero sentimento che avvolgeva i rapporti di famiglia, e li ha ridotti a un semplice rapporto di denaro.[41]

Gli effetti di questa *de-simbolizzazione* subita dalla società occidentale furono le esequie dell'individuo in ordine alla sua identità, alla sua specificità e al suo radicamento simbolico, perché l'individuo fu sostituito da quella maschera che rappresenta unicamente la sua valenza economica. Là infatti dove il capitalista è "capitale pianificato" che entra in relazione con il proprietario fondiario in quanto "personificazione della terra", o con l'operaio in quanto "personificazione della forza lavoro", l'incontro non è più tra individui, ma tra fattori economici di cui gli individui sono semplici rappresentanti. Infatti, scrive Marx:

> Le persone esistono qui l'una per l'altra soltanto come rappresentanti di merce, quindi come possessori di merci. Troveremo in generale, man mano che la nostra esposizione procederà, che le maschere economiche caratteristiche delle persone sono soltanto le personificazioni di quei rapporti economici, come depositari dei quali esse si trovano l'una di fronte all'altra.[42]

Essendosi realizzata in Occidente quella condizione che Marx constata là dove scrive che "non esistono più rapporti immediatamente sociali tra persone, ma *rapporti di cose* fra persone e *rapporti sociali fra cose*",[43] gli individui perdono la loro specificità e, in quanto meri rappresentanti delle cose che possiedono e delle funzioni che svolgono, tendono a diventare sempre più simili gli uni agli altri, come le monadi di Leibniz, simbolo settecentesco dell'individuo economico atomistico che la società, visualizzata a partire dai valori economici, eleva a tipo sociale.

Il principio di uniformità si stende così sugli individui il cui volto non solo resta nascosto dietro la maschera del "titolare di interessi", ma finisce col non aver più alcuna rilevanza perché, per lo sguardo economico, ciò che conta non è più l'individuo,

[41] K. Marx, F. Engels, *Manifest der kommunistischen Partei* (1848); tr. it. *Manifesto del partito comunista*, in *Marx Engels Opere Complete*, Editori Riuniti, Roma 1973, vol. VI, pp. 488-489.

[42] K. Marx, *Das Kapital. Kritik der politischen Oekonomie* (1867-1883); tr. it. *Il capitale. Critica dell'economia politica*, Editori Riuniti, Roma 1964, Libro I, Sezione I, capitolo II, pp. 117-118.

[43] Ivi, pp. 104-105.

ma la sua titolarità. E così, dietro la persona, dietro la maschera non c'è nessuno. Ma, come sappiamo da Omero, e come ci ricorda Romano Madera, "Nessuno è il nome di qualcuno"[44] che entra in relazione sociale non come individuo, come se stesso, ma solo come titolare di interessi, come loro rappresentante. In questo modo "Nessuno" diventa il vero nome di ogni individuo a cui l'economia ha tolto la specificità del volto sotto la maschera della rappresentanza economica.

Questa dequalificazione della specificità individuale, tipica della cultura occidentale, per malinconica che sia, può paradossalmente costituire un buon terreno di cultura per l'esercizio della tolleranza perché, come scrive Michael Walzer:

> Là dove una vita non ha più confini netti e le identità non sono più precise e stabili, [...] là dove i pronomi plurali "noi" e "loro" non hanno più un referente stabile, l'estraneità è universale. Anzi, come dice Julia Kristeva, "solo l'estraneità è universale".[45]

Dunque, noi accogliamo stranieri nella nostra terra che però, in ogni suo dove, è permeata da quella cultura economica che, visualizzandoci non più come individui, ma come semplici titolari di interessi, ci rende stranieri a noi stessi, ponendoci in una condizione non dissimile dalla condizione dello straniero che ospitiamo.

Il processo di globalizzazione renderà questo scenario universale. I confini si faranno incerti, le identità deboli e imprecise, e l'incontro ravvicinato con la differenza sarà affare di ogni giorno, sia nei rapporti con l'altro, sia nei rapporti con quell'altro che ciascuno di noi è diventato per se stesso.

Per effetto di questa estraneità universale, in cui viene a trovarsi ogni individuo nella società globale regolata esclusivamente dalla razionalità economica e tecnica, la tolleranza diventa la condizione della convivenza, e l'intolleranza, per quel tanto che intralcia la progressiva espansione dell'economia e della tecnica, verrà soppressa perché ostativa. E già se ne vedono gli esempi.

Per ragioni economico-produttive, l'industriale del Nord-est non ha nessuna difficoltà ad adibire un locale della fabbrica a moschea per la manodopera musulmana, per cui viene da pen-

[44] R. Madera, *Identità e feticismo. Forma del valore e critica del soggetto: Marx e Nietzsche*, Moizzi Editore, Milano 1977, p. 103.

[45] M. Walzer, *On Toleration* (1997); tr. it. *Sulla tolleranza*, Laterza, Bari 1998, pp. 120-122. La citazione di J. Kristeva è tratta da *Nations without Nationalism*, Columbia University Press, New York 1993, p. 21.

sare che quel che non era riuscito al messaggio cristiano e alla filosofia illuminista, con le rispettive prediche e inviti alla tolleranza, riesce alla razionalità economica e tecnica, la quale non esorta alla tolleranza, ma la esige come condizione per la sua affermazione.

A questo punto essere intolleranti non è più solo una faccenda di maleducazione, di arretratezza etica, ma è ritardo culturale di chi ancora non ha capito che il mondo in cui vive, essendo cadenzato esclusivamente dal mercato e dalla tecnica, ha spazzato via tutti i valori simbolici di razza, etnia, identità, individualità, religiosità, appartenenza, a favore dei semplici criteri di funzionalità ed efficienza.

Per poveri che siano, questi criteri, anche se fanno il mondo un po' grigio, rendono obbligatoria la tolleranza fra gli uomini e allontanano le più spaventose fra le guerre, che sono poi quelle promosse da quei valori simbolici di razza, di etnia e di religione che mercato e tecnica visualizzano come semplici intralci al loro irreversibile sviluppo.

7. *Educare al relativismo culturale*

Che rapporto c'è tra istruzione e cittadinanza? La scarsità di prospettive di lavoro in campo umanistico non rischia di accentuare l'indirizzo tecnico-scientifico delle nostre scuole medie, superiori e universitarie, emarginando arte, letteratura e filosofia, perché non danno competenze specifiche? E che significa una formazione scolastica e universitaria che, sul modello americano, si indirizza sempre più verso la specializzazione, in un tempo come il nostro in cui le continue migrazioni creano società multietniche, dove sarà possibile convivere solo se buoni e sostanziosi insegnamenti umanistici avranno creato quel *relativismo culturale* che insegna agli uomini il rispetto delle differenze? Non è proprio oggi urgente incrementare a dosi massicce la cultura umanistica per rendere l'istruzione all'altezza dei problemi che il nostro tempo crea intorno alla convivenza e ai diritti di cittadinanza?

Sono, questi, alcuni problemi sollevati da Martha Nussbaum nel suo libro *Coltivare l'umanità. I classici, il multiculturalismo, l'educazione contemporanea* dove, accanto al sapere tecnico-specialistico, si raccomanda un forte incremento del sapere filosofico-umanistico sul modello socratico che non fornisce un *sapere* (Socrate si è sempre vantato della sua "dotta ignoranza"), ma la capacità di interrogare e di argomentare in forma autonoma, senza affidarsi a quei giudizi acritici che sono il precipitato ridotto in pillole dell'informazione televisiva.

Questa educazione filosofico-umanistica è oggi molto urgente, non tanto per compensare il tecnicismo specialistico, quanto per riuscire a convivere in società sempre più multietniche dove, senza una cultura ampia, critica e perciò tollerante, sarà sempre più difficile coabitare se si resta rattrappiti nella difesa della propria specificità.

E qui non penso solo ai pregiudizi delle persone ignoranti, ma all'*ignoranza umanistica* dei tecnici, degli scienziati, degli operatori di mercato, e più ampiamente di tutti quegli attori di competenze specializzate che, a sentirli parlare, sembrano uomini che, all'alba del mondo, stanno cominciando a crearsi un'idea di quel che succede in quello spazio impreciso e confuso che comincia appena fuori dal loro ufficio e dal loro laboratorio.

E questo perché? Perché nessuno ha insegnato loro a pensare con la propria testa, e a scostarsi di qualche centimetro da quel che in generale si dice su questo o quell'altro argomento, perché ogni piccola differenza, ogni opinione che pretenda di essere personale, esige che in qualche modo venga giustificata, argomentata, compresa, e capaci non si è.

Un laureato in Ingegneria, in Biologia, in Tecnica bancaria dovrebbe essere in grado di dimostrarsi un interlocutore intelligente sul tema delle differenze religiose con conseguenti diversità di usi e costumi, sul tema della modificazione della famiglia nella società complessa, sul controllo della sessualità, sul futuro dei giovani. E invece no. Quando non è calcio, è film, perché sempre più va diffondendosi quell'idea fuorviante secondo cui la cultura è spettacolo, per cui basta andare al cinema o mettersi in coda a una mostra per aver pagato i debiti con la cultura.

E in effetti, nonostante l'immane incremento dei mezzi audiovisivi, di cui si riforniscono inutilmente persino le scuole, nessuno ha più il coraggio di dire che la cultura non è *visione*, ma *riflessione*, e che il mezzo deputato alla riflessione, piaccia o non piaccia, resta ancora il libro, meglio se non illustrato. Ma per questo, insiste la Nussbaum,[46] è necessario potenziare, e non ridur-

[46] M.C. Nussbaum, *Cultivating Humanity. A Classical Defense of Reform in Liberal Education* (1997); tr. it. *Coltivare l'umanità. I classici, il multiculturalismo, l'educazione contemporanea*, Carocci, Roma 1999, pp. 23-26.

re come purtroppo sta avvenendo nelle nostre scuole, il recupero di quella tradizione filosofica che, partendo dal concetto socratico di "vita esaminata", attraversa la nozione aristotelica di "cittadinanza riflessiva", per giungere ai concetti greco-romani di "educazione" che, a sentir Seneca, è "liberale" se libera la mente dalle catene dell'abitudine e della tradizione, quando questa è solo espressione di pigrizia mentale e di chiuso recinto che non fa capir nulla dell'altro, che oggi non è solo alle nostre porte, ma già in casa nostra.

Coltivare l'essere umano nella sua interezza per gli scopi della cittadinanza e della vita, ormai ovunque multietnica, è un concetto che i nostri programmi scolastici devono recepire con molta rapidità, prima di orientarsi precipitosamente e massicciamente verso istruzioni tecniche e specialistiche. Perché, ci ricorda la Nussbaum, "diventare un buon cittadino significa conoscere una gran quantità di dati e saper padroneggiare le tecniche di ragionamento",[47] se non si vuole, aggiungiamo noi, che la democrazia si estingua.

E questo perché le scelte che occorre fare nelle società complesse richiedono ai cittadini un buon livello di competenza, altrimenti il voto avviene su base emotiva, nel senso che si vota a destra o a sinistra come si tifa per le squadre di calcio. E allora la democrazia non c'è più, non per la minaccia della dittatura, ma per quell'altra ben più pericolosa minaccia che è l'incompetenza.

Per vivere infatti all'altezza delle società occidentali, oggi popolate in modo multietnico, occorre che le nostre scuole educhino la capacità di giudicare criticamente se stessi e le proprie tradizioni. Ciò significa non accettare alcuna credenza come vincolante solo perché è stata trasmessa dalla tradizione ed è divenuta familiare con l'abitudine. Significa mettere in gioco tutte le credenze e accettare soltanto quelle che resistono alle richieste di coerenza e di giustificazione razionale. Per esercitare questa capacità occorre saper ragionare correttamente, verificare la coerenza dell'argomentazione, l'esattezza e l'accuratezza di ciò che si legge e si scrive.

Esami di questo genere portano spesso a sfidare la tradizione, come ben sapeva Socrate che dovette subire un processo e una condanna perché educava i giovani a pensare autonomamente senza lasciare questo compito all'autorità. Ma *educazione*

[47] Ivi, p. 29.

umanistica non vuol dire solo imparare a ragionare con la propria testa evitando sia il menefreghismo sia la delega in bianco, ma vuol dire anche oltrepassare l'angusta fedeltà al gruppo per interessarsi alla realtà di esistenze lontane. Non pensarsi innanzitutto come italiani, tedeschi, francesi, europei, americani, ma come esseri umani.

Ciò comporta una significativa conoscenza dei periodi storici che ci hanno preceduti, delle culture non-occidentali, delle minoranze nel nostro paese, delle differenze sessuali e di genere che la cultura umanistica, proprio per la sua non-specializzazione, è in grado di fornire insieme a quello strumento, l'*immaginazione narrativa*, che ci consente di metterci nei panni dell'altro, attraverso quei processi di identificazione che ciascuno sperimenta quando legge un romanzo e si identifica con i vari personaggi. Scrive in proposito la Nussbaum:

> Si potrebbe definire "immaginazione narrativa" la capacità di immaginarsi nei panni di un'altra persona, di capire la sua storia personale, di intuire le sue emozioni, i suoi desideri e le sue speranze. Questo non comporta una mancanza di senso critico, perché nell'incontro con l'altro manteniamo comunque fermi la nostra identità e i nostri giudizi. Quando ci identifichiamo con il personaggio di un romanzo, per esempio, o con la storia di una persona lontana non possiamo fare a meno di giudicarli alla luce dei nostri fini e delle nostre personali aspirazioni. Ma un primo passo verso la comprensione dell'altro è essenziale per ogni giudizio responsabile, dal momento che non possiamo ritenere di conoscere ciò che stiamo giudicando, finché non comprendiamo il significato che una determinata azione ha per la persona che la compie, o il significato di un discorso in quanto espressione della storia di questa persona e del suo ambiente sociale. La capacità che i nostri studenti dovrebbero raggiungere riguarda dunque il saper decifrare questi significati per mezzo dell'immaginazione.[48]

Finora noi occidentali abbiamo ascoltato l'altro quasi esclusivamente nella forma del *colonialismo* o del *proselitismo*. Neppure il sospetto che la relazione possa esprimersi anche in quelle direzioni che l'immaginazione dischiude quando si oltrepassano i limiti di un'educazione diretta a un'élite omogenea (come perlopiù avviene nelle scuole cattoliche) per formare cittadini che sono liberi perché non incatenati dalla loro omogeneità, e quin-

[48] Ivi, pp. 25-26.

di in continuo contatto con storie molto diverse che obbligano a rivisitare le proprie convinzioni, i propri pregiudizi, le proprie acritiche persuasioni.

Se le guerre dove noi occidentali interveniamo per sedare conflitti etnici o quelle preventive che scateniamo per prevenire possibili minacce dovessero finire con il semplice aiuto ai profughi e la semplice ricostruzione di un paese che i nostri bombardamenti hanno reso simili a una crosta lunare, queste guerre, rivelando tutta la loro inutilità, sarebbero da rubricare nella serie infinita delle guerre che gli uomini fanno quando si attengono a quella logica elementare che non oltrepassa il livello amico/nemico.

Ma per oltrepassare questo livello non bastano la buona volontà e neppure l'esortazione alla carità. Per oltrepassare questo livello ci vuole cultura, e per essere ancora più chiari: *cultura laica e umanistica*, l'unica che può fondare quel rapporto tra *istruzione e cittadinanza* che è un'urgenza improrogabile nel tempo delle migrazioni dei popoli e della composizione multietnica della nostra società.

Chissà se incrementando questo tipo di cultura anche gli studenti smetteranno di annoiarsi a scuola perché avranno cominciato a capire che oggi non si può più essere uomini restando chiusi nei confini angusti della propria tradizione. In questa clausura, infatti, possono crescere solo individui ignoranti e perciò intolleranti, perché non hanno mai assaporato il *relativismo* della propria cultura, della propria fede, delle proprie convinzioni, delle proprie persuasioni.

È qui che, innanzitutto, si deve cambiare la scuola. Non congedarsi dalla cultura umanistica per quella tecnico-scientifica, ma, accanto a questa, portare la cultura umanistica alla sua altezza, che è poi l'altezza dell'uomo in tutte le sue espressioni, che non sono solo quelle europee e americane, perché l'Europa e l'America sono ormai abitate da gente di tutto il mondo, con la quale non si può convivere se non la si capisce, e non la si può capire se non sradicandosi almeno un po' dalla propria tradizione. Cosa, questa, che non si ottiene con il sapere tecnico-scientifico, ma con quello filosofico-umanistico, che dunque va incrementato e non assottigliato perché ritenuto poco ideoneo alle professioni. A meno che essere davvero uomini, all'altezza del riconoscimento della diversità, sia ritenuto inessenziale all'esercizio della professione.

8. *Educare alla fraternità*

È noto che i bambini sono più feroci degli adulti, e la loro innocenza non è che il lasciapassare per la loro ferocia che non conosce quelle mediazioni a cui invece ricorrono gli adulti nella loro comunicazione. Ma è anche noto che i bambini, alla loro età, sono in qualche modo la fotocopia degli adulti, da cui imparano cosa si deve dire per darsi importanza, e cosa si deve tacere per non fare brutta figura. La loro crescita è affidata a questi processi di imitazione, per cui ciò che dicono è fondamentalmente quello che hanno sentito dire. E stupisce che in certe case si dica ancora che gli ebrei sono da discriminare, e che le donne di colore debbono fare se non proprio le schiave, al massimo le cameriere.

Accade così, e abbastanza di frequente, che bambini delle scuole elementari vengano ritirati perché dileggiati dai compagni per il colore della loro pelle, per il taglio dei loro occhi, per la loro appartenenza etnica o religiosa, nella totale indifferenza degli insegnanti e nella completa giustificazione dei genitori che, dopo aver trasmesso magari sbadatamente questi messaggi, giustificano il tutto dicendo "tanto sono bambini", senza neppure rendersi conto che i bambini, a una certa età, altro non sono che dei riproduttori della comunicazione degli adulti.

E tutto ciò mentre, per effetto dell'immigrazione massiccia, stiamo avviandoci, ultimi in Europa, a diventare una nazione multietnica, per vivere nella quale è necessario ampliare, e di molto, il concetto di "uomo", e imparare quella prima virtù della convivenza che si chiama *tolleranza*.

È, questo, un concetto laico, messo in circolazione dai filosofi dell'Età dei lumi contro la mentalità religiosa, che nei secoli aveva scatenato le più tremende guerre per la difesa delle reciproche verità assolute, di cui ogni religione è per sua natura portatrice. Questa virtù aveva trovato una sua formulazione in una delle parole simbolo della Rivoluzione francese: *fraternité*, che ha avuto decisamente meno fortuna delle altre due: *égalité* e *liberté*.

Sull'uguaglianza e sulla libertà sono nati comunismo e capitalismo, sulla fraternità non è nato ancora un bel niente. Ma senza fraternità il capitalismo non può che ritornare a essere selvaggio, e il comunismo non può trovare altra espressione di quella che storicamente ha avuto.

Per la cultura della fraternità, le religioni non servono granché. Per quanto amore del prossimo esse predichino, non riescono mai a essere credibili, perché chi ritiene di possedere la verità assoluta non può considerare gli altri diversamente che come erranti. Le varie encicliche dei pontefici che si succedono non fanno che ribadire questo concetto.

La scuola è affidata alla sensibilità degli insegnanti, ma molto più di frequente alla loro insensibilità, che non è cattiveria ma scarsa percezione degli indizi di episodi di intolleranza che a me paiono di enorme rilevanza, perché le convinzioni che si radicano nei bambini, prima che la coscienza intervenga a elaborarle, diventano radicati pregiudizi che non si lasciano facilmente estirpare.

La famiglia è quella che è e, anche se è aperta, è una struttura fondamentalmente chiusa, perché ha come suo vincolo unificante il sangue, non la cultura. Ogni porta che chiude un appartamento fa di ogni casa un piccolo recinto da cui un bambino apprende, prima ancora di pensare, la distinzione tra dentro e fuori, dove fuori ci sono tutti gli altri di cui non ci si può molto fidare. E tra gli altri ci sono anche gli ebrei e gli uomini di colore, ma l'elenco potrebbe continuare, con gli albanesi, i serbi, i marocchini, i curdi, i filippini, gli armeni, e quei disperati del Bangladesh.

Tra religione, famiglia e scuola, una lezione sulla *fraternità* può venire solo dalla scuola. E quando dico "scuola" intendo la "scuola pubblica" che, per il solo fatto di accogliere sia gli italiani sia quelli provenienti da altri paesi, i ricchi e insieme i poveri, i bianchi e quelli di colore, gli abili e i disabili, è la più idonea a diventare quel "laboratorio" in cui può nascere e fiorire quella *cultura della fraternità* a cui solamente gli uomini possono riferirsi, non solo per un loro salto di qualità nel regime della convivenza, ma addirittura per scorgere la condizione stessa della loro convivenza, in un mondo che i mezzi di comunicazione e di trasporto hanno trasformato in un unico vicinato.

9. *Per un nuovo umanesimo*

Dopo il crollo del comunismo come entità politico-geografica, l'Occidente diventa problema a se stesso. L'esistenza di un modello di vita non capitalistico che si estendeva dal Danubio al Pacifico, e l'esistenza di un Sud del mondo impossibilitato a esprimersi in termini capitalistici consentivano all'Occidente di realizzare il proprio modello, la cui possibilità di attuazione poggiava sul fatto che la crescita all'infinito era limitata a una parte dell'umanità, a quella parte che popolava l'Europa e l'America.

Ma che ne è del modello occidentale al di fuori di questo limite? È compatibile questo modello con le risorse della terra e il numero dei suoi abitanti? Non è forse ora, e proprio ora, che l'Occidente incontra la sua contraddizione, quella che Marx ipotizzava avrebbe generato il comunismo, e che invece si fa evidente proprio con il crollo del comunismo?

A questo genere di domande tentano di rispondere due libri, *L'occidentalizzazione del mondo* di Serge Latouche,[49] che documenta come l'Occidente abbia deterritorializzato il mondo, sottratto a ogni nucleo umano la sua tradizione, il suo uso e commercio con le cose, il suo modo di esistere, di volgersi al cielo e alla terra, i due grandi sfondi dell'umano, e *La terra del tramonto* di Ernesto Balducci, dove si cerca la via che potrebbe consentire all'Occidente di uscire dal suo progetto impossibile, teso all'espansione infinita. Ma quali sono le possibili vie d'uscita? Forse quelle indicate da Domenico Losurdo in *La comunità, la morte, l'Occidente*,[50] dove le prime due parole, "comunità" e "morte", si offrono *in alternativa* come soluzione della crisi della modernità?

La modernità prende avvio con la scoperta dell'America di Cristoforo Colombo, che il 16 dicembre 1492 scriveva nel suo *Giornale di bordo*:

> Con questi pochi uomini che mi accompagnano posso correre tutte queste isole, senza temere che mi venga fatto alcun oltraggio e ho già constatato che tre soli dei miei marinai scesi a terra hanno fugato con il loro aspetto una moltitudine di gente. Non posseggono armi, non hanno spirito guerriero, vanno ignudi e indifesi e sono tanto vili che in mille non saprebbero attendere tre dei miei uomini.[51]

A commento di questa nota Ernesto Balducci scrive:

> L'immagine dell'Ammiraglio e dei suoi tre uomini che, approdati ad Haiti il 6 dicembre 1492, al solo apparire, mettono in fuga quella moltitudine di "ignudi e indifesi" (erano più di 7 milioni all'arrivo di Colombo, saranno appena 15.600 sedici anni dopo!) mi è torna-

[49] S. Latouche, *L'occidentalisation du monde. Essai sur la signification, la portée et les limites de l'uniformisation planétaire* (1989); tr. it. *L'occidentalizzazione del mondo. Saggio sul significato, la portata e i limiti dell'uniformazione planetaria*, Bollati Boringhieri, Torino 1992.

[50] D. Losurdo, *La comunità, la morte, l'Occidente*, Bollati Boringhieri, Torino 1991.

[51] C. Colombo, *Giornale di bordo di Cristoforo Colombo (1492-1493)* e *Relazioni di viaggio e lettere di Cristoforo Colombo (1493-1500)*, a cura di R. Caddeo, Milano 1939, pp. 35-36.

ta davanti nell'osservare, sul video o sulla stampa, le immagini delle moltitudini di soldati iracheni in fuga disordinata dopo il fuoco dei bombardieri del generale Schwarzkopf. "Molti soldati iracheni si spaventarono, e questo mi divertiva," ha dichiarato Joe Quenn, premiato con la stella di bronzo per aver buttato giù un muro di sabbia e sepolto così un buon numero di soldati dentro la trincea. Le statistiche dicono che contro un morto della coalizione occidentale ce ne sono stati più di mille nell'esercito avversario. La strage del Mar delle Antille e quella lungo il Tigri e l'Eufrate (la culla della civiltà!) delimitano ai miei occhi, cronologicamente e geograficamente, l'intera parabola della modernità.[52]

Congedandosi dal Medioevo, Colombo porta nelle nuove terre tanti battesimi. Inaugurando l'età moderna, porta in Occidente, allora circoscritto all'Europa, tanto oro. I terminali di questo import-export sono connessi. Leggiamo infatti, sempre sul *Giornale di bordo,* alla data 23 dicembre 1492: "Il Signore nella sua bontà mi faccia trovare questo oro".[53]

Con la scoperta dell'America, quello che allora si scoprì, nel senso che *venne allo scoperto*, fu la realtà della cultura occidentale e della cristianità che l'aveva fondata, l'una e l'altra incapaci di riconoscere come proprio simile l'uomo non-occidentale. Già le Crociate in Oriente avevano messo a nudo questa verità, con la scoperta del "Nuovo mondo" questa verità non fu più contestabile, e non lo è a tutt'oggi se è vero che quando nel 1985 Giovanni Paolo II si recò in Perú, un gruppo di rappresentanti delle etnie indie, tra i quali Ramiro Reynaga dei Kechua, gli consegnarono questa lettera:

> Noi Indios delle Ande e dell'America abbiamo deciso di approfittare della visita di Giovanni Paolo II per restituirgli la sua Bibbia, perché in cinque secoli essa non ci ha dato amore, né pace, né giustizia. Per favore, riprenda la sua Bibbia e la restituisca agli oppressori, perché loro più di noi hanno bisogno dei precetti morali in essa contenuti. Infatti, con l'arrivo di Cristoforo Colombo, in America si sono imposti una cultura, una lingua, una religione e valori che erano propri dell'Europa.[54]

Ma tutto ciò in qualche modo è noto; meno noto, e drammaticamente più inquietante per Ernesto Balducci, è il fatto che quan-

[52] E. Balducci, *La terra del tramonto*, cit., p. 13.
[53] C. Colombo, *Giornale di bordo*, cit., p. 49.
[54] Citazione riportata da E. Balducci, *Montezuma scopre l'Europa*, Edizioni Cultura della Pace, S. Domenico di Fiesole 1992, p. 43.

do Colombo, all'alba del 12 ottobre 1492, incontrò i primi indigeni nella piccola isola dei Caraibi da lui battezzata San Salvador avvenne che: *l'uomo incontrò se stesso e non si riconobbe.* In questo fallimento è il senso di quell'evento grandioso e tragico.[55]

A rendere fallimentare quell'incontro, oltre al condizionamento etnocentrico per cui l'europeo quando pensa all'uomo pensa solo all'uomo occidentale, oltre alla teologia della dominazione mascherata dalle false spoglie della teologia della redenzione, c'era anche la qualità culturale degli indigeni che, per effetto del loro immaginario religioso, scambiarono i conquistatori con gli dèi tornati dopo un lungo esilio. L'una e l'altra cosa fecero sì che l'europeo davanti all'indiano vide uno "schiavo", e l'indiano davanti all'europeo vide un "dio". Nessuno, di fronte all'uomo, riconobbe l'uomo, perché nessuno seppe accogliere la *diversità* e l'*alterità* come dei valori.

Non ci soffermeremmo su queste considerazioni se il presente non ce le riproponesse con tanta drammaticità nell'Europa di oggi, dove l'*altro* resta inesorabilmente *un altro* da evitare, da scansare, quando non addirittura da combattere. Sotto questo profilo la scoperta del "Nuovo mondo", come allora veniva chiamata l'America, non è il ricordo di un passato da cui ci siamo emancipati, ma la drammatica scoperta di un presente, di un terribile presente che non ci abbandona. Come per Colombo, anche per noi *gli altri non ci sono* o, se ci sono, *non sono simili a noi.* Come Colombo, anche noi quando ci volgiamo agli altri non cerchiamo l'uomo, ma se mai l'oro, sia quello giallo custodito nelle banche centrali, sia quello nero che rende così drammaticamente incerto il nostro futuro.

Colombo salpò dall'Europa quando in Europa, riscoperta l'*humanitas* degli antichi, si celebrava l'Umanesimo. Chissà cosa davvero si pensava allora quando si diceva "uomo", se poi di fronte all'uomo appena diverso dall'occidentale è stata subito carneficina e schiavitù. E se l'età moderna, che ironicamente ha preso avvio proprio dalla scoperta dell'America, nel secolo in cui si celebrava l'Umanesimo, fosse contrassegnata dal misconoscimento dell'uomo, dal suo mancato riconoscimento?

Infatti, come nel Rinascimento, in cui si celebrava il recupero dell'*humanitas*, gli uomini diversi dagli occidentali non rientravano in quell'universalità dell'umano tanto celebrata dagli in-

[55] Ivi, p. 23.

tellettuali umanisti, che nemmeno sembra abbiano avvertito il sopruso che oltre Atlantico si andava consumando contro l'uomo in carne e ossa, così oggi i diritti dell'uomo, universalmente proclamati, sembra non trovino ancora un'adeguata incarnazione nei singoli uomini, la cui vita e la cui morte non hanno la stessa incidenza e la stessa rilevanza.

Allora come ora non si è saputo e non si sa cogliere la possibilità di crescita umana implicita nel confronto con la *diversità*, preferendo la distruzione o l'integrazione del diverso, conseguenti a una cultura, quella occidentale, che, smarrito il rapporto che relaziona la parte al tutto, pensa se stessa come totalità. In ciò è l'*hýbris* dell'Occidente, la sua tracotanza, già segnalata dagli antichi Greci come suprema colpa, la colpa di chi scambia la parte con il tutto, di chi non riesce a collocare l'orizzonte della totalità umana al di là della propria particolarità.

Così ponendosi, l'Occidente segna *la fine* della storia, nel senso che segna una storia che non ha più *un fine* che non sia il mero potenziamento della sua volontà di potenza.[56] Ciò che si produce non è la disperazione, perché non è dato neppure un terreno di speranza al cui interno possa accadere un atto di disperazione. Conoscendo essenzialmente solo la volontà di potenza, l'uomo occidentale è più vicino all'uomo della clava di quanto non sia vicino all'immagine di uomo evoluto che si è costruito di sé. Tra la clava e la tecnologia non c'è differenza, se a promuovere l'una e l'altra è la volontà di distruzione o assimilazione. Sotto l'una o l'altra forma, ciò che si nasconde è l'incapacità di concepire l'uomo come altro da ciò che noi occidentali siamo divenuti.

Ma per questo occorre, come scriveva Einstein nella sua corrispondenza con Freud, che "gli uomini sappiano resistere alla psicosi dell'odio e della distruzione". Cosa possibile, rispondeva Freud, solo attraverso una mutazione psichica dell'umanità, che si verificherà quando si sarà capaci di subordinare la forza che divide e distrugge (*Thanatos*) alla forza che compone e unisce (*Eros*).[57]

Einstein e Freud pensavano alla distruttività che, con la guerra, gli uomini sanno scatenare tra loro, ma non ancora alla distruzione della terra profetizzata, nel 1894, dal capo Seattle del-

[56] Si veda in proposito U. GALIMBERTI, *Psiche e techne. L'uomo nell'età della tecnica*, Feltrinelli, Milano 1999, capitolo 47: "La tecnica e la fine della storia".

[57] S. FREUD, *Warum Krieg?* (1932); tr. it. *Perché la guerra?*, in *Opere*, Bollati Boringhieri, Torino 1968-1993, vol. XI, pp. 289-303.

la tribù dei Dwamish al presidente degli Stati Uniti Franklin Pierce che voleva comprare parte del suo territorio:

> Come potete acquistare o vendere il cielo, il calore della terra? L'idea ci sembra strana. [...] Non è l'uomo che ha tessuto la trama della vita: egli ne ha soltanto il filo. Tutto ciò che egli fa alla trama lo fa a se stesso. [...] Dopo tutto, forse noi siamo fratelli. Vedremo. C'è una cosa che noi sappiamo e che forse l'uomo bianco scoprirà presto: il nostro dio è il suo stesso dio. Voi forse pensate che adesso lo possedete come volete possedere le nostre terre: ma non lo potete. Egli è il dio degli uomini e la pietà è uguale per tutti: tanto per l'uomo bianco, tanto per l'uomo rosso. Questa terra per lui è preziosa, nuocere alla terra è come disprezzare il suo creatore. Anche i bianchi spariranno: forse prima di tutte le altre tribù. Contaminate il vostro letto e una notte vi troverete soffocati dai vostri rifiuti. [...] È la fine della vita e l'inizio della sopravvivenza.[58]

Del resto, come osserva Ernesto Balducci,[59] se alla radice della crisi attuale della vecchia Europa c'è la percezione che il modello di civiltà creato e diffuso dall'Occidente al sorgere dell'età moderna non è compatibile con le ragioni profonde della vita, se ipotizzare la sua diffusione in tutto il pianeta equivale a ipotizzare la fine della biosfera, se l'Umanesimo del dominio, lo si dichiari o no, è un umanesimo senza futuro, se l'esemplarità dell'Occidente si è offuscata, all'Occidente non resta che aggrapparsi a quell'unica cultura, nata anch'essa dal suo seno, in grado di portarlo oltre il vicolo cieco in cui si trova: *la cultura dei diritti umani e del diritto dei popoli* che va ben al di là dei diritti individuali, perché non si dà individuo la cui soggettività non sia innestata in quella della comunità umana, più vasta rispetto a quella a cui appartiene.

L'accelerazione tecnologica non concede di lasciare questa trasformazione ai tempi millenari delle mutazioni antropologiche. Occorre che la politica, prima di congedarsi dalla storia perché resa inessenziale dalla tecnica,[60] compia quello che forse è l'ultimo gesto che le rimane: il gesto della *comunità mondiale*, da cui siamo ancora distanti anni luce. Non perché manchi un *governo mondiale*, che nessuno fatica a individuare nell'America,

[58] Citazione riportata da E. Balducci, *Montezuma scopre l'Europa*, cit., p. 11.
[59] Ivi, pp. 70-71.
[60] Si veda in proposito U. Galimberti, *Psiche e techne. L'uomo nell'età della tecnica*, cit., capitolo 43: "La tecnica e il tramonto della politica".

ma perché manca a questo governo la capacità di concepire come uomo anche il non-occidentale.

Senza questa capacità il governo mondiale persegue quello che l'Occidente ha sempre perseguito, ossia la volontà di potenza. Senza percezione della diversità e senza rispetto della differenza, questo governo può ergersi sul mondo solo come un faro, con tutto il rischio che consegue a questo ergersi solitario: il rischio che Ernst Bloch ha ben evidenziato quando ha scritto che "ai piedi del faro non c'è luce".[61]

[61] E. Bloch, *Das Prinzip Hoffnung* (1959); tr. it. *Il principio speranza*, Garzanti, Milano 1994, vol. III, p. 1587.

Indice delle opere citate

ACHENBACH, G., *Philosophische Praxis* (1987); tr. it. *La consulenza filosofica*, Apogeo, Milano 2004.
–, *Das kleine Buch der inneren Ruhe* (2001); tr. it. *Il libro della quiete interiore*, Apogeo, Milano 2005.
–, *Lebenskönnerschaft* (2001); tr. it. *Saper vivere*, Apogeo, Milano 2006.
–, *Vom Richtigen im Falschen* (2003); tr. it. *Del giusto nel falso*, Apogeo, Milano 2008.
AGOSTINO DI TAGASTE, *In epistolam Iohannis ad Parthos* (415); tr. it. *Commento alla prima lettera di Giovanni*, in *Amore assoluto e "Terza navigazione"*, Rusconi, Milano 1994.
AIME, M., *Eccessi di culture*, Einaudi, Torino 2004.
AKERET, R.U., *The Man Who Loved a Polar Bear* (1995); tr. it. *L'uomo che si innamorò di un orso bianco*, Pratiche editrice, Parma 1998.
ANDERS, G., *Die Antiquiertheit des Menschen*, Band I: *Über die Seele im Zeitalter der zweiten industriellen Revolution* (1956), Band II: *Über die Zerstörung des Lebens im Zeitalter der dritten industriellen Revolution* (1980); tr. it. *L'uomo è antiquato*, Libro I: *Considerazioni sull'anima nell'epoca della seconda rivoluzione industriale*, Libro II: *Sulla distruzione della vita nell'epoca della terza rivoluzione industriale*, Bollati Boringhieri, Torino 2003.
–, *Wir Eichmannsöhne* (1964); tr. it. *Noi figli di Eichmann*, Giuntina, Firenze 1995.
ANSELMO D'AOSTA, *Epistulæ*, 1, 75, in J.-P. MIGNE, *Patrologia latina*, in *Patrologiæ cursus completus*, Paris 1845-1855, tomo 158.
ARISTOTELE, *Etica a Nicomaco*, *Riproduzione degli animali*, in *Opere*, Laterza, Bari 1973.
ARTAUD, A., *Dossier d'Artaud le mômo (Aliénation et magie noire)*; tr. it. *Dossier di Artaud le mômo (Alienazione e magia nera)*, in "aut aut", n. 285-286, maggio-agosto 1998.
BABINGTON MACAULAY, T., *The People's Charter* (1842), in *Miscellanies*, Houghton, Mifflin & Company, Boston-New York 1900, vol. I.

BACONE, F., *Instauratio Magna, Pars secunda: Novum Organum* (1620); tr. it. *La grande instaurazione,* Parte seconda: *Nuovo organo*, in *Scritti filosofici*, Utet, Torino 1986.
–, *New Atlantis* (1627), versione latina: *Nova Atlantis* (1638); tr. it. *La nuova Atlantide*, in *Scritti filosofici*, Utet, Torino 1986.
BAGLIVI, G., *De praxi medica* (1696). Citazione tratta da A. GASTON, *La psiche ferita,* Lalli Editore, Poggibonsi 1988.
BALDUCCI, E., *La terra del tramonto. Saggio sulla transizione*, Edizioni Cultura della Pace, San Domenico di Fiesole 1992.
–, *Montezuma scopre l'Europa*, Edizioni Cultura della Pace, S. Domenico di Fiesole 1992.
BARBER, B., *Jihad vs. McWorld*, Times Books, New York 1995.
–, *Il McMondo e i no global dopo l'attacco dell'11 settembre*, in "la Repubblica", 29 gennaio 2002.
BARICCO, A., *Omero, Iliade*, Feltrinelli, Milano 2004.
BARTHES, R., *Mythologies* (1957); tr. it. *Miti d'oggi*, Einaudi, Torino 1974.
–, *Système de la mode* (1967); tr. it. *Sistema della moda*, Einaudi, Torino 1970.
BARUCCI, M., *Umore e invecchiamento*, Idelson, Napoli 1995.
BASAGLIA, F., *L'utopia della realtà* (1963-1979), Einaudi, Torino 2005.
–, *Conferenze brasiliane* (1979), Raffaello Cortina, Milano 2000.
BASAGLIA, F., ONGARO BASAGLIA, F., *Follia/delirio*, in *Enciclopedia*, Einaudi, Torino 1979, vol. VI.
BATAILLE, G., *La notion de dépense* (1933); tr. it. *La nozione di dépense*, in *La parte maledetta*, Bertani, Verona 1972.
BAUDRILLARD, J., *L'échange symbolique et la mort* (1976); tr. it. *Lo scambio simbolico e la morte*, Feltrinelli, Milano 1979.
–, *À l'ombre des majorités silencieuses ou la fin du social* (1978); tr. it. *All'ombra delle maggioranze silenziose, ovvero la morte del sociale*, Cappelli, Bologna 1978.
–, *Il destino dei sessi e il declino dell'illusione sessuale*, in AA.VV., *L'amore*, Mazzotta, Milano 1992.
–, *L'esprit du terrorisme* (2002); tr. it. *Lo spirito del terrorismo*, Raffaello Cortina, Milano 2002.
–, *Power Inferno* (2002); tr. it. *Power Inferno*, Raffaello Cortina, Milano 2003.
BAUMAN, Z., *La società dell'incertezza* (raccolta di brevi saggi composti tra il 1995 e il 1997), il Mulino, Bologna 1999.
–, *Homo consumens* (2006); tr. it. *Homo consumens. Lo sciame inquieto dei consumatori e la miseria degli esclusi*, Erickson, Gardolo (Trento) 2007.
BENASAYAG, M. e SCHMIT, G., *Les passions tristes. Souffrance psychique et crise sociale* (2003); tr. it. *L'epoca delle passioni tristi*, Feltrinelli, Milano 2004.
Biblia Sacra editio Monacorum Abbatiæ Pont. Sancti Hieronymi in Urbe OSB, Marietti, Casale Monferrato 1959; *Biblia Hebraica*, Kittel Stuttgart 1937; *Septuaginta*, Rahlfs, Stuttgart 1962: *Genesi*, *Giobbe*, *Salmi*, *Ecclesiaste*, *Isaia*, *Apocalisse*.

BINSWANGER, L., *Ausgewählte Vorträge und Aufsätze. Zur phänomenologische Anthropologie* (1920-1936, pubblicato nel 1947); tr. it. *Per un'antropologia fenomenologica*, Feltrinelli, Milano 1970.

BLOCH, E., *Das Prinzip Hoffnung* (1959); tr. it. *Il principio speranza*, Garzanti, Milano 1994.

BOIRON, CH., *La source du bonheur est dans notre cerveau* (1998); tr. it. *Le ragioni della felicità. Contenuti e definizioni del piacere e della felicità: nuove ipotesi*, Franco Angeli, Milano 2001.

BORGNA, E., *I conflitti del conoscere. Strutture del sapere ed esperienza della follia*, Feltrinelli, Milano 1988.

–, *Malinconia*, Feltrinelli, Milano 1992.

–, *Il fantasma della psicopatologia*, in A. BALLERINI, B. CALLIERI (a cura di), *Breviario di psicopatologia*, Feltrinelli, Milano 1996.

–, *Prefazione* ad A. EHRENBERG, *La fatica di essere se stessi. Depressione e società*, Einaudi, Torino 1999.

–, *L'attesa e la speranza*, Feltrinelli, Milano 2005.

–, *Come in uno specchio oscuramente*, Feltrinelli, Milano 2007.

BOSWELL, J., *Christianity, Social Tolerance and Homosexuality* (1980); tr. it. *Cristianesimo, tolleranza, omosessualità. La Chiesa e gli omosessuali dalle origini al* XIV *secolo*, Leonardo editore, Milano 1989.

BROWN, N., *Life against Death* (1959); tr. it. *La vita contro la morte*, il Saggiatore, Milano 1973.

CALAME-GRIAULE, G., *Ethnologie et language. La parole chez les Dogons* (1965); tr. it. *Il mondo della parola. Etnologia e linguaggio dei Dogon*, Bollati Boringhieri, Torino 2004.

CALLIERI, B., *Lo psicopatologo clinico e la demitizzazione della nosologia*, in A. BALLERINI, B. CALLIERI (a cura di), *Breviario di psicopatologia*, cit.

–, *Corpo, esistenze, mondi. Per una psicopatologia antropologica*, Edizioni Universitarie Romane, Roma 2007.

CAMPANELLA, T. , *La città del sole* (1602, pubblicata nel 1623), Adelphi, Milano 1995.

CELLI, P.L., *L'illusione manageriale*, Laterza, Bari 1997.

–, *Passioni fuori corso*, Mondadori, Milano 2000.

CHATWIN, B., GNOLI, A., *La nostalgia dello spazio*, Bompiani, Milano 2000.

CHUA, A., *World on Fire* (2002); tr. it. *L'età dell'odio. Esportare democrazia e mercato genera conflitti etnici?*, Carocci, Roma 2004.

CLASTRES, P., *La Société contre l'État. Recherches d'anthropologie politique* (1974); tr. it. *La società contro lo Stato. Ricerche d'antropologia politica*, Feltrinelli, Milano 1977.

COHEN, S., *States of Denial. Knowing about Atrocities and Suffering* (2001); *Stati di negazione. La rimozione del dolore nella società contemporanea*, Carocci, Roma 2002.

COLOMBO, C., *Giornale di bordo di Cristoforo Colombo (1492-1493) e Relazioni di viaggio e lettere di Cristoforo Colombo (1493-1500)*, a cura di R. CADDEO, Milano, Bompiani 1939.

COLOMBO, F., *Confucio nel computer. Memoria accidentale del futuro*, Rizzoli, Milano 1995.

DANTE ALIGHIERI, *La divina commedia*, Editrice Italiana di Cultura, Roma 1961.
DE LUISE, F., FARINETTI, G., *Storia della felicità. Gli antichi e i moderni*, Einaudi, Torino 2001.
DEMOCRITO, *Frammenti*, in DIELS-KRANZ, *Die Fragmente der Vorsokratiker* (1966); tr. it. *I presocratici. Testimonianze e frammenti*, Laterza, Bari 1983.
DE RITA, G. (a cura di), *34° Rapporto sulla situazione sociale del paese*, Fondazione Censis, Roma 2000.
DESCARTES, R., *Discours de la méthode* (1637); tr. it. *Discorso sul metodo*, in *Opere*, Laterza, Bari 1986.
DIETERLEN, G., *Essai sur la religion Bambara*, Éd. de l'Université de Bruxelles, Bruxelles 1951.
DI GREGORIO, L., *Psicopatologia del cellulare. Dipendenza e possesso del telefonino*, Franco Angeli, Milano 2003.
DILTHEY, W., *Einleitung in die Geisteswissenschaften* (1883); tr. it. *Introduzione alle scienze dello spirito*, Bompiani, Milano 2007.
DILTS, R., *Visionary Leadership Skills. Creating a World to which People Want to Belong* (1996); tr. it. *Leadership e visione creativa. Come creare un mondo al quale le persone desiderino appartenere*, Guerini e Associati, Milano 1999.
ECO, U., *Apocalittici e integrati*, Bompiani, Milano 1964.
–, *Essere laici in un mondo interculturale*, in "la Repubblica", 29 ottobre 2003.
EHRENBERG, A., *La fatigue d'être soi. Dépression et société* (1998); tr. it. *La fatica di essere se stessi. Depressione e società*, Einaudi, Torino 1999.
EPICURO, *Lettera a Meneceo*, in *Opere*, Utet, Torino 1983.
ERACLITO, *Frammenti*, in DIELS-KRANZ, *Die Fragmente der Vorsokratiker* (1966); tr. it. *I presocratici. Testimonianze e frammenti*, cit.
ESCHILO, *Agamennone*, *Prometeo incatenato*, in *Tragedie e frammenti*, Utet, Torino 1987.
ESIODO, *Le opere e i giorni*, in *Opere*, Utet, Torino 1977.
EURIPIDE, *Medea*, *Ione*, in *Tragedie*, Utet, Torino 1980-2001.
FALLACI, O., *La rabbia e l'orgoglio*, Rizzoli, Milano 2001.
–, *La forza della ragione*, Rizzoli, Milano 2004.
FÉDIDA, P., *Des bienfaits de la dépression. Éloge de la psychothérapie* (2001); tr. it. *Il buon uso della depressione*, Einaudi, Torino 2002.
FORNARI, F., *Gruppo e codici affettivi*, in G. TRENTINI (a cura di), *Il cerchio magico*, Franco Angeli, Milano 1987.
FOUCAULT, M., *Préface à l'Histoire de la folie à l'âge classique* (1961); tr. it. *Prefazione alla "Storia della follia"*, in *Archivio Foucault*, vol. I, 1961-1970, Feltrinelli, Milano 1996.
–, (a cura di), *Moi, Pierre Rivière, ayant égorgé ma mère, ma sœur et mon frère...* (1973); tr. it. *Io Pierre Rivière, avendo sgozzato mia madre, mia sorella e mio fratello...*, Einaudi, Torino 1976.
FREUD, S., *Drei Abhandlungen zur Sexualtheorie* (1905); tr. it. *Tre saggi sulla teoria sessuale*, in *Opere*, Bollati Boringhieri, Torino 1928-1993, vol. IV.
–, *Totem und Tabu* (1912); tr. it. *Totem e tabù*, in *Opere*, cit., vol. VI.

–, *Metapsychologie* (1915); tr. it. *Metapsicologia*, in *Opere*, cit., vol. VIII.
–, *Wir und der Tod* (1915); tr. it. *Noi e la morte,* in *Opere*, cit., vol. XIII, *Complementi 1885-1938.*
–, *Jenseits des Lustprinzips* (1920); tr. it. *Al di là del principio di piacere*, in *Opere*, cit., vol. IX.
–, *Massenpsychologie und Ich-Analyse* (1921); tr. it. *Psicologia delle masse e analisi dell'Io*, in *Opere*, cit., vol. IX.
–, *Das Ich und Es* (1922); tr. it. *L'Io e l'Es*, in *Opere*, cit., vol. IX.
–, *Das Unbehagen in der Kultur* (1929); tr. it. *Il disagio della civiltà*, in *Opere*, cit., vol. X.
–, *Neue Folge der Vorlesungen zur Einführung in die Psychoanalyse* (1932); tr. it. *Introduzione alla psicoanalisi (Nuova serie di lezioni)*, in *Opere*, cit., vol. XI.
–, *Warum Krieg?* (1932); tr. it. *Perché la guerra?*, in *Opere*, cit., vol. XI.
FROMM, E., *The Sane Society* (1955); tr. it. *Psicoanalisi della società contemporanea*, Edizioni Comunità, Milano 1976.
FUREDI, F., *Therapeutic Culture. Cultivating Vulnerability in an Uncertain Age* (2004); tr. it. *Il nuovo conformismo. Troppa psicologia nella vita quotidiana*, Feltrinelli, Milano 2005.
FUSINI, N., *Uomini e donne. Una fratellanza inquieta*, Donzelli, Roma 1995.
GALENO, *Ars medica*, in *Opere scelte*, Utet, Torino 1978.
GALIMBERTI, U., *Il tramonto dell'Occidente nella lettura di Heidegger e Jaspers* (1975-1984), Feltrinelli, Milano 2005.
–, *Psichiatria e fenomenologia* (1979), Feltrinelli, Milano 2006.
–, *Il corpo* (1983), Feltrinelli, Milano 2002.
–, *La terra senza il male. Jung dall'inconscio al simbolo* (1984), Feltrinelli, Milano 2001.
–, *Gli equivoci dell'anima* (1987), Feltrinelli, Milano 2001.
–, *Fare tecnico e agire politico*, postfazione a P.L. CELLI, *L'illusione manageriale*, cit.
–, *Psiche e techne. L'uomo nell'età della tecnica*, Feltrinelli, Milano 1999.
–, *Orme del sacro. Il cristianesimo e la desacralizzazione del sacro*, Feltrinelli, Milano 2000.
–, *I vizi capitali e i nuovi vizi*, Feltrinelli, Milano 2003.
–, *La casa di psiche. Dalla psicoanalisi alla pratica filosofica*, Feltrinelli, Milano 2005.
–, *L'ospite inquietante. Il nichilismo e i giovani*, Feltrinelli, Milano 2007.
GARDNER, H., *Frames of Mind. The Theory of Multiple Intelligences* (1983); tr. it. *Formæ mentis. Saggio sulla pluralità dell'intelligenza*, Feltrinelli, Milano 1987.
–, *Five Minds for the Future* (2006); tr. it. *Cinque chiavi per il futuro*, Feltrinelli, Milano 2007.
GASTON, A., *Genealogia dell'alienazione*, Feltrinelli, Milano 1987.
–, *La psiche ferita*, Lalli Editore, Poggibonsi 1988.
–, *La psicopatologia tra scienze della natura e scienze dello spirito*, in A. BALLERINI, B. CALLIERI (a cura di), *Breviario di psicopatologia*, cit.

GEHLEN, A., *Der Mensch. Seine Natur und seine Stellung in der Welt* (1940); tr. it. *L'uomo. La sua natura e il suo posto nel mondo*, Feltrinelli, Milano 1983.
–, *Zur Geschichte der Anthropologie* (1957); tr. it. *Per la storia dell'antropologia*, in *Antropologia filosofica e teoria dell'azione*, Guida, Napoli 1990.
GENTILE, G., *Frammento di una gnoseologia dell'amore* (1918), in *Teoria generale dello spirito come atto puro*, in *Opere*, Sansoni, Firenze 1959, vol. III.
GIORDANO, A., *I celti? Un'invenzione (e non di bassa Lega)*, in "Il Venerdì di Repubblica", 30 agosto 2002.
GIOVANNI EVANGELISTA, *Apocalisse*, in *Biblia Sacra*, cit.
GIUSTI, E., JANNAZZO, A., *Fenomenologia e integrazione pluralistica. Libertà e autonomia di pensiero dello psicoterapeuta*, Edizioni Universitarie Romane, Roma 1998.
GRIESINGER, W., *Leherbuch der Pathologie und Therapie der psychischen Krankheiten*, Braunschweig, Stuttgart 1845.
GUILLAUME, M., *Le capital et son double* (1975); tr. it. *Il capitale e il suo doppio*, Feltrinelli, Milano 1978.
GUTMANN, D., IARUSSI, O., *La Trasformazione. Psicoanalisi, desiderio e management nelle organizzazioni*, Edizioni Sottotraccia, Salerno 1999.
HACKING, I., *Mad Travellers. Reflexions on the Reality of Transient Mental Illness* (1998); tr. it. *I viaggiatori folli. Lo strano caso di Albert Dadas*, Carocci, Roma 2000.
HEDGES, CH., *War is Force that Gives Us Meaning* (2002); tr. it. *Il fascino oscuro della guerra*, Laterza, Roma-Bari 2004.
HEGEL, G.W.F., *Phänomenologie des Geistes* (1807); tr. it. *Fenomenologia dello spirito*, La Nuova Italia, Firenze 1963.
–, *Wissenschaft der Logik* (1812-1816); tr. it. *Scienza della logica*, Laterza, Bari 1974.
–, *Vorlesungen über die Aesthetik* (1836-1838); tr. it. *Estetica*, Feltrinelli, Milano 1963.
HEIDEGGER, M., *Sein und Zeit* (1927); tr. it. *Essere e tempo*, Utet, Torino 1978.
–, *Einführung in die Metaphysik* (1935-1953); tr. it. *Introduzione alla metafisica*, Mursia, Milano 1968.
–, *Überwindung der Metaphysik* (1936-1946, 1951); tr. it. *Oltrepassamento della metafisica*, in *Saggi e discorsi*, Mursia, Milano 1976.
–, *Nietzsche* (1936-1946, 1961); tr. it. *Nietzsche*, Adelphi, Milano 1994.
–, *Erläuterungen zu Hölderlins Dichtung* (1944); tr. it. *La poesia di Hölderlin*, Adelphi, Milano 1988.
–, *Wozu Dichter?* (1946); tr. it. *Perché i poeti?*, in *Sentieri interrotti*, La Nuova Italia, Firenze 1968.
–, *Brief über den "Humanismus"* (1946); tr. it. *Lettera sull'"umanismo"*, in *Segnavia*, Adelphi, Milano 1987.
–, *Das Ding* (1950); tr. it. *La cosa*, in *Saggi e discorsi*, cit.
–, *Die Sprache* (1950); tr. it. *Il linguaggio*, in *In cammino verso il linguaggio*, Mursia, Milano 1973.

–, *Die Frage nach der Technik* (1954); tr. it. *La questione della tecnica*, in *Saggi e discorsi*, cit.
–, *Was heisst Denken?* (1954); tr. it. *Che cosa significa pensare?*, Sugarco, Milano 1971.
–, *Der Satz vom Grund* (1957); tr. it. *Il principio di ragione*, Adelphi, Milano 1991.
–, *Gelassenheit* (1959); tr. it. *L'abbandono*, il melangolo, Genova 1983.
HILLMAN, J., *Kinds of Power* (1995); tr. it. *Forme del potere*, Garzanti, Milano 1996.
–, *The Force of Character and the Lasting Life* (1999); tr. it. *La forza del carattere*, Adelphi, Milano 2000.
HILLMAN, J., VENTURA, M., *We've Had a Hundred Years of Psychotherapy – And the World's Getting Worse* (1992); tr. it. *Cento anni di psicoterapia e il mondo va sempre peggio*, Raffaello Cortina, Milano 1998.
HOBBES, TH., *Elementorum philosophiæ: De cive* (1642); tr. it. *Elementi filosofici sul cittadino*, Utet, Torino 1971.
–, *Elementorum philosophiæ: De corpore* (1655); tr. it. *Elementi di filosofia: Il corpo – L'uomo*, Utet, Torino 1972.
–, *Elementorum philosophiæ: De homine* (1658); tr. it. *Elementi di filosofia: Il corpo – L'uomo*, cit.
HÖLDERLIN, F., *Le liriche*, Adelphi, Milano 1977.
HUSSERL, E., *Cartesianische Meditationen und Pariser Vorträge* (1931); tr. it. *Meditazioni cartesiane*, Bompiani, Milano 1960.
–, *Die Krisis der europäischen Wissenschaf und die transzendentale Phänomenologie* (1934-1937, pubblicato nel 1954); tr. it. *La crisi delle scienze europee e la fenomenologia trascendentale*, il Saggiatore, Milano 1972.
ISOCRATE, *Panegirico* § 50, in *Orazioni di Isocrate*, Utet, Torino 1965.
JABÈS, E., *Le livre de l'hospitalité* (1991); tr. it. *Il libro dell'ospitalità*, Raffaelo Cortina, Milano 1991.
JAMISON, K.R., *An Unquiet Mind* (1995); tr. it. *Una mente inquieta*, Longanesi, Milano 1996.
JASPERS, K., *Allgemeine Psychopathologie* (1913-1959); tr. it. *Psicopatologia generale*, Il Pensiero Scientifico, Roma 2000.
–, *Strindberg und Van Gogh* (1922); tr. it. *Genio e follia. Strindberg e Van Gogh*, Raffaello Cortina, Milano 2001.
JEANNEAU, A., *Les risques d'une époque ou le narcissisme du dehors*, Puf, Paris 1986.
JONAS, H., *Das Prinzip Verantwortung* (1979); tr. it. *Il principio responsabilità. Un'etica per la civiltà tecnologica*, Einaudi, Torino 1990.
JUNG, C.G., *Lettera 44J* dell'11 settembre 1907, in *Lettere tra Freud e Jung* (1906-1913), Bollati Boringhieri, Torino 1974.
–, *Wandlungen und Symbole der Libido* (1912), riedito col titolo *Symbole der Wandlung. Analyse des Vorspieles zu einer Schizophrenie* (1952); tr. it. *Simboli della trasformazione*, in *Opere*, Bollati Boringhieri, Torino 1969-1998, vol. V.
JÜNGER, E., *Der Arbeiter. Herrschaft und Gestalt* (1932); tr. it. *L'operaio. Dominio e forma*, Guanda, Parma 1991.

JUNGK, R. (a cura di), *Off Limits für das Gewissen. Der Briefwechsel zwischen dem Hiroshima-Piloten Claude Heatherly und Günther Anders* (1961); tr. it. *Il carteggio del pilota di Hiroshima Claude Heatherly e di Günther Anders*, Einaudi, Torino 1962.

KAFKA, F., *In der Strafkolonie* (1914); tr. it. *Nella colonia penale*, in *Racconti*, Mondadori, Milano 1979.

–, *Betrachtungen über Sünde,Leid, Hoffnung und den wahren Weg* (1917-1918); tr. it. *Considerazioni sul peccato, il dolore, la speranza e la vera via*, in *Confessioni e diari*, Mondadori, Milano 1976.

–, *La tana* (1923-1924), in *Racconti*, Mondadori, Milano 1975.

KANT, I., *Versuch über die Krankheiten des Kopfes* (1764); tr. it. *Saggio sulle malattie della testa*, in *Ragione e ipocondria*, Edizioni 10/17, Salerno 1989, pp. 75-76.

–, *Kritik der reinen Vernunft* (1781, 1787); tr. it. *Critica della ragion pura*, Laterza, Bari 1959.

–, *Grundlegung zur Metaphysik der Sitten* (1785); tr. it. *Fondazione della metafisica dei costumi*, Rusconi, Milano 1994.

–, *Metaphysik der Sitten* (1797); tr. it. *Metafisica dei costumi*, Bompiani, Milano 2006.

KETS DE VRIES, M., *Leaders, Fools and Impostors. Essay on the Psychology of Leadership* (1993); tr. it. *Leader, giullari e impostori. Sulla psicologia della leadership*, Raffaello Cortina, Milano 1994.

KIERKEGAARD, S., *Papirer* (1834-1855); tr. it. *Diario*, Morcelliana, Brescia 1963.

KÖNIG, R., *Macht und Reiz der Mode* (1971); tr. it. *Il potere della moda*, Liguori, Napoli 1976.

KRISTEVA, J., *Nations without Nationalism*, Columbia University Press, New York 1993.

LAING, R., *The Divided Self* (1959); tr. it. *L'io diviso. Studio di psichiatria esistenziale*, Einaudi, Torino 1969.

–, *The Politics of Experience* (1967); tr. it. *La politica dell'esperienza*, Feltrinelli, Milano 1968.

LATOUCHE, S., *L'occidentalisation du monde. Essai sur la signification, la portée et les limites de l'uniformisation planétaire* (1989); tr. it. *L'occidentalizzazione del mondo. Saggio sul significato, la portata e i limiti dell'uniformazione planetaria*, Bollati Boringhieri, Torino 1992.

LE BON, G., *Psychologie des foules* (1895); tr. it. *Psicologia delle folle*, Longanesi, Milano 1970.

LEIBNIZ, G.W., *Principes de philosophie ou Monadologie* (1714); tr. it. *Monadologia*, in *Saggi filosofici e lettere*, Laterza, Bari 1963.

LENCLUD, G., *La tradizione non è più quella di un tempo*, in P. CLEMENTE e F. MUGNAINI, *Oltre il folclore. Tradizioni popolari e antropologia nella società contemporanea*, Carocci, Roma 2001.

LEROI-GOURHAN, A., *Le geste et la parole* (1964); tr. it. *Il gesto e la parola*, Einaudi, Torino 1977.

LEVINAS, E., *Éthique et Infini* (1972); tr. it. *Etica e infinito*, Città Nuova, Roma 1984.

LÉVI-STRAUSS C., *La pensée sauvage* (1962); tr. it. *Il pensiero selvaggio*, il Saggiatore, Milano 1970.
LORENZ, K., *Über tierisches und menschliches Verhalten*, Pieper, München 1965.
LOSURDO, D., *La comunità, la morte e l'Occidente*, Bollati Boringhieri, Torino 1991.
LUCA EVANGELISTA, *Vangelo*, in *Biblia Sacra*, cit.
MACCOBY, M., *The Gamesman*, Simon and Schuster, New York 1976.
MADERA, R., *Identità e feticismo. Forma di valore e critica del soggetto. Marx e Nietzsche*, Moizzi, Milano 1977.
–, *L'animale visionario. Elogio del radicalismo*, il Saggiatore, Milano 1999.
MADISON, J., *Note to his Speech on the Right of Suffrage* (1821), in M. FARRAND (a cura di), *The Records of the Federal Convention of 1787*, Yale University Press, New Haven 1966, vol. III.
MALINOWSKI, B., *Sex and Repression in Sauvage Society* (1927); tr. it. *Sesso e repressione sessuale tra i selvaggi*, Bollati Boringhieri, Torino 1974.
MALTHUS, TH.R., *An essay on the principle of population as it affects the future improvement of society* (1798); tr. it. *Saggio sul principio di popolazione*, Einaudi, Torino 1977.
MANN, TH., *Der Zauberberg* (1924); tr. it. *La montagna incantata*, Dall'Oglio Editore, Milano 1930.
MANTEGAZZA, P., *Fisiologia del dolore* (1888), in A. GASTON, *La psiche ferita*, cit.
MARRAMAO, G., *Dopo il Leviatano. Individuo e comunità nella filosofia politica* (1995), Bollati Boringhieri, Torino 2000.
MARX K., *Oekonomisch-philosophische Manuskripte aus dem Jahre 1844* (1844); tr. it. *Manoscritti economico-filosofici del 1844*, in *Marx Engels Opere Complete*, Editori Riuniti, Roma 1976, vol. III.
–, *Die Revolution von 1848 und das Proletariat* (1866); tr. it. *La rivoluzione del 1848 e il proletariato*, in *Marx-Engels Gesamtausgabe* (1927-1935), Frankfurt a.M. – Moskva, vol. X.
–, *Das Kapital. Kritik der politischen Oekonomie* (1867-1883); tr. it. *Il capitale. Critica dell'economia politica*, Editori Riuniti, Roma 1964.
MARX, K., ENGELS, F., *Manifest der kommunistischen Partei* (1848); tr. it. *Manifesto del partito comunista*, in *Marx Engels Opere Complete*, Editori Riuniti, Roma 1973, vol. VI.
MAUSS, M., *Essai sur le don* (1923-1924); tr. it. *Saggio sul dono*, in *Teoria generale della magia e altri saggi*, Einaudi, Torino 1965.
MCLUHAN, M., *Understanding media* (1964); tr. it. *Gli strumenti del comunicare*, il Saggiatore, Milano 1967.
MERINI, A., *Queste panche erano alberi*, in "aut aut", n. 285-286, maggio-agosto 1998.
MINKOWSKI, E., *À propos de la nosologie en psychiatrie*, in "Annales Médico-Psychologiques", n. CXXV, vol. II, 1967.
–, *Le temps vécu* (1968); tr. it. *Il tempo vissuto*, Einaudi, Torino 1971.
MIRABEAU, G.-H., *Des lettres de cachet et des prisons d'État*, Paris 1782.

MISTURA, S., *Invecchiamento e vecchiaia*, introduzione ad A. SPAGNOLI, *E divento sempre più vecchio. Jung, Freud, la psicologia del profondo e l'invecchiamento*, Bollati Boringhieri, Torino 1995.

MONTAIGNE, M.E., *Essais* (1580); tr. it. *Saggi*, Mondadori, Milano 1983.

MORO, T., *Utopia. De optimo rei pubblicæ statu* (1516); tr. it. *L'Utopia o la migliore forma di repubblica*, Laterza, Roma-Bari 2008.

NAIPAUL, V.S., *A Bend in the River* (1979); tr. it. *Alla curva del fiume*, Adelphi, Milano 1982.

NARDONE, G., CAGNONI, F., *Perversioni in rete. Le psicopatologie da internet e il loro trattamento*, Ponte alle Grazie, Firenze 2002.

NARDONE, G., WATZLAWICK, P., *L'arte del cambiamento*, Ponte alle Grazie, Firenze 1990.

NATOLI, S., *Vita buona e vita felice. L'idea di politica nell'età classica* (1980), in *Vita buona vita felice. Scritti di etica e politica*, Feltrinelli, Milano 1990.

–, *Télos, skopós, éschaton. Tre figure della storicità* (1982), in *Teatro filosofico*, Feltrinelli, Milano 1991.

–, *Soggettivazione e oggettività. Appunti per un'interpretazione dell'antropologia occidentale* (1986), in *Vita buona vita felice. Scritti di etica e politica*, cit.

–, *La felicità. Saggio di teoria degli affetti*, Feltrinelli, Milano 1996.

NEGROPONTE, N., *Being Digital* (1995); tr. it. *Essere digitali*, Sperling & Kupfer, Milano 1995.

NIETZSCHE, F., *Die Geburt der Tragödie aus dem Geiste der Musik* (1872); tr. it. *La nascita della tragedia dallo spirito della musica*, in *Opere*, Adelphi, Milano 1972, vol. III, 1.

–, *Morgenröte. Gedanken über die moralischen Vorurteile* (1881); tr. it. *Aurora. Pensieri sui pregiudizi morali*, in *Opere*, cit., 1964, vol. V, 1.

–, *Die fröhliche Wissenschaft* (1882); tr. it. *La gaia scienza*, in *Opere*, cit., 1965, vol. V, 2.

–, *Also sprach Zarathustra. Ein Buch für Alle und Keinen* (1883-1885); tr. it. *Così parlò Zarathustra. Un libro per tutti e per nessuno*, in *Opere*, cit., 1968, vol. VI, 1.

–, *Nachgelassene Fragmente 1885-1887*; tr. it. *Frammenti postumi 1885-1887*, in *Opere*, cit., 1975, vol. VIII, 1.

–, *Jenseits von Gut und Böse. Vorspiel einer Philosophie der Zukunft* (1886); tr. it. *Al di là del bene e del male. Preludio di una filosofia dell'avvenire*, in *Opere*, cit., 1972, vol. VI, 2.

–, *Versuch einer Selbstkritik* (1886) zu *Die Geburt der Tragödie aus dem Geist der Musik* (1972); tr. it. *Tentativo di un'autocritica* a *La nascita della tragedia dallo spirito della musica*, in *Opere*, cit., 1972, vol. III, 1.

–, *Zur Genealogie der Moral. Eine Streitschrift* (1887); tr. it. *Genealogia della morale. Uno scritto polemico*, in *Opere*, cit., 1968, vol. VI, 2.

–, *Nachgelassene Fragmente 1887-1888*; tr. it. *Frammenti postumi 1887-1888*, in *Opere*, cit., 1971, vol. VIII, 2.

NUSSBAUM, M.C., *Cultivating Humanity. A Classical Defense of Reform in Liberal Education* (1997); tr. it. *Coltivare l'umanità. I classici, il multiculturalismo, l'educazione contemporanea*, Carocci, Roma 1999.

ODIFREDDI, P., *Idee per diventare matematico*, Zanichelli, Bologna 2005.
OMERO, *Iliade, Odissea*, Einaudi, Torino 1981-1982.
OVIDIO, *Ars amatoria*, Sansoni, Firenze 1967.
OWEN, W., *Dulce et decorum est* (1917); tr. it. *Dulce et decorum est. Poesie di guerra*, Einaudi, Torino 1985.
PASCAL, B., *Pensées* (1657-1662; prima edizione 1670); tr. it. *Pensieri*, Rusconi, Milano 1993.
PINEL, PH., *Traité médico-philosophique sur l'aliénation mentale ou la manie* (1800); tr. it. *La mania. Trattato medico-filosofico sull'alienazione mentale*, Marsilio, Venezia 1987.
PLATONE, *Apologia di Socrate, Politico, Parmenide, Simposio, Fedro, Alcibiade minore, Protagora, Menone, Menesseno, Repubblica, Leggi*, in *Tutti gli scritti*, Rusconi, Milano 1991.
POUILLON, J., *Les Dangaleat*, in "Nouvelle Revue de Psychanalyse", Paris 1974, n. 1.
QUAGLINO, G.P., *Leader senz'ombra e organizzazioni senz'anima*, Prefazione all'edizione italiana di M. KETS DE VRIES, *Leader, giullari e impostori*, cit.
RAMPINI, F., *Cindia. Cina, India e dintorni: la superpotenza asiatica da tre miliardi e mezzo di persone*, Mondadori, Milano 2007.
RAMPOLDI, G., *Il "nemico" musulmano e il finto patriottismo*, in "la Repubblica", 5 giugno 2002.
REALE, B., *Le macchine di Leonardo. Analisi, immaginazione, racconto*, Moretti e Vitali, Bergamo 1998.
RICARDO, D., *Principles of Political Economy and Taxation* (1817); tr. it. *Principi di economia politica e dell'imposta*, Mondadori, Milano 2009.
RIGLIANO, P., *Amori senza scandalo. Cosa vuol dire essere lesbica o gay*, Feltrinelli, Milano 2001.
RIGLIANO, P., GRAGLIA, M., *Gay e lesbiche in psicoterapia*, Raffaello Cortina, Milano 2006.
RINALDI, C., *La Ue, il cristianesimo e le radici dell'Europa*, in "la Repubblica", 9 settembre 2003.
ROTELLI, F., *Quale pratica per la salute mentale alla fine di un secolo di riforme?*, in "La psicoanalisi", Astrolabio, Roma 1999.
ROUSSEAU, J.-J., *Projet de paix perpétuelle* (1762); tr. it. *Progetto di pace perpetua*, in *Opere*, Sansoni, Firenze 1972.
ROVATTI, P.A., *A cavallo di un muretto. Note su follia e filosofia*, in "aut aut", n. 285-286, maggio-agosto 1998.
–, *La follia, in poche parole*, Bompiani, Milano 2000.
RUGARLI, G., *Dal romanzo al saggio in luogo di romanzo*, prefazione a D. GUTMANN, O. IARUSSI, *La trasformazione*, cit.
RUSSELL HOCHSCHILD, A., *The Commercialization of Intimate Life. Notes from Home and Work* (2003); tr. it. *Per amore o per denaro. La commercializzazione della vita intima*, il Mulino, Bologna 2006.
RUSSO, L., *L'indifferenza dell'anima*, Borla, Roma 1998.
RYLE, G., *The Concept of Mind* (1949); tr. it. *Lo spirito come comportamento*, Einaudi, Torino 1955.

SARTORI, G., *Homo videns. Televisione e post-pensiero*, Laterza, Bari 1998.
SARTRE, J.-P., *L'être et le néant* (1943); tr. it. *L'essere e il nulla*, il Saggiatore, Milano 1968.
–, *L'existentialisme est un humanisme* (1946); tr. it. *L'esistenzialismo è un umanismo*, Mursia, Milano 1971.
–, *Critique de la raison dialectique* (1960); tr. it. *Critica della ragione dialettica*, il Saggiatore, Milano 1963.
SERENY, G., *Into that Darkness* (1974); tr. it. *In quelle tenebre*, Adelphi, Milano 1975.
SEVERINO, E., *Il parricidio mancato*, Adelphi, Milano 1985.
–, *Il giogo. Alle origini della ragione: Eschilo*, Adelphi, Milano 1989.
–, *Il declino del capitalismo*, Rizzoli, Milano 1993.
–, *Il destino della tecnica*, Rizzoli, Milano 1998.
SGALAMBRO, M., *Trattato dell'età*, Adelphi, Milano 1999.
SIFENOS, P., *Short-Term Psychotherapy and Emotional Crisis*, Harvard University Press, Cambridge, Mass., 1972.
SIMMEL, G., *Philosophie des Geldes* (1900); tr. it. *Filosofia del denaro*, Utet, Torino 1984.
SIMONE, R., *La terza fase. Forme di sapere che stiamo perdendo*, Laterza, Bari 2000.
–, *Postfazione* a C. STOLL, *Confessioni di un eretico high-tech. Perché i computer nelle scuole non servono e altre considerazioni sulle nuove tecnologie*, Garzanti, Milano 2001.
SMITH, A., *An Inquiry into the Nature and Causes of the Wealth of Nations* (1776); tr. it. *La ricchezza delle nazioni*, Utet, Torino 1975.
SOFOCLE, *Antigone*, in *Tragedie e frammenti*, Utet, Torino 1982.
SOFRI, A., *Il crollo delle Torri gemelle e la sindrome di Stoccolma*, in "la Repubblica", 9 gennaio 2002.
SPAGNOLI, A., *E divento sempre più vecchio. Jung, Freud, la psicologia del profondo e l'invecchiamento*, Bollati Boringhieri, Torino 1995.
SPENCER, H., *The Study of Sociology* (1874); tr. it. *Introduzione alla scienza sociale*, Bocca, Milano 1946.
SPINELLI, B., *Ricordati che eri straniero*, Edizioni Qiqajon, Comunità di Bose 2005.
STANGHELLINI, G., *Antropologia della vulnerabilità*, Feltrinelli, Milano 1997.
STOLL, C., *High-Tech Heretic* (1999); tr. it. *Confessioni di un eretico high-tech. Perché i computer nelle scuole non servono e altre considerazioni sulle nuove tecnologie*, Garzanti, Milano 2001.
SVEVO, I., *La coscienza di Zeno* (1923), Feltrinelli, Milano 1993.
TAGUIEFF, P.-A., *Le racisme* (1997); tr. it. *Il razzismo. Pregiudizi, teorie, comportamenti*, Raffaello Cortina, Milano 1999.
TAYLOR, F.W., *The Principles of Scientific Management* (1911); tr. it. *L'organizzazione scientifica del lavoro*, Mondadori, Milano 1967.
TESTA, G., *Leadership e cambiamento culturale*, introduzione a R. DILTS, *Leadership e visione creativa*, cit.
TISSOT, S.A.D., *De l'onanisme. Sur les maladies produites par la masturbation* (1760), Lousanne 1775.

TORNO, A., *L'infelicità. Storia di una passione*, Mondadori, Milano 1996.
TOTARO, F., *Non di solo lavoro. Ontologia della persona ed etica del lavoro nel passaggio di civiltà*, Vita e Pensiero, Milano 1998.
TRAMMA, S., *Inventare la vecchiaia*, Meltemi, Roma 2000.
TRAMPUS, A., *Il diritto alla felicità. Storia di un'idea*, Laterza, Bari 2008.
TRENTINI, G. (a cura di), *Il cerchio magico*, Franco Angeli, Milano 1987.
–, *Oltre il potere. Discorso sulla leadership*, Franco Angeli, Milano 1997.
TREVI, M., *Per uno junghismo critico*, Bompiani, Milano 1987.
TÜRCKE, CH., *Sexus und Geist: Philosophie im Geschlechterkampf* (1991); tr. it. *Sesso e spirito*, il Saggiatore, Milano 1995.
VIGNA, C., ZAMAGNI, S., *Multiculturalismo e identità*, Vita e Pensiero, Milano 2003.
VITULLO, A., *Leadership riflessive*, Apogeo, Milano 2006.
WALZER, M., *On Toleration* (1997); tr. it. *Sulla tolleranza*, Laterza, Bari 1998.
WEBER, M., *Wissenschaft als Beruf* (1919); tr. it. *La scienza come professione*, in *Il lavoro intellettuale come professione*, Einaudi, Torino 1971.
–, *Politik als Beruf* (1919); tr. it. *La politica come professione*, in *Il lavoro intellettuale come professione*, cit.
WHITEHEAD, A.N., *Science and the Modern World* (1948); tr. it. *La scienza e il mondo moderno*, Bollati Boringhieri, Torino 1979.
WITTGENSTEIN, L., *Philosophische Untersuchungen* (1953); tr. it. *Ricerche filosofiche*, Einaudi, Torino 1974.
YUNUS, M., *Vers un monde sans pauvreté* (1997); tr. it. *Il banchiere dei poveri*, Feltrinelli, Milano 1998.
–, *Vers un nouveau capitalisme* (2008); tr. it. *Un mondo senza povertà*, Feltrinelli, Milano 2008.
ZAMPERINI, A., *Psicologia sociale della responsabilità*, Utet, Torino 1998.
ZIMMERMANN, J.G., *Warnung an Aeltern. Erzieher und Kinderfreunde wegen der Selbstbefleckung*, in G. BALDINGER (a cura di), *Neues Magazin für Aerzte*, Leipzig 1779.
ZOJA, L., *La morte del prossimo*, Einaudi, Torino 2009.

Indice degli autori

Achenbach, B. Gerd 155
Agostino di Tagaste 75,76
Aime, Marco 356-360
Akeret, U. Robert 143-145, 147
Anders, Günther 33, 222-227, 228-233, 252-254, 268, 269, 272, 281, 282, 350-352, 354
Anselmo d'Aosta 35
Aristotele 26, 30, 73, 76, 77, 116, 264
Artaud, Antonin 166, 167

Babington Macaulay, Thomas 304
Bachmann, Ingeborg 177
Bacone, Francesco 67, 178, 212, 214, 351
Baglivi, Giorgio 150
Baldinger, Ernst Gottfried 163
Balducci, Ernesto 334, 356, 362, 382-384, 386
Ballerini, Arnaldo 170, 172, 173
Barber, Benjamin 316
Baricco, Alessandro 324, 325, 328
Barthes, Roland 95, 96, 98-101, 103-110, 114
Barucci, Mario 51, 53, 54
Basaglia, Franco 90, 145, 157, 164, 197-204
Bataille, Georges 257
Baudrillard, Jean 29, 86, 101, 102, 257, 298, 306-312, 314-318
Bauman, Zygmunt 269, 274
Benasayag, Miguel 154
Bergson, Henri 339
Binswanger, Ludwig 145, 168, 201
Bleuler, Eugen 164, 165
Bloch, Ernst 387
Board, Belinda 135
Boiron, Christian 71
Borgna, Eugenio 89, 145, 171, 172, 174, 175, 177, 178, 180-184, 190-192, 201
Boswell, John 35
Brentano, Clemens Maria 177
Brown, Norman 16
Buckley, William 229

Cagnoni, Federica 244, 245
Calame-Griaule, Geneviève 26
Callieri, Bruno 145, 170-174, 177-179, 201
Campanella, Tommaso 67, 215
Camus, Albert 274
Cargnello, Danilo 145, 201
Cartesio, vedi Descartes René
Celli, Pier Luigi 122-126
Chatwin, Bruce 128
Chua, Amy 302-306
Clastres, Pierre 24
Cofferati, Sergio 347
Cohen, Stanley 20
Colombo, Cristoforo 333, 334, 382-384

Colombo, Furio 252, 254, 255
Cooper, David 201
Copernico, Niccolò 212

Dante Alighieri 65
Deleuze, Gilles 201
De Luise, Flavia 70
Democrito 75
De Rita, Giuseppe 343
Descartes, René 12, 168, 212, 213
D'Estaing, Giscard 358
Dickinson, Emily 177
Diels, Hermann 34
Dieterlen, Germane 26
Di Gregorio, Luciano 247, 249, 250
Dilthey, Wilhelm 170
Dilts, Robert 129, 130

Eco, Umberto 154, 358
Ehrenberg, Alain 162, 190-195
Einstein, Albert 120, 385
Engels, Friedrich 174, 216, 220, 258, 288, 373
Epicuro 65
Eraclito 34, 74, 80, 211
Eschilo 66, 209-211
Esiodo 46, 81
Euripide 15, 17, 19, 152

Fallaci, Oriana 364
Farinetti, Giuseppe 70
Farrand, Max 304
Fédida, Pierre 120
Fermi, Enrico 220
Fornari, Franco 130
Foucault, Michel 89, 168, 201
Freud, Sigmund 32, 46, 48-50, 58, 60, 66, 67, 100, 118, 139, 144, 149, 154, 159, 160, 164, 165, 179, 191, 192, 208, 241, 327, 338, 341, 354, 385
Fritzon, Katarina 135
Fromm, Erich 134, 143, 144
Furedi, Frank 136, 137, 139, 140
Fusini, Nadia 23, 41, 42

Galeno, Claudio 148
Galilei, Galileo 212
Gardner, Howard 78, 80, 93
Gaston, Alberto 149-151, 173, 174
Gates, Bill 238
Gehlen, Arnold 151, 207, 208, 338, 339
Gentile, Giovanni 29
Giobbe 336
Giolitti, Giovanni 304
Giordano, Attilio 357
Giovanni Evangelista 333
Giovanni Paolo II 336, 383
Giusti, Edoardo 145
Gnoli, Antonio 128
Graglia, Margherita 39
Griesinger, Wilhelm 172, 173
Guillaume, Marc 103
Gutmann, David 124, 125

Hacking, Ian 157-162
Hedges, Chris 325-329
Hegel, Georg Wilhelm Friedrich 38, 95, 215, 267, 324
Heidegger, Martin 52, 87, 122, 145, 175, 177, 179, 201, 207, 221, 223, 225, 226, 232, 257, 265, 289, 349, 351
Herder, Johann Gottfried 339
Hesse, Hermann 49
Hillman, James 11, 44-46, 57-60, 115-121, 144, 145, 153
Hobbes, Thomas 209, 339, 340
Hölderlin, Friedrich 175
Husserl, Edmund 25, 145, 198

Iarussi, Oscar 124, 125
Isaia 336
Isocrate 365

Jabès, Edmond 368
Jaffé, Aniela 49
Jamison, Redfield Kay 187, 188
Jannazzo, Antonio 145
Jaspers, Karl 145, 152, 167, 168, 178, 179
Jeanneau, Augustin 194
Jonas, Hans 221, 352
Jung, Carl Gustav 46, 48-50, 164, 165, 201, 372

Jünger, Ernst 279, 283
Jungk, Robert 224

Kafka, Franz 175, 353, 367, 368
Kant, Immanuel 30, 91, 156-158, 173, 212, 213, 220, 339
Kets de Vries, Manfred 131-134
Kierkegaard, Søren 38
König, René 98, 100
Kraepelin, Emil 164, 165
Kranz, Walter 34
Kristeva, Julia 374

Laing, Ronald 162, 163, 169-171, 179, 201
Latouche, Serge 382
Le Bon, Gustave 231
Leibniz, Gottfried Wilhelm 261, 373
Lenclud, Gerard 357
Leonardo da Vinci 80, 146
Leopardi, Giacomo 66
Leroi-Gourhan, André 98
Levillain, Fernand 149
Levinas, Emmanuel 364, 366
Lévi-Strauss, Claude 105
Linton, Ralph 171
Lorenz, Konrad 100
Losurdo, Domenico 382
Luca Evangelista 65

Maccoby, Michael 134
Madera, Romano 261, 274-278, 323, 374
Madison, James 304
Malinowski, Bronislaw 26
Malthus, Thomas Robert 362
Mann, Thomas 48, 150
Mantegazza, Paolo 150
Marramao, Giacomo 217, 284
Marx, Karl 67, 174, 215, 216, 220, 256-258, 260, 261, 265-267, 276, 277, 282, 287, 288, 292, 323, 372-374, 382
Mauss, Marcel 256
May, Rollo 143
McLuhan, Marshall 228, 230
Merini, Alda 167
Merleau-Ponty, Maurice 145
Minkowski, Eugène 165, 182, 201
Mirabeau, Gabriel-Honoré 130
Mistura, Stefano 48
Montaigne, Michel Eyquem 364
Montanelli, Indro 56
Morgagni, Giovanni Battista 173
Moro, Tommaso 67, 214
Mubarak, Hosni Mohammed 302

Naipaul, Vidiadhar 194
Nardone, Giorgio 244-246
Natoli, Salvatore 68-70, 74, 77, 198, 214, 264
Negroponte, Nicholas 229, 233
Nietzsche, Friedrich 42, 52, 64, 66, 71, 72, 76, 81, 137, 195, 196, 230, 261, 270, 323, 334, 338, 339, 350, 351, 364, 374
Nussbaum, Martha C. 375-378

Odifreddi, Piergiorgio 240
Omero 261, 323, 324, 327, 328, 330, 374
Ongaro Basaglia, Franca 199
Ovidio Nasone, Publio 63
Owen, Wilfred 329

Pascal, Blaise 52, 105
Pinel, Philippe 88, 199
Platone 34, 36, 46, 58, 81, 89, 104, 109, 147, 148, 151, 155, 201, 207, 209, 211, 217-219, 284, 285, 324, 329, 332, 339, 340
Pouillon, Jean 148

Quaglino, Gian Piero 132, 133

Rampini, Federico 370
Rampoldi, Guido 358, 359
Reale, Basilio 146
Ricardo, David 304
Rigliano, Paolo 38, 39
Rinaldi, Claudio 359
Rotelli, Franco 203
Rousseau, Jean-Jacques 361

Rovatti, Pier Aldo 168, 169, 367-369
Rugarli, Giampaolo 124, 125
Russell Hochschild, Arlie 287-289
Russo, Lucio 144
Ryle, Gilbert 9

Salomé, Lou Andreas 49
Sartori, Giovanni 236
Sartre, Jean-Paul 55, 107, 145, 368
Schmit, Gerard 154
Schopenhauer, Arthur 66, 67
Schubert, Franz 178
Seneca, Lucio Anneo 377
Sereny, Gitta 115, 116, 224
Severino, Emanuele 66, 184, 216
Sgalambro, Manlio 51, 60-63
Sifenos, Peter 134
Simmel, Georg 258, 259, 263
Simone, Raffaele 234-237, 241, 242
Smith, Adam 215, 304, 306
Sofocle 212
Sofri, Adriano 315
Spagnoli, Alberto 48
Spencer, Herbert 97
Spinelli, Barbara 364-366
Stanghellini, Giovanni 149
Stoll, Clifford 238-242
Svevo, Italo 150

Taguieff, Pierre-André 370
Taylor, Frederick Winslow 288
Testa, Giovanni 130
Tissot, Simon André David 163
Tommaso d'Aquino 339
Torno, Armando 65-68
Torricelli, Evangelista 212
Totaro, Franco 282, 284, 285, 363
Trakl, Georg 178
Tramma, Sergio 55
Trampus, Antonio 70
Trentini, Giancarlo 130
Trevi, Mario 146
Türcke, Christoph 26

Valla, Lorenzo 213
Van Gogh, Vincent 178
Ventura, Michael 145
Veronesi, Umberto 189
Vigna, Carmelo 360, 364
Vitullo, Andrea 126-129

Walzer, Michael 374
Watzlawick, Paul 246
Weber, Max 47, 53, 221
Weil, Simone 177
Whitehead, Alfred North 81
Wittgenstein, Ludwig 160

Yunus, Muhammad 292-296

Zamagni, Stefano 360, 364
Zamperini, Adriano 224
Zimmermann, Johann Georg 163
Zoja, Luigi 135

Indice

11 Introduzione

MITI INDIVIDUALI

15 1. Il mito dell'amore materno
16 1. L'ambivalenza dell'amore materno come effetto della doppia soggettività
18 2. La solitudine della condizione materna nell'isolamento del nucleo familiare

23 2. Il mito dell'identità sessuale
23 1. L'identità sessuale tra natura e cultura
27 2. L'identità sessuale tra natura e tecnica
33 3. Eterosessualità e omosessualità: gli incerti confini tra norma e devianza
40 4. Il primato della persona sul genere

44 3. Il mito della giovinezza
44 1. I fattori culturali alla base del mito della giovinezza
46 2. Le considerazioni di Freud e Jung sulla vecchiaia
51 3. Fenomenologia della vecchiaia
56 4. La vecchiaia e la forza del carattere
60 5. La vecchiaia e la verità dell'amore

64 4. Il mito della felicità
64 1. L'utopia della felicità

68 2. L'esperienza della felicità
71 3. La misura della felicità
74 4. La felicità come realizzazione di sé

78 5. Il mito dell'intelligenza
78 1. La pluralità delle intelligenze
83 2. La mimetizzazione dell'intelligenza
86 3. L'intelligenza informatica
87 4. La capacità di "intendere e volere"
92 5. L'intelligenza del futuro

95 6. Il mito della moda
95 1. Il simbolismo dell'abbigliamento
97 2. La valenza biologica ed etnica dell'abbigliamento
98 3. La valenza sociale dell'abbigliamento
100 4. La valenza seduttiva dell'abbigliamento
102 5. La valenza economica della moda
104 6. L'onnipotenza della moda
106 7. La moda e i giochi di società
107 8. La moda e i giochi di identità
109 9. La moda e la frantumazione del tempo
111 10. I modelli proposti dalla moda e la loro influenza sociale

115 7. Il mito del potere
115 1. Le maschere del potere
119 2. Il potere e il controllo delle idee
122 3. Il potere senz'anima dei manager
129 4. Il potere del leader e la sua patologia

136 8. Il mito della psicoterapia
136 1. La medicalizzazione della condizione umana
140 2. Il rimedio farmacologico
143 3. Il rimedio psicoanalitico
147 4. La vulnerabilità della condizione umana
152 5. La pratica filosofica

157 9. Il mito della follia
157 1. Le vie errabonde della psichiatria
163 2. La follia e le peripezie delle diagnosi psichiatriche
169 3. Il dilemma della psichiatria: scienza naturale o scienza umana?

176 4. La psichiatria fenomenologica e le figure dell'ascolto e dello sguardo
184 5. Lo sguardo fenomenologico sull'abisso della depressione
189 6. La malattia dell'Occidente
197 7. La follia come condizione umana

MITI COLLETTIVI

207 10. Il mito della tecnica
207 1. La tecnica come condizione dell'esistenza umana
209 2. Il mondo greco e il primato della natura sulla tecnica
212 3. L'età moderna e il primato della scienza e della tecnica sulla natura
215 4. Il capovolgimento dei mezzi in fini
217 5. Il tramonto della politica nell'età della tecnica
219 6. L'impotenza dell'etica nell'età della tecnica
223 7. La mutazione antropologica nell'età della tecnica
225 8. La modificazione del nostro modo di pensare e di sentire

228 11. Il mito delle nuove tecnologie
228 1. Il monologo collettivo e l'effetto omologazione
231 2. Il capovolgimento del rapporto uomo-mondo
233 3. L'effetto codice
234 4. La trasformazione antropologica indotta dai nuovi mezzi di comunicazione
238 5. Gli effetti negativi dell'informatica nella scuola
243 6. Le psicopatologie da internet
247 7. Le psicopatologie da cellulare
252 8. Sorvegliare il futuro

256 12. Il mito del mercato
256 1. La razionalità del mercato: dallo scambio simbolico al valore di scambio
260 2. La personificazione dell'individuo e il principio di uniformità
262 3. La riduzione della libertà personale a libertà di ruolo

265 4. La reificazione dell'uomo e la definitiva impraticabilità della rivoluzione
268 5. Ai margini del mercato: la povertà
274 6. Oltre il mercato: l'utopia del futuro

279 13. Il mito della crescita
279 1. La crescita come processo infinito
282 2. L'autolimitazione della crescita e la trasformazione del concetto di lavoro
286 3. Il mercato dell'intimità
289 4. Il mondo del lavoro e il mondo della vita
292 5. Da un'economia per la crescita a un'economia per l'uomo

298 14. Il mito della globalizzazione
298 1. Ricchezza economica e potenza tecnica a fondamento dei valori dell'Occidente
302 2. L'esportazione dei valori occidentali e il mercato dell'odio
306 3. La globalizzazione dei valori occidentali e la risposta terroristica
310 4. L'implosione dei valori occidentali nella passività e nell'inerzia di massa

314 15. Il mito del terrorismo
314 1. La mondializzazione
317 2. La sfida simbolica
319 3. L'angoscia dell'imprevedibile

324 16. Il mito della guerra
324 1. L'estetica della guerra
327 2. L'atrocità della guerra
329 3. La sacralità della guerra
332 4. La guerra santa
336 5. Il silenzio di Dio

338 17. Il mito della sicurezza
338 1. L'instabilità della condizione umana e le misure di stabilizzazione
341 2. L'insicurezza generata dal terrorismo
343 3. L'insicurezza generata dalla globalizzazione
346 4. Il mondo della vita e il mondo della legalità
349 5. Il mondo della vita e il mondo della tecnica
353 6. Il prezzo della civiltà e l'assedio dell'anima

356 18. Il mito della razza
356 1. Il falso mito dell'etnia e dell'identità culturale
360 2. La sfida del multiculturalismo
364 3. L'appello dello straniero
367 4. La paura della diversità
369 5. La vera ragione del razzismo
371 6. La tolleranza imposta dal mercato e dalla tecnica
375 7. Educare al relativismo culturale
380 8. Educare alla fraternità
381 9. Per un nuovo umanesimo

389 Indice delle opere citate

403 Indice degli autori